D1456236

LE JARDIN DES MENSONGES

Eileen Goudge

Le jardin des mensonges

Roman

TRADUIT DE L'AMÉRICAIN
PAR
FRANÇOISE MAYNERIS

UNE ÉDITION SPÉCIALE DES ÉDITIONS SIGNA INC.
EN ACCORD AVEC LES ÉDITIONS STOCK

Titre original :

GARDEN OF LIES
(Viking, New York.)

A ma mère et à mon père
qui m'ont permis de rêver.

Prologue

Il était une fois une pauvre veuve qui vivait dans une maisonnette. Deux rosiers poussaient dans son jardin. L'un donnait des roses blanches, l'autre des roses rouges. Elle avait deux filles qui ressemblaient à ces rosiers. L'une se prénommait Blanche-Neige, l'autre Rose-Rouge.

Grimm.

New York
3 juillet 1943

Sylvie Rosenthal se tenait devant la grande psyché du rayon des chapeaux au Bergdorf.

« Je ne sais pas », dit-elle à la vendeuse. Sylvie redressa le bord de la capeline tressée. « Vous ne trouvez pas ça un peu excentrique?

— L'autre jour, j'ai vu Eleanor Roosevelt dans le journal. Elle portait presque le même, répondit la vendeuse. Bien sûr, elle... ah, elle *n'attendait* pas. » Sa voix chuchota le dernier mot.

Sylvie en fut irritée. Pourquoi, où qu'elle aille, fallait-il qu'on lui parle de cela? Seigneur, ne pouvait-on le lui laisser oublier une minute?

Elle tripota le rebord du canotier et le ruché de tulle vert pomme, en proie au doute. Si seulement Gerald l'avait accompagnée! Je ne sais jamais quoi prendre. Et je me sens si malheureuse quand il n'approuve pas mon choix.

Elle ôta le chapeau et se regarda attentivement dans la glace, se demandant, comme elle l'avait souvent fait depuis huit ans, ce que son mari pouvait bien lui trouver. *Quand il dit que je suis belle, Dieu sait ce qu'il voit.*

Elle voyait un visage long et mince, banal à part les yeux, grands et verts aux cils très clairs. Elle avait tendance à les écarquiller, ce qui lui donnait en permanence un regard étonné.

Gerald l'appelait *Alice au pays des merveilles*. Elle ébaucha un sourire. *Oui, il n'a peut-être pas tort. Parfois je me crois vraiment au pays des merveilles.*

Elle regarda autour d'elle. Faire des courses au Bergdorf vous donnait toujours un sentiment d'irréalité. C'était un paradis secret, épargné par la guerre. Cette profusion d'orchidées et de lis dans les urnes de pierre... Les délicates tables françaises et les vitrines en forme de bow-windows chargées de flacons de parfum... bien sûr, en ce moment le parfum n'était qu'un ersatz... le lustre de cristal de la rotonde en marbre... Elle se souvenait de l'époque où, pour elle, payer un chapeau plus de cinq dollars aurait été inconcevable. Oui, elle avait fait du chemin depuis ce temps-là. *Je suis bien au pays des merveilles.*

Demain aurait lieu le pique-nique annuel du 4 juillet * chez les Gold et, enceinte ou non, elle mourait d'envie d'y être. Les tentes rayées bleu-blanc-rouge... l'odeur appétissante de la viande qui grille... Ensuite, on danserait sur une immense estrade entourée de lanternes japonaises. Sauf qu'il n'y en aurait pas cette année, lui avait dit Evelyn. Son frère cadet avait été tué près d'Okinawa et elle ne voulait pas voir de lanterne japonaise à son pique-nique. Qui aurait pu l'en blâmer?

Sylvie tendit le chapeau à la vendeuse.

Peut-être devrait-elle essayer de nouveau le *Lilly Dache*. Avec sa forme militaire, il serait plus approprié. Elle aurait tant voulu qu'Evelyn...

Sylvie se raidit brusquement.

Elle ressentait une lourdeur en bas du ventre, comme si le bébé venait d'y faire un plongeon. Non, en fait, il *poussait* vers le bas. Elle avait souffert des reins toute la matinée et, à présent, elle avait la sensation qu'une poignée d'aiguilles s'enfonçait à la base de son épine dorsale.

Oh non, pas maintenant, se dit-elle. Ce n'est pas possible. Je ne veux pas.

Mais elle savait que le moment était arrivé.

Au même instant, elle sentit un liquide chaud couler le long de ses cuisses.

Sylvie chancela comme si on l'avait frappée. Son cœur battait fort. Elle baissa les yeux et, horrifiée, aperçut une grande tache sur la moquette beige. Elle venait de perdre les eaux. Seigneur! Elle se sentait aussi honteuse que lorsqu'elle était petite et mouillait sa culotte à l'école.

Un vent de panique souffla sur elle.

Voilà, le moment si redouté était arrivé. Inutile de feindre d'être ravie, positivement enchantée même, de se rassurer en se disant que le bébé était de Gerald, *devait* être de Gerald alors que la peur l'étouffait littéralement. *Il n'était* peut-être pas de Gerald. Et, oh! Dieu du ciel, pourvu qu'il ne ressemble pas à Nikos! Des yeux noirs, une peau couleur de café, des cheveux noirs et hirsutes...

Non, il ne fallait pas y penser.

Luttant pour retrouver son sang-froid, Sylvie se regarda dans la glace. Cette fois-ci, ce ne fut pas Alice qu'elle vit, mais un visage enflé, au teint brouillé, flottant sur un corps déformé. Elle se sentait étrangement

---

* 4 juillet aux États-Unis : Fête de l'Indépendance. (*N.d.T.*)

détachée, comme si elle examinait un poisson exotique dans un aquarium. Ou une noyée, la figure gris-vert, des filaments de cheveux blonds caressant comme des algues son cou pâle.

« Madame... ça ne va pas? » Une voix anxieuse perça ces vertes profondeurs et se fraya un chemin jusqu'à elle.

Sylvie se retourna : la vendeuse teinte au henné la regardait avec inquiétude derrière ses lunettes.

Ah oui, elle était au Bergdorf, en train d'essayer des chapeaux. Le vert ou le bleu? Elle prit le bleu sur le comptoir de verre, tripota son voile.

« Madame? » Des doigts maigres lui prirent le bras.

Sylvie ouvrait la bouche pour dire, je vous en prie, tout va bien, ne vous affolez pas, lorsqu'elle fut prise d'une violente douleur qui lui contracta l'abdomen. Elle manqua s'évanouir. Non, elle n'allait pas bien. Pas bien du tout.

Ses jambes se dérobaient sous elle. Elle agrippa le bord du comptoir, retrouva l'équilibre et se trouva confrontée à une rangée de têtes de mannequins surmontées de couvre-chefs de forme et de couleur différentes. Leurs visages lisses et sans regard la firent frissonner. Ils semblaient l'accuser. Un jury rendant le verdict : coupable.

Si seulement Gerald était là! Il saurait quoi faire. Il parvenait à faire accourir les maîtres d'hôtel rien qu'en haussant les sourcils. Il faisait claquer ses doigts et un taxi sortait aussitôt de la dense circulation pour venir se ranger le long du trottoir. Un simple *regard* de Gerald et tout le personnel de la banque rappliquait aussitôt, du caissier au directeur.

Mais non, Gerald ne doit pas savoir. Heureusement qu'il ne rentre de Boston que demain. Affaires bancaires.

Sylvie mit une main devant sa bouche, prise d'un fou-rire nerveux. La seule personne dont elle aurait eu besoin ne pourrait rien faire pour elle parce qu'elle n'osait pas la prévenir.

Comment avait-elle pu lui faire ça? *Comment?*

Gerald était si bon! Dès qu'elle avait la migraine, et sachant que le moindre bruit déclenchait une tempête sous son crâne, il intimait l'ordre aux domestiques de marcher sur la pointe des pieds.

Elle songea aux jours où elle n'avait pas seulement mal à la tête mais partout. Tout son corps la faisait souffrir. Elle était debout des journées entières pour distribuer de l'argent à travers la grille d'un guichet. Puis elle rentrait chez elle par le métro bondé et enfin montait l'escalier qui sentait le chou, six interminables étages tous les soirs.

Épuisée, se demandant combien de temps elle allait pouvoir tenir sur ses jambes avant de s'effondrer, Sylvie frissonna. Pourquoi faisait-il si froid? C'était le jour le plus chaud de l'année, avait-on dit à la radio mais dans ce magasin, on gelait.

« Voulez-vous que j'appelle un médecin? demanda la vendeuse d'une voix stridente qui la fit sursauter.

– Non, je... »

La douleur au niveau des reins s'étendait, se propageait comme une vague glacée.

Il faut que j'aille à l'hôpital, se dit-elle. Dans un instant, ils vont devoir m'y transporter, évanouie, ma robe tâchée. Tout le monde me regardera. Oh! Seigneur, j'aime mieux mourir.

En gagnant précipitamment la sortie, elle longea les comptoirs de parfums dont l'odeur entêtante lui donna la nausée. Enfin elle parvint, Dieu sait comment, à passer la porte. Dehors l'air était aussi épais que du sirop.

« Hôpital Lenox Hill », dit-elle, s'affalant sur la banquette arrière d'un taxi.

Elle baissa la vitre, laissant pénétrer l'air brûlant qui ne parvenait pas à la réchauffer.

Le chauffeur se mit à chantonner « Pendant qu'on est jeune ». Sylvie aurait voulu qu'il s'arrête mais elle se sentait trop mal en point et trop coupable pour parler.

« " Kesque " vous en dites, hein? demanda-t-il soudain. Maintenant qu'on a foutu ces salauds de Nazis hors d'Égypte, croyez qu'Ike, y va envahir l'Italie? »

Manifestement, il était du genre bavard. Elle regarda le petit bourrelet de graisse rougeâtre au-dessus de son col de chemise. Il avait des cheveux bruns et frisés.

Sylvie aurait voulu répondre poliment mais elle avait trop mal au cœur. Comme le taxi remontait Park Avenue, elle eut de nouveau la sensation d'une paire de tenailles lui prenant l'abdomen. Sylvie se raidit sous la douleur et se mordit l'intérieur des lèvres pour s'empêcher de crier.

Elle avait tellement besoin de sa mère que, pendant quelques secondes, elle sentit vraiment ses bras dodus et fermes autour d'elle, respira l'odeur d'eucalyptus du Vick's Vaporub avec lequel elle massait la poitrine de Sylvie pendant ses crises d'asthme. *Ne pleure pas, shainenke*, disait-elle de sa voix douce. *Je suis là. Je ne te quitterai pas.*

Elle revoyait le visage bouffi de sommeil de sa mère, la tresse grise se balançant sur son épaule, sa vieille robe de chambre de flanelle. Et dans ses yeux bleus si clairs, le fantôme de la petite fille qui avait joué au croquet sur la pelouse de la grande maison de son père à Leipzig, avant la fuite en Amérique.

Mama, abandonnée par un mari volage, vendant des cartes postales et des catalogues au Frick Museum pour vingt-huit dollars par semaine, rêvant absurdement à cette vie meilleure qu'elle avait laissée derrière elle.

Cela embarrassait Sylvie, la façon dont elle parlait du musée, comme s'il lui appartenait, comme si chaque tableau était à elle.

Demain après l'école, tu viendras me chercher au musée et je te montrerai les nouveaux Rembrandt. Tu te rends compte, Sylvie, quelle chance de posséder des œuvres aussi belles!

Mais nous ne possédions rien! avait envie de s'écrier Sylvie, luttant contre la souffrance. A part quelques meubles et les « décrochez-moi ça » que leur envoyait sa tante Willie, la mère de sa sœur, dont le mari avait monté une affaire d'étoles et de cols de renard qui marchait bien.

Mama disait toujours qu'elles avaient quelque chose de mieux que tante Willie et que sa grande maison de Ditmas Park. « On a nous deux. »

Mais ce n'était pas vrai, songea Sylvie avec tristesse. Mama m'a laissée, n'est-ce-pas? *Mama... oh Mama, pourquoi fallait-il que tu meures?*

Elle ferma les yeux, se raidissant contre la douleur à présent permanente, et sentit deux larmes couler sur ses joues. Elle repensa à ce jour, revit M. Harmon, guindé comme toujours, la faisant venir dans son bureau. *Votre mère... je suis navré... une attaque.* Tout était devenu trouble autour d'elle, puis gris et enfin, noir. Elle s'était réveillée dans une limousine. Sièges en cuir aussi lisses que du beurre fondu, coussins profonds, moquette sous ses pieds. Une vitre séparait le chauffeur à la casquette grise de l'arrière. Comme c'était étrange, un tout autre monde!

Près d'elle, il y avait un homme. Il avait passé un bras autour de ses épaules. Elle reconnut avec surprise M. Rosenthal, le patron de la banque! Elle eut alternativement chaud et froid, se sentit inquiète et excitée. Elle avait surpris à plusieurs reprises son regard braqué sur elle, mais il ne lui avait jamais adressé la parole. A la cantine, les filles discutaient constamment de lui. Sa femme était morte plus de vingt ans auparavant sans lui laisser d'enfant et elles se demandaient toutes pourquoi il ne se remariait pas. Sylvie s'était dit que la plupart des femmes devaient avoir un peu peur de lui. Elle le trouvait très intimidant à l'époque, surtout lorsqu'elle le voyait gagner à grands pas son bureau, dans son costume impeccable, donnant des ordres avec calme et autorité.

Mais à cet instant, il ne lui faisait plus peur du tout. Elle voyait de bons yeux bleus entourés d'un fin réseau de rides. Il semblait plus vieux qu'elle ne l'aurait pensé – au moins cinquante ans. Des cheveux blond argenté si fins qu'on voyait la peau de son crâne briller à travers. Il l'emmenait à l'hôpital, lui expliqua-t-il. Auprès de sa mère. Une force tranquille émanait de lui et se communiquait à elle.

Ensuite, il avait payé la note de l'hôpital, organisé les obsèques, puis avait pris soin de Sylvie quand elle-même était tombée malade. Pas une fois, jamais, il n'avait essayé de profiter de la situation. Il lui avait simplement demandé de l'épouser. Il voulait l'épouser! Cela tenait du miracle. Elle n'avait rien fait pour mériter cela.

Et voilà comment elle le remerciait!

Le souvenir de Nikos était comme une épine dans son flanc. Pendant toute une année, elle avait pensé à lui chaque matin en se réveillant. Il la tourmentait sans répit et l'idée que l'enfant qui croissait en elle pût lui ressembler la rendait malade.

Sylvie croisa les mains sur son ventre. La douleur, l'impression d'avoir l'abdomen serré dans un étau commençait à céder un peu. *Si seulement j'avais pu être enceinte avant Nikos, au moins je serais sûre*, se disait-elle pour la énième fois.

Dieu sait qu'elle avait essayé. Elle avait pris sa température pendant trois ans! Et ces visites chez le médecin! Écartelée sur la table d'examen avec le contact du spéculum glacial sur ses muqueuses. Et toujours cette même réponse. Tout était normal. Il fallait prendre patience.

Elle pleurait en voyant l'expression déçue de Gerald chaque fois que ses règles arrivaient.

Pourquoi ne pouvait-elle lui donner au moins ça? Lui qui avait transformé sa vie. Ce n'est pas votre faute, lui avaient dit les trois spécialistes de Park Avenue consultés. Mais Sylvie était sûre du contraire.

Elle sentait que tant qu'elle détesterait faire l'amour avec lui, elle ne pourrait jamais être enceinte.

Pourquoi réagissait-elle ainsi? Pourquoi? Quel mari au monde était plus gentil, plus généreux que Gerald?

Et pourtant, le souvenir de leur nuit de noces l'emplissait encore d'horreur. Dans ses costumes bien coupés, il lui avait paru grand et bien bâti. Nu, son ventre ressemblait à une bourse molle. Il lui semblait vieux, presque ridicule. Et il avait de la poitrine, des *seins* comme une fille! Depuis ce jour, Sylvie éprouvait de la répulsion pour lui lorsqu'il se penchait vers elle pour la prendre. Elle avait beau se raisonner, se dire qu'elle l'aimait et qu'il l'aimait, son corps lui inspirait du dégoût. Son ventre mou se pressant contre elle, son *truc* qui se frayait un chemin en elle et puis ses halètements, ses grognements, comme s'il était en proie à une souffrance intense. Ça s'améliorera, s'était-elle dit et redit. Il le *fallait*. C'est seulement parce que nous ne sommes pas habitués l'un à l'autre.

Cependant, lorsqu'il ôtait son pyjama et le pliait avec soin au pied du lit, elle en avait encore la chair de poule, après huit ans de mariage.

Et puis, il y avait eu Nikos...

Une violente contraction tira Sylvie de sa rêverie. Elle se tordit de douleur sur la banquette arrière du taxi. Elle se pencha en avant, haletante, les mains sur le ventre.

« J'ai changé d'idée, dit-elle au chauffeur. Je voudrais que vous m'emmeniez à Saint-Pious. » Elle lui donna l'adresse et le vit rouler des yeux dans le rétroviseur. Il se dit qu'il ne trouvera jamais personne à ramener de cette partie du Bronx, se dit-elle, mais là-bas, dans son vieux quartier d'enfance, elle se sentirait moins seule. Plus en sécurité, en quelque sorte.

Au cas où Gerald appellerait, elle dirait à Bridget qu'elle était partie chez sa vieille amie Betty Kronsky. Plus tard, elle prétendrait que les douleurs étaient devenues si rapprochées qu'elle n'avait pas eu le temps de rentrer à la maison et d'appeler ce Dr Handler si antipathique, qui avait été le coturne de Gerald à l'université.

Elle savait qu'elle se comportait de façon absurde. Rien de tout cela n'empêcherait Gerald d'apprendre la vérité. Mais pour le moment, cela l'apaisait. Là-bas, elle se sentirait plus proche de Mama, comme si celle-ci la protégeait, la calmait. Et après tout, un miracle était toujours possible. L'enfant ressemblerait peut-être à Gerald, ou à elle.

Ouvrant les yeux, Sylvie se retrouva dans un lit en fer bordé de glissières de sécurité, entouré d'un rideau vert. A travers la fente, là où les rideaux se rejoignaient, elle voyait le mur d'en face orné d'un tableau de Jésus. Sylvie entendit un bruit de pas et se redressa sur ses coudes. Avec un tintement d'anneaux métalliques, le rideau fut tiré. Une femme en uniforme blanc, un court voile sur la tête, se pencha au-dessus d'elle. La lumière fluorescente du plafonnier se reflétait sur ses lunettes et lui donnait un visage curieusement inexpressif. Sa figure était aussi blanche et lisse qu'un œuf.

Sylvie gémit. « Je crois que je vais vomir.

– Non, vous n'allez pas vomir. »

La sécheresse de la réponse la surprit tant qu'elle en oublia ses nausées.

« Ce n'est qu'une impression, ajouta-t-elle plus gentiment. Vous allez très bien. »

Puis la sœur infirmière enfila un gant de caoutchouc et étala une crème sur deux doigts.

« Je vais vous examiner pour voir où en est la dilatation, dit-elle. A propos je m'appelle sœur Ignatious », ajouta-t-elle, écartant le drap et inserrant deux doigts dans le vagin de Sylvie.

Celle-ci se cambra en arrière, tout son être se raidissant contre cette agression.

Sœur Ignatious retira sa main et lui tapota maladroitement le bras. « Six centimètres, annonça-t-elle. Vous en avez encore pour un moment. C'est votre premier ? »

Sylvie hocha la tête, se sentant soudain comme un petit enfant, effrayée, impuissante et terriblement seule. Des larmes s'amoncelaient sous ses paupières.

Sœur Ignatious disparut puis revint quelques minutes plus tard munie d'une cuvette d'eau savonneuse et d'un rasoir.

« Qu'allez-vous me faire? demanda Sylvie, inquiète.

— Allons, allons, calmez-vous, je vais seulement vous raser. »

Sylvie ferma les yeux et se laissa trousser de nouveau. L'eau coula de façon désagréable entre ses cuisses. Elle sentit une main froide sur son ventre.

« Restez tranquille, mon petit. Même si vous avez des contractions. » Le rasoir racla son pubis. Des vagues de souffrance la balayaient et elle luttait contre les larmes.

Enfin, sœur Ignatious se redressa, enleva la cuvette et rabattit sa chemise de nuit. « Le docteur Philipps va venir dans un moment pour vous examiner », dit-elle. Elle referma le rideau et quitta la pièce.

Les heures qui suivirent furent un cauchemar que Sylvie n'aurait jamais cru possible. Dans sa torture, elle oublia Gerald, Nikos et même le bébé qui luttait pour naître.

Il n'y avait plus que la douleur.

Des silhouettes en blanc surgissaient de temps en temps devant elle. Une fille munie d'un calepin prit son nom et la questionna sur son assurance. Puis un homme de haute taille, aux cheveux gris, lui demanda d'écarter les jambes. Elle n'en éprouva aucune gêne, contrairement à ses habitudes, mais simplement une douleur accrue. Elle cria. La sueur dégoulinait sur son visage. Des mains douces posèrent un gant de toilette mouillé sur son front.

Sylvie entendit un cri qui lui parut être l'écho du sien. Elle se rendit vaguement compte que, derrière le rideau, il y avait un autre lit et une femme en travail.

Elle sentait le bébé descendre, exercer une pression intense. Pouvait-elle déloger cette atroce douleur. La *pousser* dehors?

« Ne poussez pas encore », dit une voix autoritaire.

A travers le voile rouge de la souffrance, elle s'efforça de repérer le visage penché au-dessus d'elle. Sœur Ignatious. « Je ne peux pas m'en empêcher, gémit Sylvie en guise de protestation.

— Attendez d'être en salle d'accouchement », dit la sœur.

Sylvie résista à l'envie de pousser mais c'était insupportable. Elle se sentait aussi impuissante que si on avait essayé de l'étrangler. Ce n'était pas seulement son cou qu'on serrait dans un étau mais tout son corps. Elle allait sortir de cette épreuve déchirée en deux.

Comment, au nom du ciel, les femmes surmontaient-elles cette torture? Et non pas une fois mais plusieurs. Comment envisageaient-elles de repasser par là?

Elle ne recommencerait jamais. Ni pour Gerald, ni pour un autre.

Des mains solides la hissèrent sur un chariot. Sylvie frissonnait bien qu'elle fût trempée de sueur. Sa chemise d'hôpital était entortillée sous elle. Elle essaya de rapprocher ses genoux mais ils ne voulaient pas rester l'un contre l'autre. Elle mit une main entre ses jambes, humiliée d'être vue ainsi et pourtant ne souhaitant qu'une chose, être débarrassée de cette brûlante pression.

Elle était vaguement consciente d'être roulée le long d'un couloir. Les roues de caoutchouc cahotaient sur le linoleum inégal. Une nouvelle salle éclairée par une lumière violente. De l'acier, des instruments partout.

Sylvie cria, se tordit sur le chariot. La panique l'envahit. Elle ne parvenait plus à respirer et avait peur de mourir étouffée. Cet endroit glacial, horrible, ressemblant à des toilettes de parking... rien ne pouvait naître là.

On la hissa sur une table. Les jambes écartées, les pieds passés dans des étriers de métal.

« Détendez-vous, Sylvia. Tout va bien se passer. » La voix du Dr Phillips derrière ce masque. De bons yeux bleus sous la haie grise et broussailleuse de ses sourcils.

Mais qui était Sylvia? Puis elle se souvint. C'était elle. La fille au calepin n'avait pas bien noté son nom.

Elle commença à pousser. C'était terrible, presque aussi douloureux que de ne pas pousser mais elle ne pouvait pas s'en empêcher. Elle s'entendit grogner comme un animal. Elle était incapable de se maîtriser.

Des voix lui ordonnaient de pousser. POUSSEZ!

On lui appliqua sur le nez et la bouche un masque de caoutchouc noir.

« Nous allons vous donner un peu de chloroforme, expliqua sœur Ignatious. Respirez bien, ça vous aidera. »

Au moment où son corps écartelé allait se déchirer, Sylvie sentit la pression se relâcher. Quelque chose de petit et d'humide – bien plus petit – qu'elle ne l'aurait cru – s'échappa d'elle.

Elle entendit l'enfant crier, puis une voix: « C'est une fille! » Sylvie se mit à pleurer de soulagement. Elle avait l'impression de flotter, de ne plus rien peser.

Un peu plus tard, un paquet langé serré atterrit dans ses bras.

Sylvie regarda fixement le petit visage émergeant de la couverture blanche. Et du soulagement elle passa au désespoir.

Elle était si foncée! Une masse de cheveux noirs luisants encadrait un visage aplati de la couleur d'un vieux penny. Elle ouvrit les yeux et Sylvie eut un véritable choc: ses yeux étaient noirs jais. Les yeux des nouveau-nés n'étaient-ils pas censés être toujours bleus?

Sylvie sentit le sang se retirer de son visage.

L'enfant de Nikos. Le doute n'était plus permis.

Elle détourna son visage et les larmes coulèrent sur ses joues. Seigneur, comment pourrai-je l'aimer? C'est *son* enfant. Pas le mien, encore moins celui de Gerald. Il va cesser de m'aimer. Cette histoire va le tuer littéralement.

Sylvie fut roulée dans une autre salle qui ressemblait à la précédente. Son lit était face à la fenêtre qui donnait sur une allée. Il y avait trois autres lits, tous occupés. Deux des femmes dormaient, l'autre la regardait avec sympathie.

« Alors, ça s'est bien passé? » demanda-t-elle à Sylvie avec cet accent du Bronx que celle-ci n'aurait pas manqué de prendre si Mama ne s'était constamment employée à corriger sa façon de parler.

Sylvie hocha la tête, trop épuisée pour parler.

« Moi, c'est mon troisième, » continua la femme sans se démonter. Elle avait un visage ouvert, des cheveux châtains bouclés, de grands yeux bruns et un nez retroussé couvert de taches de rousseur. Elle soupira. « Une autre fille! Dom espérait un garçon cette fois-ci. Seigneur, il va être horriblement déçu. Notez, c'est pas qu'il aime pas les filles, mais cette fois il espérait vraiment un garçon.

— Il ne sait pas que vous avez accouché? » Sylvie, à moitié endormie, avait du mal à s'exprimer.

La jeune femme eut un rire un peu amer. « Il est dans la marine. Le bébé devait naître dans quinze jours. Y vont lui donner une permission la semaine prochaine, pour le grand événement. » Elle se rembrunit. « J'aurais pu appeler sa mère, mais c'est une telle garce! Excusez mon langage. Vous savez ce qu'elle m'a dit, quand j'ai été prise? "Tu crois pas que Dom il a autre chose à faire qu'à s'occuper de mômes? Pourquoi que tu t'es pas arrêtée à deux?" C'est la meilleure! Elle devrait dire ça à son fils quand il se met au lit. Bon Dieu, elle croit que je suis marié au pape ou quoi? » Elle fouilla dans son sac et en sortit un paquet de Lucky Strike.

« Une cigarette? » Sylvie secoua la tête. « J'm'appelle Angie. Angelina Santini. » Elle regarda Sylvie à travers un nuage de fumée. « Et vous, vous avez d'autres enfants?

— Non », répondit Sylvie avec un frisson d'horreur, se demandant comment quelqu'un de censé pouvait se retrouver confronté une seconde fois à cette épreuve. Cependant, le bavardage confiant d'Angie la réconfortait. Elles étaient comme deux soldats partageant un abri.

« J'sais que c'est dur, dit Angie d'un air de compassion. Surtout la première fois, mais on oublie. C'est... comment qu'on pourrait dire... la nature humaine. On n'y pense plus après. C'est comme quand votre homme repart en mer et qu'on l'a pas vu depuis quatre mois. » Angie poussa un soupir puis, entendant des pas dans le couloir, elle se redressa

brusquement et éteignit sa cigarette. « Si les sœurs m'attrapent à fumer dans ce vieux bâtiment... Dites, j'ai pas compris votre nom.
– Sylvie. »

Angie la regardait, appuyée sur son coude. « Vous avez une mine de chien, Sylvie, si j'peux me permettre. C'est pareil pour moi, bien sûr. Pourquoi qu'on piquerait pas un roupillon pendant qu'on peut? »

Sylvie lui sourit faiblement. « Oui. Je suis fatiguée. » En fait elle se sentait à moitié morte. Elle aurait pu dormir une année entière.

Dans la pièce trônait le même tableau de Jésus, les paumes sanguinolentes tournées vers le ciel, du sang sur la poitrine. Elle ne put s'empêcher de penser à la cicatrice de Nikos, au-dessus du genou gauche.

En s'endormant, Sylvie pensa à son amant.

Elle le revit, debout à sa porte. Elle s'attendait à voir un homme âgé ou un adolescent, comme tous ceux qui avaient répondu à son annonce. Tous les hommes étaient partis à l'armée hormis les vieillards et les enfants. Elle ouvrit la porte de service. Nikos était là. Elle le revoyait aussi clairement que s'il avait été devant elle. Il avait plu et ses bottes étaient sales. Au début, ce fut tout ce qu'elle remarqua, ces grandes bottes qui lui arrivaient aux genoux, si différentes des élégants *snow-boots* de Gerald qui s'adaptaient à ses chaussures italiennes comme un gant à une main. En entrant, il laissa des traces de boue sur le carrelage noir et blanc de la cuisine. Il boitait légèrement et elle se demanda s'il n'avait pas été blessé dans une bataille.

Puis son regard se transféra vers le haut, enregistrant au passage le corps compact dans le vieux trench-coat kaki, la masse des cheveux bouclés luisants de pluie, les yeux noirs comme des grains de café. De fines rides les entouraient bien qu'il n'eût pas l'air d'avoir plus de trente ans.

Il lui tendit une main immense, calleuse. Son poignet était recouvert de duvet brun. Elle regarda cette main, fascinée, incapable de croiser son regard perçant.

Puis il enleva son imperméable et, par l'échancrure de sa chemise kaki, elle vit un triangle de poils noirs sur sa poitrine. Elle n'avait jamais vu d'homme aussi poilu. Gerald était pratiquement imberbe, à part une touffe clairsemée gris argent sur le pubis. Et il avait de petites mains pour un homme de sa taille. Elles étaient lisses, délicates comme celles des filles.

« Je suis Nikos Alexandros », lui dit-il d'une voix assurée. Puis il sourit, découvrant une rangée de dents très blanches. « Vous avez du travail? Parfait. Vous travaillez pour moi. »

Elle avait trouvé cette faute d'anglais charmante.

Il était cypriote. Il avait été marin à bord d'un pétrolier anglais torpillé au large des Bermudes. Il avait survécu pendant six jours sur un bateau de sauvetage sans nourriture ni eau. « J'ai eu chance, lui expliqua-t-il dans son anglais hésitant, mais moi blessé à la jambe. » Sylvie comprit pourquoi il boitait.

Ce qu'elle comprit moins bien fut le trouble qu'elle ressentait à sa vue. Elle hocha la tête et dit : « Bon, je crois que vous pourriez travailler pour nous. Vous me paraissez – elle était sur le point de dire *fort* – très capable. »

Il lui fit un sourire radieux et lui tendit de nouveau la main. Le contact de cette peau calleuse eut un effet étrange sur elle. Elle se sentit à la fois effrayée et excitée, comme le jour où, à quatorze ans, elle avait surpris, en regardant par la fenêtre, un homme et une femme nus couchés l'un sur l'autre, dans l'appartement d'en face. Elle avait vite baissé le store mais elle en avait vu assez pour se sentir toute chaude et bizarre.

Pendant un an, Nikos avait travaillé pour eux. Quand il était près d'elle, ce trouble la reprenait. Elle l'observait subrepticement lorsqu'il réparait un tuyau ou creusait la terre pour planter les rosiers, la poitrine nue, sa chemise attachée par les manches autour de la taille, les muscles du dos saillant sous l'effort et une coulée de désir la parcourait tout entière. Elle avait envie de ses lèvres sur les siennes, de ses grandes mains rugueuses sur sa peau. Elle en éprouvait du remords et essayait de chasser cette obsession. Bien des femmes auraient fait n'importe quoi pour avoir un mari comme le sien. Comment pouvait-elle même *regarder* un autre homme?

Pourtant, l'après-midi, dans la langueur de la sieste, elle imaginait Nikos près d'elle dans le grand lit à baldaquin, sa sueur mouillant les draps brodés à la main que Gerald faisait venir d'Irlande. Parfois, son désir de lui était si intense qu'elle se caressait. Mais ensuite, cela la dégoûtait.

Qu'éprouvait-elle au juste? De l'amour? C'était impossible. Elle ne l'admirait pas comme elle admirait Gerald. Et quand elle revenait de chez les spécialistes de Park Avenue, c'était les bras de Gerald qu'elle voulait autour d'elle et non ceux de Nikos.

Et pourtant...

Lorsque Gerald se couchait sur elle, elle pensait au torse musclé de Nikos, à ses mains puissantes, à ses lèvres pleines. Parfois, en fermant les yeux, elle arrivait à se persuader que c'était lui et non son mari qui la possédait, et ainsi elle parvenait à éprouver un peu de plaisir.

Mais ce qu'il y avait de plus terrible dans tout cela, c'était que Nikos *savait*. Elle en aurait mis sa main au feu. Non pas qu'il dît ou fît quoi que ce soit, mais lorsqu'il travaillait il avait une façon de lui glisser des regards sous l'épaisse frange de ses cils, qui en disait long. Ou bien, perché en haut de l'échelle, il s'arrêtait soudain et la contemplait d'un air songeur.

Une nuit d'été – il faisait une chaleur étouffante – Sylvie était sortie du lit, laissant Gerald endormi et ronflant doucement. En bas sur la terrasse, il faisait plus frais, on pouvait respirer. Elle avait aperçu le rougeoiement d'une cigarette dans l'obscurité et s'était figée, terrifiée à l'idée qu'il pût s'agir d'un intrus, d'un cambrioleur. Puis elle se souvint que les marches de l'escalier menaient à la chambre du sous-sol où dormait Nikos.

Il se leva et s'approcha d'elle de sa démarche claudicante. Sa silhouette, se profilant sur le clair de lune, avait quelque chose d'un peu menaçant et un frisson la parcourut.

Il lui offrit une cigarette qu'elle accepta bien qu'elle fumât très rarement.

« Je ne pouvais pas dormir, expliqua-t-elle. Il faisait si chaud... je me suis dit qu'on respirait mieux dehors. » Elle avait conscience de la transparence de son peignoir de soie et elle parlait avec nervosité. « Vous savez ce que je faisais quand j'étais petite? Je mettais mon matelas dehors, sur le palier de l'escalier de secours, et je dormais là. Maman avait toujours peur que je tombe. »

Il rit et rejeta sa tête en arrière. « Et maintenant, plus d'escalier de secours. » Son anglais s'était amélioré au cours de l'année mais il continuait à s'exprimer en phrases courtes. « Dommage.

– Oui, n'est-ce pas? C'était bien pratique. »

Ils habitaient un vaste *brownstone* donnant sur Riverside et sur l'Hudson, ils avaient des domestiques, beaucoup d'argent, mais pas d'escalier de secours. Elle se mit à rire aussi, une sorte de gloussement nerveux.

« Et votre maman, où elle est maintenant? »

Son rire s'enraya dans sa gorge. « Elle est morte. » Elle eut soudain envie de fuir, de rentrer dans la maison, de regagner le lit conjugal où elle était en sécurité. « Il faut que je rentre. Il est tard. »

Soudain, elle sentit la grande main tiède de Nikos sur son bras. « Attendez. » Il s'approcha d'elle et, à la lueur de sa cigarette, elle vit ses yeux noirs et profonds, un abîme dans lequel elle pourrait tomber sans jamais parvenir à en sortir.

Sylvie s'imagina qu'il s'apprêtait à l'embrasser. « Je vous en prie... non », bégaya-t-elle en reculant.

Puis elle se rendit compte qu'il voulait simplement allumer sa cigarette avec la sienne. Elle se sentit humiliée, honteuse. A présent, il *savait*.

Des larmes lui montèrent aux yeux.

Il avait l'air perplexe. « Je vous ai offensée?

– Non. Je suis désolée, j'ai cru que... »

Il se tut. Puis lentement, si lentement qu'elle avait l'impression de rêver, il jeta sa cigarette et l'attira contre lui. Il l'embrassa. Il sentait la nicotine mêlée à une autre odeur, subtile, délicieusement épicée.

Ce fut comme si la chaleur de la nuit avait pénétré par tous ses pores. Elle se liquéfia littéralement.

Elle aurait dû fuir, rentrer immédiatement dans la maison. Elle songea à Gerald, calmement endormi, lui faisant totalement confiance, mais elle ne put faire un geste, comme si son remords et son désir pour cet homme constituaient la molécule d'une drogue exquise et paralysante. Personne ne l'avait jamais embrassée ainsi. Un baiser doux, profond, sans fin. Elle avait l'impression d'être perdue au milieu de l'océan, sans personne pour l'empêcher de se noyer.

Elle le suivit et descendit l'escalier en colimaçon qui menait au jardin. Là, elle se prit les pieds dans sa robe de chambre et faillit tomber. Il la rattrapa et sa fièvre monta en sentant ses bras durs comme de la pierre la soulever. Il la porta jusque chez lui, en dépit de sa mauvaise jambe, comme si elle n'avait pas pesé plus lourd qu'une enfant.

A l'intérieur, elle vit un lit étroit, une commode et une petite fenêtre où s'encadrait la lune. En silence, il la remit sur ses jambes, près du lit. Il dénoua sa ceinture et fit glisser le peignoir, petite mare de soie rose sur le sol. Puis il ôta à la hâte ses propres vêtements sans se donner la peine de les plier, contrairement à Gerald.

Sylvie le regardait, les yeux écarquillés. Nu, il s'approcha lentement d'elle. Ses jambes étaient plus pâles que le reste. La lune l'éclairait et elle eut l'étrange impression qu'il s'avançait pour l'engager à participer à une danse rituelle. Pour la première fois, Sylvie pensa qu'un corps d'homme peut être magnifique. Même la cicatrice violette de sa blessure qui partait de sa hanche pour finir au genou semblait excitante, comme le tatouage d'un ordre.

Elle avait les jambes toutes molles. Il la prit par les épaules et la poussa doucement sur le lit. Puis il lui écarta les cuisses et s'agenouilla devant elle.

Oh, mon Dieu, il l'embrassait *là*.

Sylvie était choquée et, bizarrement, cela rendit la chose encore plus délicieuse. Elle passa ses doigts sous les boucles brunes, pressa la tête de Nikos contre son sexe. Elle tremblait tellement que ses jambes étaient agitées de soubresauts. Les gens faisaient-ils réellement ça? Pas les gens *bien*, en tout cas.

Elle savait qu'en ce moment même, elle ne se comportait pas comme les gens bien mais elle s'en moquait. Il n'y avait que ces mains lui caressant la raie des fesses, cherchant à pénétrer en elle, ses lèvres douces et chaudes. Sa langue. Elle ne pouvait s'arrêter de trembler... ne pouvait pas s'arrêter...

Puis il fut à l'intérieur d'elle, allant et venant frénétiquement, leurs deux corps couverts de sueur. Il l'embrassait et sa bouche avait son goût à elle! Elle gémit, cria, les bras et les jambes enserrant son corps, tout son être balayé de grandes vagues de plaisir.

Oh, c'est merveilleux! Est-ce vraiment moi qui fais vraiment tout ce bruit? Gerald ressentait-il la même chose qu'elle lorsqu'il grognait et haletait? Oh! je m'en fous... simplement je ne veux pas que ça finisse... c'est si bon... je me sens si bien.

Il la sabrait de plus en plus vite, de plus en plus profondément. Son corps se raidissait. Elle lui agrippa les fesses, planta ses ongles dans cette chair dure, musclée. Elle cria, fut secouée de spasmes. Lui aussi cria, un son rauque et guttural qui n'en finissait pas.

Puis, un grand calme l'envahit, la délicieuse sensation d'être une plume que la brise peut emporter d'un instant à l'autre dans la nuit.

Elle ouvrit les yeux. Nikos lui souriait. « Cette fois, vous allez dormir », lui dit-il.

Sylvie fut réveillée par des craquements, un bruit de pétards à l'extérieur. Elle se tourna, encore abrutie, vers la fenêtre. Il faisait noir. Elle ne savait combien de temps elle avait dormi. Pas assez, en tout cas. Son ventre dilaté était douloureux et le gros tampon de coton hydrophile entre ses jambes la gênait.

Elle vit Angie s'agiter dans son sommeil. L'une des deux autres ronflait doucement. Comme elle les enviait! Elles rameneraient joyeusement leur bébé à la maison, se réinstalleraient, tout heureuses, dans leur vie.

Mais *elle*, où serait-elle?

Sylvie essaya d'imaginer ce qui l'attendait. Elle n'avait vu Gerald en colère qu'une seule fois mais cela l'avait tellement secouée qu'elle ne l'avait jamais oublié.

C'était un après-midi brumeux. Elle remontait du sous-sol où elle avait rejoint Nikos. Et soudain, elle vit Gerald qui la regardait de la terrasse. *Seigneur, oh mon Dieu!* Elle sentit le sang refluer de son visage. Il ne rentrait jamais de la banque avant l'heure du dîner. Mais il était là, la fixant, le visage de marbre.

Sylvie en tremblait. *Il sait que je ne vais jamais au sous-sol, que j'ai une sensation de claustrophobie dans ces endroits sombres. Que peut-il se dire, à part la vérité? Qu'est-ce que je vais pouvoir inventer comme excuse?*

Mais en fait, le mensonge lui vint aux lèvres avec un grand naturel, de façon aussi instinctive que lorsqu'on met sa main devant son visage pour parer un coup. « Chéri, quelle surprise! » Elle lui cria cela joyeusement mais son cœur cognait dans sa poitrine. « J'ai apporté de l'aspirine à ce pauvre Nikos. Il est au lit avec de la fièvre et c'est le jour de congé de Bridget. Pourquoi ne m'as-tu pas prévenue que tu rentrerais tôt? »

Gerald ne répondit pas, continuant simplement à la regarder de façon bizarre et insistante. En s'approchant de lui, elle remarqua que ses yeux étaient glacials.

« Je ne le savais pas moi-même, répondit-il d'une voix normale. Je suis venu chercher des documents que j'ai oubliés ce matin à la maison. » Mais lorsqu'il lui prit le bras, ce ne fut pas avec sa courtoisie habituelle mais plutôt comme un père s'apprêtant à réprimander son insupportable marmot. « Tu as l'air un peu fiévreuse, toi aussi, ma chère. Tu es toute rouge. Espérons que cet homme ne t'a pas contaminée.

— Gerald, je ne crois pas...

— Tu sais, on n'est jamais trop prudent avec les domestiques, continua-t-il comme si elle n'avait rien dit. On ne sait jamais sur qui on tombe.

— Gerald... » Elle voulait lui dire qu'il lui faisait mal, qu'il lui pinçait le bras mais son expression l'en dissuada.

« Je suis désolé d'insister, mais je trouve préférable que tu t'allonges. »

Il l'entraîna fermement vers l'escalier. Le trajet jusqu'à leur chambre lui parut interminable et elle songea soudain à tout ce que cette folie risquait de lui faire perdre. Elle pensa aux dîners si amusants avec les Gold au Chambord, à cette splendide maison, à son jardin rempli de ces roses qu'elle aimait tant.

Sa chambre, la plus merveilleuse des chambres, lui parut soudain inhospitalière. La brume qui montait du fleuve projetait une lumière froide sur le tapis d'Aubusson, donnant une teinte hivernale à ses ravissantes couleurs d'automne.

Puis il resta là, debout, à la regarder se déshabiller comme s'il avait tout son temps, ne la lâchant pas une seconde des yeux alors que d'habitude, il détournait poliment le regard. Sylvie eut l'impression qu'il cherchait un indice, une preuve de son crime. Elle tripota fébrilement l'agrafe de son soutien-gorge. L'avait-elle bien remise? Oh Seigneur! en tirant brutalement sur sa culotte, Nikos l'avait déchirée. Gerald l'avait-il remarqué? Enfin, au bord des larmes elle se fourra sous ses couvertures. Elle tremblait tellement qu'elle se dit qu'après tout, elle était peut-être réellement malade.

Gerald se planta devant la porte-fenêtre et contempla le jardin. On était à la fin octobre et presque toutes les feuilles du pommier étaient tombées.

« Oh, à propos, dit-il, j'ai décidé de me séparer de Nikos. » Il parlait doucement mais chacun de ses mots résonna en elle comme le marteau sur l'enclume.

Elle feignit une légère surprise. « Ah bon? Pourquoi?

— Tu te souviens du briquet que j'ai cherché l'autre jour? Bridget l'a retrouvé dans sa chambre. C'est stupide de sa part, d'autant plus qu'il n'a aucune valeur. » Il glissa sa main dans sa poche et en sortit un briquet en argent qu'il lui montra dans sa paume ouverte. Comme ses mains étaient bizarrement délicates avec leurs petits ongles roses et plats comme des coquillages. On aurait dit celles de la bergère de Meissen qui ornait la cheminée. Enfin, très calmement, il alluma l'un de ses cigares longs et fins.

Il mentait, ce salaud. Et il se fichait qu'elle le sût. Bridget ne mettait jamais les pieds dans la chambre de Nikos. Sylvie était sûre que ce briquet n'avait jamais quitté la poche de Gerald. Il voulait simplement se débarrasser de Nikos.

Mon Dieu, avait-il compris ou bien ne faisait-il que soupçonner la vérité?

Si Gerald savait, avait une preuve, il la renverrait, comme Nikos. Peut-être pas si vite, mais au bout du compte, cela reviendrait au même.

Sylvie tendit le bras au-dessus des barreaux de son lit pour prendre un verre d'eau sur la table de nuit. *Et maintenant, il en aura la preuve*, se dit-elle. Quant à elle, toute seule avec un enfant à élever, pas de maison, peut-être sans un sou, elle se retrouverait sur Eastern Boulevard, à faire la queue devant Home Relief.

Des craquements — sans doute encore des pétards — l'arrachèrent à ses sombres pensées. Cette fois, cela semblait tout près, dans l'allée, et même sous sa fenêtre.

Le désespoir pesait de tout son poids sur elle. Elle aurait donné n'importe quoi pour être ailleurs, pour effacer tout et recommencer de zéro. Elle jeta un coup d'œil à Angie qui dormait profondément. *Oh, ce que je donnerais pour changer de place avec toi.*

Mais la fatigue l'emporta sur l'angoisse et elle s'endormit.

Elle rêva de son mariage. Elle levait un visage heureux vers Gerald. Il était grand et distingué dans son smoking noir, et il la regardait avec amour.

Elle entendait le chanteur psalmodier et chanter d'une voix presque plaintive. Et ces vieux cantiques la calmaient, la ramenaient à l'époque où Mama et elle se rendaient à la petite synagogue pour célébrer Rosh Hashanah. Gerald soulevait son voile et portait à ses lèvres un verre de vin. Il était sucré et épais, si sucré qu'il lui brûlait la gorge et la faisait tousser.

Soudain, elle ne parvenait plus à respirer.

Quelque chose d'épais, d'horrible, bloquait sa gorge, obstruait ses narines.

Il faisait chaud, suffocant. Pourquoi faisait-il si chaud?

Et alors, elle vit.

Au-dessus d'elle la huppah brodée de soie, qui appartenait à la famille de Gerald depuis des générations, avait pris feu. Des flammes orange léchaient les supports dorés à la feuille. Des étincelles jaillissaient du dais. Désespérée, elle jetait ses bras autour de Gerald mais elle étreignait le vide. Il s'était évanoui dans la fumée.

Le temps s'arrêtait. Elle ne pouvait plus bouger. Elle essayait de crier mais quand elle ouvrait la bouche, aucun son n'en sortait.

Sylvie se réveilla en sursaut. Elle avait l'impression d'avoir la langue en flanelle. Son nez et ses yeux la piquaient. L'air était épais et sale. Il régnait une odeur infecte, comme celle du caoutchouc brûlé, le genre d'odeur nauséabonde qui s'échappe des usines de produits chimiques.

Elle se redressa avec effort et sortit du lit. Le linoléum, sous ses pieds, était chaud. Elle toussa. Ses poumons la brûlaient.

De l'air. Il fallait ouvrir. Elle tituba jusqu'à la fenêtre et tira la poignée vers le haut mais celle-ci bloquée ne bougea pas d'un centimètre. Les fenêtres, aussi vétustes que le reste du bâtiment, étaient fossilisées sous des couches de peinture successives.

Alors elle vit l'étage inférieur. Le feu! Ce n'était pas un rêve, cela arrivait vraiment!

Sylvie, abrutie de sommeil, savait qu'elle devait bouger, courir. Réveiller les autres et sortir le plus vite possible.

Elle attrapa l'oreiller de son lit et le mit contre son visage puis elle s'approcha d'Angie et la secoua. Angie grogna mais n'ouvrit pas les yeux.

« Réveillez-vous! cria Sylvie. Le feu! »

Les autres femmes sortirent du lit et, titubantes de sommeil, gagnèrent le couloir.

Sylvie saisit Angie par les épaules et la secoua de toutes ses forces. Mais la jeune femme se contenta de pousser un gémissement et de rouler sur le dos. Sylvie lutta pour la soulever et la tirer hors du lit, mais la femme était comme un bloc de granit. Il lui fallait trouver de l'aide.

A moitié étouffée, terrifiée, souffrant de partout, Sylvie se précipita hors de la pièce.

Le couloir était une vision de cauchemar. Des patientes en chemises se poussant, criant, d'autres hurlant de leurs lits. Cela faisait penser à *Guernica*, le tableau de Picasso, ou à quelque folle peinture surréaliste. Une civière, roulée par une infirmière livide, la dépassa. La fumée lui noyait les poumons. Elle eut une quinte de toux qui la fit se plier en deux. Ses yeux étaient remplis de larmes qui débordaient sur ses joues.

Elle entendit au loin la sirène d'une voiture de pompier. Mais loin. Trop loin.

La nurserie. Il fallait qu'elle atteigne la nurserie. Elle suivit la flèche.

En chancelant le long du couloir, Sylvie ne pensait qu'à son bébé. Elle était si faible qu'elle avait l'impression d'avancer au ralenti.

Là, devant elle, Sylvie distingua la grande vitre qui isolait la nurserie. Mais quelque chose clochait. La pièce semblait déserte, les rangées de berceaux vides. Elle cligna des paupières pour essayer de voir à travers ses larmes. Non, il y avait encore quelqu'un. Une jeune sœur qu'elle avait vue dans la salle d'accouchement.

Sylvie poussa la porte.

L'infirmière leva vers elle un visage terrifié. Elle enveloppait un enfant dans un drap mouillé. Sylvie vit le nom sur le berceau : Santini. Le bébé d'Angie. Le berceau voisin portait son nom, Rosenthal. Vide. Son sang se figea dans des veines.

Elle saisit le bras de la sœur. « Mon bébé...

— Les enfants sont sains et saufs, répondit la sœur en toussant. Ils ont tous été évacués en bas. Celui-ci est le dernier. »

Un immense soulagement envahit Sylvie. Puis elle se souvint d'Angie. « Mme Santini, dit-elle. Je n'ai pas réussi à la réveiller. Je vous en prie, allez-y. Je vais prendre l'enfant.

— Attendez. » L'infirmière prit une paire de ciseaux et coupa le bracelet d'identité sur le poignet ivoire du nourrisson. « La porcelaine, toussa-t-elle. Ça absorbe la chaleur... pourrait brûler. »

Sylvie aperçut d'autres perles, provenant de divers bracelets, éparpillées sur le sol et sur la table à emmailloter. Un petit paquet rose lui fit un clin d'œil entre deux plis empesés de la blouse de la jeune sœur.

Sylvie tendit les bras, prit le paquet humide. En sentant le poids du bébé contre elle, en soutenant de la paume la petite tête dodelinante contre sa poitrine, elle eut l'impression que ses forces lui revenaient.

Elle se fraya un chemin à travers l'épaisse fumée, passa devant le bureau vide des infirmières et se dirigea vers l'escalier.

Tourne le coin. Là. Juste devant toi. Elle ouvrit grand la porte de sortie et se rejeta aussitôt en arrière.

L'escalier était dévoré par les flammes. Elle entendit un cri perçant et réalisa que c'était le sien.

Mon Dieu, où aller à présent?

Elle se souvint des fenêtres. Elles donnaient sur des paliers d'escaliers de secours, de ces vieux escaliers qui descendaient en zig-zag le long des immeubles.

Se précipitant dans la salle la plus proche, Sylvie posa le bébé sur un lit et lutta de toutes ses forces pour tenter d'ouvrir la fenêtre. Soudain la vitre se débloqua et remonta avec un bruit sec.

Épuisée par l'effort, Sylvie reprit le nourrisson, tira une chaise contre la fenêtre et lentement, avec précaution, monta sur le rebord.

Elle regarda en bas. La rue était bizarrement éclairée, presque comme en plein jour. Des gens, qui semblaient minuscules vus du cinquième étage, détalaient dans tous les sens tandis que les pompiers déroulaient des tuyaux sur le trottoir.

Tout se mit à tourner autour d'elle et Sylvie eut peur de tomber. Elle ferma les yeux et respira à fond.

Non. Ne regarde pas. Elle enjamba l'appui et commença à descendre par l'escalier de secours. Le métal était chaud et rugueux sous ses pieds nus. Elle se tenait à la rampe tout en serrant l'enfant dans ses bras. Les marches étaient terriblement raides et elle mourait de peur.

Comment parviendrait-elle à descendre cinq étages? Que se passerait-il si elle tombait ou lâchait le bébé? *N'y pense pas.*

Les yeux larmoyants, secouée par la toux et les pieds écorchés, Sylvie continua sa descente.

Elle venait d'atteindre le palier du quatrième étage lorsqu'une terrible explosion secoua tout l'escalier métallique. Sylvie se figea. Elle risqua un coup d'œil vers le haut et vit des flammes sortir de la fenêtre éclatée. Du verre brisé volait partout autour d'elle. Quelque chose heurta son épaule en tombant et elle poussa un hurlement. Son omoplate la brûlait. Elle se sentit devenir toute molle, comme liquéfiée à l'intérieur. Un engourdissement la gagnait. Elle voulait bouger mais n'y parvenait pas. Elle ne *pouvait* plus faire un pas.

Le temps parut s'arrêter. La chaleur de plus en plus insupportable s'insinuait sous sa chemise de nuit. Oh mon Dieu, était-ce la fin? Allaient-ils mourir tous les deux, pendant qu'elle resterait figée là comme la femme de Lot?

Puis l'enfant s'agita contre elle. Une main minuscule jaillit de la couverture, voleta sur sa joue comme un papillon.

Elle sentit sa gorge se nouer. *Oh, corps stupide, avance, bon Dieu! Car ce bébé n'est pas le tien. Vas-y!*

Sylvie ne comprit qu'elle était arrivée en bas que lorsqu'elle sentit des mains l'empoigner par la taille et la déposer sur le trottoir qui lui parut merveilleusement solide sous ses pieds. Des voix, des mains la guidaient, la soutenaient.

Le girophare rouge des camions d'incendie lui blessait les yeux. Des voix fortes criaient des ordres dans les haut-parleurs. Les hommes l'aidèrent à traverser la zone des tuyaux et du matériel.

Elle se sentait comme déconnectée. Toute la scène lui semblait irréelle. Des brancards la dépassaient. Ils flottaient comme des civières-fantômes. Des pompiers en combinaison jaune communiquaient en criant pour couvrir le grondement des bouches d'incendie. Leurs visages noircis, contorsionnés, faisaient penser à des gargouilles.

« Des mômes qui jouaient avec des pétards... », entendit-elle l'un des hommes dire.

Tenant toujours le bébé contre elle, Sylvie se fraya un chemin à travers la foule. Bien qu'elle fût presque en état de choc, une idée s'imposait à elle: il fallait qu'elle retrouve son bébé. Mais d'abord Angie, pour lui dire que le sien était sain et sauf. Mon Dieu, la pauvre, elle devait être folle d'angoisse!

Elle repéra une silhouette familière pilotant deux patients dans des fauteuils roulants. « Ma sœur! Attendez! »

Sœur Ignatious se retourna. Son habit blanc était déchiré et maculé de traînées noires. Sylvie lui trouva quelque chose de changé puis remarqua qu'elle ne portait plus ni voile ni lunettes. Dans la confusion, elle avait dû les perdre.

Sylvie, souhaitant désespérément savoir si son bébé était en vie, agrippa la manche salie de la religieuse. « Ma sœur, s'il vous plaît... les autres enfants...

– Ils ont tous été sauvés, Dieu merci. » La sœur se signa.

Puis Sylvie se souvint de l'enfant qu'elle serrait contre elle.

« Où est Mme Santini? » demanda Sylvie.

Les yeux de sœur Ignatious se remplirent de larmes. « Mme Santini est auprès de Dieu maintenant. » Elle se signa de nouveau. « L'explosion. Il était trop tard. Quand ils sont arrivés au cinquième elle... notre pauvre sœur Paul aussi. Elle est morte en essayant de sauver Mme Santini. »

Sylvie revoyait la femme chaleureuse et directe qui avait bavardé si gentiment avec elle. Pauvre Angie, qui parlait de son bébé avec des yeux tout brillants de joie. Elle se mit à pleurer puis, pour la première fois, ôta le drap qui enveloppait le nourrisson.

Le visage était d'une finesse exquise, la peau claire, les yeux, à présent grands ouverts, étaient ronds et bleus comme ceux d'un poupon de celluloïd, et sa bouche faisait penser à un bouton de rose. Un duvet châtain clair, comme celui des canetons, recouvrait sa tête. Non pas noir et bouclé comme les cheveux de sa fille. Du doigt elle caressa la joue soyeuse et le visage du bébé se tourna vers sa main.

Dans tout ce cauchemar, cette merveilleuse petite chose. Elle toucha la main minuscule qui se referma avec une force surprenante sur son index.

Sœur Ignatious lui toucha l'épaule. « Dieu était avec vous. Et avec votre fille. C'est un miracle que vous n'ayez été blessées ni l'une ni l'autre. »

Sylvie la regarda bouche bée. La religieuse avait confondu *son* bébé avec celui d'Angie. Mais après tout, c'était une erreur bien naturelle. Elle avait traversé cet enfer pour sauver un enfant. Qui pouvait faire cela, à part une mère?

Des fractions d'images s'imposèrent à elle. Nikos. La peau foncée, les yeux noirs de son propre enfant. Le regard bleu de Gerald posé sur elle, l'observant avec insistance pendant qu'elle se déshabillait.

Et puis soudain, tout devint clair pour elle. C'était comme un rai de lumière perçant les ténèbres dans une peinture médiévale.

Personne n'en saurait rien. Si elle gardait la petite fille, qui viendrait la lui réclamer? Pas Angie. Ni sœur Paul.

Sœur Ignatious semblait avoir à moitié perdu la tête et, sans le savoir, lui avait déjà donné sa bénédiction. Aucune trace, aucun registre ne survivraient à l'incendie. Tout le service de maternité avait été détruit.

Sylvie en tremblait. C'était monstrueux, comment pouvait-elle envisager d'abandonner son propre enfant?... Et à qui? Il y avait tellement de fous en ce monde. Mais la famille d'Angie... ils devaient être sympathiques, comme elle. Et ils ne sauront jamais que ce n'est pas la leur.

Pouvait-elle faire cela? Cela signifiait qu'elle ne reverrait jamais son propre enfant.

Puis elle songea à ce que serait sa vie et celle de sa fille si Gerald demandait le divorce, s'il lui retirait sa protection.

Seule. Sans Mama. Sans Gerald...

Non, pire que seule. Elle aurait un enfant à charge. Et si elle tombait malade, mourait, qui en prendrait soin? Qui l'aimerait?

C'était la seule chose à faire. Le mari d'Angie ne soupçonnerait rien. Il n'avait pas encore vu le bébé. Il l'aimerait comme le sien. Et Angie avait parlé de ses deux autres filles. Ton enfant aurait des sœurs, une famille...

... Mais c'était un terrible péché...

Tu aurais Gerald. Et un bébé qu'il aimerait, chérirait, élèverait comme le sien.

Sylvie regarda le petit visage. Des larmes coulèrent sur ses joues, tombèrent sur la couverture sale qui enveloppait l'enfant.

Oui, cela valait peut-être mieux...

Mais parviendrai-je à oublier ma fille? Seigneur, ne jamais la tenir, la voir grandir, l'aimer...

C'était un choix terrible. Et elle n'avait pas le temps d'y réfléchir. Sœur Ignatious la regardait. Il fallait qu'elle se décide *maintenant.*

Sylvie leva la tête et soutint le regard de la religieuse.

Elle avait pris sa décision.

« Oui, dit-elle. C'est vraiment un miracle. »

Première Partie

Je hais mes péchés, à cause de Ton juste châtiment, mais surtout parce qu'ils T'offensent, Seigneur, Toi qui es si bon et mérites tout mon amour.

Acte de contrition catholique.

J'ai été consumé par le feu, mais jamais autant que par la chaleur de mon désir.

Prière juive pour Yom Kippour.

1

Brooklyn, 1959

« Bénissez-moi, mon père, parce que j'ai péché. »

Rose Santini, âgée de seize ans, sentait la dureté du prie-Dieu sous ses genoux. Le confessionnal était sombre. L'odeur de l'encens mêlé à celle de la cire d'abeille, le murmure des vêpres dans le chœur lui étaient familiers. Pourtant, elle avait aussi peur que la première fois et son sang battait dans ses oreilles.

Elle pensait : *Je sais ce que vous attendez, mon père. Le genre de choses que vous sortent toujours les enfants – j'ai menti, j'ai mangé un hot-dog vendredi, j'ai maudit ma sœur... Oh, si seulement c'était tout!*

Ce qu'elle avait fait était un million de fois pire. Un péché mortel.

Rose serrait son chapelet dans sa main et les perles s'incrustaient dans sa peau. Elle se sentait chaude, rouge, comme si elle couvait une grippe. Qu'étaient les crampes et le mal de gorge comparé au martyre qu'elle endurait?

Elle revit sœur Gabrielle en primaire lui disant que la confession vous nettoyait l'âme. Elle s'imaginait, allongée sur une table pendant que le prêtre, les manches relevées, les mains pleines de savon, lui récurait l'âme avant de lui infliger une pénitence, quelques «Je vous salue, Marie » et une dizaine de « Notre Père ».

Mais aujourd'hui, son âme était si noire qu'aucun détergent n'en viendrait à bout.

« ... ça fait deux semaines que je ne me suis pas confessée », chuchota-t-elle. Elle distinguait vaguement le profil du prêtre, de l'autre côté de la grille. Lorsqu'elle était petite, elle croyait que le père qui la confessait était Dieu en personne, enfin, plutôt un messager auquel il prêtait sa voix. Une sorte d'appel téléphonique en longue distance, mais venant de beaucoup plus loin que Topeka ou Minneapolis.

A présent, bien sûr, elle savait qu'il ne s'agissait que du vieux père

Donahue qui officiait le dimanche et dont les doigts sentaient le tabac lorsqu'il lui mettait l'hostie sur la langue. Mais savoir que ce n'était que le curé ne la soulageait pas. Elle avait quand même l'estomac noué, parce que, en un sens, cela revenait au même. C'était devant Dieu qu'elle passait en jugement. Il pourrait, pour la punir, la rendre infirme à vie, ou lui infliger une terrible maladie. Elle repensa à l'histoire que leur avait racontée sœur Perpetua. Cette pauvre fille qui avait brusquement perdu la foi. Elle croyait qu'elle était enceinte et, à la fin, lorsqu'ils lui avaient ouvert le ventre, ils avaient trouvé en elle, non pas un enfant, mais une horrible tumeur (avec des dents et des cheveux, avait précisé la sœur) de la taille d'une pastèque.

De toute façon, et au mieux, elle ne couperait pas au Purgatoire. Elle imaginait Dieu, inscrivant ses péchés sur un gros registre noir aux pages vert pâle, comme celui où sœur Agnès consignait les retards et les fautes. Le Purgatoire, c'était comme l'école. Tout le monde se présentait à l'examen. Le tout c'était de savoir si on réussissait ou si on échouait.

Rose récita précipitamment : « Oh Seigneur, je hais mes péchés à cause de Ton juste châtiment mais surtout parce qu'ils T'offensent, Toi qui es si bon et mérites tout mon amour. »

Elle respira à fond.

Le père Donahue marmonna quelques mots en latin puis resta silencieux, attendant la suite.

Rose, mal à l'aise, s'agita sur le prie-Dieu qui craqua de façon sinistre. Dans l'insupportable silence, cela résonna comme un coup de feu. Cet aveu pourrait le tuer, se dit-elle. Lui provoquer une crise cardiaque. UN PRÊTRE MEURT EN CONFESSANT UNE ADOLESCENTE.

Sa bouche était sèche et elle songea avec nostalgie au rouleau entamé de *Lifesavers* dans son sac. Beurre-rhum, son parfum favori. Mais penser à des sucreries en ce moment était un sacrilège.

Elle essaya de se concentrer sur son « lavage d'âme ». La sueur mouillait ses aisselles, dégoulinait sur le soutien-gorge que Marie lui avait donné et qui était trois fois trop petit pour elle. Elle pensa à sainte Jeanne, mourant sur le bûcher.

Le martyre. Elle se souvenait du jour où sœur Perpetua leur avait parlé de cela pour la première fois. C'était en primaire. Elles écoutaient distraitement le cours d'instruction religieuse, un exemplaire de *La Vie des saints* ouvert devant elles.

« Enfants », chuchota-t-elle de façon théâtrale. L'attention raidit le dos de Rose. « J'ai une relique sacrée très rare à vous montrer. Je vais passer dans les rangs et vous pourrez la baiser. »

Elle fit le signe de croix puis ôta de son cou un médaillon en argent caché sous son habit noir. Qu'y avait-il d'autre là-dessous ? se demanda Rose. Des seins ? Des poils pubiques ?

Fascinée, elle regarda la sœur ouvrir le médaillon de son ongle carré comme celui d'un homme. Avec révérence, la religieuse déposa le médaillon dans les mains de Mary Margaret O'Neill assise au premier rang, au bord de la travée centrale. Mary Margaret, dans sa blouse blanche aux manches impeccablement repassées, était la chouchoute de la sœur car elle avait déjà reçu l'Appel.

Un silence total régnait dans la classe. Chaque fille, les yeux écarquillés, prenait le médaillon et y appuyait ses lèvres closes. La sœur leur expliqua qu'il s'agissait d'un fragment de chair provenant du corps d'un martyr brûlé au Mexique plus de deux cents ans auparavant.

Rose attendait son tour, en proie à une curiosité morbide. A quoi ça pouvait bien ressembler? Parviendrait-elle à y *poser ses lèvres?*

Au bout d'une éternité, la relique atterrit enfin dans ses mains. C'était horrible, bien pire que tout ce qu'elle avait imaginé. Noir et ratatiné comme un bout de rôti qui aurait attaché au fond d'une cocotte. Elle pouvait presque sentir la fumée, l'odeur âcre de la chair brûlée.

Et alors, une pensée atroce figea Rose: *Ma mère. C'est comme ça qu'elle devait être lorsqu'elle est morte. Dieu, oh mon Dieu! Et à cause de moi. Si je n'étais pas née cette nuit-là, elle serait toujours en vie. C'est sans doute pour ça que Nonnie me dit toujours que je porte la marque du diable.*

Elle ne pouvait pas embrasser ça. Même si la sœur, si toute la classe avaient les yeux braqués sur elle. Elle préférait mourir.

Et, ensuite, pendant des semaines, elle n'avait pu toucher à sa viande grillée. Rien que d'y penser lui donnait envie de vomir.

Rose, dans le confessionnal sombre et exigu, se sentait proche des martyrs. Elle brûlait, son corps rôtissait doucement sous sa blouse blanche et sa jupe plissée bleu marine. *Ma mère a-t-elle ressenti ça au moment de sa mort? A-t-elle horriblement souffert?*

L'impression de brûlure était encore pire à présent. La sueur dégoulinait entre ses seins, et elle sentait le caoutchouc brûlé. *Angela méritait de mourir, disait Nonnie. Elle a péché contre Dieu et Il l'a punie.* Les mots pleins de haine de sa grand-mère lui grattaient le cerveau comme les souris derrière le mur de la cuisine, la nuit.

Non, ce n'est pas vrai. Je n'y crois pas.

Mais si, après tout, c'était vrai? Serait-elle marquée par le péché de sa mère, comme la race humaine l'avait été par celui d'Eve?

Oui, elle était marquée. Après ce qu'elle avait fait la semaine dernière, elle n'en doutait plus.

Mais comment, *comment* confesser ça? C'était pire que tous les péchés qu'elle avait commis jusque-là.

Commence par les péchés véniels, se dit-elle. Il en éprouvera un moins grand choc.

La première partie, elle aurait pu la réciter en dormant tant elle en avait l'habitude. Sa confession était la même depuis sa première communion avec quelques variantes ici et là.

Puis elle avala sa salive pour humecter sa gorge sèche et dit : « J'ai menti à ma grand-mère. A plusieurs reprises.

— Quel genre de mensonges ? » demanda-t-il gentiment, comme un gardien de phare guidant un bateau perdu dans la tempête.

Rose hésita. Si elle parlait de tous ses mensonges, elle serait encore ici à Pâques, dans deux semaines. Non, il fallait qu'elle fasse un choix.

Elle ferma les yeux et essuya une main moite sur sa jupe plissée. C'était la partie qu'elle détestait le plus – devoir *décrire* ses fautes. Quant à son péché mortel, comment l'aborder ? Il n'était même pas évident que le prêtre eût jamais entendu parler de ce genre de chose.

« J'ai menti à propos d'un livre, dit-elle.

— Lequel ?

— *L'Attrape-Cœur*, de J.D. Salinger. Nonnie ne voulait pas que je le lise parce qu'il était à l'index. »

Elle songea à Molly Quinn, sa meilleure amie, qui appelait l'*Index des livres interdits* la « liste de merde ». Un livre n'avait pas besoin d'être particulièrement grossier pour y figurer, expliquait-elle. Il suffisait qu'il contienne ce fameux mot de quatre lettres.

Le prêtre eut une petite toux polie. « Et vous avez lu ce livre, sachant que votre grand-mère vous l'interdisait ?

— Oui, mon père. » Rose soupira. « Honnêtement, je ne voyais pas ce qu'il y avait de mal à ça. Ce que Holden Caufield essaie de dire... enfin, ça n'a rien à voir avec le sexe. » Rose s'arrêta, horrifiée. Grand Dieu, avait-elle vraiment dit cela ?

Le père Donahue se gratta la gorge. « Il faut avoir confiance en la sagesse de vos aînés, mon enfant, l'admonesta-t-il gentiment. Et n'oubliez pas que ce n'est pas à vous de remettre en question les décisions de l'Église. Continuez.

— Euh... c'est tout ce dont je me souviens, mon père. » Un autre mensonge. Mais à quoi bon expliquer ? Comment le père Donahue aurait-il pu comprendre ce qu'elle vivait à la maison ?

Rose remonta ses cheveux pour aérer sa nuque. Quand elle était au jardin d'enfants, Nonnie les lui tressait chaque matin en tirant si fort dessus qu'elle avait l'impression que son cuir chevelu se décollait. Mais dès l'heure du déjeuner, elle était décoiffée, et ses boucles noires et frisées jaillissaient en tous les sens.

Comme une petite gitane, disait Nonnie, s'efforçant de discipliner cette crinière indomptable. Lorsqu'elle lui brossait les cheveux devant la glace, Rose était frappée par son physique, si différent de celui de

ses sœurs. Un drôle de numéro, avec sa peau olivâtre, ses cheveux
impossibles et ses grands yeux noirs.

Et baraquée, aussi. Pas comme ses sœurs, délicates comme des
poupées. Aucun des vêtements que Mary et Clare lui donnaient ne
lui allait vraiment. Ils étaient toujours trop courts et trop étroits.
Mais elle n'avait pas le choix. C'était honteux, disait Nonnie, de jeter
de bons vêtements par vanité. Ils étaient trop pauvres pour ça.

Un jour, Rose, seule à la maison, s'était déshabillée puis plantée
devant l'armoire à glace de sa chambre. Elle savait qu'en faisant cela,
elle commettait un péché. La sœur l'avait bien dit. Mais elle était
fascinée par sa sombre nudité. Elle avait une peau très foncée, même
aux endroits toujours protégés du soleil. Ses seins lourds avaient la
couleur de la cire d'abeille que Nonnie passait sur les meubles le
samedi, avec des aréoles larges et sombres. Et ses poils étaient fournis,
noirs et encore plus frisés que ses cheveux.

Rose s'était déjà touchée là avec un plaisir mêlé de honte. Grand
Dieu, d'où venait tout ceci? Marie et Clare avaient des yeux bleus et
de magnifiques cheveux blonds, comme leur père. Même Nonnie, à
présent toute ridée et tavelée, avait été autrefois blonde et assez jolie
dans un genre solide, germanique, à en juger par la photo sépia qui
trônait sur l'étagère, au-dessus du canapé. Les parents de Nonnie
venaient de Gênes où le sang teuton s'était mélangé à celui des Ita-
liens. De là venaient son teint clair et ses yeux bleus.

Avec une sorte de plaisir horrifié, Rose avait exploré cette chair
humide sous les poils touffus puis elle avait pris ses seins dans ses
mains, regardant les bouts durcir, devenir comme de grosses fram-
boises. *Laide. Je suis si laide. Personne ne voudra m'épouser, me toucher
comme ça.*

Nonnie disait que c'était un « sang impur » qui lui avait donné
cette peau foncée, que ça venait de sa mère. Mais elle n'y croyait pas.
Mama avait un teint clair, des cheveux châtains et, à en juger par son
vieux manteau d'hiver que Mary portait actuellement, elle était petite
et mince.

Rose avait trouvé un cliché de ses parents dans l'album de Nonnie.
Et c'était cette photo – et non pas celle, guindée, de leur mariage –
qu'elle avait en tête. L'image un peu floue d'une jeune femme vêtue
d'une robe épaulée et démodée, appuyée au bastingage d'un navire,
la tête levée vers son compagnon, séduisant dans son uniforme de la
marine. Riant, manifestement amoureuse, s'abritant du soleil de sa
main gantée. Tout ce qu'on voyait, c'était sa chevelure brillante et
son sourire heureux.

Du sang impur. Si je ne le tiens pas de Mama, de qui, alors?
L'obscurité lugubre du confessionnal l'emplissait de désespoir,

comme ce cauchemar qu'elle faisait souvent : elle tombait dans un espace noir rempli d'étoiles filantes rouges et de mains qui se tendaient vers elle puis se dissipaient comme la brume dès qu'elle s'en approchait.

Rose se souvint que Brian lui avait dit : « Toutes ces histoires de sang impur et de mauvais œil ne sont que des contes de vieilles bonnes femmes.

Il dit que je suis bonne et intelligente. Qu'il n'a jamais connu quelqu'un d'aussi doué que moi pour les mots croisés et les jeux de cartes, d'aussi débrouillard. Il était épaté le jour où j'ai réussi à avoir des billets gratuits pour le match des Yankees contre les Red Sox. Pour toute la classe, même pour sœur Perp.

« En êtes-vous certaine, mon enfant ? » La voix suave du père Donahue l'arracha à ses pensées.

Elle se mordit la lèvre. Devrait-elle le lui dire ? Maintenant ?

Elle se sentit rougir jusqu'aux oreilles et se dégonfla.

« J'ai blasphémé une fois.

— Une seule fois ?

— Oui, mon père.

— *In nomine patris et filii...* » Le père Donahue lui donna l'absolution, lui rappelant avec douceur que d'autres attendaient leur tour.

Rose s'affola. Elle n'avait pas avoué son péché mortel. Dieu allait certainement lui infliger un terrible châtiment.

« Mon père, j'ai eu des rapports sexuels », sortit-elle à brûle-pourpoint.

Maintenant, aurait-il son attaque ? Peut-être Dieu la punirait-elle de cette façon... il frapperait le prêtre, comme il avait frappé sa mère.

Il toussa à s'en faire exploser les poumons et le bruit se répercuta comme le tonnerre sur les parois du confessionnal.

« Mon enfant, souffla-t-il. *Comprenez-vous bien le sens de ce que vous dites ?* »

Rose imagina l'expression horrifiée de son visage rose de vieux chérubin. Elle regretta son aveu, mais c'était trop tard.

« Oui, mon père », murmura-t-elle.

La honte l'envahit, mais curieusement c'était une honte froide, qui lui lavait l'âme en même temps, comme ces douches glaciales qu'elle était parfois obligée de prendre lorsque Marie avait utilisé toute l'eau chaude. Rose tremblait de froid, la respiration coupée, mais elle en sortait en pleine forme, revigorée. Son cœur s'allégea. Elle avait eu le courage d'avouer sa faute. Elle avait imploré le pardon de Dieu et peut-être ne lui infligerait-Il qu'une petite punition, comme la grippe par exemple.

« En êtes-vous absolument *certaine* ?

« – Oui, mon père.

– Avez-vous commis ce... cet acte plus d'une fois?

– Non, une seule fois, mon père. » La voix de Rose tremblait. Elle était couverte de sueur. Elle ne s'était jamais sentie aussi nue, aussi vulnérable. Elle avait l'impression qu'un seul autre mot prononcé de cette voix chevrotante par le père Donahue la ferait tomber raide morte.

Mais le confesseur commença à marmonner la prière usuelle qui ressemblait à un long gémissement.

Allait-il lui poser d'autres questions? La tancer vertement?

A travers la grille, elle le vit faire le signe de croix.

« Allez et ne pêchez plus », lui dit-il d'une voix faible.

C'était terminé. Elle avait avoué sa faute. Et elle était encore vivante. Le père aussi.

Elle sortit du confessionnal et alla s'agenouiller dans l'église pour faire sa pénitence. Elle savait qu'elle aurait dû penser à Dieu mais Brian l'obsédait.

Elle lutta pour le chasser de sa tête afin de prier.

Mais non, elle ne parvenait pas à se concentrer. Elle s'attendait presque à voir Brian se matérialiser devant elle dans son vieux surplis d'enfant de chœur, et lui faire un clin d'œil.

Puis, repensant à ce qu'ils avaient fait, son cœur se mit à battre plus fort. Mais pas parce qu'elle se sentait fautive ou honteuse.

Mon Dieu, pardonnez-moi...

Toutes les pénitences du ciel ne changeraient rien au fait qu'elle aimait Brian. Elle traverserait le feu pour lui. Et même les feux de l'enfer. Et au fond de son cœur, elle savait que si Bri la voulait, elle le referait exactement comme la première fois.

Si! La possibilité qu'il pût ne plus vouloir d'elle, même comme amie, la glaça. C'était samedi et elle ne l'avait pas vu depuis lundi, la nuit où... eh bien où ils avaient oublié qu'ils étaient censés n'être que les meilleurs amis du monde. L'avait-il évitée exprès? Elle aurait pu passer chez lui et frapper à sa porte pour en avoir le cœur net mais chaque fois que l'envie l'en prenait, sa fierté l'en empêchait.

Marie, mère de Dieu, ne laisse pas Bri me haïr... il est tout ce que j'ai... Je ne crois pas que j'arriverai à vivre sans lui, honnêtement je ne le crois pas.

« Notre Père, qui êtes aux cieux... »

Rose cessa d'égrener son chapelet et laissa son regard errer sur l'autel recouvert d'une étoffe blanche, flanqué des statues en marbre de Jésus et de la Vierge Marie. Sur le côté, les cierges votifs coulaient et fumaient. Ils étaient inséparables de ce lieu, tout comme les bancs de bois et les livres de prière.

Une église était censée être la maison de Dieu. Mais si celui-ci pouvait vivre n'importe où, comment avait-il pu choisir les Saints-Martyrs, sur Coney Island Avenue et Avenue R?

Elle en doutait. Elle en doutait vraiment.

Rose leva la tête. Un soleil de fin d'après-midi brillait à travers les vitres constellées de crottes de pigeons et que personne ne se donnait la peine de nettoyer. Deux ans auparavant, une bande de voyous avait cassé les vitraux et on les avait remplacés par ces vitres ordinaires. C'était tout ce qu'avait pu s'offrir la paroisse. Le père Donahue en avait été malade et Rose le comprenait. Quelque chose de cher à son cœur lui avait été arraché, avait volé en éclats. Et c'était la même chose pour elle. Nonnie avait réduit en cendres l'image qu'elle avait de sa mère... *une petite putain, une moins que rien, voilà ce qu'elle était...*

Au souvenir des mots prononcés par sa grand-mère, une haine venimeuse, chauffée à blanc, accéléra les battements de son cœur.

C'était un bien plus gros péché, elle le savait, que celui qu'elle avait confessé au curé.

Je voudrais qu'elle soit morte. Je voudrais que cette vieille sorcière ait brûlé à la place de ma mère.

Rose lutta pour chasser ses mauvaises pensées et se mit à réciter fébrilement ses prières.

Elle pensa à Marie, à la façon dont tout avait commencé la semaine dernière, lorsque sa sœur avait annoncé cette terrible nouvelle.

Clare, Nonnie et elle étaient à table lorsque Marie entra, en retard comme d'habitude. Rose sentit immédiatement qu'il se passait quelque chose. Marie était debout dans la cuisine, les bras le long du corps, les lèvres serrées, avec un air de défi. Elle semblait hors d'haleine, comme si elle avait grimpé les quatre étages au pas de course. L'air était vibrant de danger.

Alors elle avait lâché sa bombe A.

« Pete et moi, nous allons nous marier », annonça-t-elle d'un ton sans réplique, du genre, je vous emmerde tous.

Pendant un instant, personne ne souffla mot. Elles restèrent toutes les trois pétrifiées autour de la table en Formica, sous la lumière fluorescente du plafond. Nonnie dans sa robe de rayonne noire, Clare et elle encore vêtues de leur uniforme de classe.

Rose vit les yeux de Nonnie se poser avec insistance sur le ventre de Marie et elle comprit.

Sainte Mère de Dieu, *Marie était enceinte.*

Nonnie se leva lentement, les paumes appuyées de part et d'autre de son assiette. Elle tira sa chaise en arrière, contourna la table et se planta devant Marie. Puis elle leva la main et lui administra une gifle retentissante.

« Honte à toi, siffla-t-elle. Espèce de dévergondée, honte à toi. Tu ne vaux pas mieux qu'une putain. »

Marie ne bougea pas. Elle était blanche comme un linge, les yeux luisants de larmes. Elle ne fit pas un geste, ne poussa pas un cri.

Ce fut Clare qui laissa échapper un sanglot. Elle se leva brusquement et sortit en courant de la pièce, le visage dans les mains. En la suivant des yeux, une pensée mauvaise traversa Rose. *C'est ça. Cours vers ton missel, comme tu fais toujours, grenouille de bénitier. Ou bien as-tu peur d'attraper ça comme une maladie, d'être enceinte, toi aussi?*

Puis elle se tourna vers Marie et la regarda fixement, essayant de comprendre tout cela. Marie, qui avait près de vingt ans, travaillait au comptoir des cosmétiques à A & S depuis qu'elle était sortie de l'école du Sacré-Cœur. C'est là qu'elle avait rencontré Pete. Naturellement, étant donné son métier, elle était toujours impeccable. Les sourcils épilés et redessinés comme Audrey Hepburn, et un rouge à lèvres très pâle.

Marie avait tout. Rien de vraiment fâcheux ne lui arrivait jamais. C'était la dure de la famille. La colère de Nonnie glissait sur elle comme l'eau dans un tuyau de drainage.

En dépit de son angoisse, Rose sentit sa poitrine se gonfler d'amour et de fierté pour sa sœur aînée. Oui, Marie était dure, mais elle pouvait aussi se montrer bonne et généreuse. Rose repensa à l'histoire du bracelet. Elle avait tanné Marie pour que celle-ci lui prête son bracelet qu'elle adorait. Un jour, en rentrant de l'école, elle l'avait perdu. Elle était sûre que Marie allait être furieuse contre elle. Elle l'avait été... au début. Puis – et c'était typique de Marie – elle avait haussé les épaules et dit : « Oh, cesse de brailler. Ce n'est pas la fin du monde. Je sais bien que tu ne l'as pas fait exprès. Allez, mouche-toi, je vais t'emmener prendre une glace. »

« Hooonte à toi! » La voix stridente de Nonnie fit sursauter Rose. Elle la vit brandir un doigt accusateur sous le nez de Marie. « Mais qu'est-ce que t'as dans la tête? Je te nourris. Je mets de la nourriture devant toi, dans ton assiette. Je t'élève comme ma propre fille. Et tu me fais un coup pareil! Honte à toi! Tu travailles dans un magasin, tu te peinturlures le visage et tu cours la nuit comme un chat de gouttière avec ce Rital, ce moins que rien! »

— Pete est pas un Rital, protesta Marie. Il est portoricain par sa mère. T'as pas le droit de le traiter de Rital!

— Il t'a dévergondée, oui ou non?

– Si tu veux dire par là que je vais avoir un bébé, la réponse est oui. Oui, je vais avoir un enfant. » Marie avança d'un pas, l'air presque menaçant. Sa bouche rose pâle eut une moue de dégoût. « Et laisse-moi te dire une chose, pauvre vieille. Mes mômes, y seront plus gâtés que je l'ai été. »

Nonnie eut un rire sardonique. « Ha! Tu t'es pas mal débrouillée! Le trottoir, c'est là que t'aurais terminé si j'étais pas venue te chercher quand Dieu m'a pris mon Dom, que son âme repose en paix. »

Rose regardait fixement la tranche de viande entamée dans son assiette. Elle était froide à présent et le spectacle de la graisse se figeant dessus lui donnait la nausée. Si seulement Marie arrêtait. Rose avait peur que sa sœur ne pousse Nonnie à faire ou à dire quelque chose qu'elles regretteraient toutes ensuite.

Mais Marie avait une lueur sauvage dans les yeux. Elle fit un autre pas en avant, les poings serrés sur les hanches. « Je suis très contente de m'être fait cloquer. Et tu sais pourquoi? Je vais te le dire pourquoi. Parce que, finalement, je vais me tirer d'ici. Ouais, je t'aurai plus dans les jambes, à me répéter que je vaux rien. Peut-être que c'est à force d'entendre ça tout le temps que je suis devenue mauvaise. Je suis désolée pour Clare. Et pour toi aussi, Rose. » Elle lui lança un regard de pitié. « Moi, si j'étais toi, je me tirerais d'ici au plus vite.

– T'es pas assez bonne pour prononcer le nom de ta sœur! » Nonnie cracha. « Clare, elle a reçu l'Appel. Elle va être religieuse. Jamais, elle m'aurait infligé une honte pareille, elle!

– Évidemment! Depuis le temps que tu la gaves comme une oie de ton Jésus! Quant à Rose, tu la traites comme de la merde. » Elle regarda sa sœur avec colère.

« Comment tu peux te laisser traiter comme ça, Rose?

– Marie... s'il te plaît. » Rose était si choquée par la violence de ces propos qu'elle en balbutiait. Elle fixa sa sœur, l'implorant silencieusement d'arrêter.

« Rose. » Nonnie prononça son nom d'un ton méprisant. Ses petits yeux pâles se posèrent sur elle avec une lueur haineuse. « C'est pas ta sœur. »

Rose la considérait avec stupeur. *J'ai dû mal entendre, se dit-elle. Nonnie n'a pas pu dire ça.*

Marie regarda sa grand-mère. « T'es devenue folle? De quoi parles-tu?

– C'est pas la fille de mon Dom, insista Nonnie. C'est une bâtarde, exactement comme ce que t'as dans ton ventre. Bien sûr, j'ai pas de preuve, mais j'en ai pas besoin. Y a des choses qu'on sent. Y a qu'à la regarder, d'ailleurs. Le jour où elle est née est maudit. C'est la malédiction de Dieu. La première fois que Dom l'a regardée, il s'est mis à pleurer. Je lui ai dit : " Qu'est-ce que tu sais de ta femme, avec ses bas de soie et ses robes à cinquante dollars? Qu'est-ce que tu crois qu'une femme comme ça fait quand son mari part à la guerre et peut pas la surveiller? " Je te le dis, la mort de ta mère, c'était le châtiment de Dieu. Sa punition. »

Rose se boucha les oreilles mais elle l'entendait quand même. Chaque mot s'enfonçait dans sa chair comme le dard d'une guêpe.

« NON! » Rose se leva brusquement, folle de rage. « Tu mens! Ma mère n'était pas comme ça. Elle était bonne et... et... » Elle ne trouvait pas les mots qui convenaient pour exprimer sa souffrance, cette émotion qui lui gonflaient la poitrine.

Brian. Il fallait qu'elle en parle à Brian. Il saurait, il l'aiderait et elle aurait moins mal.

Rose traversa la pièce en trombe, les joues sillonnées de larmes. Elle se précipita dans le salon sombre à toute heure du jour et il lui fallut quelques instants pour distinguer dans la lumière grisâtre qui filtrait à travers les stores vénitiens les quelques meubles de la pièce.

Rose se voyait comme un insecte que sa grand-mère voulait écraser. Elle se battit avec la chaîne de la porte d'entrée, la haïssant, haïssant tout ce qu'il y avait dans cet horrible appartement.

Enfin elle se retrouva dans le couloir et monta le dernier étage quatre à quatre, priant pour que Brian fût là.

Le bruit confus qui venait de l'appartement des McClanahan l'enveloppa dès qu'elle entra chez eux. Ce fut la mère de Brian qui lui ouvrit la porte, un enfant sur la hanche, un autre accroché à sa jambe. Une bonne odeur d'épice flottait dans le salon rempli d'enfants. Les coussins du canapé étaient par terre et des biberons vides traînaient sur les meubles, laissant des marques de lait séché.

« Rose, c'est Dieu qui t'envoie! Peux-tu t'occuper de Kevin pendant que je sors le gâteau du four? C'est l'anniversaire de Jasper et... tiens. » Elle lui tendit l'enfant dont les couches étaient trempées, et fila dans la cuisine en criant : « Brian! Rose est là. Si tu ne sors pas Sean du bain, il va ressembler à une écrevisse. »

Rose s'essuya les yeux d'un revers de main et se laissa tomber sur le canapé-lit en balançant Kevin, installé sur ses genoux. « Salut, mon vieux. Tu veux danser le cha-cha? »

Le bébé eut un large sourire édenté. Il adorait que Rose le balance au rythme d'un invisible orchestre latino-américain. Il riait aux éclats. Rose commença à se sentir mieux.

Tout ce désordre lui remontait parfois le moral. L'immense tapis de coco était couvert de jouets, de lettres d'alphabets mâchonnées par des bébés qui faisaient leurs dents, de crayons cassés et de livres de la

Bibliothèque verte dont la couverture avait disparu depuis longtemps. Sur la table basse étaient empilés les cadeaux d'anniversaire, enveloppés sommairement. Et, perché sur le vieux repose-pieds de M. McClanahan, Jasper, deux ans, écrasait un biscuit entre ses orteils.

« Bienvenue en enfer. Tu n'as pas entendu? Le président Eisenhower vient de déclarer l'appartement zone sinistrée. »

Rose leva les yeux. Brian lui souriait. Il portait dans ses bras Sean, quatre ans, les joues empourprées par son long séjour dans l'eau chaude. Les manches du sweat-shirt Brooklyn College de Brian étaient roulées au-dessus du coude. Des paillettes de lessive décoraient ses cheveux comme des flocons de neige. A sa vue, Rose se sentit renaître.

Il posa Sean par terre et s'assit sur le canapé, à côté d'elle. Le devant de son sweat-shirt gardait l'empreinte humide du corps de son petit frère. « Hé, Rose, ça va? demanda-t-il à voix basse. On dirait que tu viens de pleurer. »

Rose secoua la tête, refoulant d'autres larmes prêtes à jaillir. « Ça va. Mais je crois qu'il faudrait changer Kevin. Il est complètement trempé.

— Sean! cria Brian, surveille Jazzbo, tu veux? Le laisse pas s'approcher des cadeaux, OK? »

Dans la chambre minuscule que Brian partageait avec deux de ses frères, Rose et lui changèrent Kevin qui gigotait comme un ver. Puis Brian le déposa dans son parc avec un trousseau de clés en plastique.

« Tout est calme sur le front de l'ouest, chuchota-t-il en lui prenant la main. Viens, il est temps qu'on se taille avant que les Indiens trouvent notre piste. »

Avec une bouffée d'affection, Rose se dit: *Il sait. Il m'emmène au fort parce qu'il a compris que ça n'allait pas.*

Le fort. Depuis combien de temps n'y étaient-ils pas allés? Au moins deux ans. Depuis que Brian, ayant terminé Precious Blood School, était entré à Brooklyn College. Après, ça leur aurait paru un peu... bébé. Pourtant, elle se souvenait de l'époque où monter au fort leur paraissait la chose la plus excitante au monde.

Les McClanahan habitaient le dernier étage. La mère de Brian avait depuis longtemps fait installer des garde-fous en verre tout le long de l'appartement mais Brian avait trouvé un moyen d'entrer dans la laverie de l'immeuble dont la porte donnait dans le couloir. Là, il y avait une fenêtre qui ouvrait sur une petite plate-forme extérieure. Au-dessus, une échelle menait à la terrasse. L'escalier normal, à l'intérieur de l'immeuble, avait été interdit aux locataires depuis que le jeune Jimmy Storelli, quatre ans, avait basculé dans le vide pendant que sa mère récupérait son linge étendu sur une corde. L'échelle d'accès consistait en une dizaine de marches rouillées sur le côté du bâtiment, avec rien en dessous qu'une chute de quatre étages.

Elle avait sept ans, Brian huit et demi lorsqu'ils avaient découvert l'échelle. Elle était terrifiée en montant sur cette plate-forme mais Brian l'avait cajolée, encouragée, lui promettant de se mettre juste derrière elle et de la rattraper si elle tombait. Il avait grimpé lui-même deux fois de suite pour lui montrer comme c'était facile.

Dieu qu'elle avait eu peur! Et même maintenant, montant derrière Brian dans le crépuscule, elle ne pouvait s'empêcher de repenser à la façon dont le vent s'engouffrait dans sa jupe de velours côtelé trop grande, et la gonflait comme une voile pour la plaquer la seconde d'après contre ses genoux. Elle revoyait le pauvre petit Jimmy Storelli et s'imaginait plongeant vers le sol, son corps roulant sur l'asphalte comme une pastèque tombant d'un camion de primeurs.

Rose souriait à présent en posant son pied sur la dernière marche puis sur le papier goudronné du toit, tiède et usé par les intempéries. Elle s'immobilisa un moment, laissant ses yeux s'habituer à la lumière gris-orange du crépuscule. Là, tapi entre la cheminée et une grille d'aération elle vit le fort. Leur cachette. C'était étonnant qu'il fût toujours là. Ils l'avaient construit avec du matériel récupéré dans un chantier de construction derrière la boulangerie Gross, planches de bois, parpaings, un rouleau d'isolant en fibre de verre, de vieux coussins en mousse de polyester et un rideau de douche orné de morses roses. Comme Brian avait été admiratif lorsqu'elle lui avait montré le système qu'elle avait conçu pour monter tout cela avec des cordes et des poulies. Tous deux, munis de la boîte à outils de M. McClanahan – Brian avec la vision précise de ce que cela allait donner, elle s'assurant que toutes les planches étaient à la bonne hauteur avant d'y planter un clou – y avaient travaillé des heures.

L'ennui, réalisait-elle maintenant en rampant derrière Brian, c'était qu'ils avaient beaucoup grandi depuis. Le gamin maigrichon avec lequel elle jouait autrefois avait maintenant près d'un mètre quatre-vingts. Étendu sur les coussins de mousse, la tête appuyée à un mur, les pieds plus haut contre celui d'en face, Brian avait l'air un tantinet ridicule. Comme Gulliver parmi les Lilliputiens.

Pourtant, Rose sentait une paix étrange se glisser en elle. Ils en avaient passé des heures ici! Sans y faire rien de spécial, d'ailleurs. Ils traînaient, jouaient aux cartes ou fumaient les Winston que Brian piquait à son père. Mais souvent, ils se contentaient de bavarder, imaginant les diverses façons dont leur vie pouvait tourner.

Brian allait être écrivain, comme Ernest Hemingway. A treize ans, il écrivit un roman, une histoire de safari, avec un héros poursuivi par les rhinocéros et les lions. Quant à l'héroïne, elle s'obstinait à s'évanouir sur la piste des éléphants. Elle ne put s'empêcher d'en rire mais en même temps, elle l'adorait, son livre.

Le rêve de Rose était beaucoup moins grandiose ou excitant. Elle ne voulait qu'une chose : filer, partir loin d'ici. Elle s'imaginait, s'enfuyant quelque part, en Californie peut-être, là où Nonnie ne la retrouverait jamais. Elle s'imaginait, voyageant clandestinement en bateau ou en train, jusqu'au terminus.

Il n'y avait qu'un problème. S'enfuir signifiait quitter Brian.

« Un penny si tu me dis à quoi tu penses », dit Brian, la ramenant à la réalité.

Rose poussa un soupir. « Ça vaut bien un dollar.

— Ça va si mal ? »

Remontant ses genoux contre sa poitrine, elle appuya sa tête contre le mur. Des années de pluie et de neige avait fait travailler le bois, mais les planches étaient très épaisses et ils les avaient attachées à la cheminée avec du fil de fer. Même un ouragan ne viendrait pas à bout de notre fort, songeait Rose.

Elle regarda Brian. Il avait replié ses bras sous sa tête et sa nuque reposait sur ses paumes entrelacées. A la lumière du crépuscule qui filtrait à travers le rideau de douche déchiré, son visage était tout contours et ombres. Elle observa l'arête proéminente de son nez. Ce qui l'étonnait le plus, c'étaient ses yeux. Ils ressemblaient à ceux des saints dans les peintures religieuses, une sorte de gris argent brillant d'une lumière intérieure. Brian n'était certes pas un saint — elle pensa à toutes les cigarettes qu'il avait « empruntées » à son père, et de la fois où il avait attaché le pare-choc arrière du père Paul à une bouche d'incendie — mais c'était le seul être vraiment bon que Rose eut jamais connu, le seul qui s'intéressait à elle.

Elle détourna son regard. Elle ne supportait pas l'idée que ces yeux puissent un jour la regarder avec dégoût.

« Est-ce que tu as jamais pensé à tes parents... tu sais... le faisant avec d'autres ? » demanda Rose.

Brian se mit à rire. « Avec sept enfants ? Même s'ils en avaient envie, quand trouveraient-ils le temps ?

— Je me posais la question pour... enfin, d'autres personnes. Et pas forcément des gens mariés. » Rose tripotait un morceau de mousse sale sorti d'un coussin déchiré. « Marie et Pete vont se marier.

— Ah bon ? C'est une bonne nouvelle, ça !

— Elle est enceinte.

— Oh ! » Il demeura silencieux pendant un moment. « C'est pour ça que tu pleurais ?

— Non. Je suis contente pour elle. Pete est sympa. C'est ce qu'elle veut. C'est simplement... » Submergée par l'émotion, elle lui répéta ce que Nonnie avait dit.

Brian la regarda longuement. Puis il dit, à sa façon lente et réfléchie : « Même si c'est vrai, pourquoi te dire ça?

— Pour se venger de moi.

— Se venger de toi? Seigneur, que lui as-tu fait?

— Elle pense que j'ai tué mes parents. Ma mère, elle s'en fiche mais elle était folle de mon père.

— Mais enfin... tu n'étais qu'un bébé.

— Il était en mer, sur un destroyer. Quand ma mère est... après ma naissance, il est revenu mais seulement pour quelques jours. J'ai toujours pensé qu'il n'avait pas voulu rester parce qu'il était triste à cause de maman... et de nous voir Marie, Claie et moi... ça rendait les choses pires encore. On lui rappelait trop maman. Après, quand il a été tué... je l'ai idéalisé, j'en ai fait une espèce de héros. Ma mère aussi. Je l'imaginais presque comme une sainte, une sorte de Jeanne d'Arc. Et maintenant Nonnie prétend... » Sa voix s'enraya dans sa gorge.

« *Oublie* ce qu'elle a dit, l'interrompit fermement Brian. Ce n'est pas vrai. Tu sais que ça ne l'est pas. Elle a toujours été odieuse avec vous, de toute façon.

— Mais... si c'était vrai? Regarde-moi, Bri. Je ne ressemble à personne de ma famille. C'est comme si j'étais tombée du ciel. *Aucun d'eux* n'est brun. Tu sais comment certaines filles du Sacré-Cœur m'appellent? Tante Jemima. Elles disent qu'un de mes ancêtres devait être noir. »

Brian se raidit. Son visage était très pâle dans la pénombre. « Tu ne m'as jamais dit ça, dit-il.

— Je savais que tu serais furieux. De toute façon, je me suis vengée d'elles. » Elle ébaucha un sourire. « Je les ai inscrites à l'excursion du couvent de Sainte-Marie — une journée entière de car. Lorsque la sœur a lu leurs noms sur la liste, elle était si contente qu'aucune n'a osé protester, naturellement. »

Rose s'esclaffa puis soudain son rire s'étrangla dans sa gorge et elle se mit à sangloter.

Brian s'agenouilla près d'elle et l'entoura de ses bras. « Qu'elles aillent se faire foutre. Ce qu'elles pensent n'a pas d'importance. Tout ce qui compte, c'est *toi*. »

Elle leva vers lui un visage ruisselant de larmes. « Tu crois que c'est vrai, Bri? Tu crois que je... que je suis une bâtarde, comme le bébé de Marie?

— Non, mais si tu l'étais, ça me serait égal. » Il lui caressait les cheveux et elle resta là, le visage dans son sweat-shirt qui sentait le talc, le shampoing et son odeur à lui, musquée et virile. « De toute façon, qu'y a-t-il de mal à être différent? Tu es mille fois plus intelligente que toutes les filles que j'ai connues.

– Mais je ne suis pas jolie. » Comprenant à quel point cette remarque pouvait prêter à confusion, elle ajouta vivement : « Je ne cherche pas les compliments. C'est la vérité.

– Qui dit ça? »

Rose se sentit rougir et fut soulagée qu'il fît sombre : « Je ne le suis pas, je le sais, dit-elle avec une sorte de brusquerie. De toute façon, ça m'est égal. »

Brian recula et la prit par les épaules. « Rose, tu *es* jolie.

– Ah oui? Eh bien, personne ne vient me regarder de plus près.

– Peut-être le feraient-ils si tu avais une autre attitude. Tu es tellement sûre que personne ne t'aimera que tu te fermes avant qu'on puisse t'adresser la parole.

– Tu veux dire que je devrais flirter davantage, comme Georgette?

– Ne recommence pas, Rose. Laisse cette pauvre Georgette tranquille.

– Qu'est-ce que j'ai dit de mal?

– Tu ne l'aimes pas. »

Rose avait l'impression de chevaucher le Cyclone, à Coney Island. Elle voulait s'arrêter mais c'était impossible. En fait elle était furieuse contre Brian depuis qu'il sortait avec Georgette. C'était stupide mais elle avait le sentiment qu'elle menaçait leur amitié.

« Je n'ai jamais dit que je ne l'aimais pas, contra-t-elle. De toute façon, ce n'est pas ce que je pense qui compte. C'est ce que tu penses, toi. Et toi elle te plaît. Peut-être même es-tu amoureux d'elle. Elle est le genre de fille après qui les garçons courent. J'imagine que tu le *fais* avec Georgette.

– Ça ne te regarde pas, merde! » explosa Brian. Il s'écarta d'elle avec colère et se laissa tomber sur les coussins.

Dans le calme qui suivit, Rose se rendit compte que son cœur battait très fort.

« Je suis désolée, Bri », dit doucement Rose en lui touchant le bras.

Mais elle n'était pas désolée de ne pas aimer Georgette. Qui aurait pu aimer une fille affublée d'un tel prénom et qui, en outre, ressemblait à une poupée Barbie avec ses chandails en cachemire et ses cheveux blond-roux comme des poils de colley?

« Tu ne peux pas la blairer, hein?

– J'ai seulement dit qu'elle me faisait penser à Lassie.

– Lassie est un *chien*.

– Et alors? Moi j'aime beaucoup les chiens. »

Brian ne put s'empêcher de rire. « Ne sois pas hypocrite, Rose. Ce serait Grace Kelly que tu trouverais le moyen de la critiquer. Tu ne l'aimes pas parce que je sors avec elle. Toi et maman. Vous réagissez de la même façon.

. – Ta mère!» Rose, furieuse, se leva d'un bond, et son crâne heurta violemment le toit, lui rappelant sans ménagement qu'elle avait pas mal grandi depuis sa construction. Elle s'affala sur les coussins en se frottant la tête, mais en fait son amour-propre était plus atteint que son cuir chevelu.

Sa mère. Seigneur! Ça c'était vraiment le comble. Même si ce n'était qu'un ami et non pas son petit ami, l'idée qu'il pût l'associer à sa bonne grosse maman, tellement asexuée en dépit de ses sept enfants, la rendait malade.

«Qu'est-ce que tu crois? Moi aussi j'ai eu des tas d'expériences, lui dit-elle. Et je ne parle pas de simples flirts.

– Bien sûr», dit Brian sans sourciller mais elle voyait qu'il se mordait la lèvre pour ne pas éclater de rire.

Elle poussa un soupir. Il était inutile de mentir. Brian lisait en elle. Un jour, elle lui avait raconté que son père était amiral et qu'il avait torpillé toute une flotte de «bridés» pendant la guerre.

Ils allaient à l'école. Brian s'était penché pour ramasser un penny noirci sur le trottoir. Il l'avait examiné avec attention. «Ouais, avait-il dit. Mon père le connaissait. Il paraît que c'était un type formidable.» Il avait enfoui le penny dans sa poche puis s'était tourné vers elle, avec une expression d'adulte alors qu'il n'avait que douze ans. «Rose, où as-tu entendu ce mot "bridés"?»

Elle s'était arrêtée, surprise par la lumière froide de ses yeux gris. «C'est Nonnie qui dit ça. Elle dit que les hommes qui ont tué mon père n'étaient qu'une bande de salopards jaunes aux yeux bridés.

– Écoute, ne répète jamais ça, d'accord? C'est un mot très moche. Comme ceux qu'on voit sur les murs des stations de métro. T'aime Bobby Lee, non?

– Bien sûr, beaucoup. Il est sympa.» Le père de Bobby Lee possédait le Mandarin Garden, sur Ocean Avenue, et les Lee habitaient au-dessus, au deuxième étage.

«Eh bien, si tu dis ça des autres, tu dis ça de lui aussi. Il y a des noms pour les gens comme nous aussi. Rital, mulets et j'en passe...»

Rose avait rougi. «Je ne voulais pas dire ça.»

Brian lui avait ébouriffé les cheveux. «Hé, Rose, je sais bien.»

A présent, Rose comprenait pourquoi elle détestait la petite amie de Brian. Non pas qu'elle eût quoi que ce soit à lui repprocher, mais Georgette avait tracé une espèce de frontière infranchissable entre Brian et elle. La frontière qui séparait le monde des adultes de celui des enfants. Le mur de Berlin du sexe.

Eh bien, elle en avait marre d'être de l'autre côté du mur, et contrainte à essayer d'imaginer ce que les autres faisaient.

«Embrasse-moi, Bri, demanda-t-elle tranquillement.

– *Quoi?* » Il semblait aussi choqué que si elle lui avait proposé de
peindre au pistolet une statue de la Vierge Marie.

« Juste pour m'entraîner, expliqua-t-elle, comme ça je n'aurai pas
l'air d'une idiote complète quand ça m'arrivera. Tu me diras ce qui
ne va pas. C'est à ça que servent les amis, non?

– Pas exactement. » Il ne semblait plus choqué mais simplement
gêné. Mais, eh bien... d'accord. Après tout, ça ne fait pas mal.

– Tu veux que je m'assoie ou que je m'allonge? » demanda-t-elle,
se sentant soudain nerveuse. Elle avait la bouche sèche. Brian le
remarquerait-il? Oh! ce n'est pas très grave, se dit-elle, c'est juste
pour m'entraîner.

Brian semblait inquiet. « Reste où tu es, dit-il vivement. Et si un
type te dit de t'allonger, *ne le fais pas*, tu m'entends? »

Elle ferma les yeux et attendit. Il ne se passait rien. Elle les rou-
vrit : Brian la regardait en fronçant les sourcils.

« Pas comme ça. Tu es toute figée. Détends-toi, entrouvre tes
lèvres.

– Faut que je dise " cheese "?

– Non, à moins que tu veuilles qu'on te prenne en photo.

– Ce serait bien. Un instantané pour mon album de souvenirs.
Mon premier baiser.

– Baiser d'entraînement », corrigea-t-il.

Brian s'approcha d'elle. Elle sentit son souffle tiède sur son visage,
puis ses lèvres effleurèrent les siennes.

Quelque chose de doux comme du velours lui agaça les dents. Le
bout de sa langue. Elle ouvrit ses lèvres plus largement et il l'enfonça
dans sa bouche. Une chaude coulée de désir se répandit dans ses
veines.

Lorsqu'il la lâcha, tous deux respiraient fort. « Brian, chuchota-
t-elle, prise de vertige, comme le jour où ils avaient vidé une bouteille entière de Gallo Red Mountain. Oh, Brian...

– Rose... je suis désolé. Je ne voulais pas... » Il lui prit le visage
dans les mains. Rose remarqua qu'elles tremblaient. « Je ne voulais
pas faire ça.

– Embrasse-moi encore, dit-elle. Pour de vrai, cette fois. »

Cette fois-ci, le baiser ne se termina pas. Il l'entraîna sur le matelas. Elle se sentait étrangement lourde. Et mouillée entre les jambes,
presque comme si elle avait eu ses règles. Elle se demanda si Marie et
Peter, ça avait commencé ainsi.

Brian gémissait, on aurait dit qu'il souffrait. « Seigneur, Rose... »

Sa main remonta sur ses seins. Elle la sentait, chaude et moite sous
le coton empesé de son chemisier. Elle savait que c'était un péché.
Les sœurs avaient insisté là-dessus. Et de se toucher là aussi. Pour-

tant, avec Brian elle n'avait pas l'impression de faire quelque chose de mal. Cette main sur son sein était celle qui avait pris la sienne le premier jour de classe.

Brian promenait ses lèvres sur sa gorge, dans ses cheveux. Il haletait et luttait gauchement pour dégraffer son soutien-gorge.

Sa maladresse frappa Rose. *Il n'a jamais fait ça avant. Il ne sait pas comment s'enlève un soutien-gorge.*

Prise d'une bouffée de tendresse pour lui, elle l'aida.

Brian grogna, reprit ses lèvres.

Il caressait ses seins de sa grande main chaude. C'était si bon! Trop bon. Cela lui faisait peur. Un truc aussi délicieux ne pouvait être qu'un péché... Elle gigotait pour faire descendre sa jupe lorsque soudain tout le corps de Brian se raidit. Il laissa échapper un long gémissement.

Rose sentit quelque chose d'humide contre sa jambe. Au début elle pensa, horrifiée qu'il avait fait pipi, puis elle comprit. *Son truc.* Le liquide *qui fait les bébés.*

Et la honte l'envahit. Ils avaient fait quelque chose de terrible, d'irréversible. Exactement comme Marie.

Puis ce sentiment de culpabilité se dissipa et il n'y eut plus que Brian qui la serrait contre lui. Son meilleur ami, son âme-sœur.

Il demeura immobile pendant longtemps, le visage contre son cou. Elle sentait son souffle tiède dans ses cheveux et avait envie de rester ainsi à jamais.

Finalement, il s'agita, leva la tête. Son visage semblait très blanc dans l'obscurité. Rose remarqua son air malheureux et lui caressa doucement les lèvres.

« Ne le dis pas. Ne dis pas que tu regrettes. »

Rose était surprise de ce qu'elle ressentait mais en ce moment même, elle aurait eu du mal à le décrire avec précision. Cela effaçait en tout cas complètement les mots haineux de Nonnie. Elle se sentait neuve, brillante, comme si elle venait de renaître.

D'après sœur Perpetua, c'était le genre de sentiment qu'on éprouvait lorsqu'on était appelé, sauf que là, il ne s'agissait pas de Dieu mais d'un homme. De Brian.

Soudain, elle comprit, comme si une part d'elle-même avait vieilli d'une douzaine d'années en une heure.

« Je t'aime, dit-elle.

— Rose. » Il la pressa contre lui et ses mots sortirent étouffés par ses cheveux. « Quelque chose... est arrivé. Je ne sais pas exactement quoi. Mais je... je crois que je le voulais vraiment. Que Dieu me pardonne, Rose, je crois que j'en avais vraiment très envie. »

Ce furent ces derniers mots, que Dieu me pardonne, qui se plan-

tèrent dans son cerveau comme une épine. Une pensée terrible la traversa : Dieu la punirait-elle pour avoir aimé Brian ainsi? Ils avaient
commis l'adultère, n'est-ce pas? Sœur Perpetua disait que l'adultère,
c'était aussi bien les pensées sales que les actes. Rose ne se sentait pas
sale mais elle savait ce que la sœur entendait par là. Le sexe. Et le
faire était un péché, à moins d'être mariée et de vouloir un enfant.

La peur étreignit le cœur de Rose. Elle pensa à des choses terribles.
Elle ne serait pas enceinte mais elle allait peut-être être renversée par
une voiture sur la chaussée. Ou elle tomberait du métro. Ou...

Elle s'arrêta. Son cœur cognait dans sa poitrine. Alors, elle comprit
quelle serait la pire des punitions.

Perdre Brian.

« Mais délivrez-nous du mal, ainsi soit-il. »

C'était son dernier « Notre Père ». Levant la tête, elle constata qu'il
faisait sombre et que l'église était presque vide. Ses genoux lui faisaient mal et elle avait des gargouillements d'estomac. L'heure du
dîner devait être passée.

Elle se leva avec raideur et sortit du banc puis, après une génu-
flexion, elle trempa le bout de ses doigts dans le bénitier et fit le
signe de croix.

Rose sortit et marcha vite. La nuit tombait. De gros nuages
s'étaient formés dans le ciel et il commençait à pleuvoir.

Le menton rentré dans son col, elle descendit rapidement Coney
Island Avenue. Autour d'elle, les gens se dépêchaient. Le vent poussait vers elle des paquets de cigarettes vides, des feuilles de journaux,
de la paille d'emballage. Elle se sentait plus solitaire que jamais.

Elle n'avait pas revu Brian depuis cette fameuse soirée sur le toit,
une semaine auparavant. Il l'évitait. Pourquoi? Était-il gêné vis-à-vis
d'elle?

Un sentiment de culpabilité s'insinuait en elle. *C'est ma faute, je
l'ai forcé à m'embrasser. Je l'ai conduit vers le péché, comme Ève l'a fait
avec Adam.*

Était-ce le châtiment de Dieu... la séparer de Brian?

Lorsque Rose entra dans l'appartement, Nonnie regardait le
Lawrence Welk Show à la télévision. Elle leva à peine la tête de son
tricot.

« Tu es en retard, dit-elle sèchement. Ton dîner est au four. »
Depuis le départ de Mary, Nonnie la laissait tranquille. Peut-être
regrettait-elle ses mots affreux.

« De toute façon, je n'ai pas faim », dit Rose.

Dans la petite chambre qu'elle avait partagé avec sa sœur, le lit de

Marie était nu, les draps enlevés. Un jeté au crochet recouvrait le matelas. Des ronds propres sur la commode recouverte d'une pellicule de poussière marquaient l'emplacement des flacons de toilette que Marie avait enlevés. Envolés aussi les instantanés glissés dans le cadre de la glace. Dans le placard, la moitié des cintres étaient vides. Ils cliquetèrent lorsque Rose suspendit son pull-over.

On avait l'impression que Marie était morte. Rose frissonna et se signa machinalement.

Puis, s'agenouillant sur le sol, elle retroussa le bout usé de la moquette moutarde qui n'était pas clouée mais seulement posée. Au-dessous, il y avait une lame de parquet branlante. Elle prit la lime de métal qu'elle rangeait dans le dernier tiroir de sa commode et, s'en servant comme d'un levier, elle souleva la lame. Au-dessous était dissimulée une vieille boîte de pansements. Sa cachette. Personne ne la connaissait. Ni Marie, ni même Brian.

Rose ouvrit la boîte en fer et, en la secouant, fit tomber sur le sol un bout de tissu gris. Lentement, elle le déplia, révélant le trésor brillant caché à l'intérieur.

Une boucle d'oreille en rubis, qui luisait dans sa paume comme une goutte de sang congelé.

La vision de l'élégante femme en manteau de vison s'imposa de nouveau à elle. C'était il y a six ans mais elle la voyait comme si ç'avait été la veille. Rose l'avait vue un jour, derrière la clôture de la cour de l'école. Elle ne ressemblait pas du tout aux autres mères. On aurait dit une reine. Ou une mystérieuse star de cinéma, dans ce magnifique vison, coiffée de ce chapeau à voilette.

Soudain, elle avait réalisé que ces yeux, sous la voilette, la regardaient, *elle*, fixement. Au début, Rose s'était dit qu'elle devait se tromper. Elle avait même jeté un coup d'œil derrière elle pour voir s'il y avait quelqu'un. Mais non, la femme la fixait bel et bien avec de grands yeux brillants de larmes.

Rose s'était légèrement rapprochée. Triste et perdue, voilà de quoi elle avait l'air, cette dame. Mais cela n'avait aucun sens. Pourquoi l'aurait-elle été? Quelqu'un d'aussi élégant devait être riche et les riches n'avaient jamais les mêmes ennuis que les pauvres. Il faisait froid ce jour-là et la dame semblait frissonner. Elle serrait son manteau autour d'elle. Les rubis brillaient à ses oreilles. Que faisait-elle là?

Comme Rose sortait, entourée du groupe jacassant de ses camarades de classe, la femme avait avancé de quelques pas puis s'était écriée d'une voix étranglée : « Attendez! »

Ahurie, Rose s'était arrêtée, se souvenant que Nonnie et les sœurs lui avaient répété maintes fois de ne jamais adresser la parole à un étranger. Mais, là, il lui était impossible de fuir. Ses bottes semblaient clouées au trottoir.

Rose attendait, comme hypnotisée par ce beau visage fragile au regard bizarrement hanté, à l'ossature prononcée, au teint pâle. Ses cheveux, de la couleur des feuilles d'automne, glissaient sur le col de son manteau. Sa bouche tremblait et ses yeux étaient embués. Elle paraissait sur le point de parler, mais elle recula brusquement, comme si elle avait changé d'avis.

Alors, elle fit quelque chose d'étrange. De sa main gantée, elle retira l'une de ses boucles d'oreilles et la mit dans la paume de Rose, trop étonnée pour protester. Ensuite, elle s'enfuit, ses hauts talons cliquetant sur le trottoir, puis s'engouffra dans une limousine garée au coin de la rue et disparut.

Rose pensait que cette femme était son ange gardien. Tout le monde en avait un, disait sœur Perpetua. Mais Rose ne la croyait pas... jusqu'à ce jour.

Et maintenant, elle avait cette boucle d'oreille pour le prouver.

Rose l'observa dans la lumière. C'était un rubis en forme de goutte, accroché à un petit bouton en diamant. Même dans la pièce sombre, il rayonnait et cette lumière pourpre émerveillait Rose, bien qu'elle l'eût déjà examiné une centaine de fois. Oui, c'était de la magie. Une magie qui venait du ciel.

Et aujourd'hui, elle en avait plus besoin que jamais.

« Ne me laisse pas, Bri, chuchota-t-elle, serrant le bijou dans sa main. S'il te plaît, ne me quitte pas. »

2

New York City, 1963

Rachel regarda en fronçant les sourcils ses œufs frits, flanqués de deux toasts en forme de triangle. Ronds comme des marguerites et sans une bulle.

Elle savait que Bridget les faisait cuire dans un moule à biscuits afin que le blanc soit bien lisse. Pour qu'ils soient parfaits comme tout le reste dans cette maison. Même la fourchette de chez Cartier brillait comme un miroir. Elle aperçut son reflet déformé dans le manche – des yeux bleus et ronds, une chevelure châtain clair.

« Je n'y vais pas », dit Rachel, répondant tranquillement à la question de sa mère.

Comment l'aurait-elle pu, après la soirée d'hier avec Gil? Fais-toi belle, allumeuse, essaie de faire croire que tout va bien. Dieu, quelle plaisanterie ce serait.

Les paroles de Gil la tourmentaient : « *Pourquoi ne pas l'admettre, Rachel? Tu n'es pas si morale. Ce n'est pas pour ça que tu ne veux pas aller jusqu'au bout avec moi. C'est parce que, en fait, tu n'aimes pas l'amour. Tu es frigide. Ou peut-être est-ce une fille que tu veux...* »

Rachel enfonça sa fourchette et regarda le jaune se répandre sur la belle assiette Blue Willow.

Elle était furieuse contre Gil. De tous les crétins prétentieux de Haverford, celui-ci était le pire. Mais malgré tout, ses mots la tracassaient. *Et si c'était vrai?*

Ne te mets pas la tête sous l'aile, se dit-elle, ce n'est pas seulement Gil qui te laisse froide. Ce sont tous les hommes jusqu'à présent.

Vingt ans et encore vierge. Et Gil avait raison. La moralité n'avait rien à voir là-dedans. La vérité était pire. Elle n'en avait pas envie.

Rachel regarda ses œufs crevés, se sentant vaguement nauséeuse. Mais c'était sans rapport avec ce qu'elle avait dans son assiette, pas même avec la bière qu'elle avait bue la nuit dernière.

Tout ramène au sexe, pensa-t-elle. La mode, le parfum, les couvertures des magazines. Et même les publicités pour le dentifrice à la télévision. On a constamment l'impression que le monde entier y pense, en parle, ou le fait.

Alors, qu'est-ce qui cloche chez moi?

Était-ce comme d'apprendre à nager? Ou on était doué, ou on coulait comme une pierre?

Ou peut-être était-elle née ainsi. Normale, aux yeux des autres. Jolie même. Rachel se souvenait, lorsqu'elle était enfant, de sa tante Willie dans son manteau de vison, de son étreinte soyeuse et parfumée. En général, elle lui prenait le visage dans ses mains gantées et s'exclamait : « Mon Dieu, Sylvie, on dirait une petite poupée! Quels traits exquis! Les yeux bleus, elle les a hérités de Gerald. Mais de qui tient-elle cette petite tête de poupée? Ni de toi ni de ta mère. C'est vraiment curieux.

– Je ressemble à un Renoir », répliquait Rachel avec gravité.

C'était toujours ce que disait maman, en tout cas. Un jour, elle lui avait montré un tableau dans un livre d'art. On y voyait une petite fille avec de longs cheveux blond-roux ondulés et des yeux bleus de Chine, brillants, assortis à sa robe, assise avec raideur dans un jardin, un arrosoir à la main.

Rachel détestait ce tableau et un jour qu'elle était de mauvaise humeur, elle l'avait barbouillé au crayon. Pourquoi lui disait-on toujours qu'elle était délicate, mignonne, une poupée, etc.? Elle mourait d'envie de courir dans la grande maison pleine d'échos, au lieu de marcher doucement comme le recommandait maman, ou de crier à s'en faire exploser les poumons. En tout cas, elle n'avait pas du tout envie de ressembler à une poupée tenant un stupide arrosoir. Non, elle aurait voulu être comme les oiseaux, ou les bêtes sauvages, vivre à sa guise sans se préoccuper de l'opinion des gens.

A présent, elle se demandait si elle ne s'était pas inquiétée tout ce temps pour quelque chose qui, au fond n'avait guère d'importance, alors qu'elle avait peut-être un vrai problème *à l'intérieur*, comme un manque d'hormones ou tout simplement de désir sexuel. Ou même, quelque chose qui clocherait *en bas*.

« Rachel, que t'arrive-t-il? » La voix de sa mère la tira de ses pensées.

Rachel leva la tête. Papa était absorbé dans son journal mais maman la regardait avec cette expression triste, légèrement perplexe qu'elle avait souvent lorsqu'elles étaient en désaccord. Pouvait-elle se confier à sa mère? Maman qui ne s'entourait que de belles choses, qui écoutait de la musique de chambre sur sa chaîne stéréo, qui portait des foulards de soie et passait des heures à soigner ses roses. Elle ressemblait elle-même à une fleur, mince, élégante avec ses grands yeux verts et ses cheveux blonds si clairs qu'ils paraissaient presque blancs. A huit heures et demie du matin, elle avait déjà du rouge à lèvres et une robe d'intérieur imprimée.

Elle serait probablement choquée. Elle ne m'a jamais parlé de sexualité. Je me demande si elle a jamais ressenti ça, si elle a jamais eu une passion pour papa... ou pour quelqu'un d'autre.

« Je n'ai pas faim, c'est tout, dit Rachel. Cet examen de math m'a crevée. Je n'ai pas dû dormir plus d'une heure par nuit la semaine dernière. » Elle poussa un soupir, prit l'un de ses toast et le trempa dans le jaune d'œuf. « Lorsque j'ai décidé de faire des études de médecine, je croyais que je disséquerais des yeux de mouton ou des cœurs de vache et non pas des nombres. »

Rachel vit sa mère tressaillir. Sylvie ne pouvait supporter l'idée que sa fille voulût devenir médecin. Rachel sentit monter en elle une bouffée d'irritation.

Bon Dieu, je ne serai pas comme elle, toujours impeccable. Elle voudrait que je travaille sans me salir les mains.

Puis Rachel fut frappée par une pensée déroutante qu'elle n'avait jamais eue auparavant. *Et si je lui ressemblais davantage que je ne le pense? Maman n'aime peut-être pas faire l'amour... je ne peux pas imaginer qu'elle le fasse avec papa... ce genre de chose s'hérite peut-être, comme la couleur des yeux ou des cheveux?*

« La réception n'est que dans quinze jours », lui rappela doucement Sylvie. Elle ébaucha un sourire en versant du lait dans son café et commença lentement, avec des gestes gracieux, à mélanger le tout, sa cuillère tintant contre la porcelaine de Limoges. « J'étais en train de penser... Tu te souviens quand Mason t'a appris à nager, tu devais avoir quatre ou cinq ans. C'était l'hiver où papa a acheté la maison de Palm Beach, n'est-ce pas, Gerald? »

Papa leva les yeux du *Wall Street Journal*. « Mmm? Oh, oui, oui. Toi et ce petit garçon, vous faisiez les pires bêtises. » Il croisa le regard de Rachel et lui fit un clin d'œil. Pendant un instant, elle sentit le cercle invisible de l'affection qui les entourait tous les deux, juste eux deux.

Puis elle se dit, le cœur serré, *il fait si vieux maintenant.*

Elle regarda ses cheveux blancs clairsemés qui dissimulaient mal son crâne et son visage tout tavelé. Elle pensa qu'elle allait peut-être le perdre dans peu de temps. C'était terrible.

Elle le revoyait, la soulevant, la faisant tournoyer au-dessus du sol, les yeux brillants d'amour. Parfois, il l'emmenait au Metropolitan Opera voir *Les Noces de Figaro*. Seuls tous les deux. C'était l'opéra qu'ils préféraient.

Mais maintenant, il était maigre et semblait se déplacer avec précaution. Il avait un regard fiévreux, comme s'il était consumé peu à peu par un feu intérieur.

Elle revit ce jour affreux, trois ans auparavant, où on leur avait téléphoné pour les prévenir que papa avait été transporté en réanimation à l'hôpital de New York. Elle était rentrée précipitamment de l'école. A l'hôpital, elle l'avait trouvé dans un état épouvantable. Gris, sous sa tente à oxygène, comme une créature momifiée relié à de nombreux tubes, et elle avait ressenti un mélange de rage et de désespoir. Pourquoi ne pouvaient-ils rien *faire* pour le guérir, pour le tirer de là? Les médecins, les infirmières et les aides-soignants s'agitaient autour de lui, ne faisant rien d'autre que d'écrire des notes sur la feuille du malade. Ce jour-là, agrippée au montant chromé du lit, elle s'était juré que, si papa guérissait, elle deviendrait médecin. Ainsi elle ne se sentirait plus jamais impuissante, dépendante de gens qui ne faisaient rien.

Rachel chassa ce souvenir. Mason. Ils venaient de parler de Mason Gold, non? « Je me souviens qu'il a failli me noyer, dit-elle en riant. Il m'a traitée de poule mouillée et j'étais tellement hors de moi que j'ai sauté dans le grand bassin et que j'ai coulé comme une pierre. »

Sylvie leva la tête, ses grands yeux verts écarquillés, l'air troublé. « Tu ne m'as jamais dit *cela.* »

Ce n'est rien à côté du reste, maman, se dit Rachel.

Elle haussa les épaules. « Je n'aurais plus jamais pu approcher de la piscine si je te l'avais dit. »

Le silence qui suivit et le regard qu'échangèrent Gerald et Sylvie lui prouva qu'elle avait raison. Rachel devint consciente des bruits de la maison, réconfortants par leur familiarité, les casseroles entrechoquées dans la cuisine, le grondement de Portia se grattant sous la table, le tic-tac de la pendule sur la cheminée. Elle se dit : Seigneur, ils sont en train d'imaginer ce qu'aurait été la vie s'ils m'avaient vraiment perdue, si je m'étais noyée.

Elle eut l'impression qu'une chape de plomb tombait sur ses épaules. Trop d'amour. Elle était leur unique enfant.

Comme elle avait désespérément souhaité avoir un frère ou une sœur. Mais, bien que maman eût gardé le berceau très longtemps dans la nurserie, aucun autre enfant n'était né. Pour se consoler, Rachel avait dû jouer avec un nombre incalculable de poupées. On lui en offrait à chaque anniversaire et pour Hannukah, dans de superbes boîtes brillantes – des poupées Muffie, Betsy Wetsy, Barbie, etc. mais elle avait perdu tout intérêt pour elles le jour où elle avait compris qu'en dépit de son imagination, elles ne seraient jamais de *vraies* petits sœurs pour elle.

Rachel regarda sa mère remuer distraitement son café, ses longs doigts presque aussi translucides que la tasse de porcelaine. Elle laissait son café refroidir. Elle était étrange parfois, complètement enfermée en elle-même. Rachel avait toujours senti cette légère tristesse en elle comme une ombre, un voile qui les séparait. Lorsque maman l'embrassait, elle la serrait toujours trop fort, elle l'étouffait presque, comme si elle avait peur que Rachel ne disparaisse tout à coup, ne lui échappe.

Notamment à ses anniversaires. Sa bouche souriait mais pas ses yeux. Rachel soufflait les bougies, faisant année après année le même souhait : *S'il vous plaît, faites que ma mère soit heureuse.*

Pourquoi ne l'était-elle pas? Que pouvait-elle souhaiter d'autre? Était-ce *sa* faute? Enfant, cela l'avait beaucoup préoccupée. Elle se disait que si elle avait été plus obéissante, plus sage, comme la petite fille du tableau, sa mère aurait sans doute été plus heureuse.

« Mange tes œufs, chérie. Ils refroidissent.

— Je n'ai pas très faim. »

Sylvie la regarda d'un air inquiet. « Tu ne te sens pas bien? » *Nous y voilà. Il y avait longtemps.* « Je me sens très bien, maman. Seulement je me suis couchée à deux heures. Et au moment où j'allais enfin m'endormir, Portia est venu me rejoindre. Je crois que je lui manquais. » Elle se pencha pour caresser le labrador noir sous la table. Lorsque son regard se posa à nouveau sur sa mère, elle vit que celle-ci avait l'air anxieux. « *Honnêtement,* maman. Je suis forte comme un cheval. »

Seigneur, elle me tue! Chaque fois que j'avais une écorchure ou un genoux couronné, on aurait crue, à la voir, que j'étais terrassée par une crise d'épilepsie ou par un cancer. Pauvre maman.

Quand avait-elle compris que les mères des autres filles n'étaient pas toutes comme elle? Elles s'habillaient comme maman, avaient les mêmes coiffures et faisaient leurs courses dans les mêmes boutiques. Pourtant aucune n'avait le chic de sa mère.

D'abord, maman rendait la vie plus amusante. Tout ce qu'elles faisaient ensemble était spécial, important. Les autres filles allaient au jardin, ou voir les marionnettes. Maman l'emmenait dans les musées, lui montrait de mystérieuses tombes, des sarcophages en or datant de l'ancienne Égypte. Et des pièces remplies de tableaux et d'objets d'art merveilleux, comme ce village japonais sculpté entièrement dans un bloc d'ivoire. Maman la tenait par la main, lui expliquait tout, et elle avait constamment l'impression d'assister à un miracle.

Cependant, les amies de sa mère étaient, en un sens, beaucoup plus décontractées. Elles badigeonnaient distraitement les genoux couronnés de leurs enfants comme elles auraient beurré un toast. Elles criaient parfois, mais si leur fille rentrait de l'école avec un quart d'heure de retard, elles n'étaient pas à moitié mortes de terreur.

Pourtant, chose curieuse, quand l'atmosphère virait au drame, maman tenait le coup. Après la crise cardiaque de papa, elle avait trouvé Rachel sanglotant au chevet de son père. Maman l'avait prise fermement par le bras et entraînée hors de la chambre avec un regard, non pas brillant de larmes mais de colère.

« Je ne supporterai pas ça! lui avait-elle dit d'un ton sec. Tu te comportes comme s'il allait mourir. Il va mieux. Il va *guérir*. Et pour l'amour du ciel, avant de rentrer dans sa chambre, va te passer le visage sous l'eau. Je ne veux pas que ton père, en se réveillant, s'imagine que nous faisons *shiva* pour lui. »

Maman était comme ça, plus forte qu'on ne le croyait, et peut-être qu'elle-même ne le croyait.

« Tu tiens vraiment à ce que j'aille à cette soirée? » demanda Rachel, regardant sa mère porter sa tasse à ses lèvres. Elle avait tellement envie de lui faire plaisir, de voir disparaître cette tristesse tapie aux fond de ses yeux.

Sylvie posa doucement sa tasse. « Oh, Rachel, ce n'est pas pour *moi*. C'est pour toi que c'est important? Quand j'étais jeune... » Elle eut un regard lointain, puis se reprit : « De toute façon, ce n'était pas si mal. Mais j'étais... solitaire. Une fille de ton âge devrait avoir toute une cour de jeunes gens qui lui rendent visite. »

Rachel se mit à rire. « Les jeunes gens d'aujourd'hui ne vous rendent plus visite, maman. » *Ils vous baisent.*

Elle pensa à Gil et frissonna. Dehors il pleuvait, de grosses gouttes tambourinaient contre les carreaux. Dans peu de temps, ce serait Thanksgiving, puis Hannukah. Elle avait acheté une superbe écharpe en cachemire d'un bleu très doux pour Gil.

Est-ce que je suis amoureuse de lui? Mais elle n'avait jamais *fondu* devant lui, pas comme on est censé le faire, en tout cas, pas même au début. Charmée, oui, elle l'était. Sa façon distraite de s'habiller l'attendrissait. Il mettait aussi bien une veste de Brooks Brothers avec un jean couvert de taches de peinture. Elle aimait bien aussi les dessins animés qu'il faisait dans son cahier de texte quand ils travaillaient ensemble.

Mais il était tellement organisé... tellement content de lui. Il n'était qu'en première année de fac et il potassait déjà sa spécialité, la chirurgie du thorax.

Rachel sentait croître son irritation envers lui, mais aussi envers elle-même.

Ce n'est quand même pas sa faute si tu es frigide.

Elle songea à la soirée de la veille. Ils revenaient de Bryn Mawr. Gil conduisait et avant qu'elle ait compris où ils étaient, il se garait de long de la péniche, sur le lac Carnegie à Princeton. Le crépuscule tombait, le ciel était mauve, l'eau sombre et calme. Il faisait trop froid pour rester assis longtemps dehors, mais Gil avait insisté. Organisé comme toujours, il avait emporté de la Lowenbrau, un gros paquet de chips et un vieux dessus-de-lit matelassé.

Rachel se souvenait vaguement de vêtements déboutonnés. Elle se sentait nouée et elle avait une terrible envie de faire pipi. Puis la fermeture Éclair de Gil s'était coincée et il était devenu tout rouge et avait juré. Soudain, toute la scène lui avait paru des plus cocasses — eux deux dans ce froid sibérien, et Gil s'énervant sur sa fermeture Éclair avec une érection monumentale.

Le fou rire l'avait gagnée puis submergée. Lorsqu'elle était enfin parvenue à se calmer, elle avait dit à Gil en s'essuyant les yeux : « Je suis désolée. Je ne sais pas ce qui m'a prise. »

Gil la regardait avec une moue coléreuse. Il ne ressemblait plus du tout à Gregory Peck mais à un petit garçon rageur qui vient de perdre son jouet favori.

« Je crois que tu le sais très bien, lui dit-il d'un ton furieux. Ce n'est pas la première fois et nous le savons tous les deux. Et ce que j'aimerais savoir, ce que j'aimerais vraiment savoir, c'est ce que tu trouves de si drôle. »

Mais il était si comique avec son visage défiguré par la colère et ses cheveux couverts de mousse qu'elle sentit avec horreur le fou rire la reprendre.

« Ça n'a rien à voir avec toi, Gil, parvint-elle à bredouiller. C'est nerveux, tu sais, comme lorsque les gens rient aux enterrements. Je me sens toute nouée et soudain... eh bien, il faut que ça sorte d'une manière ou d'une autre. » Aux enterrements ? Oh Seigneur, se dit-elle, quelle comparaison.

Il la regardait, bouche bée, mais semblait moins en colère. « Bonté divine, Rachel, mais qu'est-ce que tu crois ? Que je vais t'enfourcher dans une meule de foin ? Satisfaire une simple envie ? Qu'est-ce qui te rend si nerveuse ? Je t'aime, bon Dieu ! »

Et, de nouveau, l'envie de rire monta dangereusement en elle. Elle se mordit la langue.

Cependant sa déclaration lui avait clairement montré la voie à suivre, comme la pancarte EXIT, éclairée dans la nuit.

« Je suis vraiment désolée, Gil. Je t'aime beaucoup, mais je crois que je ne t'aime pas vraiment. Pas assez, en tout cas, pour aller jusqu'au bout. »

Oui, dès qu'elle tomberait amoureuse, ce serait différent. Là, elle sentirait sûrement tout ce qu'elle était censée ressentir.

Gil s'était mis à rire à son tour, mais d'un rire amer. « L'amour ? Tu crois que c'est ce qui te retient ? Seigneur, tu es encore plus tordue que je ne le croyais. La vérité, c'est que tu n'aimes pas l'amour. A moins que ce soient les femmes qui t'intéressent. » Il avait commencé à replier son couvre-lit mais il s'arrêta soudain et la regarda d'un air mauvais. « Je souhaite de tout mon cœur que tu trouves ce que tu cherches. Je suis sincère. Mais dorénavant, je te serai reconnaissant de me foutre la paix. »

La nuit dernière, en repensant à ces mots, Rachel s'était mise à pleurer. Personne ne l'aimerait jamais et elle ne pourrait jamais aimer personne. Elle était un cas médical, l'un de ceux qui font l'objet d'un article dans la presse spécialisée.

Le tintement de la porcelaine la ramena à la table du petit déjeuner. Rachel leva la tête et aperçut le large dos de Bridget qui disparaissait dans l'office avec une pile d'assiettes.

« De toute façon, je ne suis pas seule, mentit-elle à Sylvie. Je t'ai, j'ai papa et Portia. »

Papa leva les yeux de son journal. « Eh bien, je suis heureux que ta mère et moi comptions presque autant que Portia. Seulement, je voudrais *vraiment* que tu cesses de le nourrir à table. »

Rachel sortit sa main de sous la table où Portia achevait de manger le toast de sa maîtresse.

« C'est tout, espèce de mendiant », dit-elle fermement au labrador tout en lui refilant un dernier bout de toast.

Elle entendit son père grommeller en lisant : « Pourquoi diable Kennedy éprouve-t-il le besoin d'aller faire un tour au Texas? Qui a besoin de lui là-bas? Il ferait mieux de boucher les trous de sa propre clôture. Je n'aime pas la façon dont les choses tournent en Indochine. Ça me rappelle fâcheusement l'histoire de la Corée.

— Gerald! le gronda Sylvie d'un ton affectueux, je t'en prie, ne parlons pas de guerre. » Elle se tourna vers Rachel, et son visage s'éclaira. « Je pensais que nous pourrions peut-être aller faire des courses aujourd'hui ou demain. Il te faudrait une robe pour la soirée des Gold. La nouvelle collection de Cassini chez Bendel est merveilleuse. Qu'en penses-tu? »

Rachel se taisait, accablée. Elle possédait au moins une trentaine de robes, dont certaines portaient encore l'étiquette de la boutique.

Si seulement elle lui avait acheté des vêtements qu'elle puisse porter. Un chandail marin, des jeans délavés et de vieux mocassins, comme ceux qu'elle portait aujourd'hui. Dans cette tenue, elle se sentait bien. Elle imaginait la robe que maman allait lui acheter. De la soie pastel, aussi pâle que l'aube, avec des manches bouffantes et une jupe qui flotterait à la hauteur des genoux. Et elle irait à la réception de Mason, belle comme un paquet-cadeau mais vide à l'intérieur.

Elle s'efforça de sourire à sa mère et renonça à affirmer sa personnalité. Elle allait rester encore quelque temps la petite fille de maman, l'enfant à l'arrosoir.

« Demain, promit-elle. Nous irons demain matin. »

Deux jours plus tard, Sylvie, assise dans le fauteuil à oreillettes de la salle de télévision, regardait, les yeux pleins de larmes, les images de cauchemar qu'on s'obstinait à leur repasser : l'escorte, la limousine décapotée, le président souriant et Jackie, élégante comme toujours, saluant la foule. Puis soudain, tout basculait dans l'horreur. Kennedy s'effondrait brusquement, une tache noire – du sang – à la tête. Jackie le prenait dans ses bras, puis essayait de s'enfuir par l'arrière de la voiture, aussitôt retenue par un homme du service de sécurité tandis que la limousine fonçait.

Sylvie se leva, accablée, et éteignit la télévision. Ses yeux la brûlaient. Il était près de minuit. Rachel et elle n'avaient pas quitté la pièce depuis le début de l'après-midi, trop choquées pour songer à faire autre chose. Gerald avait donné congé à ses employés et les avait rejointes. Tout fermait, avait-il expliqué.

Rachel et elle essayaient des robes chez Bonwit quand la nouvelle leur était parvenue.

Sylvie s'était brusquement souvenu du jour où elle avait perdu les eaux au Bergdorf.

Gerald et Rachel étaient montés se coucher depuis longtemps mais elle savait que si elle regagnait sa chambre maintenant, elle ne pourrait jamais s'endormir. Son cerveau s'obstinerait à lui ramener devant les yeux des images qu'elle ne voulait plus voir.

Sylvie traversa le bureau sombre de Gerald aux meubles lourds, si masculins. Il était encombré de livres, de vieilles photos de ses parents et de ses grands-parents accrochées aux murs et de livrets d'opéra – tous ceux qui avaient été traduits. Sous sa chaîne stéréo, ses disques s'alignaient sur tout un mur.

Elle s'arrêta devant la table de travail recouverte de cuir et tripota le coupe-papier en argent que Rachel avait offert à son père pour son anniversaire. Ancien, magnifiquement gravé, le genre d'objet qu'il aimait. Elle le connaissait si bien! Ils s'adoraient, ces deux-là.

Sylvie eut mal, comme si le coupe-papier venait de s'enfoncer dans sa poitrine. Elle était si seule. Jamais Gerald ne saurait le terrible choix qu'elle avait dû faire. Il ne pouvait partager sa souffrance. Combien de fois, la nuit, avait-elle versé des larmes silencieuses au souvenir de l'enfant brune, la chair de sa chair, qu'elle ne tiendrait jamais dans ses bras, ne verrait pas grandir.

Cependant, la vie sans Rachel était tout aussi inconcevable pour elle. Impossible même.

Pourtant, un sentiment de plénitude manquait à l'amour qu'elle éprouvait pour sa fille, l'impression de quelque chose de déchiré, de douloureux en permanence. Comme elle enviait Gerald de ne pas savoir. Rachel était à lui, tout à lui et sans compromis.

En regardant sa fille, ces derniers temps, Sylvie revoyait Angie Santini, sa vraie mère.

L'obstination de Rachel, l'avait-elle hérité de sa mère? Cette façon de vouloir à tout prix être médecin, de consacrer sa vie à tout ce qui était laid en ce monde – la maladie, la douleur, la mort.

J'ai tellement essayé d'en faire une femme cultivée, une femme du monde. Mais elle a une personnalité bien à elle, qui ne ressemble ni à la mienne ni à celle de Gerald. Curieux qu'elle soit à la fois si petite, si délicate et en même temps qu'elle ait cette volonté de fer, cette indépendance. Mais ne suis-je pas un peu envieuse aussi? Rachel semblait savoir exactement ce qu'elle voulait de l'existence et comment l'obtenir. Sylvie se demandait ce qu'aurait été sa vie si elle n'avait pas épousé Gerald. Non qu'elle le regrettât! Non, pas une seconde. Elle adorait vivre avec lui. Mais quels dragons aurait-elle dû affronter si Gerald ne l'avait pas protégée de tout? Quels talents se serait-elle découverts?

Oh oui, parfois – pas souvent, mais de temps à autre – elle s'imaginait seule, livrée à elle-même. Dans un bureau, peut-être, comme celui-ci, avec une batterie de téléphones et des gens lui demandant son opinion sur telle ou telle chose, voulant *son* avis. Pas seulement la femme de Gerald Rosenthal, mais une femme avec une vie à elle et un carnet de chèques à son nom.

Et cette insatisfaction la déprimait. J'ai déjà tant de choses, se disait-elle. Bien plus que je ne le mérite. Un mari merveilleux, de la fortune et une fille têtue mais adorable.

Je n'aimerais pas davantage Rachel si elle était de mon propre sang. Chaque fois qu'elle sort de la maison, j'ai peur. Je veux tant de choses pour elle... tout ce qui est bon en ce monde. Pourtant je rêve de lui rendre ce que je lui ai pris – ses sœurs, sa famille véritable. Et, bien sûr, c'est impossible, je ne pourrai jamais le faire.

Sylvie posa le coupe-papier. Il y avait encore une chose dont elle mourait d'envie, dont elle avait *besoin, c'était de la tenir, ne serait-ce qu'une fois dans ses bras. Mon propre enfant. Le bébé que j'ai porté neuf mois en moi. Oh Seigneur, pouvoir seulement la serrer contre moi et l'embrasser!*

Mais cela n'arriverait jamais. Elle avait déjà pris trop de risques en s'adressant à ce détective privé. Et qu'est-ce que ça lui avait apporté de savoir où vivait sa fille? Davantage de souffrance. Elle avait appris que Dominic Santini était mort. Rose vivait avec sa grand-mère et ses deux sœurs. Elles se débrouillaient à peu près grâce à l'aide sociale et à une maigre pension.

Depuis longtemps, Sylvie souhaitait aider Rose mais elle ne savait pas comment s'y prendre. Puis, un jour, elle avait vu une vieille émission à la télévision, « Le Millionnaire », et cela lui avait donné une idée. Elle allait ouvrir un livret de caisse d'épargne au nom de Rose.

Par l'intermédiaire du détective, elle trouva un avocat prêt à exécuter ses ordres sans lui poser de questions. Son bureau, situé sur la Seconde Avenue et 11e Rue, était modeste. Rien à voir avec celui de Gerald. Elle lui remit vingt-cinq mille dollars – c'était tout ce qu'elle avait pu réunir sans éveiller les soupçons de son mari – et lui demanda de le déposer sur le compte ouvert au nom de Rose. Ensuite, elle envoya une lettre à la grand-mère, la nommant administratrice de ses biens et l'informant que l'argent venait d'un bienfaiteur souhaitant rester anonyme.

Bien sûr, c'était absurde, tellement risqué! Et si la grand-mère de Rose avait eu des soupçons? Elle aurait pu essayer d'entrer en contact avec l'avocat. Mais Sylvie avait prudemment donné un faux nom et avait déposé la somme en liquide. Au fond, en y réfléchissant, cela n'avait rien de bien inquiétant. Et, de cette façon, la petite Rose aurait un pécule qui pourrait peut-être l'aider à entrer à l'université, par exemple.

Elle avait beau savoir que Rose, dorénavant, était protégée, Sylvie continuait de souffrir. Elle avait besoin de la voir, de la toucher. Aussi, des années plus tard, elle avait fait quelque chose de vraiment imprudent. Elle était allée à son école.

« Rose », dit Sylvie. C'était si rare et si bon de pouvoir prononcer son nom à voix haute que son cœur s'allégea.

Elle leva les yeux et laissa son regard errer sur le portrait accroché au-dessus de la cheminée. Une version plus jeune d'elle-même, l'air serein et oui, même royal dans une robe bleu pâle qui découvrait des épaules très blanches. Ses cheveux dorés étaient remontés sur le dessus de la tête, à la française. Elle tournait légèrement la tête, et on voyait le rubis à son oreille. Elle se souvenait du jour où Gerald lui avait donné ces boucles d'oreille, pour la naissance de Rachel – des rubis anciens exquis en forme de goutte, sertis dans de l'or, accrochés à un petit diamant. Comme il avait eu l'air stupéfait lorsqu'elle avait éclaté en sanglots!

Soudain, en regardant la boucle d'oreille, frappée par l'habileté avec laquelle l'artiste avait su rendre l'éclat rouge sombre du rubis, elle se revit sur le trottoir, devant l'école de Rose. C'était une journée d'hiver et elle attendait que sa fille apparaisse.

Dès qu'elle la vit, Sylvie se dit que le prénom qu'ils lui avaient choisi ne lui allait pas du tout. La rose évoquait une fleur délicate. Or sa fille était brune comme une bohémienne, avec de longues jambes, des yeux immenses, et des pommettes saillantes qu'on aurait plutôt imaginées sur une femme que sur une petite fille de neuf ans. Elle portait un manteau étriqué pour elle et ses cheveux noirs et exubérants étaient tressés serré.

Mais dès qu'elle avait vu ces grands yeux bruns levés vers elle, Sylvie avait oublié l'étrangeté de son physique et senti son cœur se briser.

Elle porta machinalement une main à son oreille. A présent, elle mettait des boucles en diamant. Plus de rubis. Elle avait soigneusement caché celle qui restait dans un endroit où personne ne la trouverait.

Elle n'avait pas revu Rose, depuis ce jour. Il y a quelques mois, elle avait eu le courage d'appeler chez elle. Elle avait prétendu être une employée de la compagnie du téléphone chargée de faire une enquête. Son interlocutrice – une voisine – ne savait rien. Elle était passée pour voir si Mme Santini, qui avait eu une attaque récemment, n'avait pas besoin d'aide. Elle avait donné à Sylvie un numéro où joindre Rose partie au travail. Sylvie l'avait composé. Elle était restée suffisamment longtemps en ligne pour apprendre qu'il s'agissait d'un cabinet d'avocats dans lequel Rose était sans doute secrétaire. Apparemment, elle survivait. Mais était-elle heureuse?

Je ne le saurai jamais. Je ne partagerai jamais ses pensées, j'ignorerai toujours ce qu'il y a dans son cœur. Je ne lui prendrai jamais la main, je ne sentirai jamais sa tête contre ma poitrine. Même Rachel, que pourtant j'adore, ne peut pas remplir ce vide en moi.

Sylvie, submergée par l'émotion, se laissa tomber dans le grand fauteuil de cuir du bureau de Gerald et se mit à sangloter.

Rachel s'arrêta à l'entrée de la salle de bal de l'hôtel Pierre et contempla le spectacle de la fête donnée pour le vingt et unième anniversaire de Mason Gold.

Les parents de Mason avaient dû dépenser une fortune. Des bouquets de chrysanthèmes jaune et de freezias blancs décoraient les tables, chargées de toutes sortes de mets. Sur une estrade, un orchestre jouait *Only You* et de nombreux couples se pressaient sur la piste.

Heureusement que c'est la *party* de Mason et non la mienne, pensa Rachel. Tout ce... tout cet étalage de fric. Je mourrais de honte!

Elle chercha à repérer un visage familier mais ne reconnut personne. Les filles étaient jolies mais se ressemblaient toutes. Elles portaient les mêmes robes raides de couleur pastel, que Jackie Kennedy avait mises à la mode et leurs têtes étaient casquées de cheveux tout aussi raides et gonflés. Les garçons aussi étaient identiques dans leur smoking, avec leur bronzage d'hiver et leurs sourires blancs. Elle surprit le regard de l'un d'entre eux braqué sur elle – épaules larges, cheveux blonds en brosse – et elle se sentit rougir jusqu'à la racine des cheveux.

Oh Seigneur, est-ce que ça se voit? Ce n'est tout de même pas si évident!

Le cœur battant, elle serra sa pochette de velours contre sa hanche et sentit le diaphragme en forme de soucoupe à l'intérieur.

Elle avait maintenant l'impression que tous les garçons la regardaient. Mais ce n'était pas parce qu'elle portait cette robe qui lui moulait les fesses et révélait la moitié de ses seins qu'ils comprenaient forcément ce qu'elle avait en tête. Ou bien s'en rendaient-ils compte?

Rachel se redressa. Bon, et alors? Qu'ils sachent que ce soir Rachel Rosenthal est consentante.

Et parmi tous ces singes en smoking, il y en aurait bien un assez excité pour avoir envie de briser une bouteille de champagne sur sa proue – enfin, c'était une façon de parler – pour célébrer la fin de son pucelage.

La semaine dernière, elle avait été si affectée par la mort de Kennedy qu'elle avait réalisé quelque chose d'important. Elle pouvait mourir demain sans avoir su ce qu'était l'amour physique. Au fond, elle avait peur, peur de franchir le pas. Mais une fois ce pas franchi, elle serait enfin libérée et commencerait à s'amuser.

Elle avait donc pris rendez-vous avec un gynécologue, le Dr Saperstein, et lui avait expliqué que, se fiançant, elle trouvait plus prudent de commander un diaphragme. Ensuite, elle s'était entraînée à le mettre dans sa salle de bain. Il fallait s'enduire de cette dégoûtante gelée et le tout était vraiment désagréable et peu romantique.

Et à présent, debout dans cette robe de velours bleu d'Oleg Cassini, ses longs cheveux brillants, maquillée pour la première fois depuis des siècles, Rachel se sentait moins sûre d'elle-même que jamais. Et toute l'idée lui paraissait soudain inepte. Baiser ne ferait que lui confirmer sa frigidité.

Une voix grave la fit sursauter.

« Y en a pourtant des bistrots pourris dans ce pays, mais fallait que t'entres dans le mien. »

Elle pivota, une main contre sa bouche et riant à travers ses doigts, geste qu'elle n'avait pas fait depuis des années.

« Mason! Seigneur, je ne t'aurais pas reconnu. Entre parenthèses, tu imites toujours aussi mal Bogie. » Elle considérait l'étranger de haute taille, avec ses cheveux noirs et bouclés, qui ressemblait tant aux autres étudiants, à part une petite touche personnelle – le nœud papillon en lamé or.

Il haussa les épaules. « Certaines choses ne changent jamais. Moi aussi j'aurais eu du mal à te reconnaître. Ça fait combien... cinq, six ans?

– Ouais, quelque chose comme ça. Tu vas bien?

– Ça va. » Il détourna soudain son regard, l'air embarrassé et gauche, et elle regretta à nouveau d'être venue. Puis il lui sourit de toutes ses dents.

« Alors, qu'est-ce que tu en penses? Sacrée soirée, non? Le vieux n'a pas perdu la main. »

Mais tout ce que Rachel voyait, c'étaient des corps se pressant les uns contre les autres. « Tu as l'air de connaître beaucoup de gens », dit-elle.

Il haussa les épaules. « Je me balade pas mal autour de l'université. *Lacrosse. The Record.* De toute façon, New Haven n'est pas une si petite ville et tu sais comment sont les types des fraternités. Dès qu'ils entendent le mot *party*, ils s'arrangent pour rappliquer.

— Je suis surprise que tu aies pensé à m'inviter, dit-elle. Nous avons suivi des chemins si différents.

— A vrai dire — ne te vexe pas — c'est une idée de maman. Moi je pensais que tu ne connaîtrais personne. Et puis j'avais gardé le souvenir d'une gamine squelettique, affligée d'un appareil dentaire et qui me cassait les pieds pour faire des bras de fer avec moi. »

Elle éclata de rire. « Tu m'appelais *Piqûre de moustique* », dit-elle.

Les yeux de Mason se posèrent sur ses seins. Il rougit et détourna son regard.

Rachel se sentit gênée pour eux deux. Elle ne cherchait certes pas à draguer Mason. Après tout c'était... enfin presque un cousin.

Mignon, le cousin, elle devait l'admettre. Il avait changé depuis son adolescence. A cette époque, il avait des jambes comme des rayons de bicyclette. Le modèle 1963 qu'elle avait devant elle était plutôt plaisant. De l'assurance mais pas trop. Grand et brun, séduisant, si on aimait le type sémite, ce qui était son cas.

« Ça ne me vexe pas du tout que tu n'aies pas pensé à m'inviter, dit Rachel en riant. C'est maman qui m'a persuadée de venir.

— Eh bien, je suis content que tu l'aies écoutée. » Il semblait sincère.

L'embarras s'était dissipé. Mason glissa son bras autour de ses épaules. « Viens, je vais te chercher un verre et te présenter mes copains.

— J'ai vu ton père près du vestiaire en entrant. Il m'a dit que *Gold Star* avait gagné deux points en un jour. On aurait dit qu'il venait de gagner le match poids lourd contre Cassius Clay. »

Mason se mit à rire. « Ce bon vieux papa. Le roi des légumes surgelés. Il veut me faire entrer dans son affaire dès que j'aurai décroché mon diplôme universitaire.

— Tu pourrais faire pire.

— As-tu jamais songé à te suicider en plongeant dans une cuve de petits pois à la crème? Moi oui, tous les étés quand je travaille pour lui. Il me colle à la chaîne. Il veut que je sache ce que ça représente de commencer tout en bas de l'échelle. Tu t'imagines ce que c'est que de rentrer tous les jours chez soi en sentant le poireau ou le choux-fleur? »

Rachel se mit à rire. Avec Mason, elle retrouvait son enfance. Il la pilota vers un groupe assis à une table. Plusieurs garçons la dévisagèrent.

Elle se figea et la panique la gagna quand elle se rappela ce qu'elle était censée faire ce soir.

Ils parlaient de l'assassinat, se livrant au jeu sinistre auquel tout le pays s'adonnait : Où-Étiez-vous-Quand-Vous-Avez-Entendu-La-Nouvelle?

« Moi, j'étais en plein examen, dit un rouquin. Le prof sort de la classe, revient une seconde plus tard et nous annonce ça. Un vrai dur de Mount Rushmore, pas le genre émotif. Eh bien, il a pris sa tête dans ses mains et il s'est mis à brailler comme un môme. C'était complètement irréel. Je n'arrivais pas à y croire. » Des larmes brillaient dans ses yeux en racontant ça.

« Moi, j'étais dans un taxi. Je l'ai entendu à la radio, dit une fille. Le chauffeur est devenu vert, j'ai cru qu'on allait avoir un accident. »

« Moi j'étais dans ma douche. J'ai entendu mon coturne hurler... »

Rachel cessa d'écouter. Elle n'aurait pas dû venir. Cette soirée la déprimait. Et son propre plan lui paraissait soudain minable et égoïste à un moment aussi triste que celui-ci.

Elle atteignait la porte lorsqu'elle sentit une main sur son épaule. C'était Mason.

« Hé, attends une minute, où vas-tu?

— Je... je ne me sens pas très bien. Il vaut mieux que je rentre.

— Avant qu'on ait dansé ensemble? »

L'orchestre jouait un vieux tube d'Elvis Presley : *Love me Tender*. Imitant Elvis, Mason laissa tomber ses paupières et arrondit sa lèvre supérieure. Elle ne put s'empêcher de rire, et se laissa entraîner sur la piste.

Il la tenait légèrement, ne la plaquant pas contre lui comme la plupart des garçons. Elle se détendit et suivit le rythme sans effort.

Elle songea soudain au diaphragme dans son sac.

Elle n'avait vu le pénis de Mason qu'une fois. Elle avait sept ans, lui huit. Ils se changeaient dans la cabine des Gold, au bord de la piscine, et elle lui avait demandé si elle pouvait le toucher, pour voir comment c'était. Un peu hésitant, il l'avait laissée faire. Elle avait passé son doigt dessus, le temps de sentir cette douceur caoutchouteuse et soudain, tous deux, fascinés, l'avaient vu durcir et doubler de volume. Mason, rouge comme une betterave, s'était dépêché d'enfiler son maillot et ensuite, il avait toujours insisté pour se changer à la maison.

Elle se surprit à se demander à quoi ressemblait le pénis de Mason maintenant et en fut horrifiée. Avec Mason? Seigneur, était-elle devenue folle?

« Tu n'as pas faim? lui demanda-t-il. Il y a assez de bouffe pour nourrir tout le continent africain. »

Le regard de Rachel balaya les longues tables chargées de plats de saumon fumé, d'huîtres, de crevettes disposées sur de la glace pilée, de langoustes mayonnaise et de pots de caviar noir et luisant. Et au milieu, artistiquement entouré de tranches de melon, se dressait une grande asperge sculptée dans la glace – le logo des légumes surgelés Gold Star.

En voyant ça, Rachel sentit le fou rire la gagner. Puis une vision s'imposa à elle: Mason, nu, avec une asperge gigantesque entre les jambes.

Bon sang, mais qu'est-ce qu'elle avait? Elle devrait s'allonger sur le divan d'un psychanaliste plutôt que sur celui de Mason.

« J'ai dit quelque chose de drôle? » Mason souriait.

« Non, non. » Rachel respira à fond, luttant pour retrouver son calme. « Je crois que je prendrais bien un verre, un soda. Ou du ginger ale, si tu as ça. »

Mason, un bras autour de ses épaules, l'entraîna vers un bar. On ne s'entendait plus, les gens criaient et donnaient de grandes tapes amicales à Mason en lui souhaitant un joyeux anniversaire.

« Pepsi, Coca, Sprite, Seven-Up, mais pas de ginger ale, cria Mason qui s'était faufilé au bar. Tu ne préfères pas un peu de champagne? »

Elle secoua la tête.

« Tu n'as jamais tenu l'alcool », dit Mason en la rejoignant.

Elle savait qu'il faisait allusion au jour où, à Palm Beach, ils avaient volé à son père une bouteille de château-petrus. Elle avait vomi tripes et boyaux. Ensuite Mason s'était moqué d'elle pendant des semaines.

« Tu sais, mon père a loué une suite là-haut. J'ai quelque chose de mieux que le champagne. Tu as déjà essayé l'herbe? »

De la marijuana? Maman en mourrait. Puis elle se souvint de ce que disait sa copine Judy Denenburg. Selon elle, on ne faisait jamais mieux l'amour que quand on était défoncée.

Rachel se sentit devenir toute rouge. Pensait-il à la même chose qu'elle?

« Non, admit-elle. Mais c'est ton anniversaire. Est-ce qu'on ne va pas remarquer ta disparition? »

Mason haussa les épaules. « Ils sont trop occupés pour ça. » Il lui prit la main. La sienne était chaude, un peu moite. « Viens, filons à l'anglaise.

— Attends. Mon sac. » Elle le repéra sur la table où elle l'avait laissé quand ils étaient partis danser.

« Tu reviendras le chercher plus tard.

— Non, j'en ai pour une seconde. Je te retrouve à l'ascenseur.

— Qu'as-tu de si important là-dedans? la taquina Mason. La clé de ton coffre de banque? »

Rachel sourit. « En un sens. »

Oui, Mason ferait parfaitement l'affaire. Mieux que tout autre. Ils étaient de vieux amis, après tout, et ils s'aimaient bien. C'était drôle parce que Mason s'imaginerait sûrement qu'il l'avait séduite.

Dans la suite, décorée comme un appartement parisien — médaillons à fleurs de lys au mur, miroirs dorés à la feuille, meubles français — Mason s'excusa et disparut. Une minute plus tard, il revint avec un sachet de plastique mouillé.

« Je l'avais caché dans le réservoir de la chasse d'eau. Mon père tomberait raide si la femme de chambre découvrait ce truc dans un coin de la pièce.

— Et s'il remontait?

— Non, il ne le fera pas. Il ne quitterait pas une réception en cours, pas même pour sauver sa vie. »

Rachel pensa à son propre père. Il aurait une seconde crise cardiaque s'il savait. Elle éprouva du remords.

Mason s'agenouilla devant la table basse et fit tomber du paquet une petite quantité de feuilles brunes et écrasées dans du papier à cigarettes. Il roula lentement le joint, lécha le bord puis tordit les bouts.

Rachel le regarda l'allumer. Il prit une longue bouffée et garda la fumée dans ses poumons le plus longtemps possible. Puis, lentement, il l'expira par le nez. Une odeur sirupeuse flotta dans la pièce. Il lui tendit le joint qu'il pinçait entre son pouce et l'index.

« Doucement, recommanda-t-il. Inhale lentement et garde la fumée le plus longtemps possible. On plane plus vite comme ça. »

Les mains de Rachel tremblaient et elle avait le souffle court mais elle parvint quand même à glisser le joint entre ses lèvres et à avaler un peu de l'épaisse fumée sucrée.

Elle ressentit soudain une douleur, comme une brûlure au fond des poumons, puis sa tête devint légère. Elle prit une seconde bouffée, puis une troisième. Alors les choses commencèrent à changer. Elle avait l'impression que son visage enflait, que sa tête était énorme mais sans rien peser. Un ballon suspendu à un fil. Mason, comme si elle l'avait regardé à travers l'objectif d'un appareil-photo, semblait diminuer tandis que les choses, dans la pièce, prenaient un contours très précis. Les couleurs du tapis persan étaient brillantes, magiques, et formaient un merveilleux kaléidoscope. Sur les murs, les bandes jaunes du papier mural semblaient converger vers elle, comme dans un asile d'aliénés.

« Comment te sens-tu? » La voix de Mason explosa dans sa tête.

« Je ne sais pas encore. Je n'ai jamais ressenti ça. C'est bizarre. J'ai l'impression d'être quelqu'un d'autre, et pourtant c'est moi. Tout me paraît étrange. Comme si je voyais les choses pour la première fois. Je me demande si les bébés voient les choses ainsi juste après leur naissance.

— Tu es défoncée. » Mason gloussa en rejetant des volutes de fumée.

Rachel tira de nouveau sur le joint, lentement, comme une vieille pro. « Peut-être. Entre autres.

— Quoi d'autre?

— Oh! je ne sais pas, dit-elle vaguement. Bien des choses. » Pouvait-elle lui dire ce qu'elle avait en tête? Non, ça lui ferait l'effet d'une douche glacée. Ou pire, il se mettrait peut-être à rire et à plaisanter. « Tu connais maman? Eh bien, elle est absolument furieuse que je veuille devenir médecin.

— Normal. Tu fais tout à l'envers. » Il la regardait avec insistance, les yeux injectés de sang, à travers un nuage de fumée. « Les princesses juives américaines sont censées *épouser* des médecins, et non faire de la médecine.

– Écoute, je sais que ça peut te paraître ridicule, boy-scout, mais moi j'ai envie d'aider les gens...

– Ouais, pourquoi pas? Si tous les gars du monde... » Il ricana.

Elle le regardait, fascinée par les taches vertes et or de ses iris. « Quand es-tu devenu cynique? »

Mason haussa les épaules et une expression sombre remplaça son sourire sarcastique.

« Beaucoup de choses ont changé depuis notre enfance. Des bruits courent... le ROTC * a envahi le campus. Yale ressemble à West Point. Un ami de papa, au Département d'État dit qu'ils vont commencer à incorporer des types pour aller combattre en Indochine. Seigneur, j'espère ne pas être appelé.

– Tu ne le seras pas. Pas si tu fais ton droit. »

Il sourit « Tu t'en souvenais?

– Bien sûr. Toi aussi tu as un côté *Si tous les gars du monde*...

– Ouais, c'est vrai. La vérité, la justice et l'*American Way*.

– Je croyais que c'étaient les caractéristiques de Superman.

– Ce sont aussi les siennes. Dis donc, tu comprends, toi, pourquoi Lois Lane et lui n'ont jamais couché ensemble? Je veux dire, enfin, qu'est-ce qu'ils attendaient? »

Voilà, on y était, il faisait le premier pas. Son cœur se mit à battre fort et elle dut faire un effort pour se calmer.

« Eh bien, Lois était peut-être frigide ou alors ce qu'on disait sur lui était vrai. Tu sais... qu'il tirait plus vite que son ombre. »

Je dis n'importe quoi, se dit-elle, à la fois horrifiée et amusée. *Seigneur, je suis défoncée.*

Puis elle commença à glousser et comprit que si elle n'allait pas rapidement aux cabinets, elle mouillerait sa culotte.

Rachel ôta ses chaussures et, prenant son sac au passage, se dirigea vers la salle de bain.

Là, elle fouilla dans la pochette de velours pour trouver son diaphragme. *Maintenant, se dit-elle, il faut que tu le fasses maintenant.* Le cerveau ramolli par la marijuana, elle eut du mal à se souvenir de la façon dont il fallait le mettre. D'abord la gelée spermicide. Oui, voilà. De quoi mettre KO toutes ces petites bestioles dès le premier round. Voilà, maintenant plie-le en deux. *Allez, va jusqu'au bout, cette fois.*

En émergeant de la salle de bain, Rachel faillit éclater de rire en voyant l'expression stupéfaite de Mason.

---

* ROTC: Reserve Officers Training Corps – Régime correspondant à la préparation militaire supérieure en France. (*N.d.T.*)

« Rachel, mais... c'est vraiment toi?

— Bien sûr. Tu crois que c'est ma doublure?

— Tu es...

— Nue, exact. »

Elle hocha la tête, une tête sans poids qui tressautait sur une tige, son cou. Ça lui semblait bien un peu bizarre d'être nue au milieu de la pièce, mais elle ne se sentait pas gênée. Elle pensa à leurs séances de plongeon, quand ils étaient enfants, le soir en Floride. Elle avait la même impression maintenant. L'air, chaud et épais comme l'eau de la piscine, enveloppait son corps.

Rachel le rejoignit et s'assit à côté de lui sur le tapis, les jambes croisées. « Écoute, je sais que tu n'es pas amoureux de moi, ni rien de tout ça. Je pensais simplement que ça pourrait être une bonne idée. »

Mason continuait de la regarder bouche bée. Puis il grimaça, comme s'il souffrait, et Rachel vit qu'il s'était brûlé avec le mégot du joint. Il l'écrasa dans un cendrier et suça son doigt. Lorsqu'il se tourna de nouveau vers Rachel, son air de zombie avait disparu. Il riait à présent, de façon absurde, comme si c'était une bonne plaisanterie.

« Tu me fais marcher? Parce que si c'est le cas, merde, ce n'est pas drôle.

— Je suis parfaitement sérieuse. Mais si tu préfères qu'on en discute avant, je peux remettre mes vêtements.

— Écoute, Rachel, je savais que l'herbe peut faire cet effet à certains mais je n'aurais jamais pensé... Oh bon Dieu! » Il se déshabillait fébrilement à présent, jetant sa veste sur le sol, tirant sur sa cravate, bataillant avec ses lacets de chaussures. « Merde, ça fait des nœuds, regarde-moi ça...

— Attends, je vais t'aider. » En se penchant, le bout de ses seins effleura le bras de Mason. Ce fut une sensation étrange, pas vraiment excitante mais agréable. « Voilà. J'ai défait le nœud. Tiens, tu as encore ta cicatrice de ski nautique? Quand tu t'étais cassé l'orteil...

— Viens ici.. » Otant son T-shirt et son caleçon, il l'allongea sur le tapis et l'embrassa sur les lèvres. C'était doux et humide.

« Euh, Mason, je crois qu'il faut que je te dise quelque chose. » Elle s'écarta un peu. Sa vision était trouble et elle avait l'impression de voir Mason dans une glace déformante.

« Je suis vierge.

— *Quoi?*

— Oui, je suis vierge. Mais je ne vois pas pourquoi ça ferait une différence; et toi?

— Je ne comprends pas. Pourquoi moi? » Mason la regardait, un peu rouge, à la fois ravi et ahuri, comme s'il venait de réaliser qu'il avait gagné un million de dollars à la loterie.

« Je ne sais pas. Peut-être parce que tu n'attendais rien. »

Elle sentit quelque chose contre sa jambe, une pression chaude. Elle baissa les yeux et éprouva un choc.

« Ça a grandi », dit-elle, fixant son truc.

Mason rit et lui prit un sein. « Toi aussi. Je ne peux plus t'appeler le Moustique. »

Rachel se blottit dans ses bras, frissonnante, essayant d'oublier le goût âcre, épais de la marijuana dans sa bouche. Le tapis était rêche sous sa peau mais Mason semblait connaître son affaire. Il n'était ni brutal, ni maladroit. Il la caressait tendrement lui embrassait les seins. Et maintenant, n'était-elle pas censée être allumée? Même un peu? Mais tout le monde disait qu'il fallait être amoureuse pour ça.

Plus elle essayait de s'exciter et moins elle l'était. C'est comme de faire démarrer une voiture, se dit-elle. Plus on appuie sur l'accélérateur plus on noie le moteur. Elle commença à se sentir irritée, distraite par de petites choses, la froideur de ses doigts entre ses cuisses, sa barbe rêche contre ses seins, ses petits bruits de gorge.

Un beau coup d'envoi, mes amis, mais attendez... le ballon a été intercepté...

Il se leva soudain et alla fouiller dans la poche d'un jean rangé dans le placard. Ah oui, bien sûr. Un préservatif. Évidemment. Une vierge n'était pas censée arriver avec tout un attirail.

En le regardant s'agenouiller, tout rouge, et déchirer avec impatience l'emballage du préservatif, elle fut prise de fou rire.

Voilà, c'est foutu maintenant, se dit-elle, les larmes coulant sur ses joues. Tu as de nouveau tout gâché.

Mais Mason ne semblait pas contrarié comme Gil. Il se mit à rire aussi. Cette scène avait apparemment un côté comique qu'elle n'était pas seule à saisir.

« Je n'ai jamais pu enfiler un de ces trucs sans avoir l'air idiot, dit-il.

– Aucune importance, dit-elle. Viens... »

Et alors, la chose se produisit enfin. Elle eut mal, rien de terrible, et il fut en elle. Il allait et venait doucement. Cela ne la gênait pas. Ce n'était pas si mal. En fait, c'était même... plutôt agréable.

Mason gémissait, s'enfonçait en elle.

Elle commença à sentir une sorte de chaleur, comme de l'eau tiède coulant sur ses cuisses. Cependant, elle savait qu'elle aurait dû ressentir davantage de plaisir. Elle avait l'impression qu'ils nageaient tous deux mais que, malgré ses efforts, il avait toujours une longueur d'avance sur elle.

Mason grogna, fut parcouru d'une longue trémulation et retomba sur elle. « Ça va? murmura-t-il, je ne t'ai pas fait mal? »

Non, elle n'avait pas mal. Elle était figée, maladroite, un bloc de bois dans ses bras. Ça la brûlait un peu entre les cuisses mais elle n'en mourrait pas.

Ce qui comptait, c'était ce qu'elle ne *sentait pas.*

C'est à dire rien de ce que ses amies – ou les héroïnes des romans qu'elle lisait – prétendaient ressentir. Rien n'avait explosé en elle. Pour tout dire, elle n'avait pas joui.

Voilà... Tu es frigide. Maintenant, tu en as la preuve.

« Ça va, dit-elle. Juste un peu secouée. Je saigne beaucoup? »

Il regarda le tapis. « Un peu. Pas beaucoup. Ne t'en fais pas. C'est ton sur ton.

– Mason, je... » Elle avait envie de lui dire qu'elle était désolée de l'avoir piégé ainsi, que c'était une idée idiote. Mais elle avait la gorge nouée et les mots ne voulaient pas franchir ses lèvres.

Mason la serrait contre lui, la berçait sur le tapis. « Je sais, murmurat-il. Tu n'as pas besoin de le dire. C'était merveilleux pour moi aussi. Formidable. Tu es quelqu'un, tu sais, Rachel. »

Quelqu'un. Oui, je suis quelqu'un. Mais qui?

Et cette fois, prise entre les larmes et son rire irrépréssible, Rachel eut le hoquet.

3

Brooklyn, 1968

« Je te baptise au nom du Père, du fils et du Saint-Esprit. »

Les paroles du vieux prêtre résonnaient dans l'église vide. Il trempa ensuite ses doigts dans les fonds baptismaux et aspergea d'eau bénite le front du bébé dont la petite tête émergeait d'une couverture.

Un cri outragé rompit le silence.

Debout près de la grille de fer forgé qui entourait les fonds baptismaux, Rose ressentit une petite crispation à l'estomac. Elle avait envie de prendre son neveu contre elle pour le calmer.

Il a raison de pleurer. Il dormait paisiblement et on le réveille avec de l'eau froide.

Le péché originel. Quelle injustice! Tout ça parce que, des milliers d'années auparavant, Adam avait mordu dans la pomme d'Ève.

Elle aussi avait été marquée par le péché de sa mère. Et punie, pas seulement une fois mais toute sa vie. Et c'était pire maintenant que Nonnie était malade. Ces derniers mois avaient été un enfer.

Seigneur, combien de temps pourrai-je supporter ça?

Prise de remords, Rose s'empressa de chasser cette pensée. Comment osait-elle s'apitoyer sur elle-même? C'était Marie qu'il fallait plaindre. Pauvre Marie, elle avait déjà du mal à nourrir ses deux petits, comment ferait-elle avec un troisième?

Elle regarda sa sœur, les yeux cernés, les chevilles enflées sous l'ourlet irrégulier de sa hideuse robe noire de grossesse. *Comme si elle assistait à un enterrement et non à un baptême.*

A côté d'elle, Pete, amaigri et pathétique dans une veste écossaise étriquée, l'air vaguement ahuri, comme si un représentant, le soûlant de paroles, l'avait obligé à signer un contrat avant qu'il ait eu le temps de le réaliser.

La famille de Pete était partie s'installer à Detroit, de sorte qu'il n'y avait personne d'autre... Juste Clare et elle. Sœur Benedicta, maintenant. Rose jeta un coup d'œil à Clare, debout près d'elle, le visage rond et serein sous la cornette blanche empesée. Rose sentit une fois de plus l'amertume la gagner.

A quoi sert toute ta religion si tes mains, constamment jointes, ne peuvent faire aucun travail? accusa-t-elle silencieusement sa sœur. *Où es-tu quand je m'esquinte le dos à porter Nonnie dans son fauteuil roulant? Quand je la lave et la nourris?*

Elle remarqua soudain que le bébé avait cessé de crier. Marie l'avait calmé, non pas avec un câlin mais avec une affreuse tétine marron. Une lumière blafarde tombait sur son visage et elle n'avait pas seulement l'air fatigué mais vieux. Une vieille femme de vingt-neuf ans. Rose fut soudain frappée par sa ressemblance avec Nonnie.

Rose fit un pas en avant, ses snow-boots grinçant sur le carrelage abîmé du sol.

« Je peux le prendre? » murmura-t-elle à Marie.

Celle-ci haussa les épaules et lui tendit le paquet enveloppé dans sa couverture. Elle regarda le petit visage aux joues rondes. Soudain, la tétine glissa de ses gencives édentées avec un chuintement et il sourit.

« Regardez! » s'écria Rose, ravie.

Marie se pencha vers lui. « Ce sont des gaz. Bobby n'a souri qu'à trois mois. » Elle eut un rire brusque. « J'en suis pas étonnée. C'est pas en me regardant qu'il aurait appris. Y a pas matière à sourire beaucoup. Deux mômes, Pete sans boulot et la proprio sur notre dos à longueur de temps. Et maintenant, me voilà de nouveau enceinte. »

Rose comprit que, contrairement à ce qu'elle avait décidé, il valait mieux parler de Nonnie à sa sœur un autre jour.

Je ne demande pas beaucoup, voulait-elle lui dire, *si tu pouvais seulement lui rendre visite de temps en temps, c'est tout. Passer une soirée avec elle pour que je puisse sortir, respirer un peu. Ce n'est pas grand-chose mais ça m'aiderait beaucoup.*

Le souvenir de l'attaque de sa grand-mère fit frissonner Rose. Elle avait eu lieu en mai, huit mois auparavant. La seule bonne chose, c'était qu'à présent, Nonnie se taisait. Elle restait assise devant la télévision des journées entières, la bouche figée en un rictus bizarre, comme si elle riait intérieurement de quelque plaisanterie secrète.

Mais c'est moi qui doit m'occuper entièrement d'elle. L'habiller et la nourrir avant l'arrivée de Mme Slatsky. Ensuite je pars au bureau. Une heure dans le métro bondé. Et toute la journée à jongler avec les téléphones, à prendre en sténo, à taper pour M. Griffin. Je rentre le soir crevée, n'ayant qu'une idée, me mettre au lit et dormir. Mais il faut d'abord que je m'occupe de Nonnie, que je la nettoie si elle a un accident. Et elle ne m'en est pas le moins du monde reconnaissante. Au moins six fois par nuit, elle tape avec sa canne contre le mur pour le seul plaisir — j'en suis sûre — de me réveiller, de me voir rappliquer.

Rose avait honte de ses sentiments, de sa rancœur, mais elle ne pouvait s'empêcher de les éprouver. Si seulement elle pouvait partir, quitter cet appartement sombre et chaud dans lequel elle étouffait.

Si elle pouvait s'en aller. Et épouser Brian.

Elle voyait la maison dans laquelle ils vivraient. Aérée, avec des pièces peintes dans des tons pastels et de grandes fenêtres pour que le soleil entre à flot. Et un jardin, même tout petit, avec une pelouse un arbre ou deux, quelques tulipes.

Il n'y aurait que Brian et elle. Chaque matin, elle s'éveillerait près de lui et ils passeraient toute la journée ensemble, au lieu de ne se voir que lorsqu'elle parvenait à laisser Nonnie quelques heures. Quel miracle ce serait.

Puis les pièces ensoleillées se fondirent dans la triste réalité et son cœur se serra.

Qui prendrait soin de Nonnie? Elle avait à peine de quoi payer Mme Slatsky pour les quelques heures de garde qu'elle effectuait. Comment aurait-elle pu engager une infirmière à plein temps ou même mettre Nonnie dans une maison de santé? Elle se souvenait du jour où elle avait appelé Clare, la suppliant de venir lui donner un coup de main.

La voix douce de Clare avait sussuré au téléphone : « Il ne faut pas que tu te sentes seule dans cette épreuve, Rose. *Dieu* est avec toi. »

Et, quelques jours plus tard, à sa stupeur, elle avait reçu une boîte contenant un livre de psaumes relié en cuir et un scapulaire béni — précisait-elle — par le pape Jean en personne. Elle avait jeté le tout dans la poubelle, puis s'était mise à pleurer parce qu'elle avait commis un sacrilège.

« Merci, mon père. Merci beaucoup. » La voix de Pete la tira de ses pensées.

Rose comprit, en le regardant, qu'il s'excusait auprès du prêtre pour la modicité de la somme qu'il venait de lui glisser dans une enveloppe.

Elle se dit, pleine de remords : *Je suis toujours en train de m'apitoyer sur moi-même, comme si j'étais la seule à avoir des problèmes. Mais Marie et Pete, les pauvres, comment se débrouillent-ils?*

Elle les suivit dehors. Clare s'attarda un moment avec le prêtre à parler boutique. La lumière du soleil faisait scintiller le capuchon de neige des voitures garées. Rose frissonna dans son vieux manteau élimé en poil de chameau.

Le bébé commença à s'agiter contre Rose. Elle le berça comme si ç'avait été son propre bébé et celui de Brian. *Un jour, nous nous marierons mais ce ne sera pas comme ça.*

Brian allait terminer son mémoire cette année, à Columbia. Son travail de chargé de cours prendrait fin et il pourrait chercher un boulot à temps complet à Brooklyn ou même à Kingsboro. Peut-être aurait-elle enfin les moyens de laisser tomber le cabinet d'avocats et d'entrer à l'université. Elle mettrait Nonnie dans une maison de retraite ou alors elle l'expédierait franco de port à Clare, à Syracuse.

De toute façon, tant qu'elle aurait Brian dans sa vie, rien ne tournerait mal.

« Donne-le moi », dit Marie dont la respiration formait une petite buée devant les lèvres. C'est l'heure de la tétée. C'est pour ça qu'il s'énerve. Et crois-moi, il a de sacrés poumons! On se fatigue avant lui. »

Rose lui tendit l'enfant. « Il est magnifique, Marie. Tu as de la chance d'avoir des enfants aussi beaux. »

Et tu as de la chance de ne pas avoir Nonnie sur le dos.

Pendant un moment, l'air maussade de Marie disparut et ses yeux brillèrent. « Ouais. Ils sont mignons », dit-elle.

Marie tentait de calmer le bébé. Rose fouilla dans son porte-monnaie. Vingt dollars, c'était tout ce qui lui restait pour acheter de l'épicerie, et un cadeau pour le nouveau-né. Eh bien, le petit Gabriel se passerait de hochet ou d'une paire de bottines. Marie avait trop besoin d'argent.

Elle plia le billet en deux et s'assurant que Pete regardait ailleurs, elle le glissa dans la main de sa sœur.

Celle-ci lui lança un coup d'œil surpris puis baissa les yeux et rougit.

Marie hocha la tête en guise de remerciement et Rose remarqua des larmes dans ses yeux.

Ce moment de gêne passa vite et Marie lui dit brusquement, d'un air décidé :

« Écoute, mon chou, désolée de vous planter là, la Vierge Marie et toi, mais faut qu'on se dépêche. Pete a dû insister auprès de son patron pour avoir deux heures de liberté et s'il est en retard... tu sais, il a mis six mois à trouver ce boulot, ce patron de merde, les week-ends alternés etc. En plus, j'ai laissé Bobby et Missy chez ma voisine, Kathleen, et elle en a déjà deux à elle. Elle va devenir dingue si je tarde trop. »

— T'en fais pas, dit Rose. Tu pourrais peut-être passer dimanche, après la messe? Nonnie est généralement d'assez bonne humeur à cette heure-là. Et elle n'a pas encore vu le bébé. »

Marie fronça les sourcils. « Quel intérêt? On est brouillées, elle et moi. Rien n'a changé. Elle est encore pire depuis qu'elle est tombée malade. Seigneur, je ne sais pas comment tu fais pour la supporter. »

Rose avait envie de dire : *Je ne sais pas non plus comment je la supporte. C'est pire que ce que tu peux imaginer. Mais qui d'autre pourrait s'en occuper?*

Cependant elle garda ses réflexions pour elle. A quoi bon vider son sac devant Marie? Elle haussa les épaules et dit calmement : « Je n'ai pas le choix. »

Rose soutint le regard de sa sœur. Les yeux de Marie étaient aussi clairs que ceux de Nonnie mais plus humains.

« Je t'ai toujours enviée, dit Marie d'une voix plus douce que d'habitude. Tu es plus forte, plus intelligente que Clare et moi. Nous avons choisi la voie la plus facile pour sortir de là. » Elle saisit de poignet de Rose. Ses doigts étaient froids. « Ne la laisse pas te détruire. N'abandonne jamais. »

Rose perdit légèrement l'équilibre et recula d'un pas. Elle était étonnée. Marie *l'enviait*?

Merde!

En entendant Pete jurer, Rose se retourna. Elle le vit regarder sa voiture d'un air furieux. Il avait une contravention sous son essuie-glace.

Il l'arracha puis donna un coup de pied sauvage au parcmètre. « Deux minutes de dépassement, quels salauds! Ils ne pouvaient pas attendre deux minutes de plus! Bon Dieu, ça rend fou!

— Allez, Pete, ça vaut pas le coup de te mettre dans cet état, dit Marie. On peut rien y faire. » Elle se retourna vers Rose, lui pressa affectueusement la main. « Écoute, merci pour... enfin, tu sais. Ça m'aidera un peu. Viens nous voir un de ces jours, d'accord? Je suis toujours à la maison. Où je pourrais bien être? » Elle poussa un soupir et montra l'église d'un mouvement de tête. « Dis au revoir pour nous à la Vierge Marie, d'accord? Je ne suis pas d'humeur. Si je regarde une minute de plus son auréole, je crois que je vais devenir aveugle. »

Comme un chat de gouttière se retrouvant sur ses quatre pattes, Marie était à nouveau comme avant. Le moment d'émotion était passé.

Rose ne put s'empêcher de rire. La causticité de Marie l'amusait toujours. Et puis ça dépeignait si bien Clare! Elle eut un peu honte d'avoir des pensées aussi peu charitables sur le seuil de l'église des Saints-Martyrs.

« Entendu », promit Rose. Elle embrassa la joue froide de Marie et fit un geste d'adieu à Pete qui faisait démarrer la voiture.

Et maintenant, Clare. Comme si elle n'avait pas suffisamment de problèmes à régler! Sainte Clare, si gentille mais incapable de vous aider. Elle regarda sa sœur émerger à son tour de l'église. Elle plissait les yeux contre la dure lumière extérieure et sa bouche d'enfant esquissa une moue déçue lorsqu'elle vit que sa sœur était partie.

« Marie n'a pas pu attendre, expliqua Rose. Elle était pressée.

— Oh, c'est ma faute, répondit joyeusement Clare. J'ai discuté avec le curé et on n'a pas fait attention à l'heure. Nous avons un léger désaccord. Le père est contre le concile du pape Jean. Il pense que c'est mauvais pour l'Église. Moi, au début, je ne le pensais pas mais au fond, je crois qu'il a raison... »

Rose sentit l'irritation la gagner. Pourquoi Clare n'avait-elle jamais d'opinion sur rien? Toute en fossettes, mais pas de colonne vertébrale.

Elle jeta un coup d'œil à sa montre. « On a pas mal de temps avant ton bus. Pourquoi ne passerais-tu pas voir Nonnie? Elle serait contente.

– Nonnie, oui. » Clare hocha la tête. « Tu sais, Rose, je récite un chapelet tous les jours pour elle, et j'ai demandé au père Laughlin de l'inclure dans ses prières. »

Rose eut soudain un goût sirupeux dans la bouche, comme si elle avait mangé trop de bonbons. Comme tout était facile pour Clare! Il lui suffisait d'égrener son chapelet. Rose entendait presque le cliquetis des grains dans sa tête. Ce devait être agréable de s'agenouiller dans l'église fraîche et de se débarrasser de ses soucis un à un pendant que les autres suaient sang et eau.

Rose, exaspérée, descendit les marches sans même regarder si Clare la suivait. Cela lui était égal.

Puis elle entendit soudain sa voix, un peu haletante, derrière elle. « Dieu t'accompagne, Rose. Il entend tes prières. Il ne t'oubliera pas. »

Soudain, Rose eut l'envie irrépressible de blesser sa sœur. « Tu sais ce qui est arrivé à Buddy Mendoza? » Buddy avait été pendant longtemps leur voisin de palier et c'était un vieil ami de classe de Brian.

Clare s'empourpra comme si on venait de la gifler. Tout le monde savait qu'elle avait été amoureuse de Buddy autrefois... jusqu'à ce que Nonnie le découvre et y mette bon ordre.

« Buddy? Il est parti... à l'armée, non?

– Au Vietnam. Ils l'ont rapatrié le mois dernier... enfin, ce qu'il en reste. Il paraît que son visage et une partie de son cerveau ont été arrachés. On le maintient artificiellement en vie. »

Rose entendit Clare inspirer une grande bouffée d'air puis la vit faire le signe de croix. Elle eut aussitôt honte de ce qu'elle venait de faire. Elle ferma les yeux un instant, bourrelée de remords. Laide, voilà ce qu'elle était en train de devenir. Laide et venimeuse, comme Nonnie.

Mon Dieu, délivre-moi du mal, pria-t-elle silencieusement.

En ouvrant la porte de l'appartement, Rose s'effaça pour laisser passer Clare. Celle-ci entra et poussa un cri aigu.

Rose s'élança dans le living-room sombre, éclairé seulement par la lumière blafarde de l'écran de la télévision. Il régnait une odeur nauséabonde. *Seigneur, que se passait-il?*

Alors, elle vit. Nonnie, affalée sur le sol, le visage contre le tapis, sa robe de chambre rose et capitonnée ouverte sur ses jambes squelettiques. Morte? Oh Dieu! A force de la souhaiter, elle avait *causé* sa mort.

Elle s'agenouilla, à la fois effrayée et pleine d'espoir, et saisit le poignet osseux de Nonnie.

Alors, celle-ci s'agita, gémit. Son odeur lui donnait envie de vomir.

Elle se dit : *Elle n'a pas pu aller aux cabinets et elle a fait dans sa culotte. Elle a dû tomber en essayant d'y aller. Cette garce de Mme Slatsky l'a laissée seule.*

Elle leva la tête vers Clare. « Aide-moi à la relever. »

Mais Clare restait clouée sur place. Elle tripotait son chapelet, le regard inexpressif, son visage de bébé figé par le dégoût.

« Clare!

— Tu... tu crois qu'on devrait la remuer? Et si elle avait quelque chose de cassé? »

Nonnie, qui semblait avoir repris ses esprits, essayait de s'asseoir. Rose glissa un bras sous ses épaules et parvint à la relever. Elle n'était pas lourde. Pas plus qu'un tas de feuilles mortes sèches sur le dessus, humides et pourrissantes en dessous. Un filet de salive coulait de ses lèvres et elle luttait pour transformer en mots les sons gutturaux qui sortaient de sa bouche.

Cette garce de Clare avec ses chapelets! Pourquoi ne l'aidait-elle pas?

A nouveau, la colère s'emparait de Rose, lui donnait des forces. Soutenant la vieille femme, elle réussit à la traîner vers la salle de bain. Elle lui enleva sa robe de chambre et, Dieu sait comment, parvint à la mettre dans la baignoire. Puis elle fit couler l'eau et alla chercher un gant de toilette dans le placard. Et maintenant l'attendait la tâche qui la dégoûtait le plus.

N'y pense pas. Ça aggrave les choses.

Elle songea à Brian. Ils devaient passer la soirée ensemble ce soir. Et elle irait le retrouver, coûte que coûte. Même si Mme Slatsky refusait de venir.

Brian avait quelque chose d'important à lui annoncer. *Seigneur, faites qu'il me dise qu'il ne peut plus attendre, qu'il veut qu'on se marie maintenant, et pas dans un an. J'ai tellement besoin de lui.*

Un bruit horrible fit sursauter Rose.

« Gaaarraghhhh »

Nonni essayait de dire quelque chose. Ses yeux clairs roulaient frénétiquement dans l'orbite allant de Rose à la porte ouverte.

« Gaaarrrhhaa. »

Clare. Rose finit par comprendre. Nonnie réclamait Clare.

Rose regarda le corps flasque et blanc dans l'eau sale et elle eut l'impression de recevoir un coup à l'estomac.

Nonnie n'éprouvait aucune reconnaissance pour ce qu'elle faisait pour elle. C'était Clare qu'elle voulait.

Mais bon Dieu, où *était*-elle?

Rose alla chercher sa sœur. Agenouillée là où était tombée Nonnie, elle priait en silence.

Une rage intense envahit Rose, rugit dans sa tête, lui brûla la poitrine. Elle eut envie de la gifler.

Puis aussi vite qu'elle était montée, sa colère s'évanouit. « Elle te réclame », lui dit Rose, trop lasse pour vider son sac. Et elle se laissa tomber sur le canapé.

Clare ouvrit brusquement les yeux et sourit de son sourire innocent d'enfant qui s'éveille de sa sieste. « Oui... bien sûr. » Elle se releva, lissa sa jupe et gagna sans bruit, sur ses grosses semelles de crêpe, la salle de bains.

Rose planait.

Loin de sa grand-mère et de l'enfer quotidien. Elle était dans les bras de Brian, bien au chaud sous les couvertures. En sécurité. Paisible.

Comme elle l'aimait. Son amant. C'était étrange, au début, de penser à lui en ces termes. Elle se souvenait de son plaisir, la première fois, puis de son sentiment de culpabilité, de ses larmes. Brian, bouleversé, croyait qu'il lui avait fait mal.

Neuf ans. Seigneur, cela durait déjà depuis neuf ans.

Après cela, Rose avait cessé de se confesser. A quoi bon? Elle n'allait pas dire à Dieu qu'elle regrettait alors qu'elle était sûre de recommencer dès le lendemain. Comment aurait-elle pu cesser? Son amour pour Brian était la seule chose qui la maintenait en vie.

Elle espérait que Dieu, dans Sa bonté, la comprendrait et lui pardonnerait.

Rose changea de position et s'appuya sur un coude pour lui faire face. Par-dessus son épaule, elle voyait la fenêtre, la lumière d'un réverbère entouré d'un halo de brume, les îlots de neige qui parsemaient la pelouse de South Field. Et, vers la droite, le bâtiment en brique et ardoise de la Butler Library.

Combien de fois était-elle restée étendue ainsi, à rêver du jour où Brian et elle n'auraient plus à voler ces instants pour être ensemble?

Bientôt, se promit-elle. *Encore un an tout au plus. Après on ne se quittera plus, comme on se l'est promis. J'ai attendu tout ce temps, alors ce n'est plus à un jour près.*

Elle laissa son regard errer dans la pièce. C'était une chambre petite et étroite aux murs piquetés de trous de punaise, remplie de livres entassés dans des rayonnages. Elle rêvait du jour où elle aurait le temps de lire tous ces auteurs, Hemingway, Faulkner, Fitzgerald, Joyce, Baudelaire. Dans un angle, sur un bureau en chêne couvert de cicatrices, trônait la vieille Underwood de Brian. A côté une pile de pages dactylographiées s'échappait d'un couvercle de boîte : le roman qu'avait écrit Brian avant de s'atteler à son mémoire.

Elle l'avait lu et l'avait trouvé bon. Mieux que bon. Elle était fière de lui et cette fierté la réchauffait. Que ce lit fût à moitié défoncé n'avait pas d'importance, pas plus que le fait qu'aucun d'eux n'eût un penny. Un jour, il serait célèbre, elle en était sûre, et ses livres voisineraient avec ceux de Joyce et de Faulkner dans les chambres d'étudiant.

Elle observa son visage anguleux dans la pâle clarté qui venait de la rue. Son front et l'arête de son nez étaient luisants de sueur. Du bout de la langue, elle lécha une goutte de transpiration sur sa tempe, savourant son goût salé.

« Mmmm. Je pourrais te manger tout entier. » Elle se nicha dans son cou, et lui sussura : « Mais qu'est-ce que je ferai quand il n'y aura plus rien?

— Rose. » Brian s'assit brusquement, rejetant drap et couverture. L'air froid s'insinua dans le lit. « Il y a quelque chose... que j'aurais dû te dire avant qu'on... » Il se tourna et son profil se découpa contre le rectangle de la fenêtre. « Ça me rend malade. C'est si difficile à dire... »

Rose frissonna et croisa les bras en se tenant les épaules. Il se passait quelque chose. Oui, elle l'avait senti tout à l'heure. Brian lui avait fait l'amour avec frénésie comme s'il avait peur de la perdre.

« Qu'y a-t-il? » Elle s'assit et remonta le drap sur elle, éprouvant le besoin de se protéger contre les mauvaises nouvelles qu'elle sentait venir.

« J'aurais dû te le dire avant qu'on... c'est seulement que lorsque je t'ai vue, je n'ai plus pensé qu'à une chose, te prendre dans mes bras, t'emmener ici. »

Elle eut un rire nerveux. « Je sais. C'est le rêve secret de tout enfant de chœur, non? Une gentille fille catholique. Ça doit être quelque chose qu'ils mettent dans l'eau bénite, une sorte d'aphrodisiaque. Ils devraient la mettre en bouteille, comme le parfum. Eau du Vatican. Tu crois que le pape serait d'accord? » Si elle continuait à parler, elle n'aurait pas à entendre ce qu'il voulait lui dire. « Seigneur, tu te souviens de ces terribles remords que j'avais au début?

— Rose... J'ai reçu un mot de l'armée. C'est, mon tour. »

Elle le regarda, atterrée. « C'est impossible, dit-elle, sentant le sang refluer de son visage.

— Si, je suis mobilisé.

— Non! Dis-leur... c'est une erreur d'ordinateur. Quelqu'un a dû appuyer sur un mauvais bouton. Tu n'as pas à y aller. Tu es sursitaire. Ils ne peuvent pas t'embarquer comme ça... Mon Dieu, Brian, Vic Lucchesi *est mort* au Vietnam. Et le pauvre Buddy... » Submergée par l'horreur, elle ne put terminer sa phrase.

« Tout le monde n'y passe pas, commença-t-il à dire mais elle se boucha les oreilles.

— Non, non. Pas *toi*, Brian. »

Elle entendait sa voix virer à l'aigu mais cela semblait venir de l'extérieur comme une sirène d'ambulance dans la rue.

« Rose, n'aggrave pas les choses. » Il essaya de la prendre dans ses bras, mais elle résista, se disant que céder équivaudrait à accepter cette épouvantable nouvelle.

« Ils ne peuvent pas t'y obliger, dit-elle, s'efforçant de parler calmement. Tu es sursitaire.

— Rose, écoute. J'ai reçu l'ordre de me présenter à un contrôle médical la semaine dernière. Je ne t'en ai pas parlé parce que... on ne sait jamais, j'aurais pu avoir un souffle au cœur ou n'importe quoi et être réformé. Mais j'ai eu la lettre aujourd'hui. 1-A. Je dois commencer mes classes à Fort Dix dès la semaine prochaine. »

Rose était incapable de proférer une parole. Puis, comme dans un cauchemar, elle imagina Brian, gisant dans une rizière, perdant tout son sang qui s'étalait en cercles rouges à la surface de l'eau. Non. Oh mon Dieu, non.

Elle chassa cette effroyable vision.

Mais elle ne put chasser le froid qui l'envahissait, comme si son cœur avait pompé de l'eau glacée à la place du sang.

Et tout ça était vrai. Il ne s'agissait pas d'un simple cauchemar. Brian allait partir pour le Vietnam. On lui tirerait dessus, il serait peut-être blessé ou même tué.

« Non ! » Rose se leva d'un bond.

« Rose... » Brian sortit ses jambes du lit et lui tendit les bras d'un air suppliant.

Mais elle n'alla pas vers lui. *Qu'il aille au diable ! Il est sûrement content de partir, de jouer les putains de héros.*

« Le Canada, plaida-t-elle. Tu te souviens de Rory Walker ? Il est parti au Canada. A Montréal, je crois. Ou peut-être à Toronto. Tu pourrais y aller aussi. Tout recommencer. Je viendrais avec toi. »

Les bras du jeune homme retombèrent le long de son corps. Son ombre s'étendait sur le sol, rejoignait Rose debout sur la natte comme une funeste prémonition. Elle tremblait, incapable de se contrôler. Elle avait l'impression d'avoir une forte fièvre qui pesait sur ses yeux et faisait battre ses tempes.

« Rory est dans les limbes, dit-il calmement. Il ne peut pas revenir, pas même pour rendre visite à sa famille. Il serait aussitôt arrêté.

— Il y a d'autres moyens. Objecteur de conscience, par exemple.

— Rose, tu connais papa. Ça le tuerait. Il a débarqué à Anzio. Il s'est battu pendant toute la remontée vers les Alpes. Mon grand-père a servi dans la Première Guerre mondiale, il a été blessé à Verdun. Je me souviens que grand-père avait une boîte de velours qu'il gardait dans le fond d'un tiroir de sa commode. Il ne m'avait jamais montré ce qu'il y avait dedans. Et puis, un jour, je devais avoir dans les onze ans, il m'a surpris jouant à la guerre avec Kirk dans un terrain vague, derrière son magasin. Alors, il nous a appelés et il nous a montré son étoile de bronze. Il a dit qu'on était peut-être assez vieux pour comprendre ce que ça signifiait. Pour lui, en tout cas. Il nous a expliqué que les gens qui croyaient que faire la guerre, ça consistait à devenir un héros et à gagner des médailles, ils avaient un petit pois dans le cerveau. Il disait, la guerre c'est terrible, mais c'est quelque chose qui doit être fait. Il faut éteindre l'incendie avant qu'il détruise tout. Seulement il n'y a pas lieu d'en être fier. On fait son devoir c'est tout.

— Tu n'es pas ton grand-père, protesta Rose avec désespoir. C'est une autre guerre. Personne ne sait pourquoi on s'est fourrés là-dedans. »

Brian leva les yeux vers elle et Rose fut frappée de leur luminosité. Ils étaient clairs et brillants. « Peut-être, mais quoi qu'il en soit, un tas de types sont envoyés là-bas. Des garçons avec qui on a grandi, toi et moi. Vic, Buddy et Gus Shaw. *Ça* signifie quelque chose. Je ne sais pas très bien quoi. Ce que je sais, par contre, c'est que si je me défile, c'est un autre qui ira à ma place. » Il s'interrompit. « J'ai beaucoup pensé à tout ça. Même avant cette convocation. Tu ne sais pas à quel point je me suis senti coupable de demander un sursis, année après année, mais je savais que ça te rendrait malade. Maintenant... »

Elle songea à John Wayne dans *Les Bérets verts*. Tout ce blabla sur l'honneur et le devoir... en réalité, ces types aimaient dégainer leur arme. Et Brian? Non, il était parfaitement sincère. Elle aurait dû se douter de sa réaction.

Un souvenir se glissa dans sa tête. Un jour, Brian était rentré de classe avec les mains rouges et enflées. Le père Joseph lui avait infligé une demi-douzaine de coups de règle.

« Mais pourquoi, Brian? avait-elle demandé, aussi choquée et blessée que si elle avait reçu le même châtiment. Qu'est-ce que tu as fait pour qu'il te frappe?

— Rien, avait-il répondu en haussant les épaules d'un air nonchalant! En fait Dooley a cassé une fenêtre du rectorat. C'était un accident mais il a déjà un tel contentieux avec le père Joseph... Il ne l'aurait pas loupé, tu comprends? »

Oh, Brian. J'irais à ta place si je pouvais. Parce que, si quoi que ce soit t'arrive, je mourrai aussi.

Rose se laissa tomber à genoux sur la natte de jute. Elle avait mal à l'estomac. Elle se sentait pleine de bleus, comme si on l'avait battue.

Comme elle avait été folle de s'inquiéter parce que Dieu risquait d'éloigner Brian d'elle.

C'était le choix de Brian. Il avait décidé de partir là-bas. Cela revenait au même que s'il était passé au centre de recrutement pour se faire enrôler.

Il la quittait délibérément.

Rose sentait sa colère monter. Elle se leva brusquement et saisissant la première chose qui lui tombait sous la main – en l'occurrence une coupe remplie de pennies posée sur la commode – la lança contre le mur, où elle éclata en mille morceaux. Les pièces se répandirent partout sur le sol en tintinabulant.

« TU ES UN SALAUD! SI TU TE FAIS TUER, JE NE TE LE PARDONNERAI JAMAIS! »

Des larmes brûlantes comme de l'acide coulaient sur son visage.

« Je me fiche de qui part à ta place, sanglota-t-elle. Je me fiche de qui se fait tuer pourvu que ce ne soit pas toi. Oh Dieu! Mon estomac. J'ai mal. Je te déteste, Bri. Tu m'entends? *Je te déteste de me faire ça.* »

Puis ses bras furent autour d'elle. Il la tint serrée contre son cœur, l'empêchant de sombrer dans le désespoir. Il l'ancrait à lui, la réchauffait.

Sainte Mère de Dieu, mais que *disait*-elle? Bien sûr qu'il ne mourrait pas. Bien sûr que non. Elle s'accrochait à lui en pleurant.

« Ne pleure pas, Rose. » Sa voix tremblait et elle sentit quelque chose d'humide contre son cou. Des larmes. Les larmes de Brian. « Je sais qu'une année c'est long et que tu vas me manquer. Seigneur, tu me manques déjà tellement que j'en suis malade. Mais tout ira bien, je te le promets. »

Rose s'accrocha encore plus désespérément à lui. Elle avait l'impression qu'on lui arrachait le cœur. Elle n'avait plus qu'une grande cavité douloureuse dans la poitrine.

Comment vais-je supporter ça? se demandait-elle. *L'attente. D'une lettre à l'autre. Ne pas savoir ce qui lui arrive. S'il est blessé ou pire, s'il est...*

Elle s'écarta de lui et le regarda dans les yeux.

« Ne promets pas, Brian. Les promesses, ça se rompt. Reviens, c'est tout ce que je te demande. Reviens-moi. »

4

Haletante, Rachel poussa la double porte en acier qui menait à la salle de maternité. Elle regarda la pendule au-dessus du bureau vitré des infirmières. Six heures trente-cinq. En retard pour la visite du matin. Merde. Elle n'avait vraiment pas besoin de ça aujourd'hui.

Elle se sentait abrutie et léthargique, en dépit des deux tasses de café qu'elle avait bues et de sa course effrénée sous une pluie glaciale. Cependant à la pensée de voir David d'un instant à l'autre, son cœur se mit à battre plus fort, et elle glissa sa main dans la poche de sa blouse.

Elle tripota le morceau de papier, la feuille rose du laboratoire : TEST DE GROSSESSE, POSITIF.

Même à présent, douze heures plus tard, ces mots semblaient lui brûler les doigts. Quel choc !

OK, Dieu, le Destin, qui que vous soyez, vous vous êtes suffisamment amusé. Et maintenant, qu'allait-il se passer ?

Elle avait passé une nuit blanche, tournant et retournant la question dans sa tête sans trouver la réponse. Toute sa vie, Mama lui avait dit que les choses avaient toujours meilleur air le matin mais aujourd'hui, c'était loin d'être le cas. Elles avaient même l'air bien pires.

Elle remarqua que Grace Bishop la regardait en fronçant les sourcils et se sentit fautive, comme lorsqu'elle était petite et mâchait du chewing-gum en classe. Grace était la surveillante du service depuis des lustres, avant même la naissance de Rachel, et personne ne lui donnait d'ordre. Elle était plantée comme un cerbère devant le bureau des infirmières, les pieds écartés, les bras croisés sur son ample poitrine. Elle regarda ostensiblement la grosse montre qui ornait son poignet café au lait. Tous ses gestes exprimaient la désapprobation.

Rachel, vingt-cinq ans, était de loin la plus jeune des internes. Elle avait terminé *High School* un an avant ses camarades de classe et transformé en sept ans les huit années d'université et de faculté de médecine. Mais là, sous le regard sévère de la surveillante, elle avait l'impression de se retrouver à l'école maternelle.

« La visite a déjà commencé, annonça Grace avec son accent jamaïquain. Vous avez intérêt à vous dépêcher. »

Rachel hocha la tête avec raideur, voyant à travers le regard impitoyable de Grace le pantalon kaki qu'elle portait déjà hier, la tache de café sur le revers de sa blouse blanche, son visage blême sous le néon du plafonnier et ses yeux cernés par la nuit quasiment blanche qu'elle venait de passer.

Pour une fois, elle ne pouvait pas lui donner tort. Elle réprima l'accès d'hilarité qu'elle sentait monter en elle ainsi que l'envie absurde de dire à Grace : *Ne vous inquiétez pas, je suis qualifiée pour ce genre de chose. Qui peut mieux s'occuper d'une femme en travail qu'une doctoresse enceinte?*

Mais ce n'était pas le moment de discutailler. Elle courut vers la salle 1, ses Adidas faisant écho, sur le linoléum, aux battements de son cœur. Elle s'imaginait annonçant la nouvelle à David.

Désolée, je suis en retard... Elle l'entraînerait à l'écart puis murmurerait : *A propos, je suis enceinte.*

Non, ça n'allait pas du tout. Trop « théâtre de boulevard ».

David, ce n'était pas dans nos projets mais nous nous en sortirons, ne t'en fais pas... N'avait-elle pas déjà vu cela au cinéma? Un couple tendrement enlacé s'éloignant à la lumière du crépuscule. *Chérie, je t'aime, et c'est tout ce qui compte.*

« Des conneries, tout ça », jura-t-elle entre ses dents, s'écartant pour laisser passer une civière, énervée par les larmes qu'elle sentait toute proches.

Deviens adulte, bon Dieu! Il ne t'a jamais rien promis et maintenant tu voudrais tout.

D'ailleurs, quelle est la bonne solution? se demanda-t-elle. Il y a cent ans, même dix, c'était le mariage à la hâte. Maintenant, on a le choix.

Tu pourrais te faire avorter.

A cette idée, les yeux de Rachel se remplirent de larmes. Quelle ironie! Elle qui avait toujours milité en faveur de l'avortement, qui clamait que ce devait être le droit imprescriptible de la femme, au même titre que le vote. Mais voilà, à présent, une vie se développait en elle. Un bébé. Son bébé, et non plus une abstraction.

L'idée qu'on allait le lui arracher des entrailles et le jeter à la poubelle la rendait positivement malade.

Mais alors, quelle était l'alternative? Avoir le bébé et laisser tomber ce pour quoi elle avait travaillé si dur?

Toutes ces années de faculté, la tenace odeur du formol qui s'accrochait à vous, son sommeil hanté par des cauchemars, par des cadavres à moitié disséqués revenant à la vie, tout cela pour rien?

Elle n'avait vraiment commencé à aimer la médecine qu'en troisième année, lorsqu'elle avait soigné ses premiers patients, tous ces gens qui avaient besoin d'elle. A cette époque elle avait vraiment compris ce qu'était une vocation.

Rachel se souvenait encore du jour où elle était venue ici pour son interview, le long trajet en métro, près d'une heure jusqu'au centre de Brooklyn. Il n'y avait autour d'elle que des visages noirs ou bruns. Elle était sortie à Flatbush Avenue. Les magasins minables, les gens à l'air soucieux et las vous serraient le cœur. Six blocs plus loin, il y avait ce bâtiment bizarre de treize étages, en pierre grise avec ses fenêtres au treillis métallique. Bien qu'il n'y eût pas de fils barbelés autour, on aurait dit une prison. En tout cas pas un endroit où les gens venaient spontanément pour se faire soigner. Et pourtant, ils y venaient bel et bien, comme elle ne tarda pas à le constater, en rangs serrés, toute une population originaire des Barbades, de Haïti, de Porto-Rico, de Saint-Domingue, des Noirs, des gens qui n'avaient ni argent, ni assurance mais désespérément besoin de soins.

C'était pour cette raison qu'elle avait choisi Good Sheperd et non l'hôpital presbytérien ou Mount Sinai où son père aurait préféré la voir travailler. Et elle s'y plaisait beaucoup. Dans deux mois elle aurait fini son internat. Alors, comment pouvait-elle laisser tout tomber maintenant? Impossible.

En tournant à droite au bout du couloir, Rachel repéra quelques silhouettes en blouse blanche devant la salle 1. Ils avaient le visage encore bouffi de sommeil et buvaient du café dans des gobelets en carton. Ceux qui avaient été de garde la nuit dernière semblaient épuisés.

David, heureusement, n'était pas là. Il fulminait lorsque quelqu'un arrivait en retard pour la visite. Et elle ne bénéficiait d'aucun traitement de faveur. Ils s'étaient mis d'accord là-dessus dès le début.

Joe Israel l'accueillit en bâillant. « Tu as manqué quelque chose. Des jumeaux. La mère est arrivée sur ses jambes et les a lâchés comme une portée de chiots. »

Rachel regarda Israel, grand, maigre, le visage grêlé par l'acné. Elle aimait Israel, mais une portée de chiots? Seigneur, quelle image!

Janet Neddham lui jeta un coup d'œil sévère. « Tu n'as jamais envisagé de faire de la médecine vétérinaire, Israel? »

Janet aussi était interne, Rachel avait essayé de l'aimer, mais c'était difficile. Elle-même ne s'aimait pas. Grosse, des cheveux bruns et gras retenus par un élastique, elle fronçait les sourcils en permanence, semblant soupçonner du pire toute personne se montrant amicale à son égard.

Israel lui fit un large sourire et leva son gobelet de café. « Si je le fais, je ne manquerai pas de t'en informer.

— Du calme, vous deux », souffla Pink. Son vrai nom était Walter Pinkham. Rachel compta cinq crayons-feutre accrochés à la poche de sa blouse. Il était le seul interne de sa connaissance à trimballer un attaché-case.

Puis Rachel aperçut David qui se dirigeait à grands pas vers eux. Il semblait immense et vibrant de projets dans sa blouse blanche immaculée.

Le cœur de Rachel fit un bond. Seigneur, comment pouvait-il lui faire cet effet? Les paumes moites, les jambes molles, le grand jeu. Pendant des années, elle avait vécu dans la terreur d'être frigide et à présent, elle craignait une nymphomanie aiguë.

Souriant intérieurement, elle se souvint de ce qu'elle avait pensé de lui la première fois qu'ils s'étaient rencontrés : *Quelqu'un d'aussi séduisant physiquement ne peut être qu'une merde.*

Il était parfait pour les médias, avec ses yeux verts lumineux et ses cheveux blonds qui retombaient sur son front dans le style J.F. Kennedy. Avec en prime des fossettes de part et d'autre de la bouche, plus une sur le menton.

Et puis, progressivement — et Dieu sait pourquoi il l'avait choisie, elle — il l'avait conquise, lui faisant la cour comme à une maîtresse d'école dans un roman victorien. Il lui apportait une rose un jour, un œillet le lendemain — sans doute les fleurs qu'on récupérait dans les chambres des patients qui quittaient l'hôpital. Elle avait même trouvé deux ou trois mots dans son casier, comme au temps du collège.

Et maintenant un bébé, se dit-elle avec un amusement teinté d'amertume.

« Bonjour, tout le monde. Désolé de vous avoir fait attendre. J'avais une urgence. » David ne la regardait pas. Elle n'avait pas croisé son regard une seule fois depuis son arrivée.

Rachel se dit soudain qu'elle ne représentait peut-être rien de particulier pour lui et un frisson la parcourut. Puis elle se ressaisit. Crétine! Il était discret et il avait raison de l'être. *Bien sûr* qu'il l'aimait.

Mais elle était tendue, comme si la feuille rose du laboratoire risquait d'exploser dans sa poche au premier geste.

Elle se fondit dans le groupe et ils suivirent David dans la salle de maternité. C'était une grande pièce, peinte en vert-jaune, avec des rangées de lits séparés par des rideaux beigeasse. Et il faisait une chaleur là-dedans! Les vieux radiateurs à vapeur marchaient à fond en faisant un boucan du diable. Apparemment personne ne pensait jamais à entrouvrir une fenêtre.

David s'arrêta au premier lit. Un visage pâlot, auréolé d'une tignasse brune et touffue, émergeait du drap. Une petite croix en or brillait à son cou. Elle semblait si jeune que c'en était pathétique. Une mère-enfant.

David parcourut la feuille de la malade, puis se tourna vers Gary McBride.

« C'est votre patiente, McBride, n'est-ce-pas ? »

Gary faisait penser à Tom Sawyer avec son air de gamin, ses taches de rousseur et ses cheveux carotte.

Il ne regarda même pas ses notes. « Mlle Ortiz. Seize ans. Primipare. Elle a été admise à deux heures du matin avec une dilatation de quatre centimètres. Pression artérielle normale. Mais elle avait des pertes de sang et le cœur de l'enfant battait trop lentement. J'ai consulté M. Melrose qui a ordonné une césarienne.

– Comment est-elle ce matin ? s'enquit David.

– Pression artérielle assez basse. Un peu de fièvre aussi. Elle se plaignait d'avoir mal alors je lui ai donné du Demerol. »

David repoussa le drap puis souleva la chemise de la jeune femme. Il ôta doucement le morceau de gaze qui recouvrait la cicatrice. Rachel était fascinée par ses mains, des mains d'artiste. Un sculpteur de chair vivante. Des paumes larges et carrées avec de longs doigts déliés.

Et c'étaient ces mêmes mains, qu'elle avait si souvent observées au bloc opératoire, qui lui donnaient tant de plaisir.

Elle revit – et ce souvenir lui fit monter le sang au visage – leur première nuit. Séduction, style Hollywood. Ça se passait dans son appartement, avec champagne frappé et musique douce (un homme et une femme, c'était gravé à jamais dans sa mémoire). Les draps sentaient la lotion après-rasage English Leather. Tout cela l'excitait et en même temps, la laissait un peu froide. C'était... trop.

Soudain, au beau milieu de leurs ébats, il s'était arrêté brusquement, et, appuyé sur ses coudes, l'avait regardée avec un sourire un peu étonné.

« Tu ne prends pas beaucoup de plaisir à tout ça, hein ? » lui avait-il demandé.

Surprise, elle avait répondu franchement : « Je ne sais pas comment m'y prendre. »

Depuis son aventure avec Mason Gold, elle avait fait l'amour avec trois hommes. Chaque fois, ç'avait été un échec. Et voilà que ça recommençait avec celui-ci. Elle avait envie de pleurer.

Doucement, David s'était retiré et avait mis sa tête entre ses cuisses. Au début, elle avait résisté, trop honteuse pour ressentir quoi que ce soit puis, lentement, d'étranges et fugitives sensations avaient commencé à percer le mur de ses défenses, des sensations sûrement interdites mais terriblement excitantes. Il resta ainsi longtemps – des heures lui semblat-il – jusqu'au moment où elle se mit à trembler au paroxysme du plaisir.

Il se releva et lui sourit. « Ça va mieux maintenant ? »

Était-ce cette nuit-là ? se demandait-elle maintenant. Huit semaines...

c'était possible. Et il y avait une sorte de justice poétique dans tout ça, enfin... si on croyait à ce genre de chose... se faire engrosser la première fois qu'on découvrait l'amour physique.

Elle regardait David palper l'abdomen de la jeune femme avec une sorte de fascination nouvelle et inattendue. Elle avait l'impression d'être sortie d'elle-même par un tour de magie. Elle n'était plus médecin mais simplement une femme initiée aux secrets, vieux comme le monde, de la maternité.

Des larmes lui montèrent aux yeux et l'aveuglèrent pendant un instant. Elle s'imaginait donnant naissance à cet enfant en elle. A ce petit miracle fait de sa chair et de son sang. Et elle le tenait dans ses bras, le berçait, les seins lourds de lait.

Arrête, arrête, se dit-elle. C'était si égoïste de sa part de vouloir cet enfant! Elle n'avait pas de place pour un bébé dans sa vie. Dans quelques années, peut-être. Mais pas maintenant.

D'un mouvement de paupières, elle chassa ses larmes et essaya de se concentrer sur la jeune femme.

« Ça fait mal? » demanda David. La fille se mordait la lèvre inférieure.

Il la regarda de ses yeux verts et brillants et, aussitôt, la patiente se calma.

Ce regard fait aussi partie de la magie de David, se dit Rachel. Il inspire une confiance totale.

David appuya un peu plus fort. « Et là, ça vous fait mal?

— Un peu », murmura la fille.

Rachel remarqua qu'elle avait légèrement pâli mais ne bougeait toujours pas. David la tenait sous son regard vert tout en continuant à lui palper l'abdomen.

Il se redressa, rabattit la chemise de nuit, puis se tourna vers ses élèves.

« Bon, ça paraît un peu sensible. Surveillez-la. Ça pourrait être de l'infection. Faites-lui une numération globulaire et une autre cet après-midi pour contrôler ses leucocytes. » Il regarda de nouveau la feuille de la malade et fronça les sourcils. « Je ne vois pas le nom du médecin. Qui a fait l'interrogatoire?

— Je... moi, bredouilla Gary. C'est la patiente de M. Gabriel, mais je n'ai pas réussi à...

— Je me fiche de tout ça, l'interrompit David. Je veux son nom sur la feuille, avec tout le reste, même si vous n'en voyez pas l'intérêt. *Docteur.* »

Il appuya de façon sarcastique sur le mot.

« Oui, patron. Excusez-moi. Cela ne se reproduira plus. »

Rachel regardait la scène avec stupeur. Gary était rouge comme une betterave et elle comprit combien cette algarade, de la part d'un homme qu'il aimait et respectait, le peinait.

Rachel brûlait d'envie de s'en mêler, de crier : *Non, David, pas sur ce ton. Tu es tellement plus gentil que cela.* Elle le connaissait bien mieux qu'eux tous. Elle avait envie qu'ils sachent ce qu'il était réellement.

Puis, tout à coup, comme s'il avait lu dans ses pensées, David leur fit un large sourire et ce fut comme si le soleil perçait tout à coup la couche des nuages. Rachel se détendit. David donna une tape amicale sur l'épaule de Gary.

« Bon, tout le reste était bien. Bon travail, McBride. »

David se dirigea vers le lit suivant, Gary McBride, épanoui, dans son sillage. Il semblait si soulagé que c'en était comique.

Oui, c'est comme cela qu'il va réagir lorsque je vais lui annoncer la nouvelle, se dit-elle. D'abord il sera surpris, bouleversé et peut-être même un peu fâché. Mais ensuite, il va me prendre dans ses bras, et tout ira bien. Je vais le lui dire ce soir, décida-t-elle.

« Le salaud! Le môme était complètement cyanosé et lui, aussi empoté qu'un étudiant de première année. Et il empestait l'alcool... »

Rachel regardait David arpenter avec colère le tapis usé de son petit salon. C'était la dernière de Patrakis. David avait raison. Patron ou non du service d'obstétrique, ce type aurait dû être foutu à la porte depuis des années. Un alcoolique n'était même pas capable de faire un travail d'infirmier.

Cependant elle avait du mal à s'intéresser à cette histoire, obsédée qu'elle était par sa grossesse et par la nécessité de l'annoncer à David.

Mais en l'observant à présent, tout vibrant de fureur, elle avait soudain peur. Un jour il lui avait dit que ce qu'il admirait le plus en elle, c'était sa dureté. « Dieu merci, avait-il ajouté, tu n'es pas sentimentale comme toutes ces bonnes femmes! » Le doute lui ravagea brusquement les entrailles.

Et, en admettant que tout se passe bien, il faudrait qu'elle quitte son appartement pour aller vivre avec lui. Or, elle adorait ce vieil appartement du Village, malgré les quatre étages à monter à pied et les chambres de la taille d'un timbre-poste. Et puis elle aimait sa colocataire, Kay Krempel, une infirmière qu'elle avait rencontrée à Bellevue et qui était devenue sa meilleure amie.

Tu es cinglée? Bien sûr que tu quitterais cet appartement pour David. Qui refuserait dans ces conditions?

« ... Ce type est un fou, bordel! Il devrait être arrêté. Si j'avais des appuis au conseil d'administration... »

David s'arrêta devant la fenêtre qui donnait dans Grove Street. Dans la journée, une odeur exquise de pain cuit au four montait de la boulangerie italienne juste en-dessous.

. Il faisait nuit et Rachel ne voyait que le reflet de David dans la vitre. Un homme de haute taille, bien bâti, vêtu d'un pantalon bleu marine et d'un chandail bleu clair décoleté en V, aux cheveux coupés court. Il portait des mocassins sans chaussettes, seule concession au style décontracté d'aujourd'hui. Il sortait tout droit des pages de Gentleman's Quarterly avec sous la photo, la légende : PRINCETON. 1960. VARSITY CREW. Et pourtant, en le voyant lutter pour retrouver son sang-froid, Rachel eut l'impression troublante qu'il y avait deux hommes en lui, deux personnages en antagonisme sous la même peau. Elle se sentit soudain mal à l'aise, comme si elle était sur le point de découvrir quelque chose de déplaisant et qu'il aurait mieux valu continuer d'ignorer.

Elle détourna son regard et vit que leurs verres avaient laissé des ronds humides sur la petite table de chêne. Il n'avait pas touché au sien et la glace avait fini par fondre.

Rachel se leva. « Je vais chercher de la glace, dit-elle, feignant la bonne humeur. Tu veux manger quelque chose pendant que j'y suis ? »

Lorsqu'il sera calmé, je lui dirai.

« Que me proposes-tu ? » demanda-t-il tandis qu'elle enjambait les disques éparpillés comme des cartes à jouer devant la chaîne stéréo. Elle s'arrêta, souriante et ramassa les deux premiers. « Surrealistic Pillow et Beverly Sills à Covent Garden. » Les disques de Kay.

Elle repensa à la conversation surréaliste qu'elle avait eu avec Kay ce matin, au petit déjeuner. Elle, recroquevillée sur un fauteuil, les yeux bouffis à force d'avoir pleuré. Kay, debout devant l'évier, buvant son café à grandes gorgées, comme un cow-boy ses whiskys au salon Long Branch de Dodge City. Les pieds dans des sabots suédois, le reste dans une combinaison blanche d'infirmière tendue sur son derrière charnu, le visage auréolé de boucles brunes.

« Je ne peux pas te donner de conseil, avait conclu Kay, mais, quelle que soit ta décision, assure-toi que c'est bien ce que *tu* veux, et non pas ce que David veut. » Elle adressa à Rachel un bref sourire au-dessus de sa tasse de café. « Tu sais, j'ai toujours pensé que, tout au fond de nous-mêmes, il y a une tombe où nous enterrons nos propres désirs sous celui d'un homme. Seulement, ils ne restent pas enterrés très longtemps. On n'oublie jamais réellement... »

Rachel rangea les disques sur la pile déjà existante. *Kay, qu'est-ce qui te fait croire que ce que je veux est différent de ce qu'il veut ?*

David s'approcha d'elle, souriant, le visage détendu. Elle ouvrit le réfrigérateur. « Du lait, des œufs. Du beurre de cacahuète. Et un reste de poulet Lo Mein. » Elle renifla le contenu d'un petit carton. « Je crois qu'il vaut mieux renoncer au Lo Mein. Il ne semble plus de la première fraîcheur. »

David, derrière elle, l'entoura de ses bras et fourra son nez dans son cou. « Laisse tomber. Je n'ai pas très faim. Je nous ferai une omelette après.

— Après quoi? » Elle se retourna pour lui faire face.

Son cœur se mit à battre vite. Le salaud! Il la faisait mouiller d'un regard. Une simple caresse de la main, un baiser et elle était prête. Comme un alcoolique à qui un verre suffit pour retomber dans son vice.

David n'était pas vraiment conscient de l'intensité de sa passion pour lui. Elle jouait la légèreté. Exprès. Évoquer l'avenir le mettait mal à l'aise mais cela ne la gênait pas. Elle non plus n'était pas mûre pour le mariage. Vivre ensemble? Peut-être, un jour... si tous deux en avaient envie.

Mais ça, c'était avant. Avant le bébé. Il va bien falloir que tu parles de l'avenir maintenant. Nous devons chercher une solution, tirer des plans sur la comète...

Elle le regarda, ouvrit la bouche pour parler puis s'arrêta net. Il la considérait, les yeux à demi-fermés, il esquissa un sourire suggestif. Elle en avait les jambes en coton. Ce n'était plus le Dr Sloane, efficace, distant. C'était simplement David. Elle remarqua les veines gonflées de son cou et pensa à son pénis, gros et dur, parcouru de veines, avec le gland doux comme un pétale de rose.

Oh Seigneur! se dit-elle. Je pourrais presque jouir maintenant, sans qu'il me touche, rien qu'en le regardant.

Il la poussa contre le réfrigérateur ouvert et elle sentait les casiers de métal contre son dos. Il prit doucement ses seins dans ses mains.

« Parfaite. Mûre, chuchota-t-il. J'ai peut-être plus faim que je ne le pensais. »

Rachel regretta de ne pas porter quelque chose de plus sexy, de plus féminin, que cette vieille chemise effilochée de Kay.

Puis elle se trouva idiote. Cela n'avait aucune importance. Dans une minute, elle ne porterait plus rien du tout.

Rachel se pressa contre lui. Il commençait déjà à déboutonner sa chemise avec frénésie.

« Pas ici. » Elle se mit à rire nerveusement. « Kay va peut-être rentrer plus tôt. Allons dans ma chambre. »

Il rit. « Je te l'ai dit. J'ai faim. »

Visiblement, l'éventuelle arrivée de Kay ne le préoccupait pas. Allait-il la prendre là, sur le carrelage? L'idée l'inquiétait et l'excitait tout à la fois. Elle ressentait une étrange faiblesse, ses seins étaient plus lourds, plus tendus que d'habitude, les bouts durcis contre sa chemise.

Oh mon Dieu, *la table*, il l'entraînait vers la table et la soulevait, l'installait dessus sans ménagement. Et maintenant il tirait sur son pantalon, le lui arrachait. Elle sentait le bois froid sous ses fesses, la paille rèche d'un set de table contre sa peau. Lui avait toujours ses vêtements. Il s'était contenté de baisser son pantalon et son caleçon.

Rachel fermait les yeux, attendant, prête, oh combien. Alors, elle sentit quelque chose de dur, d'osseux qui fouillait en elle. Surprise, elle comprit que ce n'était pas sa queue mais ses doigts qui allaient et venaient en elle à un rythme rapide et régulier.

La table, la lumière crue au-dessus d'elle, la pression des doigts de David – tout cela lui rappela soudain quelque chose qu'elle cherchait à oublier. Elle sentit son désir pour lui se refroidir. Le gynécologue, voilà. Cela lui faisait irrésistiblement penser à une visite chez le gynécologue. *C'est ce que fait David aux femmes enceintes à l'hôpital. Il a une main en elles pendant qu'elles sont là, écartelées, les pieds dans les étriers.*

Non, non, il ne faut pas que je pense à ça. Ce n'est pas la même chose. C'est à cause du bébé que je réagis ainsi. Parce que j'ai besoin que David soit tendre ce soir.

Mais jouer comme ça, tous les deux, c'était bon aussi. L'incendie se rallumait en elle. Oui, oh oui. David savait s'y prendre. Elle était prête à jouir à présent. D'un instant à l'autre. La laisserait-il jouir?

Non. Il la retourna sur le côté, le visage vers son sexe.

« Suce-moi », ordonna-t-il.

Rachel hésita un instant puis le prit dans sa bouche. C'était toujours ainsi. D'abord un petit choc, l'impression de faire quelque chose de mal, de dépravé, puis aussitôt, elle commençait à se sentir bien, toute-puissante même. Il bandait encore plus dur dans sa bouche et elle l'entendait gémir de plaisir. Elle imaginait qu'elle était la seule femme au monde à pouvoir faire cela. *Elle* donnerait à David ce que personne d'autre ne pourrait lui donner.

Et ce n'est pas sale, se dit-elle, *pas quand on aime quelqu'un.*

Il s'enfonçait dans sa bouche à présent et elle entendait le cliquetis régulier de sa fermeture Éclair contre la table. En même temps il continuait de la masturber.

Elle jouit et sentit David éjaculer au même moment. Le sperme lui emplit la bouche. Elle ne détestait pas ce goût salé, contrairement, croyait-elle savoir, à beaucoup de femmes. Peut-être ne supporterait-elle pas cela d'un autre mais David était le seul avec qui elle eût jamais pratiqué la fellation.

Il se retira d'elle, remonta son pantalon puis il l'aida à descendre de la table. Si le visage de David était empourpré il ne trahissait aucune émotion, ils auraient aussi bien pu jouer au gin rummy. Il était cool. Rien ne le troublait. C'était ce qui en faisait un si bon médecin. Mais elle aurait aimé qu'il la prenne dans ses bras. Ce soir elle avait terriblement besoin de tendresse.

Elle le regarda se laver les mains dans l'évier et, à nouveau, elle eut cette déplaisante impression d'être dans le cabinet d'un gynécologue. *Eh bien, jeune dame, vous êtes enceinte, d'environ six semaines, je dirais, mais nous allons faire une analyse d'urine pour nous en assurer.*

« David », appela-t-elle essayant de couvrir le bruit de l'eau coulant dans le vieil évier en acier inoxydable. Elle se laissa tomber sur une chaise, sans même songer à remettre son pantalon. « Je suis enceinte. »

Il tourna vivement la tête, la bouche ouverte, la regardant comme si elle lui faisait une blague de mauvais goût.

« Rachel, ce n'est pas drôle, ne plaisante pas avec ça, dit-il, en lui souriant.

– Je ne plaisante pas. »

Elle observa son visage qui se rembrunissait. Pourquoi la regardait-il ainsi, comme si *elle* avait tout gâché entre eux, comme si, en un sens, elle l'attaquait?

« Bon Dieu, Rachel, tu en es sûre? Évidemment, tu en es sûre. Tu es médecin. Bordel comment as-tu fait ton compte? »

Tu. Pas nous. Comme si c'était sa faute à elle.

« Comment *nous* avons fait notre compte. Souviens-toi... je n'étais pas seule », répliqua-t-elle sèchement.

En deux enjambées, les mains encore dégoulinantes d'eau, il la rejoignit. « Enfin, Rachel. Tu n'es pas une de ces gamines de seize ans, illettrées, qui se font engrosser parce qu'elles sont trop bêtes pour prendre la pilule. Tu m'as dit que tu mettais un diaphragme. C'est pour ça qu'aujourd'hui je n'ai pas voulu jouir en toi, parce que j'étais trop excité pour attendre que tu poses ton foutu *préservatif*. »

Il la regardait bizarrement, avec froideur. Elle comprit qu'il était furieux et sentit son sang se figer dans ses veines.

Elle baissa les yeux, ne pouvant soutenir ce regard glacial.

Le salaud. Qu'il aille au diable!

Rachel respira à fond, luttant pour maîtriser sa colère et sa souffrance. « Je me *servais* d'un diaphragme. Ce n'est pas une méthode infaillible, comme tu sais. Peut-être l'ai-je retiré trop tôt. Ou peut-être de petits hommes de Mars ont-ils fait des trous dedans pendant que je regardais ailleurs. Enfin, merde, comment saurais-je ce qui s'est passé? »

Elle leva les yeux et vit qu'il était calme à présent, calme et froid. « Ce n'était peut-être pas un accident. »

Rachel le regarda avec stupeur. *Oh mon Dieu! avait-il vraiment dit cela?*

Non, il ne pouvait pas penser ça. Il devait bien savoir qu'elle était incapable de faire une chose pareille. Elle eut envie de le frapper, de faire voler en éclats son expression méprisante.

Puis, soudain, la colère la déserta et elle se sentit déprimée et vidée.

« Écoute, ne donnons pas dans ce genre de scène. Se mettre en colère n'arrangera pas les choses. Ce n'est la faute de personne. C'est arrivé, point final. »

David se passa la main dans les cheveux et poussa un soupir de soulagement. « Tu as raison. Je suis désolé. Il est ridicule de se mettre dans tous ses états. De toute façon, le mal est réparable.

– Que veux-tu dire? »

Il la regarda comme s'il avait affaire à une gamine pas très intelligente. « Il faut que tu te fasses avorter. Je vais arranger ça. »

Rachel avait l'impression de se tenir au bout d'un long tunnel et de voir David, sombre silhouette fantomatique, de l'autre côté. Elle sentait la distance se creuser entre eux.

Prenant son silence pour un acquiescement, David sourit. Il lui mit un bras autour des épaules d'un air sûr de lui.

« Écoute, je sais ce qui t'inquiète, continua-t-il. Nous voyons toutes ces filles arriver à l'hôpital esquintées par des faiseuses d'anges. Mais ça ne se passera pas comme ça. J'ai un copain, un type qui était en fac avec moi. Il a ouvert un cabinet. Il fera ça très bien. Sans risque et sans douleur. Comme si tu te faisais arracher une dent. »

Elle se dégagea violemment et se retourna pour le regarder. Elle pensait au bébé en elle, à la façon dont, quelques heures avant, elle essayait d'imaginer à quoi il allait ressembler, ce qu'elle ressentirait en le prenant dans ses bras. Elle pensait aussi à la maison dans laquelle David et elle vivraient, à la future nursery.

Et elle s'était dit, pourquoi abandonner la médecine? Elle s'absenterait quelques mois et, avec l'aide de David et de Mama, plus une nurse, elle pourrait terminer son internat.

Mais maintenant, il lui ordonnait de se débarrasser de son *enfant*, comme d'une cochonnerie collée à la semelle de sa chaussure.

Rachel se leva d'un bond et sa hanche heurta la table. Les tasses de porcelaine de Chine volèrent en éclats.

« Non, dit-elle, étonnée par la fermeté de sa propre voix. Je ne me ferai pas avorter.

– Alors tu...

– C'est ça. Je vais avoir cet enfant. »

Il la considéra avec stupeur puis son séduisant visage commença à se durcir et ses yeux verts étincelèrent de colère.

« Tu ficherais ta carrière en l'air, lui dit-il sèchement. Pour ce qui n'est encore qu'un paquet informe de cellules. Tu es enceinte de combien, six, huit semaines? Quelque chose que nous étudions au microscope en embryologie, en préparation. Ou bien l'as-tu oublié? La sentimentalité ne change pas les faits biologiques.

– Espèce de salaud. » Elle avait envie de le frapper, de gifler ce visage suffisant. « Espèce de salaud sans cœur! »

– Tu espérais que j'allais t'épouser, c'était ça, ton plan?

– Non, répondit-elle d'une voix brisée. Je pensais simplement que ça signifierait quelque chose pour toi aussi. » Elle le regardait fixement essayant de comprendre pourquoi elle avait cru en être tellement amoureuse.

Il détourna les yeux « Ça signifie quelque chose, dit-il détachant chaque syllabe. Je m'intéresse à mon travail de médecin et je m'intéresse à toi. Mais je ne te ferai aucune excuse. Je ne t'ai jamais rien promis et je ne vais pas commencer maintenant. Si tu veux cet enfant, Rachel, tu l'auras seule. »

Elle se sentit légèrement nauséeuse, abasourdie par tant de froideur. Le souvenir de ce qu'ils avaient fait sur la table quelques minutes auparavant lui semblait sale, humiliant, comme une blague que se racontent les hommes dans les vestiaires des stades.

Mais le pire, l'horreur, c'était qu'en dépit de tout ce qu'il venait de dire, elle mourait d'envie qu'il la prenne dans ses bras, qu'il la console, qu'il apaise sa souffrance.

« Va-t-en, lui dit-elle. Je t'en prie, va-t-en. »

« J'ai une grande nouvelle à t'annoncer. »

Kay entra, les bras chargés de sacs Balducci, son visage rond empourpré par l'excitation.

« Quoi? demanda Rachel, recroquevillée sur le canapé parmi les Kleenex froissés, se sentant encore plus mal que la veille, lors de sa soirée avec David.

Elle regarda Kay déposer ses sacs sur la table en pin de l'entrée. Un fumet épicé, délicieux, lui chatouilla les narines. Seulement, aujourd'hui, elle n'aurait rien pu avaler.

Eh bien, si c'est à cause d'un type qu'elle est dans cet état, il doit être fabuleux, se dit Rachel. Kay, pourtant si « mère poule » et perspicace, ne semblait pas trouver étonnant que Rachel fût vautrée sur le canapé à deux heures de l'après-midi, dans l'obscurité, alors qu'elle aurait dû être de garde aux urgences.

« Je laisse tout tomber! » Kay jeta son manteau sur une chaise et se mit à faire des claquettes sur le parquet, encore vêtue de sa blouse blanche et de ses sabots suédois, ses lunettes cerclées d'or sur le nez.

« Plus d'overdose de Valium, continua-t-elle. Plus d'implants mammaires. Plus de nez refaits. Plus de Barbara Streisand qui croient qu'elles peuvent ressembler à Grace Kelly. Écoute, aujourd'hui, une bonne femme, une *kvetch*, entre à cloche-pied. Elle s'était foulé l'orteil sur l'escalator de Saks et pendant qu'elle gémissait et pleurnichait, il y avait un môme lardé de coups de couteau qui perdait tout son sang à un mètre de là. Ça m'a foutue en rogne. Je ne sais pas ce qui m'a pris, je lui ai dit de retourner chez Saks avec son cher orteil et de se faire rembourser. Puis je suis sortie pour respirer un peu et me calmer. Et j'ai pensé à Abbie Steiner. Tu t'en souviens? Elle s'est tirée l'été dernier et elle travaille maintenant dans un hôpital de la Croix-Rouge au Vietnam. J'ai reçu une lettre d'elle. Ils ont besoin d'infirmières, de médecins, d'aides-soignantes, de tout. Et j'en ai marre de protester contre cette guerre sans rien faire. Alors j'ai décidé... » Elle s'interrompit, une expression inquiète sur le visage. « Hé, Rachel, tu vas bien? Tu n'es pas malade au moins? Que fais-tu ici à cette heure-ci? Comment se fait-il que tu ne sois pas à l'hôpital?

— C'est une longue histoire. »

Kay ouvrit les stores vénitiens et le dur soleil hivernal pénétra à flots dans la pièce. Rachel plissa les yeux. « S'il te plaît, pas autant... j'ai besoin d'ombre. Non, je ne suis pas malade. Seulement un peu enceinte. Kay, tu ne parles pas sérieusement. »

Quelle question idiote, se dit-elle. Quand il s'agissait de bonnes causes, personne n'était plus sérieux que Kay. Rachel revoyait cette manifestation des infirmières, le premier été de son stage à Bellevue. Lorsque Rachel avait essayé de se frayer un chemin à travers la ligne des piquets de grève, Kay l'en avait empêchée, rugissant comme un docker, et l'avait attrapée par le revers de sa blouse, lui expliquant avec pétulance que lorsque les infirmières étaient trop peu nombreuses et mal payées, c'étaient les malades qui trinquaient. Elle était si intriguée par cette pasionaria qu'elle l'avait invitée à prendre une tasse de café chez elle. Et elles étaient très vite devenues intimes.

Kay se laissa tomber sur le canapé, à côté d'elle. « Si, je parle sérieusement.

— Enfin, Kay... je ne peux pas croire que tu songes à quitter Lenox Hill. Comme ça, sur un coup de tête. Et pour le Vietnam? Oh non, c'est trop!

— Je sais. » Kay rit pour dissimuler sa gêne. « Ce n'est pas un endroit où une dame peut être surprise avec des sous-vêtements déchirés, comme dirait ma chère maman. Mais penses-y, Rachel. Enfin l'occasion de faire autre chose que de s'asseoir et de se lamenter sur tout ce gâchis. »

Rachel sourit. « J'ai du mal à t'imaginer assise en train de te lamenter.

— Quand ma mère va découvrir ça, elle va filer à Washington haranguer Johnson et tous les membres du Congrès pour essayer de m'en empêcher.

— Oh! Kay. » Rachel posa sa tête sur l'épaule de la jeune femme et se mit à pleurer. « Je crois que tu es folle. Et courageuse. Et je ne sais vraiment pas comment je vais me tirer de tout ça sans toi. »

Pendant un instant, elle se dit : *J'aimerais y aller, moi aussi. Partir le plus loin possible. Laisser tous ces emmerdements derrière moi.* Mais bien sûr c'était une idée absurde.

Kay la prit dans ses bras. Elle avait les larmes aux yeux. « Alors, ça y est, tu lui as dit? »

Rachel hocha la tête. La nuit dernière, épuisée, elle s'était endormie avant le retour de Kay et ce matin, celle-ci était partie aux aurores.

« Il veut que je me fasse avorter.

— Et toi, c'est ça que tu veux?

— Non. » Rachel enfouit son visage dans ses mains. La souffrance de la veille l'envahissait de nouveau. « Mais c'est si compliqué. Sans David, comment vais-je m'en sortir? Je n'ai pas envie d'abandonner la médecine. J'ai tellement travaillé! Et si je ne le fais pas, je verrai à peine cet enfant. Ce n'est pas juste. »

Kay haussa les épaules. « Qui prétend que la vie est juste?

— C'est dingue, mais sachant combien ça va être dur, j'ai quand même envie de le garder. Et pour de mauvaises raisons. Je ne peux pas supporter l'idée qu'on m'arrache mon enfant. Et je veux le voir, je veux voir s'il me ressemble... En fait, la raison principale, c'est qu'il fait déjà partie de moi. Je me sens transformée par lui. Je ne pourrai jamais plus être la même. Dis-moi, tu crois que ce sont des raisons suffisantes? »

Kay se leva et alla chercher son paquet de Salem posée sur une malle d'osier. Elle alluma une cigarette et rejeta un long panache de fumée par le nez.

Elle eut un rire rauque. « Comment savoir? Tu as choisi tes parents? Et moi? Ma mère, on aurait pu lécher son sol de cuisine mais elle détestait faire la bouffe pour sa famille. Elle vivait accrochée à son aspirateur mais jamais elle se serait assise une heure pour jouer au gin rummy avec moi ou avec un de mes frères. Pourtant, à sa façon *meshugge*, elle nous adorait. Quand on est môme, on prend ce que les parents peuvent vous donner et on fait avec. » Elle regarda la cigarette entre ses doigts avec surprise et son visage rond et généreux s'affaissa légèrement. « J'ai arrêté de fumer la semaine dernière. Six jours entiers sans une cigarette et maintenant, regarde-moi! Oh merde. Je devrais peut-être me mettre à l'aspirateur, comme maman. »

Rachel pensa alors à Sylvie. Le fait de vouloir ce bébé avait-il un rapport avec sa mère? Pendant toutes ces années, elle avait surpris si souvent son regard triste rivé à ce berceau vide dans la nurserie. Maintenant il y aurait enfin un enfant pour le remplir. Un bébé qu'elles adoreraient toutes les deux.

Puis cette vision à l'eau de rose s'évanouit. Elle imagina réellement la façon dont ça allait se passer. Tous les jours, elle serait tiraillée entre deux directions. Ce serait par la nurse ou par sa mère qu'elle entendrait parler de son premier sourire, de ses premiers pas. Une distance finirait sans doute par se créer, comme entre sa mère et elle.

Pourquoi se rendait-elle malade avec cette histoire? Ou bien elle le gardait ou bien elle décidait de se faire avorter.

Mon Dieu, mais que faut-il que je fasse?

Regardant fixement les Kleenex froissés autour d'elle, Rachel ressentit soudain une sourde colère contre elle-même. Ce n'était pas la fin du monde. Elle n'était pas la première femme à qui cela arrivait.

Elle se leva. « Allez, sortons les trucs que tu as achetés et mangeons-les avant qu'ils ne refroidissent. Ma tête rejette toute autre nouvelle importante et j'en ai assez de me scruter l'âme. »

Kay se mit aussitôt à fouiller dans les sacs, sortant des plats tout préparés de leur emballage en plastique.

« Je suis tombée amoureuse de ce traiteur. Regarde ce que j'ai pris. Du poulet aux raisins à la française. Du saumon Nova Scotia. Des cœurs d'artichauds à la vinaigrette... Rachel? Ça ne va pas? »

Rachel venait de se lever en trombe et de filer dans la salle de bain. « Oh *Seigneur, je vais vomir.* »

Ensuite, l'estomac vide, elle resta un moment ainsi, les genoux contre le carrelage froid de la salle de bain, la tête tambourinante.

Quelques minutes plus tard, elle entendit, comme dans le lointain, la sonnerie de l'interphone, puis le cliquetis des sabots de Kay qui courait pour répondre.

« Rachel, cria-t-elle. C'est ta mère. Elle va monter. »

Oh non, pas maintenant! Mais, oui, la semaine dernière elle avait proposé à sa mère de passer chez elle avec les échantillons de tissu. Mama, perfectionniste, essayait toujours d'embellir les lieux. Et maintenant elle allait devoir trouver une explication à sa mine de déterrée, à sa tenue négligée.

Elle se précipita vers le lavabo et se lava la figure avec un gant de toilette, en tapotant ses yeux enflés. Oh, à quoi bon? Mama verrait immédiatement qu'elle avait pleuré. *Si seulement je pouvais le lui dire, songea Rachel, ce serait tellement merveilleux de me confier à elle, de lui demander conseil.*

Mais elle savait ce que Mama dirait. Il faut que tu gardes ce bébé, mon petit enfant. Un avortement? cette seule idée la choquerait profondément. Alors pourquoi lui faire partager ses tourments?

Émergeant de la salle de bain, Rachel trouva sa mère devant la fenêtre, ses échantillons à la main. « Tu aimes celui-ci? Le bleu est joli avec... chérie, que se passe-t-il? Tu as une tête épouvantable. Tu es malade? »

Rachel eut un geste de la main, comme pour décourager toute marque de sollicitude. Elle chercha anxieusement Kay du regard, mais celle-ci avait disparu dans la cuisine. Rachel entendit le bruit de l'eau coulant dans l'évier.

« Ce n'est rien. J'ai dû choper un microbe. Ça ira...

— Bien sûr que ça ira, mais en attendant, il faut absolument que tu te couches. Les rideaux peuvent attendre. Va vite au lit, je vais te faire du thé. Tu as mal au cœur ? »

Rachel regardait Sylvie, impeccable dans un tailleur bleu marine ouvert sur un chemisier blanc. Mais la richesse entêtante de son parfum, du Chanel n° 5, lui soulevait le cœur. Si elle ne s'allongeait pas au plus vite, elle allait recommencer à vomir.

Puis soudain, elle fut dans sa chambre, Mama lui préparant son lit comme lorsqu'elle était petite et lui pressant un gant de toilette mouillé sur le front. Les larmes s'amoncelèrent sous ses paupières puis coulèrent sur ses joues.

Oh, merde! Je ne veux pas pleurer. Je ne veux pas être faible. Si seulement elle me laissait maintenant, à l'instant même... avant que je ne commence à lui raconter des choses que je regretterai ensuite...

« Rachel. Oh, ma chérie, qu'y a-t-il ? Tu ne peux pas me le dire ? »

Les grands yeux verts de Sylvie étaient tout brillants de larmes. Son visage au teint diaphane s'affaissa. Elle posa une main fraîche et parfumée sur la joue de Rachel.

« Mama, je suis enceinte. » Les mots étaient sortis avant qu'elle puisse les refouler.

Sylvie la regarda fixement. Ses joues pâles rosirent. Ses lèvres s'entrouvrirent mais, Dieu merci, elle ne semblait pas sur le point de piquer une crise de nerfs.

« Que vas-tu faire ? » demanda-t-elle d'une voix étonnamment ferme.

C'était au tour de Rachel d'être surprise. Cela ne ressemblait pas à Mama, non, cela ne lui ressemblait pas du tout. Elle envisageait donc diverses solutions ? Puis soudain, elle revit sa mère au chevet de son père qui venait d'avoir sa crise cardiaque. Comme elle avait été forte ce jour-là.

« Je ne sais pas. »

La main de Mama quitta sa joue et elle détourna son regard.

« Et le père... veut-il cet enfant ? »

Rachel sentit quelque chose chavirer en elle. « Non.

— Je vois. » Sylvie hocha la tête. « De combien es-tu enceinte ?

— Six semaines. Mais, oh Mama, pour moi il est déjà *réel*. Un véritable bébé.

— Un bébé... » Sylvie arbora une expression désenchantée puis sembla se ressaisir et dit : « Écoute, Rachel, j'aimerais pouvoir te dire quoi faire, ou, tout au moins, te conseiller. Mais comment le pourrais-je ? Ce qui me paraît bien ne l'est pas forcément pour toi.

— Mais toi, Mama, que ferais-*tu*?

— C'était différent à mon époque. Les gens étaient bien moins compréhensifs. Quelqu'un dans ta position n'avait pas le choix.

— Mais si j'ai ce bébé, ça va tout changer. Ma vie va en être bouleversée. »

Sylvie, le visage tourné vers la fenêtre, ébaucha un sourire.

« Les enfants bouleversent toujours votre vie. » Puis elle se retourna vers Rachel des yeux brillants de larmes. « Tu as complètement chamboulé la mienne.

— Tu veux que je l'aie. » Rachel eut honte de son ton accusateur. Elle n'avait aucune raison d'en vouloir à Mama.

« Non. Je n'ai pas dit cela. De toute façon, ce dont j'ai envie n'a pas grande importance. Je te le répète, je ne peux pas te donner de conseil. Mais ça me fait souffrir pour toi, ma chérie. Si je m'étais trouvée dans ta situation, je... sa voix se brisa... enfin, je ne sais pas très bien ce que j'aurais fait, à supposer que j'aie eu le choix.

— Oh, Mama... » Rachel se redressa, et agrippa la couverture des deux mains. « Je voudrais tellement savoir quoi faire.

— De toute façon, chérie, quelle que soit ta décision, je t'aiderai. Je t'aime. Ne l'oublie jamais. »

Rachel eut la gorge nouée par l'émotion et la reconnaissance. Et elle ressentit autre chose. Une nouvelle sorte d'admiration pour sa mère.

« Tu vas en parler à papa? demanda-t-elle, inquiète.

— Non. Papa t'adore mais les hommes ne voient pas toujours ce genre de chose comme nous.

— Mama?

— Oui?

— Tu me voulais avant ma naissance? Je veux dire, tu me voulais vraiment, plus que tout? » Pendant un long moment, Sylvie demeura silencieuse. Puis, il arriva, ce lent et triste sourire que Rachel avait vu tant de fois.

« Oui, ma Rachel. Plus que tout. »

Le regard de David la traversait sans la voir.

Rachel avait l'impression de faire partie du mobilier du sas d'asepsie, aussi anonyme que les murs carrelés et les éviers en acier inoxydable. Elle frissonna et sa douleur à l'estomac se manifesta de nouveau.

S'il te plaît, pas ça. Pour l'amour du ciel, ne m'ignore pas.

« M. Petrakis m'a demandé de vous assister », expliqua-t-elle, se sentant absurdement obligée de justifier sa présence.

« C'est sa patiente », répondit-il en haussant les épaules.

Et moi je suis une belle idiote, se dit Rachel, luttant contre les larmes.

Elle attrapa la brosse à Bétadine et frotta ses genoux si fort que la peau devint rouge vif.

Une semaine – sept jours épouvantables – et elle était toujours là, comme une andouille, à espérer, à attendre un mot, un signe, l'indice d'un quelconque sentiment. Et depuis une semaine, il l'ignorait complètement.

La punissait-il ou bien, comme disait Rhett Butler, n'en avait-il vraiment plus rien à foutre?

Rachel sortit ses mains du lavabo et laissa l'eau goutter de ses épaules. David avait terminé sa toilette devant le lavabo voisin. Elle détourna la tête afin qu'il ne voie pas ses larmes.

Elle passa devant lui et poussa les portes battantes du bloc opératoire. Là aussi, carrelage vert, acier inoxydable, lumière blanche et froide. Serviette, gants, puis la panseuse lui passa une blouse. Rachel fit signe à l'infirmière du bloc qu'elle était prête. Vicki Sanchez, une fille souple et agile, disposait les instruments stérilisés sur le chariot. Bistouris. Gazes hémostatiques. Ligatures.

Derrière Vicki, une lourde silhouette à la tête grisonnante, dans une blouse chirurgicale froissée, l'empêchait de voir la table d'opération. Le Dr Petrakis. Lorsque lentement, avec une raideur suspecte, il se retourna pour lui faire face, elle remarqua son regard vitreux. Son sang se figea dans ses veines.

Bon Dieu, il est complètement bourré.

Une urgence, un placenta praevia et le patron arrivait complètement ivre! A la fac, ils ne vous apprenaient pas à faire face à ce genre de situation.

Cependant, chose étrange, Petrakis semblait se contrôler. Question d'habitude, sans doute. Elle se surprit pourtant à murmurer une petite prière.

« Où est Henson? grommela Petrakis. Sommes-nous censés rester plantés là à regarder la patiente perdre son sang pendant que ce soi-disant anésthésiste se branle là-haut? »

Derrière Rachel, la voix calme de David s'éleva. « Henson a été retardé. J'ai appelé Gilchrist, il devrait arriver d'une minute à l'autre. Les pédiatres aussi. J'ai pensé qu'il valait mieux les faire venir au cas où. Où en est-elle? »

Petrakis s'éloigna et Rachel vit un ventre énorme émergeant des champs opératoires, la peau vernissée et jaunie à la Bétadine.

« Elle n'en est qu'à huit centimètres, répondit Petrakis, mais elle a perdu pas mal de sang et je ne veux pas attendre trop longtemps. »

Au-dessus du champ opératoire, Rachel vit des yeux sombres et fixes dans un visage blanc, comme deux trous de cigarettes sur une nappe blanche. Rachel eut un élan de pitié pour elle. On ne faisait pas d'anesthésie générale dans ce cas-là, c'était mauvais pour l'enfant. Peut-être lui donnerait-on un peu de Demerol. La jeune femme était complètement éveillée et terrifiée. Et ce crétin de Petrakis parlait d'elle comme d'une Volkswagen dont on s'apprête à changer le moteur.

Rachel se rapprocha d'elle pour la rassurer. « Ça va être bientôt fini, señora. Vous aurez votre bébé avant même d'avoir eu le temps de vous en rendre compte. »

La femme chuchota quelque chose et Rachel dut se pencher pour l'entendre. « Je le sens venir, dit-elle. Il faut que je pousse. »

Tout le système nerveux de Rachel fut aussitôt en alerte. Non, non, avec un placenta praevia, il ne fallait surtout pas pousser. Cela risquait de provoquer une hémorragie, peut-être fatale pour elle ou pour l'enfant.

Mais Petrakis avait dit que le col était dilaté de huit centimètres. Il en fallait deux de plus. Et cela signifiait en général plusieurs heures pour une primipare. Cependant...

Rachel leva la tête vers Petrakis. « Elle dit qu'il faut qu'elle pousse. »

Il eut l'air contrarié. Mais, en dix semaines d'obstétrique, Rachel avait au moins appris une chose : quand une femme dit qu'elle doit pousser, c'est qu'elle *doit* pousser.

« Impossible, dit Petrakis. Je l'ai examinée il n'y a pas dix minutes. »

David aussi avait l'air sceptique, mais au moins, il était décidé à vérifier. « Examinons-la à nouveau. »

Alors Rachel vit quelque chose qui lui fit battre le cœur. Les genoux remontés, la jeune femme poussait de toutes ses forces, le visage écarlate, crispé par la souffrance. La tête du bébé apparut entre ses jambes.

« Merde », dit Petrakis.

Pendant une seconde, tout le monde se figea. Rachel était comme paralysée. Il ne se passait rien. Bon Dieu. Petrakis était là, bouche bée, tanguant comme un gros ours ivre sur ses jambes écartées.

Puis soudain tout se remit en mouvement. Petrakis cria un ordre inintelligible à une infirmière. David plongea en avant, prenant le contrôle de l'opération et, les mains ouvertes, recueillit la tête brune du nouveau-né puis, dans un jet de sang et de liquide amniotique, un petit corps rose au bout du cordon ombilical. Un garçon.

Rachel le prit pendant que David coupait le cordon ombilical. Elle tenait un petit corps maculé de sang, agitant des bras comme des allumettes, le visage convulsé par son premier cri. Rien d'autre n'existait pour elle que le miracle de cette vie nouvelle. C'était parfait. Précieux. Plus précieux que n'importe quoi d'autre en ce monde.

Mon bébé. Comment pourrais-je supporter de ne pas l'avoir ?

Puis elle leva la tête.

Quelque chose de terrible se produisait. La mère saignait. Un torrent de sang s'échappait d'elle, s'étalait sur la table, éclaboussait les instruments stérilisés sur le chariot et formait une mare sur le sol.

« Vicki! » Rachel entendit une voix grave crier. « Faites passer deux flacons de A positif dans la perfusion. »

David. Il avait enfoncé son poing entre les jambes de l'accouchée, dans tout ce sang, de façon brusque, presque choquante. *Mais mon Dieu, que fait-il?*

Puis Rachel comprit.

Et elle se précipita pour l'aider, appuyant sur un abdomen aussi mou qu'un pudding au tapioca, pressant dur, massant l'utérus pour le forcer à se contracter.

« Donnez-moi de la Methegrine, jeta-t-il à Vicki par-dessus son épaule. Et, pour l'amour du ciel, accélérez le débit ou je vais la perdre. Sa pression artérielle chute.

— Je ne sens rien, dit Rachel. Elle ne se contracte pas.

— Bon Dieu! Je ne vais pas la perdre. » Le regard vert de David croisa le sien au-dessus du masque et le cœur de Rachel fit un bond. Elle appuya de toutes ses forces.

« Contractez-vous! *Contractez* le ventre », supplia-t-elle.

Puis elle sentit de légères contractions, par minuscules vagues, oui, ça y était, *oui.*

L'hémorragie se ralentissait, s'arrêtait. David leva les yeux, croisa le regard de Rachel. Il avait l'air triomphant. Il retira son poing et elle vit que son avant-bras était couvert de sang jusqu'au coude.

Il arracha son masque en souriant. Rachel avait l'impression de retomber brusquement sur ses pieds après avoir tournoyé au-dessus du sol. La pièce tournait autour d'elle, elle avait mal au cœur.

« Oh, va te faire foutre », dit-il en l'attirant brusquement contre lui.

Rachel regarda David ôter ses gants pleins de sang et les jeter dans la poubelle du sas d'asepsie. Des mots lui venaient à l'esprit mais aucun n'était assez grand pour contenir tout ce qu'elle ressentait.

Je t'ai vu là, avait-elle envie de dire, *j'ai vu comme tu te battais. Et j'ai remarqué ton regard de triomphe quand tu as gagné la bataille. Aucun être arborant cette expression ne peut vraiment vouloir détruire la vie.*

« Je n'arrivais pas à y croire, dit-elle en secouant la tête.

— A quoi?

— Petrakis. Planté là comme une souche d'arbre. »

Elle s'approcha de lui pour l'aider à enlever sa blouse. Elle ne voyait pas son visage mais elle sentait la tension de ses épaules.

« Ce type a signé son arrêt de mort aujourd'hui. Trop de gens l'ont vu. Même Donaldson sera forcé de réagir. »

Mais Rachel n'avait pas envie de s'appesantir sur Petrakis ou sur Donaldson, l'administrateur.

« David, dit-elle doucement, tu m'as manqué. »

Il se retourna et soudain la regarda, la *regarda* vraiment, comme si elle était la seule chose au monde qui existât pour lui. Elle vit quelque chose dans ses yeux brillants. Du soulagement.

« Pas ici, dit-il à voix basse, en la prenant par le poignet et en le serrant à lui faire mal. Il y a trop de gens dans les parages. Allons prendre un café. »

Ils descendirent à la cafétéria, deux étages au-dessous. Elle était bondée et sentait la cuisine. Elle garda leurs deux chaises pendant que David faisait la queue au self.

Il revint avec un plateau chargé. « Je t'ai pris un sandwich, dit-il. On dirait que tu n'as pas mangé depuis une semaine. »

C'est bien ce qui s'est passé, David. On appelle ça les nausées du matin, mais les miennes continuent l'après-midi et le soir.

Elle haussa les épaules. « Trop de travail. Tu sais comment c'est.

— Merde, oui. Je donnerais n'importe quoi pour un bon dîner et une nuit ininterrompue.

— C'était du bon boulot que tu as fait sur cette fille là-haut.

— Dommage que Petrakis ait été trop saoul pour apprécier, dit-il avec un rire amer.

— Oh! qu'il aille au diable, celui-là. Tu as été formidable. Et tu n'as eu aucun moment de panique. A la place de cette fille, je remercierais D... » Elle s'interrompit, sentant les larmes lui monter aux yeux. *Non, bon Dieu, tu ne vas chialer. Personne n'est censé avoir pitié de toi.*

Elle tendit la main pour prendre son thé – qu'elle avait commandé à la place de son café habituel parce que c'était meilleur pour le bébé – mais David la couvrit de la sienne. Comme ce simple geste lui avait manqué! Elle avait tant besoin de le toucher. A présent, elle ne pouvait plus empêcher ses larmes de couler.

« Rachel. Tu m'as manqué, toi aussi. Nous avons été stupides de nous disputer comme ça. Je me suis trouvé lamentable. »

Alors pourquoi n'as-tu pas appelé? Pourquoi m'as-tu évitée? Fait me sentir comme une lépreuse?

Non, non. Il fallait qu'elle fasse taire cette voix coléreuse en elle.

« Je suis désolée, moi aussi, dit-elle. Je n'aurais pas dû te lâcher ça comme ça. Te dire que je voulais garder l'enfant avant même qu'on en discute. Oublions tout ça. On peut recommencer? Maintenant? Ici? »

Dis-moi que tu m'aimes. Je t'en supplie. Ne te braque pas avant que j'aie eu le temps de t'expliquer comment je compte faire pour que ce soit vivable.

Il pressa sa main très fort et lui fit presque mal. Il souriait à présent et il avait le même air de triomphe que dans le bloc opératoire.

«Je savais bien que tu réfléchirais. Bon Dieu, Rachel, j'en crève d'envie moi aussi. Et ce sera comme avant. Dès qu'on aura réglé ce problème.

— Que veux-tu dire?»

Il la regardait d'un air perplexe, comme étonné par sa question. « Eh bien, je parle de l'avortement naturellement. »

Rachel eut la sensation de tomber dans un puits profond. L'eau noire se refermait sur sa tête, l'empêchait de respirer. Et il faisait froid. Elle commençait à s'engourdir. Elle essaya de s'imaginer allant jusqu'au bout, se faisant avorter. C'était simple en un sens. Il ne s'agissait que d'une petite partie d'elle-même. Et elle pourrait se dire: *Tu vois, ce n'était pas si terrible.* Et la prochaine fois que quelqu'un voudrait un morceau de son âme, il serait plus facile d'accepter parce qu'il y aurait une partie d'elle en moins, une partie qui ne pourrait plus lutter. Et à la fin, il ne resterait rien d'elle. Rien de ce qui comptait.

Non. Elle ne voulait pas. Elle ne pouvait pas.

Rachel se leva et recula sa chaise. Et, dans la lumière froide de la cafétéria, elle regarda David et comprit qui il était.

« Qu'est-ce que tu as? Pourquoi me regardes-tu comme ça? » Il rit nerveusement avec l'expression fausse d'un Judas.

«Je croyais que tu étais quelqu'un sur qui on pouvait compter, dit-elle. J'imagine que je me suis trompée. »

Puis elle le quitta très vite, se cognant contre les tables, aveuglée par les larmes.

5

Rentrant la tête dans le col de son manteau en poil de chameau, David poussa la porte vitrée de l'hôpital. Il pleuvait à torrents et il jura tout en courant vers Flatbush Avenue et la station de métro.

Il n'avait pas pensé à se munir d'un parapluie, encore moins d'un imperméable. Quant à prendre un taxi par un temps pareil, il ne fallait pas y songer, surtout dans cette partie de Brooklyn. Il se retrouva coincé parmi les usagers trempés du IRT.

David était troublé. Il se demandait si la chance qui l'avait toujours accompagné – les bourses d'études, les meilleures notes, les divers postes honorifiques qu'il avait occupés pendant la durée de ses brillantes études à Princeton, l'internat puis maintenant le clinicat – n'était pas en train de tourner.

Non que quelque chose de réellement fâcheux fût arrivé. Mais ça faisait longtemps qu'il n'avait pas ressenti ce malaise, cette peur de tout. Et après toutes ces années où il avait bossé comme un malade, au moment où il était sur le point de gagner la partie et de se faire un bon paquet de fric, il ne pouvait supporter la moindre merde. Ah Seigneur, pas maintenant.

Tout avait commencé la semaine dernière avec elle, en fait. Miss Riverside Drive, Miss-princesse-juive, mange-moi-dans-la-main.

La garce.

Sortir en trombe de la cafétéria comme si toute cette histoire était de sa faute! Quelle crétine, mais quelle gourde! Il se serait occupé de tout. Seulement il fallait qu'elle aille jusqu'au bout. Qu'est-ce que c'était que ces histoires d'avoir un enfant? Elle était complètement folle!

Il avait pensé qu'elle était différente. A présent il se rendait compte qu'elle ne valait pas mieux que toutes les infirmières et les laborantines qu'il avait sautées. Aucune ne pensait à lui quand elle écartait les jambes. Merde, la bague au doigt, c'était tout ce qui les intéressait. Il croyait Rachel plus maligne que ça. Elle était futée et elle savait baiser. Une fille peu commune et tentante – une princesse froide que le besoin d'écarter les cuisses démangeait. Il avait compris cela dès la première fois, alors qu'elle-même n'en savait rien. Il était très intuitif avec les femmes. Il avait subodoré la morne vie sexuelle de celle-ci : quelques Roméos de High School qui l'avaient pelotée. Ensuite les gamins d'Haverford et peut-être un oncle, qui la tripotait un peu quand il pensait que personne ne pouvait le voir. Pas une vierge, mais pas bien loin de la virginité non plus. Une fille qui ne savait pas se servir de ce qu'elle avait entre les jambes parce qu'aucun homme ne le lui avait appris. Une fille tellement inhibée qu'un homme sachant s'y prendre ferait jaillir d'elle un torrent, une crue printanière. Elle était mûre, prête à être moissonnée.

Cependant, il y avait quelque chose d'autre en elle qu'il cernait mal. Un noyau dur au milieu de toute cette innocence, comme un diamant brut.

Avec une sorte de froideur, elle avait pris sa mesure et ne l'avait pas trouvé suffisamment bien pour elle, comme ces filles avec leurs jambes brunies, la raquette de tennis sous le bras, qui mangeaient des glaces dans les stations balnéaires où il roulait sa bosse en été – Spring Lake, Sea Girt, Deal... des filles à papa à qui on offrait des leçons de tennis en veux-tu, en voilà et qui, à l'occasion, s'envoyaient le prof. Il enlevait leurs verres vides tachés de rouge à lèvres et elles levaient un instant leurs lunettes noires vers lui puis détournaient les yeux, continuant de bavarder avec leurs copines comme s'il avait été une ombre.

En prenant son journal au distributeur, à mi-chemin du métro, David se surprit à penser à Amanda Waring. L'une de ces garces blondes et bronzées du club de tennis de Spring Lake. Après avoir observé la nervosité avec laquelle elle croisait et décroisait ses jambes chaque fois qu'un garçon passait près d'elle et l'énergie qu'elle déployait en jouant au tennis, il s'était efforcé de capter son regard. Cette *nana a besoin d'une bonne séance de baise*, s'était-il dit.

Cet été-là, après un an passé à Princeton, David savait diverses choses. Et notamment comment il devait s'habiller pour que personne ne devine qu'il n'était qu'un pauvre Polack de Jersey, essayant d'épater les bourgeois friqués. Il n'avait emporté qu'une paire de Levis délavés collant à lui comme une seconde peau, des chaussures de bateau usées, deux chemises blanches toutes simples et un chandail en cachemire qu'un des fils à papa avait oublié l'année précédente. Dans cet uniforme, il pouvait passer pour l'un des leurs.

C'était sans doute ce qu'avait cru Amanda... enfin, au moins pendant quelque temps, se dit David avec amertume.

Il revoyait le grand pavillon derrière le bâtiment principal. Beaucoup de mômes traînaient là le soir, buvant et se saoulant avec une demi-pinte de Jack Daniels et de Southern Comfort. David y était allé à plusieurs reprises et, un soir, Amanda l'avait invité à s'asseoir près d'elle. Lorsque la bouteille avait atterri entre ses mains, il avait fait semblant de boire – bon Dieu, il avait assez souffert de l'alcoolisme de son père à la maison. Il était resté silencieux. Il valait mieux qu'ils le croient timide. Il n'avait pas envie de se rendre ridicule.

Puis quelqu'un proposa de jouer au jeu de la vérité. Et soudain, voilà qu'Amanda se tortille pour enlever son jean, sa chemise, puis en culotte et en soutien-gorge, traverse la pelouse en courant et file vers la piscine. Les autres étaient trop bourrés ou trop flemmards pour la suivre. Seul David, craignant qu'elle ne fasse quelque chose de vraiment stupide, comme de se jeter à l'eau et de se noyer, courut derrière elle.

Il la rattrapa sous un mûrier géant à une centaine de mètres de la piscine. Hors d'haleine, humide de transpiration, elle tomba en riant dans ses bras.

Il la prit sur l'herbe et ne fut pas surpris de constater qu'elle était vierge. Pas plus qu'il ne le fut lorsqu'elle enroula ses longues jambes autour de lui et lui mordit l'épaule, en poussant des miaulements de chatte en chaleur.

Le lendemain, il la vit se diriger d'un pas vif vers les courts de tennis et la rattrapa. Ses épais cheveux blonds étaient noués en queue de cheval et elle portait une jupe de tennis à plis qui se relevait à chaque pas, exposant la partie inférieure de son joli petit cul, là où la culotte avait remonté.

Lorsque David caressa son bras bronzé, essayant de l'embrasser, elle le repoussa avec un regard de dégoût.

« Écoute, mettons les choses au point, siffla-t-elle, après s'être assurée qu'il n'y avait personne dans les parages. Rien de ce qui s'est passé hier soir ne s'est réellement produit. Et si tu en parles à quiconque, je dirai que tu m'as violée. Mon père est avocat et, crois-moi, il n'est pas tendre. Il te fera renvoyer et probablement arrêter. Je ne pense pas que tu souhaites ce genre d'ennuis, si? »

Sans ce travail, il n'aurait pas d'argent cet automne. Il ne pourrait acheter ni livres, ni vêtements. Et sa bourse risquait d'être supprimée si elle mettait vraiment sa menace à exécution. Putain, il ne s'était pas cassé le cul à servir tous ces riches trouducs pour qu'une petite garce à la mémoire courte flanque tout par terre. Elle n'en valait pas la peine.

Mais ce qui le faisait souffrir, c'était de réaliser qu'elle n'avait fait que l'utiliser, qu'elle ne l'avait même pas vu, qu'il n'était pas assez bien pour elle. Pourtant, sur le moment, elle avait aimé ça, malgré son sentiment de culpabilité, comme une fille au régime qui mange un bonbon. Maintenant, elle jetait le papier, voilà.

David lui avait lancé un dernier long regard, gravant ce moment d'humiliation dans sa mémoire afin de ne jamais l'oublier. Et, en effet, il ne l'avait jamais oublié. Même maintenant, sous cette pluie glaciale qui lui cinglait le visage, se précipitant pour traverser au rouge, il revoyait la scène, l'allée de gravier ensoleillée, l'odeur de chèvrefeuille des haies, le bourdonnement paresseux des insectes, le bruit lointain d'une tondeuse à gazon. Cependant, lorsqu'il essayait de se remémorer le visage de la fille, il ne voyait que sa propre image, minable, insignifiante, qui se reflétait dans les verres de ses lunettes noires.

Mais ce gosse s'appelait Davey Slonowicz, de Jersey City. Un mois avant de revenir à Princeton, il l'avait fait changer légalement. Il était devenu David Sloane.

Et David Sloane n'était pas un imbécile. C'était même tout le contraire. *Il* choisissait ses femmes. Et il faisait la loi. Et quand il était temps qu'une liaison se termine, bon Dieu, c'était *lui* qui y mettait fin.

Alors que cette garce de Rachel Rosenthal aille au diable. Il avait bien failli se faire avoir cette fois-ci, se rendre ridicule. Ouais, elle s'était... insinuée en lui, en quelque sorte. Il pensa à cette petite Noire avec laquelle il baisait de temps en temps, une infirmière dotée d'une fabuleuse paire de nichons et de goûts excentriques. Elle aimait faire ça par derrière. Le comble, c'était qu'il se surprenait parfois à penser à Rachel pendant qu'il sautait Charlene. Et il n'avait jamais fait cela avant. Pas étonnant qu'il se sente tellement secoué.

En arrivant au coin de la rue, David, s'apprêtant à traverser pour prendre le métro, vit le feu passer au vert. Oh merde, qu'ils aillent se faire voir. Il traversa dans un concert d'avertisseurs et de coups de freins sur pavés mouillés. Dès qu'il fut sur le trottoir d'en face, il se remit à courir.

Il avait l'impression d'avoir passé sa vie à courir. D'abord à fuir son père. *Il y a intérêt à devenir un as de la cendrée quand votre vieux est bourré à longueur de temps, ne serait-ce que pour lui échapper lorsque l'envie lui prend de vous flanquer une torgnole pour de graves offenses, comme d'oublier de lacer vos baskets. Il y avait toujours de la bière dans le frigo, et une caisse pleine dans le placard de l'entrée.*

Après six ou sept bières – David les comptait comme un condamné ses dernières minutes – son père avait, suivant les jours, l'alcool chaleureux ou méchant.

Hé, Davey, t'es un putain de pédé, ou quoi? T'es toujours fourré dans les bouquins. Tu penses que t'es trop bien pour ton vieux, hein? J'vais t'montrer deux ou trois trucs que t'as p't'être pas appris dans tes livres...

Il avait dû apprendre à courir. Au cours de sa dernière année de *high school*, il avait gagné le championnat de cross-country régional. Et une bourse couvrant entièrement ses études à Princeton. Au début il avait été très solitaire à l'université, avec le sentiment constant d'être différent des autres, mais par la suite, il s'était lié avec une bande de mecs sympathiques et, à partir de là, Jersey City n'avait plus été que de l'histoire ancienne. C'était comme s'il avait dit à son vieux : *J'vais t'montrer un truc ou deux qu't'as pas dû apprendre dans ta putain de vie.*

Et plus tôt il sortirait de ce trou à rats d'hôpital, mieux ça vaudrait. Il s'installerait à Morristown ou à Montclair ou peut-être à Short Hills. Dans ces coins-là, il y avait du fric et les familles voulaient au moins deux enfants – et un bon gynécologue. Bien élevé, qui parle d'une voix suave, donne des bonbons à leurs gosses et ne s'énerve pas quand ils appellent parce qu'ils s'imaginent que leur femme, qui a des brûlures d'estomac ou des gaz, est sur le point d'accoucher.

Ouais, il serait enfin libre, son propre patron. Et pas question de laisser une conne, même une riche conne, lui mettre la main dessus. Peut-être dans cinq ou dix ans, il serait prêt pour la maison et la clôture blanche, mais pas maintenant.

David, s'enfonçant dans les entrailles du IRT, pensa soudain à quelque chose qui le fit transpirer. Suppose qu'elle veuille vraiment ce gosse? Alors il *serait* père, qu'il le veuille ou non. Quelque part vivrait un enfant qui lui ressemblerait, qui aurait son sang dans les veines. Il voudrait des choses qu'il ne pourrait lui donner. Et un jour peut-être, il le détesterait, comme lui-même avait détesté son père.

David était si troublé par cette idée qu'au moment de glisser son jeton dans la fente du tourniquet, il le laissa tomber. Brusquement, Rachel lui faisait peur, comme autrefois son père. Il en avait les tripes nouées, la bouche sèche.

La garce, pourquoi la laissait-il lui faire ça? Puis il se souvint du matin où Rachel avait trouvé une culotte de dentelle noire sous son lit, probablement celle de Charlene. Elle avait souri gentiment et était allée préparer le petit déjeuner. Lorsqu'il était sorti de la douche, quelques minutes plus tard, elle avait disparu. Son couvert était mis, un verre de jus d'orange pressée l'attendait. Et sur son assiette, trônait la culotte de dentelle noire étalée sur ses toasts. A côté de l'assiette, il y avait un mot : Bon appétit*.

Non, même si, cette fois, elle s'était embourbée dans le mélodrame comme les autres, elle avait malgré tout un côté réaliste, calculateur. Et que ferait-il si elle essayait de l'entraîner dans sa chute, comme son père avait si souvent tenté de le faire? A treize ans, David avait voulu partir. A l'époque, il gagnait un peu d'argent en faisant la plonge chez Muldowney après la classe. Pourtant, il n'avait jamais eu le courage de faire ses bagages. Son père possédait une arme secrète, la chose que David redoutait le plus : le vieux salopard avait, d'une certaine façon, besoin de lui.

---

* En français dans le texte. *(N.d.T.)*

David sentit une bouffée d'air fétide. Au bout du tunnel, il vit les lumières du métro qui s'approchait. C'était comme l'haleine chargée de son père contre son visage, ses yeux injectés de sang, allumés par une fureur d'ivrogne.

Tu crois que t'es si intelligent, tellement mieux que moi! Mais tu pourras jamais m'quitter, Davey. Et t'sais pourquoi? Pasque j'suis en toi. J'fais partie d'toi. Chaque fois qu'tu te r'garderas dans la glace, c'est moi qu'tu verras.

David monta dans le wagon et se laissa tomber sur la banquette en plastique. En face de lui, un clochard affalé, vêtu d'une parka répugnante, dormait. N'allant nulle part. S'abritant simplement du froid. Écœurant.

Mais, bizarrement, le spectacle de cette épave lui fit du bien. David se dit qu'il revenait de loin, qu'il avait déjà accompli beaucoup de choses. Il se sentit plus fort. Quel que soit le coup tordu que lui préparait Rachel, il saurait y faire face.

« Bonjour, David. »

Cette voix de femme, venant de son living-room plongé dans l'obscurité, le fit sursauter. Mais qui donc...

« Rachel? » Il tâtonna pour allumer.

Seigneur. Rachel, oui mais il ne l'aurait pas reconnue. Elle était assise toute droite dans le fauteuil Eames près de la cheminée, les mains jointes sur les genoux, comme une bonne élève. Autre chose étrange, à mieux y réfléchir, c'était la première fois qu'il la voyait en robe. Et une jolie robe. Une sorte de coton souple imprimé dans des tons pastels. Ses cheveux châtain doré, tombant habituellement sur ses épaules, étaient ramassés sur la nuque et maintenus par une barrette, découvrant un cou blanc et fin. Il se sentit aussi mal que sur le quai du métro, comme si quelque chose d'inquiétant se préparait et, en même temps, il était curieusement excité.

C'étaient surtout ses yeux qui lui faisaient peur. Sombres et inexpressifs, comme des fenêtres aux rideaux fermés. Ce qu'elle pensait était là, derrière, le laissant lui dehors, dans le froid.

Une bouteille de Cuervo Gold était posée à moitié vide sur la table basse devant elle. Pas de verre, pas de glace. Rachel ne buvait jamais. Un verre de vin suffisait à la terrasser. Si elle avait ingurgité tout ça, elle devait être ivre morte. Or elle avait l'air parfaitement sobre.

Tiens-toi sur tes gardes, mon pote, se dit-il. Nous patinons sur une couche de glace très fine. Fais gaffe à ton cul.

« Tu permets? » dit-il, enlevant son manteau trempé et le lançant sur une chaise. Puis il s'assit sur le canapé, en face d'elle, tous ses sens en alerte. Il souleva la bouteille et regarda l'étiquette. « Tu te rends compte qu'elle est dans mon placard depuis Noël dernier? Un cadeau de mon père. Chaque année, il m'en envoie une. D'habitude, je ne bois pas mais je me suis fait tremper en rentrant. Un petit verre me réchauffera. »

Seigneur, pourquoi ne dit-elle rien? Que signifie cette impassibilité? Qu'est-ce qu'elle mijote?

Puis elle s'agita. Il la vit frissonner et son regard se fixa sur lui. Froid. La baise, pas question. Il sentit ses couilles se recroqueviller dans son pantalon.

En portant la bouteille à ses lèvres, David constata que sa main tremblait et qu'il avait la chair de poule.

« Ne bois pas », dit-elle. Tranquillement. Fermement.

Mais ce fut son regard qui lui fit reposer la bouteille. Oh ses yeux! Ils n'étaient plus impavides à présent et il y lisait quelque chose d'effrayant, comme une sorte de terrifiante résolution.

« Je ne veux pas que tu sois ivre quand tu le feras, dit-elle de cette voix atone de folle.

— Faire quoi? Tu sais que tu me fais peur? Bon Dieu Rachel, je te retrouve assise dans le noir, planquée comme une araignée. Tu aurais pu m'appeler, me prévenir que tu venais. Tu croyais que je ne voulais plus te voir? »

Mal à l'aise, il détourna son regard. Si c'était le cas, elle voyait juste. Qu'elle aille au diable. Il regrettait de l'avoir connue.

« Je m'en fiche, dit-elle. Après ce soir, cela n'aura plus d'importance.

— Ça t'ennuirait de me dire sur quelle fréquence tu émets? Bon Dieu, de quoi parles-tu? »

Il n'avait plus peur à présent. Il était simplement furieux.

« Je veux dire que nos relations m'indiffèrent maintenant. Tout ça est terminé. Je suis venue ici pour *lui*. Pour le bébé. »

Oh putain! Nous y voilà. Dans une minute, elle va m'annoncer qu'elle veut se marier, juste pour que son enfant ait un nom, une connerie de ce genre.

S'il avait jamais eu besoin d'un verre, c'était maintenant. Il reprit la bouteille et but une grande rasade. L'alcool glissa en lui, lui brûla l'estomac comme une coulée de lave.

« Que veux-tu? lui demanda-t-il d'un air maussade.

— Je veux un avortement. » Froide, morte. « Et je veux que tu t'en charges toi-même. »

David se figea. Quoi? Qu'avait-elle dit? Bordel, elle ne parlait pas sérieusement!

Ne t'énerve pas, se dit-il. Il fallait qu'il se calme, qu'il reste à la surface des choses. Mais comment allait-il pouvoir régler ça?

« D'accord », dit-il. Il s'imagina, vêtu de sa blouse blanche avec son badge d'identification. *David Sloane, M.D.* Ouais, ça rendait la chose moins difficile. Il sentit son rythme cardiaque s'apaiser. « Tu as pris la bonne décision. Tu verras que c'est beaucoup mieux. Et je te le répète, je serai avec toi jusqu'au bout. Steve Kelleher est l'un des meilleurs chirurgiens que je connaisse. J'ai envie de l'appeler immédiatement, de voir s'il... » Il se leva et se dirigea vers le téléphone.

« Non, David.

— Écoute, je sais, tu as peur que l'histoire s'ébruite mais je t'assure qu'il est très discret.

— Ce n'est pas le problème. Je me fiche qu'il soit bon, ou discret. C'est toi que je veux. » De nouveau, ce ton tranquille, ferme.

A présent, il transpirait, comme lorsqu'il se cachait sous son lit pour éviter la raclée que son père voulait lui donner. *Tu peux rester sous ç'lit autant qu'tu veux, Davey. Toute la nuit, si tu veux. Mais va bien falloir qu'tu sortes à un moment ou à un autre. Et j'serai là. J'te montrerai pourquoi que Dieu m'a donné cette bonne main droite.*

« Tu es ivre », lui dit-il.

Elle se mit à rire, un rire bref au son caverneux, comme une note de cornemuse. « J'aimerais bien l'être, crois-moi.

— Rachel, écoute...

— Non, c'est toi qui vas m'écouter. » Elle se leva, avec une telle expression de souffrance sur le visage qu'il détourna son regard, honteux. « Tu m'as dit que ce serait aussi facile que de me faire arracher une dent. Eh bien, je veux simplement... » Sa voix s'enraya dans sa gorge, puis elle reprit : « ... que tu saches ce que c'est réellement. Ce que nous faisons vraiment. »

David revit soudain son père tapant comme un fou sur sa mère. *Pas le ventre, Hal*, criait-elle. *S'il te plaît, pas le ventre.* Sur le moment, il n'avait pas compris. Elle était enceinte de trois mois et elle avait fait une fausse couche.

Merde, pourquoi fallait-il qu'elle fasse ressurgir de sa mémoire un souvenir aussi déprimant? Il avait une migraine terrible. Il allait prendre du Tylenol ou peut-être même quelque chose de plus fort.

Puis une vague de colère le balaya, prit possession de lui.

« Tu es complètement cinglée. Comment savoir si c'est mon gosse? J'ignore combien de types tu t'es envoyés, moi! » Et soudain, il fut choqué par sa voix venimeuse parce qu'elle lui rappelait irrésistiblement celle de son père.

Il la vit blêmir et, pendant un instant, il se demanda si elle n'allait pas s'évanouir. Mais elle tint le coup. Elle l'avait cherché, aussi!

Puis elle eut une expression tellement angoissée qu'il eut honte de lui. Il comprit qu'elle ne faisait pas ça pour le récupérer et il eut un instant l'envie folle de la prendre dans ses bras et de lui dire ce qu'elle avait tant envie d'entendre.

« C'est le tien, dit-elle. Le nôtre. Ce bébé, nous l'avons fait ensemble. Je n'en voulais pas plus que toi, mais maintenant, il est trop tard pour y penser. Alors, aller me faire avorter toute seule, comme si ce n'était rien du tout, eh bien... ce serait minable. Ma vie, mon métier, moi-même – tout me semblerait nul. Si cette petite vie en moi n'a pas d'importance, qu'est-ce qui en a, alors ? Voilà, David, c'est comme ça et pas autrement. J'y ai beaucoup réfléchi et pour moi c'est la seule solution. »

Rachel s'adossa à son fauteuil, les mains croisées sur les genoux. Elle se disait que David devait la haïr, croire qu'elle voulait se venger de lui.

Mais, en y réfléchissant bien, ce qu'il pensait n'avait plus vraiment d'importance. Leurs amours (et c'était un bien grand mot) étaient terminées. Plus rien ne pourrait exister entre eux.

Mais d'abord, il fallait qu'ils règlent ce problème ensemble. Leur bébé méritait au moins ça. Un enterrement décent et non une tombe anonyme sans personne pour pleurer sur sa courte vie, sans rien pour marquer son passage.

Non, elle ne donnerait pas dans la banalisation d'un tel acte, ne prétendrait pas que ce n'était rien. Elle en ressentait une honte indicible, et cette honte, David *devait* la partager. Autrement comment pourrait-elle se pardonner par la suite ?

Elle comprenait à présent combien elle avait surestimé David. Il était là, au fond du salon, l'air hagard, le cheveu en bataille, avec une expression qu'elle ne lui connaissait pas. *Il crève de trouille*, se dit-elle.

« Non. C'est... obscène. Tu dois être raide folle pour t'imaginer que je ferais ça à mon propre... » Il s'interrompit.

« A ton propre quoi, David ? *Dis-le, mais dis-le au moins.*

– Rien. » Il sortit un mouchoir de sa poche et s'épongea le front. « Écoute, oublie ton macabre petit schéma. Je suis un médecin, pas un connard de psy. Et c'est ce qu'il te faudrait parce que tu es complètement cinglée.

– Peut-être, dit-elle. Mais ça ne change rien. Cette histoire nous concerne tous les deux, quelle que soit la solution.

– Que veux-tu dire ? demanda-t-il, soupçonneux.

– Je veux dire que si tu ne pratiques pas personnellement cet avortement, il n'y en aura pas. Je garderai l'enfant.

– Tu me *menaces* ?

– Non. » Et elle était sincère. « Je te dis simplement quelles sont les hypothèses envisageables pour moi, pour que je puisse ensuite continuer à vivre. Mais faire faire ça par ton cher ami Kelleher, il n'en est pas question. »

Rachel aussi avait peur. Elle regarda David et se dit : *Il est minable. Mon père n'aurait jamais fait ça à ma mère. Il ne l'aurait jamais fait souffrir comme ça.*

David était blême. Il ferma un instant les yeux.

« Très bien, dit-il, tu as gagné. Mais je ne vois vraiment pas quelle satisfaction peut te donner cette idée macabre. »

Rachel se sentait lourde avec la tête qui tournait. Elle *était* ivre et ne le réalisait que maintenant.

Oui, elle avait gagné. Elle aurait dû éprouver un sentiment de triomphe, et pourtant ce n'était pas le cas. Une sorte d'engourdissement, de froid s'emparaient d'elle. Maintenant, ce qu'il faut, c'est tenir le coup, sortir de ce cauchemar d'une façon ou d'une autre, se disait-elle.

L'heure suivante resta confuse dans sa mémoire.

David expliqua la situation à Kelleher et lui demanda la clé de son cabinet. Puis ils partirent sans dire un mot. Dehors, il pleuvait à torrent et elle avait le visage et les cheveux trempés. Il faisait froid et même dans le taxi surchauffé, elle continuait de frissonner.

Ce ne fut que lorsqu'ils arrivèrent au cabinet de Kelleher – situé dans un immeuble en brique couvert de lierre, en bas de la Cinquième Avenue – qu'elle réalisa avec horreur ce qu'ils s'apprêtaient à faire. David ouvrit la porte et alluma la lumière. La salle d'attente était intime, les murs couverts d'affiches. Dans un angle, sur une table, se dressait un sapin de Noël garni d'anges en bois, de boules colorées et de guirlandes argentées.

Je ne verrai jamais mon enfant. Je ne le tiendrai jamais dans mes bras.

La salle d'examen était pleine de photos. Il y avait des centaines d'instantanés punaisés sur un tableau de liège. Les enfants que Kelleher avait mis au monde.

Elle réprima le cri qui s'élevait du plus profond d'elle-même et ses yeux se remplirent de larmes. Elle était trahie. Non, elle se trahissait elle-même, ce qui lui semblait bien pire.

Je ne vais pas m'effondrer, se dit-elle. Plus tard. Quand ce sera fini. Mais je sais que je ne cesserai jamais de les voir. Tous ces enfants, tous ces bébés...

Il y avait une petite alcôve fermée par un rideau au fond de la pièce. Un peignoir de coton était posé sur une chaise blanche. Rachel se changea aussi vite qu'elle put mais ses doigts, lorsqu'elle déboutonna sa robe, étaient aussi raides que des bouts de bois.

Une grande glace était fixée au mur, face à la chaise. Rachel enfila le peignoir puis se regarda. Elle vit un visage blême aux traits tirés qui ne lui ressemblait pas. Même son corps, avec ses seins lourds aux aréoles foncées qu'on voyait à travers le tissu léger, lui était étranger. Elle caressa doucement son ventre.

« Pardon, mon bébé! chuchota-t-elle, les yeux brillants de larmes, je ne t'oublierai jamais. »

Lorsqu'elle émergea de l'alcôve, elle vit que David était prêt. Aseptisé, ganté, les instruments alignés sur un chariot métallique.

Elle se hissa sur la table d'examen et sentit le contact du papier sous ses fesses. Cela lui rappela absurdement sa mère. *Fais bien attention de recouvrir le siège avant de t'asseoir. On ne sait jamais ce qu'on peut attraper dans ces toilettes publiques.*

Un instant, ce souvenir lui donna envie de rire. Elle évitait de regarder David pour ne pas voir l'instrument qu'il tenait dans sa main droite. Elle aurait pu se mettre à crier, devenir folle.

« Il n'est pas trop tard, dit David. Nous ne sommes pas obligés de subir ça. Je peux rappeler Steve, lui dire de venir. »

Ces mots la ramenèrent à la raison, lui firent l'effet d'un seau d'eau sur la tête.

« Non, dit-elle. Fais-le toi-même. J'y tiens. »

Elle s'étendit sur le dos et écarta les jambes. En sentant le froid des étriers métalliques contre ses pieds nus, elle anticipa le reste et se figea horrifiée.

Cependant, lorsque, redressant le buste, elle vit ce qui se passait, elle faillit changer d'avis.

David. Le visage penché entre ses genoux relevés, la lumière éclairant l'instrument métallique qu'il tenait à la main. Une prémonition réfrigérante lui traversa l'esprit : *C'est comme un mariage. Nous serons liés par cet acte toute notre vie.*

Mais alors, elle vit qu'il était trop tard.

Ils avaient atteint le point de non-retour.

A la première froide morsure du spéculum, Rachel enfonça son poing dans sa bouche pour s'empêcher de crier.

6

Manon mettait des heures à mourir.

Sylvie s'agita sur son siège. Ce duo l'ennuyait. Le chef d'orchestre se démenait comme un fou avec sa baguette. Elle avait envie que le rideau tombe. Étrange. D'habitude, elle adorait aller au Metropolitan, s'installer avec Gerald dans cette loge d'où elle dominait légèrement la foule élégante de l'orchestre. Comme un roi et une reine présidant leur cour, ce qu'ils étaient, en quelque sorte. Mon Dieu, à combien de dîners, de soirées, avaient-ils assisté, sans compter tous ceux qu'ils avaient eux-mêmes donnés, même au début, lorsqu'ils habitaient encore Broadway et la 38e Rue.

Mais ce soir, elle se sentait nerveuse. Des Grieux, un ténor italien qu'elle ne connaissait pas, avait un physique ingrat et une voix nasale, comme s'il était enrhumé. Quant à la diva, censée être une beauté ravageuse d'une quinzaine d'années, elle en faisait bien cinquante et elle était large comme une jument. A mieux y réfléchir, qu'il parvînt à supporter si longtemps ce gros corps expirant dans ses bras était en soi un exploit.

Sylvie posa sa main sur le bras de Gerald. Ce soir, il n'y avait personne d'autre qu'eux dans la loge mais Gerald ne l'avait sans doute même pas remarqué. Il n'avait pas l'air gêné par son col empesé ni par son smoking trop serré qu'il insistait pour mettre, prétendant qu'il lui allait encore très bien. Dans la pénombre, elle remarqua son expression absorbée. La tête rejetée en arrière, les yeux mi-clos, les lèvres formant silencieusement les mots du livret. Il ne voyait pas les coutures prêtes à lâcher de la robe de Manon, pas plus qu'il n'entendait la voix nasillarde du ténor. Il se laissait bercer par la merveilleuse musique de Puccini.

Cher Gerald. N'était-ce pas l'une des raisons de son amour pour

lui, cette inclination à ne voir que le bon et le beau? Comme il ne
voyait en elle que sa beauté et sa fidélité. Au cours de toutes ces
années, il avait été aveugle à ses péchés, comme des Grieux à ceux de
Manon.

Sylvie posa sa main sur la sienne et sentit ses doigts tièdes et rassu-
rants entrelacer tendrement les siens. Avait-il l'air plus fatigué que
d'habitude? Elle se sentait un peu anxieuse. Était-ce son imagination?
Cela l'attristait de voir Gerald tout voûté, peinant pour monter
l'escalier de l'opéra.

Il a soixante-seize ans, se dit-elle, irritée contre elle-même. *Bien sûr
qu'il ne monte pas l'escalier comme à quarante. Mais il est en bonne
forme.*

Cependant Sylvie ne pouvait s'empêcher de frissonner en regardant
Manon agoniser.

Sans lui, je ne survivrais pas. Mon protecteur, mon plus cher ami.

Plus son amant, toutefois. Ils n'avaient pas fait l'amour depuis des
années. Depuis la dernière opération de Gerald en fait.

Mais ça n'avait pas d'importance. Elle se sentait plus proche de lui
que jamais auparavant. En sécurité et adorée. Lorsqu'ils se promenaient dans Riverside Park, son bras glissé sous le sien ou, comme à
présent, main dans la main, elle sentait une intimité, une tendresse
bien plus profondes qu'à l'époque où ils faisaient l'amour.

Depuis qu'il avait démissionné de la présidence du conseil d'administration de Mercantile, ils étaient constamment ensemble. En hiver
à Palm Beach, lisant des romans côte à côte ou bien jouant aux cartes
au bord de la piscine pendant que la Callas s'époumonnait dans la
stéréo. Et ce voyage à Venise au printemps dernier, quel merveilleux
souvenir!

Sylvie songea à cette croisière qu'ils avaient projetée à Bora-Bora et
à Tahiti. Ils devaient partir dans un mois. Elle se détendit un peu.
*Oui, c'est exactement ce qu'il lui faut. L'air de la mer va lui faire du
bien, lui redonner des couleurs.*

Le rideau tomba enfin et une salve d'applaudissements crépita,
accompagnés de « BRAVO, BRAVISSIMO ». Quelques secondes plus tard,
les deux vedettes émergèrent de derrière le rideau, quelque peu extra-
vagants dans leurs costumes respectifs maintenant qu'ils ne chantaient
plus.

La lumière se ralluma et les gens commencèrent à se lever tout en
continuant d'applaudir. Les hommes portaient tous un smoking ou
une veste de velours, les femmes une robe du soir, leur manteau de
fourrure accroché négligemment au dossier de leur siège. Sylvie entendit la voix de sa mère, comme si elle avait été assise à côté d'elle.
Une femme du monde porte un manteau de drap comme si c'était une

fourrure et jette son vison n'importe où, comme s'il ne s'agissait que d'un simple manteau de drap. Si seulement elle pouvait être ici ce soir, se dit-elle, elle verrait une zibeline accrochée dans l'entrée de la loge. Mama avec son bon vieux manteau noir, doublé et redoublé au cours des années.

Elle aurait aimé ses bijoux aussi. Sylvie tripota machinalement son collier, des émeraudes anciennes serties dans de l'or, le tout dessiné quarante ans auparavant par la célèbre Jeanne Toussaint de chez Cartier. Gerald le lui avait offert pour son dernier anniversaire. Les pierres ont la couleur de tes yeux, lui avait-il dit.

Sylvie se leva à son tour et se dirigea vers la porte de la loge. Puis elle se retourna et vit que Gerald restait assis. Mon Dieu comme il avait l'air fatigué. Son cœur se serra.

Il est vrai qu'il est tard et ces opéras sont longs, se dit-elle. Quatre actes interminables plus deux entractes, naturellement il était fatigué. Qui ne le serait? Cependant...

« Gerald? Tu ne te sens pas bien?

— Si, si, chérie, ne t'inquiète pas. Mais je crois que je ne digère pas bien mon dîner. J'ai dû trop manger. » Il eut une grimace. « Tu sais, je crois qu'il serait temps que je perde quelques kilos. Bientôt, je ne pourrai plus m'asseoir. »

Elle savait qu'il essayait de la rassurer en plaisantant mais il n'y parvint pas. Elle se surprit à repenser à sa seconde crise cardiaque, encore bien pire que la précédente. Gerald à l'hôpital de New York, avec des tubes partout, un cathéter sur la jambe, un appareil enregistrant les battements de son cœur, comme si cette ligne hérissée était la seule chose indiquant qu'il était encore en vie...

Mais il va bien maintenant. Avant notre départ de Floride, le cardiologue lui a fait des quantités d'examens. Tout était normal. Je m'inquiète sans doute pour rien.

« Pourquoi ne restes-tu pas un moment à te reposer? suggéra-t-elle, posant une main légère sur son épaule. Autant attendre que la foule se disperse plutôt que de faire la queue dans l'escalier. Je vais aller te chercher quelque chose à boire. Tu veux un peu d'eau minérale? »

Il poussa un soupir. « Oui, bonne idée. Ça me remettra d'aplomb. Ça ne t'ennuie pas trop? J'irais bien moi-même mais...

— Bien sûr que non », dit-elle d'une voix ferme.

Puis il la surprit en lui disant à brûle-pourpoint : « Je pensais à Rachel. Tu te souviens de ce premier été où elle est partie camper? Elle avait huit ans. Nous l'avons amenée en voiture. Toutes les autres petites filles s'accrochaient à leurs parents, comme si c'était la fin du monde. Et Rachel disait : "Elles pleurent parce que leurs mamans et leurs papas sont tristes. Vous aussi, vous êtes tristes. Mais je ne vais pas pleurer. Je suis trop vieille pour ça."

— Je m'en souviens parfaitement », dit Sylvie. Elle revoyait Rachel ce jour-là, vêtue d'une chemise blanche à pois rouges, leur faisant un geste d'adieu solennel tandis qu'ils s'éloignaient dans la Bentley de Gerald. Elle sentit son cœur se serrer.

Elle repensa au choc qu'elle avait éprouvé en apprenant que Rachel était enceinte. Comme elle aurait aimé la soulager de sa peine. Être capable de l'aider, d'une façon ou d'une autre.

Aurais-je dû la conseiller? se demandait Sylvie. Mon propre petit-enfant, un bébé après toutes ces années, comme se serait merveilleux.

Et pourtant, par peur de l'influencer, elle avait caché ce désir profond à Rachel. *De quel droit lui donnerais-je des conseils? Si elle savait comme j'ai prié pour faire une fausse couche quand j'étais enceinte, comme j'ai été terrifiée à l'idée de donner naissance à l'enfant de Nikos.*

Oui, se dit-elle, accablée, je sais ce que c'est que de porter un enfant dont on ne veut pas. Et je ne souhaite vraiment pas que Rachel en fasse l'expérience, même si je rêve de ce bébé.

Non, il fallait que Rachel prît cette décision toute seule. Sylvie était heureuse que sa fille se fût confiée à elle, parce qu'elle la savait plus proche de son père. A présent, elles partageaient ce secret. Elle eut un bref sentiment de triomphe : *Tu vois, elle a quand même besoin de toi.*

Demain matin, elle appellerait Rachel de bonne heure pour savoir ce qu'elle avait décidé et en quoi elle pouvait l'aider. Mais il ne fallait surtout pas que Gerald fût au courant de cette histoire. Il en serait bouleversé.

La voix de son mari interrompit ses pensées : « Je lui avais demandé de nous accompagner ce soir — tu sais comme elle aime Manon. Mais elle était de garde à l'hôpital. »

Sylvie se dit que Rachel avait peut-être une autre raison de refuser l'invitation de son père. Elle regarda Gerald tassé dans son fauteuil, l'homme avec lequel elle vivait et qu'elle aimait depuis tant d'années, et l'émotion l'étreignit.

« Gerald? » Il leva la tête d'un air interrogateur. « Je t'aime. »

Elle eut conscience de rougir et se sentit un peu absurde — une femme d'âge mûr se conduisant comme une fille amoureuse pour la première fois! Il était si rare que l'un ou l'autre prononçât ces mots, et jamais dans ces circonstances.

Gerald la regardait, les yeux brillants, puis il eut un rire heureux. « M. Puccini, dit-il. J'ai beau connaître Manon par cœur, ça me fait toujours de l'effet. A toi aussi, je vois. »

Son cœur s'allégea. Peut-être, au bout du compte, *avait*-elle fait le bon choix pendant toutes ces années.

« Je vais te chercher ton eau minérale », lui dit-elle gaiement.

Le couloir aux murs rouge sombre était envahi par les spectateurs qui convergeaient vers le grand escalier menant à la sortie. Devant les portes vitrées, les chauffeurs ouvraient d'énormes parapluies pour protéger leurs maîtres de la pluie qui tombait depuis le début de l'après-midi.

Sylvie se sentait oppressée par cette foule, par la richesse entêtante de tous ces parfums mêlés. Émergeant enfin dans le hall, elle vit avec soulagement que le bar, bien que vide, était encore ouvert. Les gens rentraient chez eux.

Et c'est ce qu'ils n'allaient pas tarder à faire, eux non plus. Emilio les attendait dehors pour les ramener.

« Sylvie? C'est vous? »

La voix masculine, à l'accent étranger, la surprit tellement qu'elle faillit renverser le verre d'eau minérale que venait de lui tendre le barman.

Non, ce n'est pas possible...

Puis elle se retourna et vit que cela l'était et son cœur cogna dans sa poitrine. Il grisonnait à présent, et il était un peu plus gros mais, à part cela, il avait peu changé. Toujours ces yeux noirs, comme liquides, dans un visage à la Van Gogh, taillé à coups de serpe.

Nikos.

Elle le regardait avec stupeur.

Il y avait plus de vingt ans qu'elle ne l'avait pas vu, qu'elle ne savait rien de lui. Elle s'était souvent demandé ce qu'il était devenu puis en avait conclu... quoi? Qu'il était mort ou parti à l'étranger.

En fait, elle l'espérait. Et voilà qu'il se tenait là, devant elle. Il s'avança vers Sylvie et elle remarqua qu'il ne boitait plus.

Elle était pétrifiée. *Je ne peux pas me cacher, ni faire semblant de ne pas le reconnaître. Seigneur, que vais-je lui dire?*

« Sylvie! Incroyable. Toujours aussi belle. Je n'en dirai pas autant de Regina. Elle a moins bien vieilli mais sa voix est encore superbe. Comment avez-vous trouvé *Manon*, ce soir? »

Il avait toujours son accent mais son anglais s'était nettement amélioré. Il parlait avec l'autorité de quelqu'un qui a fait son chemin dans la vie. Sylvie enregistra au passage son superbe costume trois-pièces et sa cravate de soie.

Se rendait-il compte de l'effet que cette rencontre lui faisait? Elle avait les jambes en coton, comme si toutes ces années étaient brusquement effacées et qu'à nouveau, il lui offrait une cigarette sur la terrasse de sa maison par une chaude nuit d'été.

« Oh oui, beaucoup, dit-elle, la mise en scène était excellente. »

Incroyable comme il était facile de dire machinalement les choses alors qu'on avait le cœur qui battait la breloque.

« Ma femme aurait aimé cette soirée », dit-il d'un ton nostalgique. *Voilà, tu vois. Il est marié et il a probablement une demi-douzaine d'enfants. Alors pourquoi es-tu là, transpirant comme un évadé de prison traqué par une meute de chiens policiers? Comment pourrait-il connaître l'existence de Rose?*

« Elle n'a pas pu vous accompagner?

— Non, dit-il le regard assombri. Barbara est morte l'année dernière.

— Oh, je suis désolée. » Sylvie ne savait que dire. L'inquiétude que lui inspirait Gerald revint en force. Il fallait qu'elle s'excuse, qu'elle retourne auprès de lui. Pourtant, elle semblait incapable de bouger.

« Et votre mari? s'enquit Nikos. Il est ici?

— Oui. En fait, il m'attend en ce moment. Il faut que je vous quitte... »

Nikos posa sa main sur son bras. « Ça fait si longtemps. Vous pouvez sûrement passer une minute de plus avec un vieil ami. »

Sylvie le regardait fixement. Elle avait l'impression que le contact de sa main la brûlait. Pendant un instant, elle eut la certitude horrible qu'il *connaissait* l'existence de Rose et qu'il faisait exprès de la torturer.

Souris. Sois naturelle.

« Oui, *bien sûr*, dit-elle d'un ton léger. Comme je suis distraite! J'étais là, à me dire que vous aviez l'air en pleine forme, et j'oublie de vous demander ce que vous avez fait toutes ces années.

— Eh bien, la chance m'a plutôt souri. Le travail marche bien, assez bien pour m'empêcher de m'asseoir dans une maison vide et broyer du noir. » Il lui prit l'épaule et l'entraîna à l'écart. « Une cigarette? »

Sylvie s'empourpra. Le souvenir de la nuit où il lui avait fait la même proposition était encore vivace dans sa mémoire. Elle secoua la tête et le regarda sortir un étui à cigarettes en or de la poche intérieure de sa veste.

« Quel genre de travail faites-vous? » lui demanda-t-elle, essayant de paraître amicale. Manifestement, ce n'était plus un domestique.

Il eut alors un geste qui l'amusa. Il sortit une allumette d'une boîte et la frotta contre son pouce pour l'allumer. L'étui en or était sans doute un cadeau de feu son épouse.

« Je suis entrepreneur de travaux publics. J'ai monté ma propre société. En ce moment, nous construisons des appartements à Brighton Beach. Tout devrait être terminé en septembre... si Dieu et le temps roulent pour nous. »

Sylvie était effarée. « C'est vous, Anteros Construction? »

La banque de Gerald avait placé de l'argent dans cette affaire. Elle se souvenait qu'il lui en avait parlé. Il trouvait que construire devant l'océan mais dans un endroit aussi facilement accessible de la ville était une idée géniale.

Nikos haussa les épaules et un sourire étira ses lèvres pleines. « Lorsqu'une société devient vraiment importante, c'est vous qui lui appartenez, plutôt que le contraire. Je pense que votre mari serait d'accord avec moi, non? »

Sylvie se mit à rire. « Comment l'avez-vous deviné? C'est le leitmotiv de Gerald.

— J'ai toujours eu de l'admiration pour lui, vous savez. » Nikos tira sur sa cigarette et rejeta la fumée par le nez. « Un homme remarquable. Intelligent et plein de cœur. »

Sylvie se sentit rougir de nouveau. Pourquoi faisait-il ce numéro? Il avait toutes les raisons de haïr Gerald. Cela n'avait aucun sens, à moins qu'il se moquât d'elle?

« Oui, répondit-elle d'un air emprunté. Écoutez, il faut vraiment... »

Mais Nikos ne semblait pas avoir conscience de son embarras. « Vous savez, il m'a fait une grande faveur en me fichant dehors. Autrement je n'aurais peut-être jamais monté mon affaire. Ou le... » Il s'arrêta brusquement, comme s'il avait été sur le point de lui révéler un secret bien gardé. Il s'en tira avec un large sourire. « Mais je suis égoïste de vous retenir ainsi.

— Ça ne fait rien », dit-elle, espérant qu'il ne remarquerait pas son soulagement. Elle regarda le verre d'eau minérale qui se réchauffait doucement dans sa main. « Elle ne pétille plus du tout.

— Permettez-moi... » Avant qu'elle ait pu protester, il lui avait pris le verre des mains et se dirigeait vers le bar. Le barman secoua la tête, et lui dit que c'était fermé.

Sylvie, embarrassée, vit Nikos sortir un gros billet de son portefeuille et le poser sur le comptoir. Un instant plus tard, Nikos revint vers elle, un verre à la main.

« Vous n'auriez pas dû », dit-elle.

Nikos haussa de nouveau les épaules. « Disons que j'ai une dette envers votre mari. Ceci n'est qu'une toute petite partie du remboursement. »

Sylvie n'arrivait pas à imaginer en quoi Nikos était redevable à Gerald, mais sa sincérité ne faisait aucun doute. Peut-être lui était-il reconnaissant d'avoir poussé sa banque à investir dans le projet de Brighton Beach?

« Eh bien, dans ce cas, merci », dit-elle. Elle lui tendit une main qui disparut aussitôt dans la sienne, immense et calleuse. « Bonsoir. J'ai été ravie de vous revoir. »

Elle s'éloignait déjà lorsque Nikos lui toucha l'épaule. « Attendez.

Une dernière chose. Vous ne m'en avez jamais parlé. Votre fille. Comment va-t-elle? »

Pendant un moment, Sylvie, pétrifiée, crut qu'il parlait de Rose. De *son* enfant. Son cœur fit des ratés. Elle le regarda, luttant pour retrouver son sang-froid.

« Rachel va très bien », dit-elle. Gerald lui avait sans doute parlé de leur fille. Mais oui, pas de quoi s'affoler. Nikos ne lui posait la question que par politesse.

Mais maintenant, il doit comprendre qu'il y a quelque chose de bizarre, se dit-elle, désespérée. *Il a l'air inquisiteur son visage s'est durci.*

« Vous devez avoir des enfants, vous aussi? dit-elle pour masquer sa peur.

— Non. » Nikos eut une expression de regret. « Pas d'enfant. » Il écrasa sa cigarette dans un haut cendrier métallique fixé au plancher. Il ne semblait pas le moins du monde pressé. « Barbara et moi en voulions. Mais nous n'avons jamais réussi à en avoir. Ma femme a fait plusieurs fausses couches.

— Je suis désolée », lui dit Sylvie. N'avait-elle pas déjà dit cela? Elle ne s'en souvenait pas. Elle était comme paralysée, avec la sensation que sa cervelle tournait comme une toupie.

Nikos se pencha soudain vers elle, si près qu'elle sentit son haleine de fumeur. « Sylvie, je sais », dit-il tranquillement.

La panique la balaya, la fit vaciller sur ses jambes, et renverser un peu de son eau minérale.

Il sait, il sait, il sait...

« Que savez-vous donc? lui demanda-t-elle, plaquant, sans grand espoir, un sourire innocent sur son visage.

— Je le soupçonnais depuis longtemps, dit-il. Vous avez mis un enfant au monde neuf mois après que nous...

— Non, le coupa-t-elle, en reculant si brusquement qu'à nouveau, un peu du contenu du verre coula sur sa robe. Vous vous trompez.

— Vraiment? Il y eut un temps où je l'espérais, je ne vous le cache pas.

— Écoutez, tout cela est absurde, dit-elle. Je ne veux plus en entendre parler. » Mais sa main encerclait son poignet comme une menotte. Les larmes lui montèrent aux yeux. « Je vous en prie... il faut que j'aille rejoindre Gerald. Il doit se demander ce qui m'arrive.

— Sylvie, je n'essaie pas de vous faire du mal. Il faut que vous le sachiez. Je ne veux qu'une chose. Que vous me le disiez. *Dites-le moi* simplement. Juste ça. Faites-moi ce cadeau. Je ne vous l'ai jamais demandé avant par respect pour Barbara. Et pour Gerald. Et je vous jure que si vous me dites la vérité, je vous laisserai tranquille. Je ne chercherai pas à prendre contact avec vous... »

Sylvie se dégagea brutalement, incapable de supporter cette scène une seconde de plus, de soutenir ce regard implorant, car elle savait qu'elle avait trahi les deux hommes de la même manière.

Elle se mit à courir, sans se préoccuper pour une fois des gens autour d'elle. Gerald. Il fallait qu'elle retourne au plus vite près de lui. Oh Seigneur, s'il apprenait la vérité, ça le tuerait. Il ne devait jamais savoir.

« Sylvie! » Nikos l'appelait. « Attendez! »

Elle avait les joues brûlantes et imaginait les gens autour d'elle regardant cette scène avec stupeur.

S'il vous plaît, avait-elle envie de crier, *laissez-moi tranquille*.

Mais elle savait, au fond d'elle-même, que ce n'était pas réellement Nikos qu'elle fuyait, mais elle-même, la terrible vérité.

Rose...

7

Se faufilant dans le wagon bondé, Rose attrapa une poignée. Heureusement qu'elle rentrait chez elle.

Elle ferma les yeux et s'imagina montant lentement l'escalier, savourant à l'avance le moment qui allait suivre. Et savoir que Nonnie serait là ne parvenait même pas à gâcher la joie qu'elle éprouvait à l'idée que peut-être, il y aurait une lettre pour elle – une lettre de Brian.

Oh mon Dieu, faites qu'il y en ait une. Ça fait si longtemps, deux mois qu'il est parti, et j'ai été patiente. Une lettre, une carte, n'importe quoi. Je sais qu'il n'est pas mort parce que ses parents reçoivent des nouvelles de lui. Pourquoi pas moi? Il doit y avoir une raison. Mais laquelle?

Et si la raison, c'était qu'il ne m'aimait plus?

Rose se mit à transpirer sous son gros manteau de lainage. Elle mourait de peur. *Pourvu, pourvu qu'il y ait une lettre aujourd'hui...*

Puis soudain elle se rendit compte qu'un type, juste derrière, commençait à se frotter contre elle. Doux Jésus, malgré l'épaisseur de son manteau, elle sentait son érection. La colère, la haine bouillonnaient en elle.

Elle essaya de se pousser mais elle était coincée de tous côtés. Elle ne pouvait même pas se retourner pour voir qui c'était. *Pervers, salaud, il passe sans doute des coups de fil obscènes aux petites filles.*

Elle pensa soudain au livre qu'elle tenait sous le bras, le *Law Review* 1967. Lorsque le métro ralentit, elle balança son coude en arrière, utilisant le livre pour donner plus de poids à son coup. Elle entendit un grognement surpris et la pression s'arrêta net.

Puis les portes s'ouvrirent et le conducteur brailla : « DeKalb Avenue, prochain arrêt Atlantic! » Quelques passagers, dont Rose, descendirent mais il en monta encore davantage. Le prochain métro serait peut-être un peu moins plein et, en tout cas, elle s'était débarrassée du satyre.

Mais le suivant était tout aussi bondé. Elle monta quand même et serra les dents. Trouverait-elle, non pas une lettre de Brian, mais plusieurs, arrivées en même temps? Peut-être s'étaient-elles perdues en cours de route, avaient-elles atterri dans un mauvais bureau de poste.

Si j'ai une lettre, promit-elle à Dieu, je retournerai me confesser. Et j'irai à la messe du Premier vendredi...

Elle pensa au *Law Review* qu'elle avait sous le bras. Il lui avait déjà servi une fois ce soir. Elle savoura en pensée le moment où elle allait s'y plonger, après le dîner. Elle savait qu'elle ne comprendrait pas tout mais elle adorait les phrases, la musique des mots en latin et tous ces cas qui, lorsqu'on lisait entre les lignes, fécondaient votre imagination comme un roman. Oui, c'était un peu comme lorsqu'elle s'agenouillait à l'église et lisait son missel tout en écoutant les incantations du prêtre.

Puis elle se sentit brusquement inquiète. Et si M. Griffin s'en rendait compte? Serait-il contrarié qu'elle lui emprunte des livres? Elle n'en prenait jamais qu'un à la fois et le rapportait toujours le lendemain matin. Cependant, même si elle les avait gardés une semaine entière, il est probable que M. Griffin ne s'en serait même pas aperçu. Mais pourquoi risquer des ennuis? Son boulot actuel était le plus intéressant des trois qu'elle avait eus, et elle espérait bien qu'on allait la garder.

Bien sûr que cela lui serait égal. Il était si gentil, bien plus agréable que ses précédents patrons. Et quelle énergie! Elle avait parfois l'impression d'être prise dans une tornade.

Elle l'imagina un instant, faisant les cent pas derrière son bureau, le téléphone coincé entre l'épaule et l'oreille, gesticulant ou bien tambourinant sur la table pour appuyer ses propos. C'était un homme de haute taille, un peu lourd mais, avec un bon visage. Il avait la réputation d'être un excellent avocat, le plus admiré de tout le cabinet et probablement l'un des meilleurs de la ville. Il pouvait vous faire gagner à peu près n'importe quel procès.

Lundi, elle lui parlerait de ses « emprunts » de livres, puisque, malgré tout, cela la gênait de le faire derrière son dos. Et s'il se mettait à rire? S'il trouvait son idée de devenir un jour avocate complètement farfelue?

Avenue J, dix arrêts plus loin, Rose descendit. Quelques blocs de plus à longer et elle serait enfin chez elle.

Rose avait soudain envie de prolonger cette courte promenade. Et s'il n'y avait pas de lettre de Brian? Aujourd'hui, c'était vendredi. Parfois le facteur passait le samedi mais pas toujours. Elle serait obligée d'attendre tout le week-end. Et elle avait déjà attendu si longtemps...

En chemin, elle s'arrêta pour acheter des oranges, puis du pain à la boulangerie cachère. Le vieux M. Baumgarten, son éternel crayon coincé derrière l'oreille lui demanda:

« Alors, ta grand-mère, comment va-t-elle?

« — Très bien, répondit machinalement Rose.

— Et toi, te voilà une belle jeune fille à présent. Travaillant toute la journée dans la City. Et si élégante, avec des talons hauts! »

Rose se sentit rougir. Si elle avait enlevé son manteau, le boulanger aurait déchanté. Ce matin, elle avait dû repasser précipitamment un chemisier, les deux autres étant sales. Trois chemisiers et deux jupes composaient tout son vestiaire! Ah vraiment, pour avoir du chic elle avait du chic!

Un jour, se dit-elle, je serai élégante. Quand Brian rentrera, quand nous nous marierons. Je serai femme de professeur, alors, et je n'aurai plus de raison de me sentir minable ou inférieure.

Mais s'il ne revenait pas?

Soudain, elle se sentit dangereusement proche des larmes. Elle remercia le boulanger et, prenant le sac en papier qu'il lui tendait, elle sortit précipitamment du magasin.

Elle courut tout le long du chemin. Les oranges, dans leur sac en plastique, tressautaient contre sa cuisse. Enfin, elle entra dans le hall de son immeuble. Bien qu'elle fût hors d'haleine, elle ne s'arrêta qu'un instant avant de monter l'escalier quatre à quatre.

Brian, oh Brian, tu me manques tellement. Tes lettres, c'est tout ce qui me reste.

Aujourd'hui. S'il vous plaît, mon Dieu, faites que ce soit aujourd'hui.

Nonnie était assise devant la télévision. Elle avait fini par retrouver l'usage de la parole mais il était impossible de la laisser seule, ce qui n'empêchait pas Mme Slatsky de partir toujours une bonne demi-heure avant le retour de Rose, après avoir allumé la télévision pour le feuilleton favori de Nonnie, *Gilligan Island*. Lorsqu'elle entra dans la pièce, celle-ci leva à peine la tête.

« Le dîner est dans le four, dit-elle. Cette femme, elle m'a apporté une tranche de viande. »

Cette femme. Seigneur, pour Nonnie, Mme Slatsky, après toutes ces années, était toujours « cette femme ».

« Nageant dans la graisse, je parie. Celle-là, elle est capable de faire la cuisine comme moi de lancer pour les Dodgers. »

Nonnie était dans un de ses bons jours. Elle ne semblait pas trop vindicative et elle était assise bien droite, le regard aigu et brillant comme du verre coupé. Mme Slatsky avait dû lui laver les cheveux. La coiffure n'était pas terrible mais enfin, cela éviterait à Rose de le faire.

Où était le courrier? Rose regarda sur la console de chêne, dans l'entrée. C'était généralement là que le posait Mme Slatsky. Rien. Elle embrassa le salon d'un regard furtif. Elle ne voulait pas que Nonnie sût à quel point les lettres de Brian comptaient pour elle.

« Sur la table de la cuisine », dit Nonnie, comme si elle avait lu dans ses pensées.

Surprise, elle leva la tête vers sa grand-mère.

Après son attaque, le visage figé de Nonnie n'avait pas retrouvé toute sa mobilité et en ce moment, elle regardait Rose avec son espèce de rictus à laquelle celle-ci n'avait jamais pu s'habituer. Nonnie portait la robe de chambre rose moletonnée que Clare lui avait offerte pour son anniversaire, le mois dernier. Ses mains osseuses posées sur ses cuisses rappelaient à Rose ces affreuses pattes de poulet que le boucher donnait à ses clients pour la soupe.

Sans répondre, Rose alla dans la cuisine. Il y avait deux lettres et une carte sur la table, près du grille-pain.

Le cœur battant, elle prit la première enveloppe et la retourna. C'était de Clare. L'autre contenait une publicité pour une nouvelle galerie marchande qui s'ouvrait à Canarsie.

La carte postale venait de Molly Quinn, qui vivait maintenant à Vancouver. Son fiancé avait préféré s'expatrier plutôt que d'aller se battre au Vietnam et Molly était partie avec lui.

Rose avait le cœur gros. Rien de Brian. Pas maintenant. Peut-être plus jamais...

Comment parviendrait-elle à se lever le matin, s'il la quittait, comment vivrait-elle? Les jours, les heures même, lui sembleraient interminables.

Elle posa sa tête contre le Formica, trop accablée pour pleurer.

Soudain, elle sentit une odeur de brûlé. Il y avait de la fumée dans la pièce, quelque chose cramait! Elle se leva d'un bond. La viande de Mme Slatsky!

Et soudain, cela lui sembla comique. Elle était là, à s'angoisser pour Brian, pendant que la vie continuait tranquillement, les satyres du métro, Nonnie, la viande brûlée, et tout le reste. Oui, à mieux y réfléchir, *c'était* comique. Elle se mit à rire, impuissante à retenir les larmes qui sillonnaient ses joues, avec un nœud gros comme un poing dans l'estomac.

8

« Asseyez-vous, je vous en prie... » dit le Dr Dolenz en souriant.

Rachel savait que ce sourire était simplement destiné à la rassurer. En fait, c'était un homme assez froid bien qu'aimable. Il lui rappelait son père. Ils avaient aussi le même genre de bureau, très « Park Avenue », avec bibliothèques et table en chêne massif. Elle se revoyait dans celui de son père, assise dans le grand fauteuil, face à lui. Elle était toujours un peu écrasée par cette pièce imposante et sombre, imprégnée d'odeurs de cuir et de cigarettes, et, en ce moment même, elle retrouvait cette impression d'enfance.

Assise sur un vaste canapé sous trois gravures de chasse anglaises, elle affichait un calme qu'elle était loin de ressentir. Voilà six semaines que Rachel s'était fait avorter et elle avait encore des problèmes.

Elle repensa aux quelques jours qui avaient suivi l'intervention. Elle était brûlante de fièvre. Au début, elle avait cru qu'il s'agissait d'une grippe car l'épidémie sévissait autour d'elle. Comme une idiote, par pure arrogance, elle avait refusé la proposition de David de la raccompagner. Encore engourdie, à moitié ivre, elle était partie sous la pluie et avait parcouru la moitié du chemin avant de monter enfin dans un taxi. Elle était rentrée chez elle trempée en claquant des dents.

La fièvre s'était maintenue pendant trois jours. Elle savait à présent qu'il ne pouvait s'agir d'une grippe. Elle souffrait beaucoup du ventre, et Kay l'avait finalement convaincue de venir ici.

Le Dr Morton Dolenz avait diagnostiqué une salpingite. Sérieuse, avait-il ajouté, mais ne nécessitant pas d'hospitalisation. Elle était sortie de chez lui inquiète, sachant qu'une salpingite peut toujours boucher les trompes.

Il lui avait donné des antibiotiques et elle s'était très vite sentie mieux. Un mois plus tard, il lui ordonna un autre examen pour vérifier l'état de ses trompes. Il prit rendez-vous pour elle avec le radiologue, puis lui tendit une ordonnance de morphine – ils injectaient un colorant dans les trompes et c'était douloureux.

À présent, une semaine plus tard, il était assis en face d'elle, et sortait ses radios d'une grande enveloppe de Manille.

« Bon, dit-il, vous êtes médecin, alors je ne vais pas vous raconter d'histoire. Venez voir et vous comprendrez ce que je veux dire. »

Elle le regarda disposer les clichés sur le négatoscope mural, puis se leva pour le rejoindre, les tripes nouées par la peur.

Il lui montra deux zones grisâtres où le colorant n'avait pas pénétré. « Comme vous le voyez, les deux trompes sont atteintes, ce qui rendrait la conception... eh bien, disons simplement peu probable. Mais... » Il haussa les épaules... « un jour, vous pourriez envisager une opération. Cependant, et vous le savez aussi bien que moi, les résultats dans ce domaine ont été assez décevants. »

Ce discours signifiait-il qu'elle n'aurait plus jamais d'enfant? Non... ce n'est pas possible... oh Dieu, non...

Elle avait les tempes qui battaient, comme si sa fièvre était revenue, et regardait le médecin d'un air incrédule.

« Je suis désolé, continua-t-il, mais dans ces cas-là, je trouve qu'il vaut mieux être direct afin de ne pas... encourager les illusions. Ainsi, vous savez quelles cartes vous avez en mains, enfin, c'est une façon de parler. Vous pouvez toujours adopter un enfant si votre mari... »

Rachel tendit la main pour l'interrompre, et le remercia, mettant ainsi un terme à sa tentative maladroite d'éclairer son avenir sinistre.

Elle parcourut les soixantes blocs qui la séparaient de son appartement comme un zombie. Il faisait presque nuit lorsqu'elle mit la clé dans la porte, trempée jusqu'aux os.

Rachel se laissa tomber dans le fauteuil du salon, sans même prendre le temps d'enlever son manteau dégoulinant. Elle était gelée mais elle savait que ni des vêtements secs, ni des couvertures, ne viendraient à bout de ce froid qui s'était insinué en elle.

Pas d'enfants... pas de bébés... mon Dieu, qu'ai-je fait...

Elle enfouit son visage dans ses mains.

Oh si seulement Kay était là, se dit-elle, elle m'embrasserait, me ferait du thé et on discuterait jusqu'à ce que je trouve un moyen de faire face à ça.

Mais plus de Kay maintenant, elle était partie depuis trois longues semaines au Vietnam, dans un autre monde...

Ses mains quittèrent son visage et elle serra les poings. Bon Dieu, non, je ne vais pas commencer à m'apitoyer sur moi-même. C'est terrible, bon d'accord, mais je ne suis pas morte. Je souffre assez pour le savoir.

Il faut que je parte, se dit-elle. Un changement complet. Je devrais peut-être rejoindre Kay. Ils ont besoin de médecins au Vietnam. Et en ce moment je manque sans doute à Kay autant qu'elle me manque. Alors je pourrai oublier tout cela, je n'aurai même pas le temps d'y penser...

Le téléphone sonna.

Qu'il sonne. Elle n'avait envie de parler à personne. Il ou elle rappellerait ce soir ou demain.

Mais le téléphone continuait de sonner et Rachel finit par décrocher.

« Allô?

— Rachel, enfin! J'ai failli abandonner! » s'exclama Mama de sa voix claire.

En entendant sa mère à l'autre bout de la ligne, Rachel se sentit soudain vulnérable, sa souffrance exposée de façon honteuse, comme lorsqu'elle avait dix ans et courait se réfugier dans ses bras dès que quelque chose allait mal.

Pauvre Mama, comme elle allait souffrir, elle aussi – pas de petit enfant à gâter, avec qui jouer. Non, il valait bien mieux qu'elle ne sût rien pour le moment.

« Désolée, je rentre à l'instant, mentit Rachel. Écoute Mama, je peux te rappeler? Je cours toute la journée et je suis vraiment crevée. Je meurs d'envie de prendre une bonne douche.

— J'en ai pour une minute, plaida Sylvie. Écoute, demain nous allons t'envoyer la voiture à dix heures et demie. Comme ça nous serons à Cold Spring à midi, même s'il y a un peu de circulation. »

Mais de quoi parlait-elle? Cold Spring... demain, à midi?

« Oh, chérie, ne me dis pas que tu as oublié? s'écria Sylvie, prise d'un doute devant son silence.

— Mais bien sûr que non, comment pourrais-je oublier? » Elle s'interrompit et, à sa consternation, fut prise de fou rire.

« ... Mason. Le mariage de Mason Gold, dit Mama, se mettant à rire aussi. Rachel honnêtement... est-ce qu'il t'arrive de penser à autre chose qu'à la médecine en ce moment? Et ne me dis pas que tu n'as rien à te mettre ou j'arrive immédiatement et nous filons chez Saks. »

Oui, en effet, le mois dernier elle avait reçu une invitation écrite à la main. Cela l'avait étonnée car elle se serait plutôt attendue à un faire-part gravé et solennel. Elle s'était dit que ce serait amusant de revoir Mason et de faire la connaissance de sa fiancée, puis elle avait fourré l'invitation dans un tiroir et l'avait oubliée. Si sa mère n'avait pas appelé, elle n'y serait tout simplement pas allée.

« A moins que tu ne préfères Bloomingdale », poursuivait celle-ci.

Des courses? Il ne manquerait plus que ça. Non, elle trouverait bien quelque chose dans son placard.

« Ne t'en fais pas, Mama, j'ai la tenue idéale.

– Dix heures trente, alors, soupira Sylvie, et pour l'amour du ciel, chérie, n'oublie pas de mettre des bas et une culotte. La dernière fois, on voyait tout dans la lumière.

– Oh, Mama, s'il te plaît... bon, d'accord, je vais mettre une culotte, dix culottes même, si ça te fait plaisir. » Elle se mit à rire. « Je sais qu'il suffit que je porte des sous-vêtements propres pour te rendre heureuse, et que je pense à couvrir le siège des cabinets publics. Il faut aussi que je croise les jambes quand je suis assise. Mama, je t'aime. Et, écoute, merci pour... »

Pour quoi? *Eh bien pour savoir malgré tout distinguer les choses importantes des autres... pour être avec moi et pour moi quand ça compte, quand j'ai besoin de toi.*

Sylvie ne s'était pas effondrée quand Rachel lui avait parlé de son avortement. Elle n'avait même pas pleuré. Elle s'était contentée d'étreindre sa fille, de la serrer contre elle à l'étouffer en lui disant : « Je t'aime, chérie, et je t'aimerai toujours, quoi que tu fasses. »

« Merci pour quoi? » demanda Sylvie.

Une boule se forma dans sa gorge mais elle l'avala. « Oh rien. Juste merci. A demain. Dix heures et demie. »

Le mariage de Mason Gold était pour le moins surprenant.

Elle avait imaginé une synagogue remplie de bouquets de fleurs compliqués, avec des demoiselles d'honneur, la mariée en robe blanche et le marié en queue de pie, comme sur les gâteaux de mariage.

Et voilà qu'elle se retrouvait avec ses parents dans une vieille serre, en haut d'une colline dominant l'Hudson, regardant deux hippies se promettre de s'aimer, de s'honorer mais pas de s'obéir. Mason Gold hippy! Incroyable.

Il est vrai qu'elle ne l'avait pas revu depuis quelques années, mais elle le reconnaissait à peine. Un étranger dans un caftan blanc, coiffé d'un catogan et chaussé de sandales. La mariée portait la même tenue et ses longs cheveux noirs étaient parsemés de pâquerettes. Pas de *chuppa*. Ils se tenaient sous une corbeille de bégonias suspendue au plafond et dont les fleurs blanches effleuraient leurs têtes.

Rachel sourit. *Bravo, Mason, se dit-elle. Tu as fini par échapper aux surgelés.*

Elle regarda autour d'elle. De longues tables en aggloméré, chargées de plantes en pots, avaient été poussées contre les verrières pour faire de la place et installer la cinquantaine de chaises pliantes destinées aux invités. Elle repéra les Gold, assis au premier rang, près d'un bac de zinnias. Evelyn, la meilleure amie de Mama, arborait un sourire courageux mais figé. Elle avait emprunté le sentier qui montait à la serre et ses chaussures, assorties à son tailleur rose, étaient maculées de boue. Ses yeux étaient rouges et gonflés comme si elle avait pleuré. A côté d'elle, Ira Gold, chauve et grassouillet, jetait de tous côtés des regards effarés, comme s'il s'attendait à voir surgir d'un instant à l'autre l'équipe de la caméra invisible. C'était un mariage que les Gold, dans leurs pires cauchemars, n'auraient jamais imaginé.

Tous leurs amis avaient l'air mal à l'aise. Ils s'agitaient sur leur chaise, regardaient fixement leurs genoux, échangeaient des coups d'œil embarrassés. Mais pas Mama, si élégante dans son tailleur de cachemire bleu pâle – elle avait simplement l'air un peu troublé.

Rachel tendit l'oreille pour écouter l'officiant, un barbu à la voix suave qui semblait sincère et portait, heureusement pour les Gold, un costume et une cravate. Il lisait à voix haute les vœux que Mason et Shannon avaient rédigés ensemble. Quelque chose sur l'amour qui, libre comme un aigle, décrivait des cercles sans fin au-dessus des têtes. C'était plutôt sympathique et pas *trop* niais.

Rachel sentit les larmes lui monter aux yeux. Seigneur, allait-elle réellement se mettre à pleurer? C'était peut-être la tendresse avec laquelle Mason regardait sa femme. Ils semblaient complètement absorbés l'un par l'autre. Jamais David ne l'avait regardée comme cela.

Les amis de Mason, en jean et tunique, s'étaient groupés devant, près des mariés. Les filles – il y en avait quatre ou cinq – avaient toutes les cheveux longs retombant de part et d'autre d'une raie médiane, et des visages vierges de tout maquillage. Beaucoup avaient un air rêveur et semblaient planer quelque peu.

Mason venait de passer l'anneau nuptial au doigt de sa femme et maintenant, il se penchait d'un air ému pour l'embrasser. Un garçon, s'asseyant à califourchon sur un bac à plantes retourné, cala sa guitare sur ses genoux et commença à jouer *Moonshadow* de Cat Stevens. Rachel se surprit à chantonner en même temps, prise par l'ambiance joyeuse du moment.

Quelques minutes plus tard, les gens commencèrent à quitter la serre. Mason et Shannon en premier, leurs amis autour d'eux les embrassant et les congratulant.

Les gens plus âgés traînaient derrière, marmonnant aux Gold des félicitations empruntées.

Rachel croisa le regard de son père, et ils échangèrent un sourire complice. Papa s'amuse, se dit-elle. Ça rabat le caquet d'Ira. Il l'a toujours trouvé un peu *showoff*.

Elle descendit la colline, en faisant attention aux pierres et aux ornières du chemin. Quand je pense que j'avais peur de ne pas être assez habillée avec ce chandail et cette jupe en daim, se dit-elle, amusée.

A la ferme, on servait des rafraîchissements sur une table de chêne. Des litres de jus de pomme, des salades composées, du pain complet, du fromage fermier et des plats pour les végétariens.

Plus tard, dans la grande cuisine à l'ancienne précédée d'un office, Rachel parvint à échanger quelques mots à Mason en tête à tête. « J'ai l'impression de rêver, lui dit-elle. Je n'arrive pas à croire que ce soit vraiment toi.

— Tu as déjà essayé le céleri-rave avec du beurre de cacahuète pilé à la maison? » Il prit une tige sur un plat ébréché et la fourra dans la bouche de Rachel. Il sourit en la regardant mâcher avec application. « C'est Cheyenne qui les a fait. Au début, je n'aimais pas les trucs qu'elle mangeait mais elle m'a convaincu. »

Rachel se força bravement à avaler le magma douceâtre qu'elle avait dans la bouche.

« Cheyenne? Je croyais qu'elle s'appelait Shannon.

— Elle a changé de nom.

— Tu ne penses pas à changer le tien quand même? », demanda-t-elle sèchement. L'idée la révoltait.

Il eut un large sourire. « Bien sûr que si. Acapulco, tu trouves ça comment?

— Drôle. Très drôle! » Elle ne put s'empêcher de rire. En tout cas, Mason, lui, n'avait pas changé. Elle commençait à se détendre.

« Je suis désolée. Je ne voudrais pas avoir l'air de critiquer... C'est seulement que je ne suis pas habituée à te voir avec une queue de cheval. Mais je suis heureuse pour toi, Mason, honnêtement.

— Je ne suis pas vexé. Tu veux voir le reste de la maison? Shan... Cheyenne et moi, on a tout le dernier étage. Dove et Gordy partagent le premier avec Lisa et Joe. Est-ce qu'on t'a présenté Joe? La maison appartenait autrefois à son grand-père. Je crois qu'il était botaniste, quelque chose comme ça. C'est Joe qui a eu l'idée du mariage dans la serre... »

Rachel suivit Mason dans le vaste escalier en chêne. Le dernier étage, était en fait un grenier. La pièce, passée au lait de chaux, était mansardée, et elle dut se baisser pour ne pas se cogner la tête. Quelqu'un — sans doute Cheyenne — avait fait des rideaux dans un couvre-lit. Un matelas sur le sol et une commode constituaient tout le mobilier.

Mason s'assit sur le matelas, les jambes croisées à l'indienne. Il remarqua son regard incrédule et lui dit: « Je sais, c'est un peu nu, mais c'est du provisoire. Nous rentrerons en ville à la fin de l'été. Je commence à travailler pour la Legal Aid Society en septembre — je te l'ai dit? J'en ai eu marre des avocats d'affaires, de tous ces trouducs friqués qui s'entredéchirent. Tu n'imagines pas le nombre de braves gens qui se retrouvent derrière les barreaux parce qu'ils ne peuvent pas s'offrir un bon avocat. Bien sûr, il y a un certain nombre de types incompétents à Legal Aid, notamment ceux qui sont là parce qu'ils n'ont rien trouvé de mieux. Mais moi, j'avais le choix. Je veux aider les gens. »

Rachel se laissa tomber à côté de Mason et l'embrassa sur la joue. Elle était fière de lui, de son courage, de son engagement.

Il se pencha pour récupérer un sachet en plastique planqué sous le matelas. « Tu veux en fumer un? En souvenir du bon vieux temps? »

Il roula le joint et ils se le passèrent dans un silence amical. Rachel trouvait amusant de fumer avec Mason le jour de son mariage. C'était exactement ce qui lui fallait pour se distraire de son chagrin.

« Et toi? demanda Mason. Trop occupée à sauver des vies pour tomber amoureuse et te marier?

— J'ai été amoureuse une fois, dit-elle. En tout cas, je le pensais. Je crois que je vais m'en tenir au sauvetage des vies maintenant, à commencer par la mienne. C'est marrant, tu sais, mais je commence à me faire à ta queue de cheval. En fait, j'aime bien ça. Je dois être défoncée.

— Je le fais pousser moi-même.

— Ton catogan? » Elle se mit à glousser, se sentant la tête de plus en plus légère.

« Non, ça. » Il lui montra le joint. « Dans la serre. »

— Je m'en doutais un peu.

— Je crois que papa aussi s'en doute. Il passe son temps à me demander si je ne me drogue pas. Ça me tue. Je crois qu'il m'en veut encore de ne pas être entré dans son affaire. »

Rachel inhala une longue bouffée et la fumée douceâtre la fit tousser. Ça faisait longtemps qu'elle n'avait pas fumé, trop longtemps. Elle s'allongea et s'appuya sur un coude. Par la fenêtre, elle voyait le soleil, dans un halo de brume, se coucher sur la rivière.

« Tu veux que je te dise ce que j'ai envie de faire? lui dit-elle. J'ai envie de partir pour le Vietnam. »

Mason la regarda avec stupeur. « Merde, Rachel, tu parles sérieusement?

— Ouais. » Jusqu'à présent, elle n'en était pas sûre mais le fait de l'exprimer donnait corps à ce projet.

Mason regardait le joint qu'il tenait entre le pouce et l'index. « Je savais que ce truc faisait de l'effet mais pas à ce point. »

Elle se mit à rire. « Bon, c'est vrai que je plane un peu. Mais je suis sérieuse.

— C'est l'idée la plus folle qui te soit jamais venue, dit-il, roulant des yeux de cinéma muet.

— Rassure-toi, je ne compte pas m'engager dans l'armée. Je travaille-

rai dans une clinique, le Catholic Relief. Les civils se font tirer dessus,
là-bas, il n'y a pas que les soldats. Après tout, ce n'est pas pire que de
bosser avec ces pauvres pommes de Legal Aid. »

Mason réfléchissait à cela, les yeux plissés, expirant des volutes de
fumée. « Ouais, tu as peut-être raison. De toute façon, ce n'est certes
pas moi qui jugerai ce genre de chose. D'après papa, j'ai bouzillé ma
vie, alors moi, les conseils... De toute façon, je te connais assez pour
savoir que tu ne les écouterais pas. »

Rachel se dit qu'elle aurait aimé avoir un frère qui ressemblât à
Mason.

« Je t'enverrai une carte postale, lui dit-elle.

– N'écris surtout pas "J'aimerais que tu sois ici." Il se tapa la poitrine. « Murmure cardiaque. 4 F. Tire-au-cul, quoi! »

Rachel se leva. Elle se sentait lourde, fatiguée, mais mieux qu'elle
n'avait été depuis des semaines. Oui, elle irait... elle oublierait tout ça.
C'était la seule solution.

Une nouvelle vie, comme Mason.

« Descendons, proposa-t-elle. Cheyenne risque de se demander ce
que tu fabriques là-haut avec une femme le jour de ton mariage.

– Ne t'en fais pas. Ce n'est pas le genre. Elle ne pense pas que quiconque puisse vous appartenir. »

Rachel baissa les yeux sur les sandales de Mason, sur l'angle bizarre
de l'orteil qu'il s'était cassé dans son enfance en faisant du ski nautique. Et, bizarrement, une sorte de tristesse l'envahit, comme si
l'orteil de Mason appartenait à une époque de sa vie insouciante et
révolue.

Puis elle le regarda avec une expression sévère. « Écoute, mon
salaud, ne cherche pas à le vérifier, tu m'entends? Si tu l'aimes, ne
gâche pas tout pour un moment de plaisir. »

Mason lui fit un salut militaire et ébaucha un sourire. « Il n'en est
pas question. Écoute, je vais te dire quelque chose dont je n'ai même
pas parlé à mes parents. Cheyenne et moi... enfin, elle est enceinte de
trois mois. Je vais être père. Tu peux imaginer un truc pareil? »

Ce fut comme si Mason avait touché un fil électrique dénudé dans
sa poitrine. Comme il avait l'air heureux! Elle songea à David, à sa
froideur. Oh Dieu!

Puis elle se ressaisit et lui sourit. « Tu ne perds pas de temps, hein?

– Tu as du mal à y croire, n'est-ce pas? Me voilà marié et bientôt
père. On avance, on avance... » Comme ils se dirigeaient vers l'escalier,
il se tourna vers elle. Il avait des marques rouges sur le cou, quelques
coupures de rasoir, et elle lui en fit la remarque. « J'ai rasé ma barbe
ce matin, lui répondit-il. Pour ne pas en rajouter avec mes parents.
Tout ça, c'est déjà dur pour eux mais si en plus j'avais ressemblé au
Christ... »

Ils venaient d'atteindre le palier lorsqu'ils entendirent un bruit de chute en bas. Quelqu'un poussa un cri, une porte claqua, des voix retentirent.

« Rachel? Rachel? » Sa mère l'appelait d'un ton affolé. Quelqu'un était-il blessé? Elle pensa absurdement aux vieux dessins animés, Bug Bunny criant : « Il y a un médecin dans la maison? »

Mais, lorsqu'elle vit le visage blême de sa mère au pied de l'escalier, elle se figea et eut la sensation que son cœur avait cessé de battre. *Quelque chose est arrivé à... Oh mon Dieu...*

« Rachel, dit Mama, c'est papa... »

9

Assise dans le vieux fauteuil de velours rouge de sa salle de bains, Sylvie recousait un bouton à la chemise de Gerald. Elle leva les yeux et vit avec étonnement que l'après-midi était presque passé.

Elle entendit un bruit en bas, des coups frappés. Oh, laisse Bridget aller ouvrir. Elle s'imagina étalant la chemise sur le lit de Gerald, afin qu'il puisse la porter demain, avec son costume bleu marine et la jolie cravate de Dior que Rachel lui avait offerte l'année dernière pour la fête des Pères.

Les coups se firent plus insistants et elle comprit soudain qu'ils ne venaient pas du rez-de-chaussée mais de sa chambre, juste à côté. Elle entendit une voix appeler.

« Mama! Tu es là? Mama! »

Rachel? Quelle délicieuse surprise. Peut-être restera-t-elle pour dîner.

« Entre, chérie, cria-t-elle d'un ton joyeux. Ce n'est pas fermé à clé. Ces vieilles portes! Donne un bon coup dedans, elle s'ouvrira. »

Seigneur, quelle mine affreuse, se dit-elle tandis que sa fille entrait. Des cheveux plats et collés, comme si elle ne les avait pas lavés depuis des jours, le visage bouffi, les yeux enflés. Pauvre enfant.

« Oh, Mama. »

Rachel s'agenouilla à ses pieds. Comme elle levait la tête, un rayon de soleil couchant illumina son visage tourmenté comme dans un tableau de Goya. Quelque chose, dans son expression, secoua l'apathie de Sylvie et elle eut froid. Un grand froid dont aucune couverture ne pourrait venir à bout.

Va-t-en, se dit-elle. *Laisse-moi vivre.*

Rachel enfouit son visage dans les plis de la chemise de Gerald étalée sur les genoux de sa mère. Sa voix s'éleva, étouffée, enrouée par les larmes. « Il me manque tellement. Quand j'entre dans la maison, je le vois partout. C'est comme s'il était vraiment *ici*, si près de moi que je le *sens*. Seulement je ne peux ni le voir ni ·le toucher. »

Rachel se mit à pleurer à chaudes larmes, mouillant la robe de chambre que sa mère portait depuis son réveil.

« Calme-toi, chérie, ne pleure pas. » Elle lui caressa la tête comme lorsqu'elle était petite et voulait l'endormir.

Une sensation de paix envahit soudain Sylvie. Comme si elle avait laissé le présent derrière elle et flottait dans un autre temps, le temps heureux où on a un bébé sur les genoux.

Puis le froid s'insinua de nouveau en elle.

« Mama, papa me manque, mais c'est toi qui m'inquiète. » Les mots de Rachel l'atteignaient, l'enfonçaient dans cette région froide et noire où elle ne voulait pas aller. « Tu n'as pas pleuré une seule fois. Et tu ne manges pas. Cela fait une semaine que tu n'es pas sortie de ta chambre. Bridget m'a appelée ce matin. Elle était en larmes.

— Il n'y a aucune raison, répondit Sylvie. Je vais très bien. Simplement, je n'ai pas beaucoup d'appétit en ce moment. Et tu sais comment est Bridget. Elle fait bien la cuisine mais elle a la main lourde avec le beurre et les œufs. Ça fait des années qu'elle essaie de me faire grossir. Elle me met même de la crème dans mon café alors que je demande toujours du lait écrémé. C'est une petite guerre entre nous, tu sais. Et elle ne supporte pas de perdre.

— Oh, Mama... » Rachel leva vers elle un visage pathétique. « Tu ne peux pas au moins pleurer? Ça soulage, tu sais. »

L'âme de Sylvie vacilla devant ces yeux battus. Non, elle ne pouvait pas se laisser aller. Si elle commençait à pleurer, elle ne s'arrêterait plus. Elle serait balayée par des vagues de larmes et elle finirait par se noyer.

Oh, si seulement Gerald était là.

Mais Gerald ne reviendrait pas. Jamais.

Puis brusquement, quelque chose céda en Sylvie et les larmes lui nouèrent la gorge.

Et alors, tout lui revint.

Gerald se plaignant de douleurs à la poitrine au mariage de Mason, puis s'écroulant avant qu'elle ou Rachel ait eu le temps de l'emmener à l'hôpital. Après, il y avait eu la salle des urgences, les médecins s'affairant autour de lui, essayant de faire repartir son cœur... mais c'était trop tard.

L'enterrement, deux jours plus tard, restait confus dans sa mémoire, comme un rêve ou un film qu'elle aurait regardé. La synagogue était pleine à craquer. Il y avait là tous les amis de Gerald, ses clients, ses employés, et des gens de l'opéra. Des centaines de personnes qui voulaient embrasser Sylvie, lui serrer la main. Et Rachel, tout près d'elle, si forte, si merveilleuse, se souvenant des noms, murmurant à chacun les mots appropriés.

Sylvie revit le cimetière, la croûte de neige scintillant au soleil et cette affreuse couverture d'herbe artificielle qui était encore pire que le trou béant juste au-dessous.

Soudain, elle avait senti une main sur son épaule, une main amicale qui la soutenait. Nikos. Il n'avait plus du tout l'air menaçant. C'était simplement un vieil ami, quelqu'un de gentil.

Il ne lui ferait aucun mal.

Sylvie l'avait compris, avant même que Rachel ne se fût tournée vers lui, les sourcils légèrement froncés, comme si elle essayait de se souvenir de lui, de la place qu'il avait tenu parmi les amis ou les relations de son père. Alors, Sylvie avait pris sa main tendue.

« Je suis désolé », avait-il dit simplement.

C'était tout. Bien qu'il eût gardé sa main un peu trop longtemps dans la sienne et n'eût pas lâché Rachel du regard pendant tout ce temps, il avait fait comprendre à Sylvie qu'il n'était là que pour lui présenter ses condoléances.

Plus tard, alors que tout le monde ou presque était parti, Nikos s'attarda près d'elle.

« Votre mari était très admiré », lui dit-il gentiment en la raccompagnant à sa voiture. Ses semelles laissaient de larges empreintes sur la neige durcie.

« Oui, il avait beaucoup d'amis, dit Sylvie. C'était un homme... généreux.

— Je sais cela mieux que personne. »

Elle s'arrêta et le regarda, surprise. « Vous?

— Il faut que vous sachiez quelque chose, dit-il, comme ils s'engageaient dans l'allée bordée de tombes. Je ne vois aucune raison pour ne pas vous en parler. Et cela vous réconfortera peut-être.

— Me réconfortera? Maintenant qu'il n'est plus?

— Nous pourrions en parler plus tard, si vous préférez.

— Non. Dites-le moi.

— Il savait pour nous. Pour vous et moi. Il l'a toujours su. Lorsqu'il m'a renvoyé, il m'a dit qu'il ne vous en voulait pas. Il avait peur que vous le quittiez. Il avait l'impression de n'être qu'un vieil homme, et de ne pouvoir vous offrir que de l'argent. »

Une part d'elle-même avait envie de rire nerveusement, hystériquement. Puis soudain, elle se sentit très fatiguée. Elle aurait aimé s'allonger dans la neige et fermer les yeux. Elle, quitter Gerald? Mon Dieu, si seulement il avait su ce qu'elle avait fait pour que *lui* ne la quitte pas!

Elle se mit à pleurer et enfouit son visage dans ses mains gantées. « Il savait? Vous dites qu'il l'a toujours su?

— Il m'a donné de l'argent, dit Nikos, contre la promesse de ne jamais vous revoir. Cinq cents dollars, qui m'ont servi à acheter un vieux semi-remorque. C'est comme ça qu'a démarré Anteros Construction.

– Anteros. > Elle eut une soudaine illumination. « Le Dieu de l'amour floué.

– Oui, dit-il. Je savais, contrairement à lui, que vous ne le quitteriez jamais, ni pour moi, ni pour un autre. Alors, oui, j'ai pris l'argent, j'ai honte de l'avouer mais c'est ainsi.

– Il ne faut pas, dit-elle. Il y a des choses pires que d'accepter de l'argent. > *Bien pires que tout ce que vous pourriez imaginer.*

« Je ne l'ai revu qu'il y a deux ans, continua Nikos. Quelqu'un m'a dit que mon nouveau projet pourrait l'intéresser. Je cherchais des gens pour financer cette affaire, alors je suis allé le trouver. Je crois que c'était surtout par vanité. J'avais envie qu'il sache que j'avais réussi, que ses cinq cents dollars avaient fait des petits. Je n'ai jamais oublié la photo sur son bureau – votre fille et vous dans un cadre en argent. C'est là que j'ai compris que, dans ce marché que nous avions conclu autrefois, c'était lui qui était gagnant. >

Ils demeurèrent un long moment silencieux. Sylvie regardait le vieil hêtre au bord du chemin, avec ses branches alourdies par la neige. Des moineaux prirent leur envol. Au loin, elle entendit le moteur d'une voiture puis le vrombissement de l'excavatrice qui creusait les fosses. Le soleil perça à travers les nuages, fit briller la neige et projeta des étincelles de mica sur le granit des pierres tombales.

Sylvie restait immobile. Elle avait l'impression qu'en bougeant trop vite, elle allait briser ce cadeau que venait de lui faire Nikos, cette vision fugitive de l'amour de Gerald pour elle.

Même son chagrin lui semblait exquis, un objet finement ciselé qu'elle tournait et retournait entre ses mains, l'examinant sous tous les angles, émerveillée par sa complexité.

J'aurais pu lui dire pour Rose. Et il aurait compris. Il m'aurait pardonnée. Toutes ces années...

A présent, assise dans son fauteuil, Rachel agenouillée devant elle, elle se disait que lorsque notre univers s'écroule, nous sommes reconnaissants du moindre geste de compassion. Une main posée sur la vôtre. Un mot gentil. Le pardon.

Il était vraiment parti. Son cher Gerald. Plus jamais elle n'entendrait ses pas dans l'escalier, ni les flots de la musique de Puccini s'échappant de son bureau. Il ne lui sourirait plus jamais de la terrasse pendant qu'elle taillerait les rosiers.

Mais elle avait encore sa fille. Et Rachel souffrait, elle aussi.

« Mama, disait Rachel, je pensais... ne t'affole pas, ce n'est qu'une idée, j'ai envie de rejoindre Kay au Vietnam. Ils manquent terriblement de médecins là-bas et... enfin, je pense que ça me ferait du bien de m'éloigner un peu... de penser à autre chose. Mais si tu as besoin de moi, si tu veux que je reste, je n'irai pas. Je sais que papa aurait souhaité que je veille sur toi. >

Sylvie la regardait, atterrée. Rachel *aussi* allait la quitter? Aurait-elle assez de force pour surmonter ça? Puis elle se dit: Gerald m'a protégée toute ma vie, il a été comme un père pour moi. Mais je ne peux pas demander à Rachel de se substituer à lui. Ce n'est pas son rôle. Elle a sa vie.

« Non. » Sylvie posa la chemise de Gerald à côté d'elle et se leva. Elle était ankylosée, comme si elle avait été enfermée dans une boîte pendant des jours et des jours. Pourtant, sentir de nouveau son corps lui faisait du bien, même si elle souffrait. « Je ne veux pas peser sur ta vie, je refuse cette responsabilité.

– Mama. » Rachel secoua la tête. « Ce n'est pas un sacrifice de ma part. Je *veux* rester avec toi.

– Maintenant. Et pendant quelques jours, quelques semaines peut-être. Et puis tu le regretteras. Non. L'idée que tu vas me quitter, que tu vas être si loin de moi m'est très pénible. Outre que c'est horriblement dangereux. Mais je ne supporterais pas davantage que tu restes à cause de moi.

– Tu es sûre de ça, Mama? Tu en es certaine? »

Sylvie n'était plus sûre de rien. Elle se sentait si faible, si perdue sans Gerald. Et pourtant, le fait d'être capable de se lever et de prendre une décision – même la mauvaise – lui paraissait bon signe. Cela ne prouvait-il pas qu'elle allait s'en tirer?

La vie vous réserve bien des surprises, songea-t-elle, et peut-être vais-je me surprendre moi-même.

Elle écarta une mèche de cheveux collée à la joue mouillée de Rachel. « Tu peux rester dîner avec moi? Comme ça nous parlerons de tout ça. Et Bridget sera ravie à l'idée de nous gaver comme deux oies. »

10

Max Griffin se réveilla. Bernice ronflait, un léger gargouillis qui lui fit penser, encore à moitié endormi, à la chasse d'eau déglinguée. Il avait une féroce envie de pisser.

Abruti de sommeil, il émergea du lit et le sol froid sous ses pieds nus lui causa un choc. Bon Dieu, où étaient ses pantoufles? Il les chercha à tâtons et finit par les trouver non pas là où il les avait enlevées la veille au soir, mais devant sa table de chevet, parfaitement alignées, prêtes à être enfilées. Bernice. Elle les rangeait toujours là pour qu'il les trouve aussitôt au cas où il se lèverait pendant la nuit pour aller aux chiottes.

Ce mot-là, toutefois, ne figurait pas dans sa terminologie. Les chiottes, les gogues, non, pas même les cabinets. *La salle de bains*, c'était ça son mot. Il l'entendait dire à leurs invités de sa voix claire, avant de les faire entrer dans le salon : *La salle de bains est au bout du hall, si vous voulez vous rafraîchir.* Se rafraîchir, encore un de ses euphémismes.

Max trouva la porte et tâtonna pour allumer. Une clarté aveuglante comme dix projecteurs – néon derrière le chrome, glace, carrelage d'un rose brillant – le fit grimacer. Pas de doute, maintenant, il était parfaitement réveillé.

En pissant, il regarda avec attention l'eau de la cuvette. Bleue. L'eau était d'un bleu artificiel, de la couleur des piscines YMCA. Et à présent, elle verdissait, devenait glauque. Bernice savait-elle ce qui arrivait quand on pissait dans de l'eau bleue? Non, comment l'aurait-elle su? Pour rien au monde elle n'aurait regardé sa miction dans la cuvette des cabinets. L'idée l'aurait simplement dégoûtée.

Un vieux souvenir lui revint à la mémoire. Un jour en rentrant, il avait trouvé Bernice, agenouillée sur le carrelage de la cuisine, les mains gantées de caoutchouc, occupée à nettoyer le dessous du réfrigérateur avec un goupillon et une bassine d'eau savonneuse.

« Le bébé dort? » avait-il demandé.

Elle leva la tête vers lui, ses cheveux roux retenus par une barrette en plastique, une légère pellicule de sueur sur le front. « Elle prend son biberon, répondit-elle. J'ai trouvé un nouveau système, un oreiller à sangles dans lesquelles tu coinces le biberon pour qu'il ne tombe pas. Je lui colle ça dans son berceau dès qu'elle a faim. Ça m'a bien libérée. »

Mandy avait trois mois à l'époque.

A part quelques vergetures presque invisibles, le fait d'être mère n'avait guère changé Bernice. La maternité demandait une bonne organisation, comme tout ce qui concernait la maison.

Il tira la chasse d'eau. Il avait mal à la tête, des battements aux tempes. Seigneur, il n'avait pas besoin de ça. Avec la journée qui l'attendait demain!

Il se dirigea vers l'armoire à glace contenant la pharmacie, et fut brutalement confronté à la vision déprimante d'un homme empâté, proche de la quarantaine, les yeux bouffis de sommeil, le cheveu hirsute et strié de fils blancs.

Il ouvrit précipitamment l'armoire, soulagé de voir son reflet s'effacer. Des rangées de flacons lui faisaient face. Rien de ce qu'on trouvait généralement chez les gens, pas de vieux médicaments datant de l'opération de son hernie, en 1962. Pas davantage de sirops pour la toux achetés l'hiver précédent. Tout était flambant neuf, aligné avec netteté et par catégorie sur des étagères impeccables. Il repéra le Tylenol près de l'aspirine pour nourrisson que Bernice donnait à Monkey lorsqu'elle avait de la fièvre. Il en fit tomber deux dans sa paume. Où était passé le verre d'eau? Merde, elle l'avait à nouveau confisqué. Un nid à microbes, prétendait-elle. Il était bon pour descendre à la cuisine.

En bas, la fraîcheur lui fit du bien. Sa migraine diminua un peu. La maison, ancienne, donnait sur Little Neck Bay. Il avait insisté pour l'acheter peu après leur mariage malgré son prix élevé et les lourdes traites que cela impliquait. Bernice voulait une de ces maisons pseudo-Tudor de Bayside. Elles étaient tellement plus faciles à entretenir, disait-elle. Pas comme celle-ci avec ses planchers disjoints qui avaient près de cent ans. Ce serait un nid à poussière. Les travaux avaient duré six mois. Il avait fallu refaire la toiture et la plomberie, remplacer les gouttières et gratter les couches successives de peinture. Lorsque tout fut terminé — planchers colmatés au polyuréthane, murs repeints et papiers changés, Bernice se radoucit. Elle devint même sensible au charme de la vieille demeure, aux poutres noircies, aux banquettes dans l'embrasure des fenêtres, à l'imposte en verre piqué surmontant la porte d'entrée.

Max se dirigea vers l'évier sans allumer. Il y voyait assez. Un clair de lune feutré projetait une vague lumière sur le dallage de la cuisine. Son regard dériva vers le patio en brique, juste sous la fenêtre. Il remarqua que les jonquilles étaient en fleur, bien alignées, comme dans les plates-bandes des jardins municipaux. Malgré tout, ce signe de renouveau lui procura un peu de joie. Puis il se dit avec une pointe de tristesse : *Ça fait plusieurs jours qu'elles sont sorties, peut-être une semaine, et je ne l'ai même pas remarqué. Lorsque j'étais jeune, je n'aurais jamais manqué l'apparition de la première jonquille.*

Cette pensée le fit songer à son père, à l'époque où ses frères et lui jouaient au croquet, les soirs d'été, sur la pelouse derrière la maison. Max avait quatorze ans et papa... quel âge pouvait-il bien avoir? De toute façon, il avait toujours été le même, chauve, mise à part cette petite touffe sur le devant, la taille enrobée d'une bonne couche de graisse qui retombait sur sa ceinture. Tous les détails d'une de ces soirées, remontant à plus de vingt ans, lui revenaient avec la précision et la clarté du marteau sur l'enclume. L'odeur de l'herbe tondue mêlée à celle des hamburgers que son père faisait cuire sur le barbecue et les quatre verres de thé glacé sur le plateau que sa mère avait déposé sur la balustrade de la véranda. En ajustant son tir, Max avait jeté un coup d'œil à son short taché par l'herbe et il s'était dit que sa mère allait lui passer un savon. Puis Eddie avait commencé à l'engueuler parce que, ces derniers temps, il monopolisait la salle de bains. En relevant la tête, Max avait vu son père, vêtu d'un vieux Bermuda déformé et coiffé d'une casquette de base-ball, debout devant le feu, armé de sa spatule. Il regardait dans le vide et des larmes coulaient sur ses joues.

Max, qui n'avait jamais vu son père pleurer, en avait éprouvé un véritable choc. Sa première pensée fut qu'il avait perdu son boulot. Mais Sam Griffin enseignait les mathématiques à Pittsfield High depuis des temps immémoriaux. Il risquait à peu près autant de se faire virer que Truman de devenir républicain. Ne voulant pas imaginer pire, Max s'était dit : *Ce doit être la fumée, oui c'est sûrement ça, la fumée dans les yeux...*

Maintenant, des années plus tard, il interprétait cette scène différemment. *Peut-être papa s'est-il brusquement rendu compte que le train s'était arrêté, qu'il ne bougeait plus, que c'était le dernier arrêt.*

Max trouva un verre dans l'égouttoir. Le carreau ébréché au-dessus de l'évier attira à nouveau son attention. *Il faut que je le remplace,* se dit-il, tout en sachant pourquoi il ne l'avait pas encore fait. Il aimait cette imperfection, et le fait que Bernice, même si elle s'acharnait pendant des heures dessus avec sa batterie de produits d'entretien, n'y changerait rien.

Comme moi, pensa-t-il. *Elle ne peut pas me changer non plus. Pourtant, Dieu sait qu'elle essaie, la pauvre!*

Elle n'avait pas davantage d'influence sur Monkey. Un vrai garçon manqué, une cabocharde de première! Il avait commencé à surnommer sa fille Monkey * lorsqu'elle avait commencé à marcher, trottinant vite sur ses petits pieds, ses doigts tout poisseux de banane causant d'innombrables dégâts. A présent, l'ère des gadins à bicyclette et sur le skateboard avait commencé.

En remontant, Max jeta un coup d'œil à Monkey. Dans la faible clarté provenant de la porte ouverte qui baignait son visage, elle n'avait pas l'air d'avoir plus de quatre ou cinq ans, un bébé, un ange. Puis il vit ses longs membres qui émergeaient de la couette. Elle avait un genou couronné, et ses ongles rongés étaient recouverts d'un vernis rouge bon marché. Bientôt dix ans. Dans quelques années, ce serait une adolescente. Il remarqua l'affiche de Donovan au-dessus de son lit. Où avait-elle déniché ça? Et où étaient passés les animaux en peluche qui, d'habitude, encombraient son lit?

Elle grandit. Cette évidence lui noua la gorge. Un jour, elle le quitterait, elle irait à l'université. Son enfance, ces années merveilleuses passeraient comme un éclair.

Il s'approcha d'elle sur la pointe des pieds et écarta une boucle de cheveux collée à sa joue. Elle avait les épais cheveux roux de Bernice, pas carotte, plutôt le roux du Titien ou de Rubens.

Il avait l'impression que Monkey perdait de sa vivacité ces derniers temps. Et ces simagrées à table! Elle laissait toujours quelque chose dans son assiette. Et ce soir, quand il l'avait bordée, elle s'était accrochée à lui en le suppliant de ne pas la laisser seule dans l'obscurité.

Bernice disait mollement, comme d'habitude : « C'est un moment, ça passera. » Mais Max avait des doutes. Parfois, il s'inquiétait au sujet de Monkey. Abusivement, il s'en rendait compte.

Pourquoi ne l'admets-tu pas? Tu as peur qu'en grandissant, elle se mette à ressembler à sa mère.

Et pourquoi pas, après tout? En un sens, Bernice était formidable. S'il existait un concours de la meilleure ménagère-cuisinière-hôtesse d'Amérique, Bernice le gagnerait haut la main. Et elle était encore bien fichue, aussi mince que lorsqu'il l'avait épousée. Évidemment, elle devait faire attention à ce qu'elle mangeait à présent, mais c'était une belle femme. Le week-end dernier, en prenant de l'essence, il avait entendu le pompiste dire à son copain : « Putain, je ne la ficherais pas hors du lit, celle-là. » Max sourit. Si Bernice l'avait trompé, il n'aurait pas été plus surpris qu'en voyant la statue de la liberté relever sa jupe.

Et enfin, dernier bon point – et le plus important de tous –, Bernice aimait Monkey autant que lui. Alors pourquoi en transpirait-il quand il imaginait sa fille ressemblant un jour à sa mère, se tournant vers lui avec les yeux bruns et froids de Bernice et disant : « Pour l'amour du ciel, tu ne peux pas rabattre le couvercle des cabinets quand tu as fini? »

* Monkey : Singe. (N.d.T.)

Max sortit tout doucement et referma la porte derrière lui. Sa migraine s'était dissipée. Peut-être parviendrait-il à se rendormir.

Cependant, en se recouchant, il réveilla Bernice. Elle se redressa brusquement, clignant les yeux, l'air inquiet, ses cheveux roux emmêlés autour du visage. Pendant un instant, elle ressembla tellement à Monkey qu'il sentit quelque chose s'agiter dans son cœur. Au début de leur mariage, Bernice dormait nue dans ses bras, pelotonnée contre lui comme un chaton. Il faisait descendre sa main le long de sa colonne vertébrale et prenait une fesse ronde et dure dans sa paume. Elle faisait toujours semblant d'être endormie mais ses jambes s'écartaient imperceptiblement afin qu'il puisse poursuivre son exploration.

« Qu'est-ce qui se passe? » demanda-t-elle, anxieuse. Pauvre Bernice, même dans son sommeil, elle avait peur.

« Tout va bien, la calma-t-il en lui tapotant la jambe. Rendors-toi. »

Sa chemise de nuit déboutonnée découvrait un sein rond et ferme. Max sentit son sexe durcir et se dit : *Non, oh merde, non, pas maintenant.* Il détestait avoir envie d'elle, sachant qu'elle lui céderait sans aucun désir.

Pourtant, tout en s'exhortant au calme, il se retrouva en train de lui caresser la jambe, puis de passer un doigt sous l'élastique de sa culotte.

« Maintenant? » marmonna-t-elle d'une voix endormie. Puis elle poussa un soupir : « D'accord » et elle remonta sa chemise de nuit sur son ventre plat.

Max la caressa un moment, espérant une réaction. Seigneur, pourquoi ne le désirait-elle pas juste un tout petit peu? Et si cela l'ennuyait tant que cela, pourquoi ne lui disait-elle pas de la laisser tranquille? Vraiment, la prendre dans ces conditions... ça tenait davantage de la masturbation que de l'amour.

« Bernice? Chérie, y a-t-il quelque chose que tu voudrais que je...

— Non, vas-y, murmura-t-elle poliment. Ça ne me gêne pas. »

Ça ne la gêne pas, se dit-il, amer. Bon Dieu, elle sait s'y prendre pour exciter un homme! Oh, tu ne peux pas bouger un peu, faire semblant même, une minute, pour que je n'aie pas l'impression d'être un vieux dégoûtant qui veut juste se les vider.

L'orgasme vint très vite.

Ensuite, il prit Bernice dans ses bras et la serra si fort qu'elle poussa un cri. Et pendant un instant, il prit plaisir à la faire souffrir, à lui faire sentir enfin *quelque chose.*

Puis il eut honte de lui. Bernice gigota pour se dégager. « Je reviens tout de suite », murmura-t-elle.

Non, reste dans mes bras, avait-il envie de crier. *Laisse-moi te tenir contre moi. Je sais que tu aimes que je te masse le cou, je pourrais...*

Trop tard. Il entendit un bruit de robinet, la vibration d'un vieux tuyau, la porte de l'armoire à pharmacie s'ouvrir.

Max restait allongé sur le dos, les yeux fixés sur la lumière qui se déplaçait au plafond – une voiture qui passait devant la maison. Il eut une sensation d'oppression dans la poitrine.

L'eau cessa de couler. Puis : « Oh, Max, *pour l'amour du ciel!* » cria Bernice d'un ton irrité.

Le siège des cabinets. Il avait oublié de le rabattre. Encore! La colère bouillonna en lui et il s'imagina le lui cassant sur la tête.

Il respira à fond. Pourquoi s'énerver contre Bernice? Lui seul était responsable de cette situation. S'il avait eu un tant soit peu de courage, il aurait demandé le divorce. Le divorce, un mot magique qu'il n'osait même pas prononcer.

Puis, comme chaque fois qu'il s'imaginait quittant Bernice, il pensa à Monkey. Et des larmes lui brouillèrent la vue.

Le lendemain, en fin d'après-midi, Max, debout devant la fenêtre qui occupait presque tout un mur de son bureau, contemplait le ciel qui s'empourprait et la vue du pont de Brooklyn enjambant l'East River. Majesteux était le seul terme qui vous venait à l'esprit. Qui disait que le pont n'était pas à vendre? Il payait tous les jours pour avoir ce bureau d'angle et cette vue qui vous coupait le souffle. Cela donnait du prestige à sa société. Il le payait avec son temps, ses idées, son habileté. Mais ne le payait-il pas aussi avec son intégrité?

Ce genre de pensée ne l'avait pas effleuré depuis ses études de droit. Les avocats n'étaient pas censés se poser ces questions. Décidément, cette affaire le tourmentait.

Max regagna son bureau géorgien et regarda en face de lui l'agrandissement cartonné de la photo d'une colonne de direction d'une voiture complètement écrabouillée.

Si le plaignant, Jorgensen, gagnait, Pace Motors devrait cracher douze millions de dollars, plus cent autres pour remplacer les colonnes de direction de toutes les Cyclones déjà sur le marché. Max aimait les types de Pace, il avait conduit leurs voitures pendant des années et il se félicitait au moins une fois par semaine de les avoir comme clients. C'était le constructeur automobile le plus doué des États-Unis. Son premier mouvement, donc, avait été de voler au secours de Pace, certain que Jorgensen devait être bourré le jour de l'accident et que sa plainte contre Pace n'était rien d'autre qu'une nouvelle tentative pour lui soutirer des dommages-intérêts.

Mais lundi, jour de son meeting avec Caravalla, l'ingénieur en chef, le doute s'était insinué en lui. Caravalla avait protesté trop vivement, le noyant dans un déluge d'explications techniques, de maquettes et de compte rendu d'essais qui en disaient moins long que la sueur qui perlait sur son front. Et mardi, Rooney, le vice-président, avait pris l'avion pour venir le voir, employant le mot « arrangement à l'amiable » dans chacune de ses phrases. Non, décidément, il sentait qu'il y avait quelque chose de pourri dans le royaume du Danemark.

Il avait beau se dire et se redire que son rôle ne consistait pas à juger ses clients, il ne pouvait s'empêcher d'en ressentir un léger malaise, comme un arrière-goût désagréable dans la bouche.

« Voici les témoignages que vous attendiez, monsieur. » Une voix grave et douce le tira de ses préoccupations : « Et votre café. »

Il leva la tête. Rose était devant lui, une pile de feuillets bien nette contre la hanche, cherchant du regard un endroit où poser la tasse.

Il lui prit le café des mains en la remerciant puis se mit à feuilleter les copies. « Et le rapport de l'ingénieur?

– Dans la salle des photocopies. Il y en a deux cent onze pages, y compris les schémas. Je fais faire des photocopies, mais ça prendra du temps à assembler.

– Et les experts vont nous fournir suffisamment de rapports bidons pour torcher le cul de tous les membres du jury. Je parle des médecins, des psychiatres et des ingénieurs. »

Il prit une gorgée de café et fit la grimace.

« Désolée, dit-elle, je sais qu'il ne doit pas être bien fameux. C'était le fond de la cafetière. » Elle sourit puis lui demanda : « Vous ne pensez pas que c'était, comment dites-vous cela... *res ipsa loquitor?* »

Où avait-elle pêché ça? Manifestement, elle avait fait davantage que de taper ses papiers. Intelligente, cette fille. Jolie aussi. Mais tout le monde faisait un tel plat de cette libération des femmes qu'il faisait attention de poser sur elle un regard neutre.

Quoi qu'il en fût, c'était quand même un plaisir d'avoir devant soi une femme aussi fraîche en fin d'après-midi. Un visage lavé à l'eau et au savon, un nuage de cheveux bruns sentant encore le shampoing, une blouse blanche rentrée avec netteté dans une jupe bleu marine. Contrairement aux autres secrétaires qui portaient toutes des mini-jupes, la sienne lui arrivait aux genoux mais cela lui allait très bien.

Non, il ne pouvait l'imaginer dans une de ces jupes au ras du péché, avec la culotte qui vous faisait de l'œil dès que les filles se penchaient. Elle portait sans doute des dessous de coton blanc. Le genre catholique, qui va avec le petit crucifix en or autour du cou.

Max sentit une chaleur lui monter aux joues. Bon, ça suffisait comme ça. Il se força à réfléchir à l'affaire Jorgensen.

« En un sens, les faits, dans cette histoire, parlent d'eux-mêmes, répondit-il. Et la plupart des accidents sont dus à une négligence du conducteur. Mais, en l'occurrence, je suis sceptique. Je ne suis pas sûr du tout que ce soit la faute de Jorgensen. »

Le fait de formuler clairement ses doutes lui fit du bien. Il savait qu'il n'aurait pas dû le faire, mais il avait instinctivement confiance en elle. Rose était le genre de fille à savoir garder un secret.

Ce sont ses yeux, se dit-il. Ces grands yeux noirs sont pleins de secrets.

« Mais vous n'en êtes pas sûr. Et si Quent Jorgensen disait la vérité? S'il n'était pas ivre ce soir-là? Ça signifierait qu'il y a des centaines d'autres colonnes de direction défectueuses.

— Vous feriez une bonne avocate, lui dit-il en riant. Avez-vous jamais envisagé de faire votre droit? »

Il vit qu'il avait touché une corde sensible et regretta aussitôt son rire et son ton désinvoltes. Bon Dieu, comment pouvait-il manquer à ce point de tact? En dépit du soin que Rose mettait à s'habiller, il avait remarqué qu'elle avait un vestiaire limité. Deux jupes, et deux ou trois chemisiers. Et toujours les mêmes chaussures noires qu'elle faisait sans doute ressemeller une fois par an.

Elle rougit et cacha son embarras en plaisantant: « Qui garderait le chihuahua de Mme von Hoesling? »

Max s'esclaffa, se rappelant la façon dont Mme von Hoesling, avant d'entrer dans son cabinet pour discuter du testament de feu son mari, avait tendu à Rose son roquet braillard, comme s'il s'était agi d'un manteau ou d'un parapluie. Et Rose — qu'elle soit bénie pour ce genre d'attitude — l'avait pris sans commentaire, avec le plus grand naturel. Dès que sa maîtresse avait tourné le dos, elle avait fourré le chihuahua dans un tiroir de son bureau.

« Effectivement, je n'avais pas pensé à ça, dit-il.

— Est-ce que savoir la vérité vous faciliterait les choses? »

Il se frotta le menton d'un air pensif. « Non, pas nécessairement. Je ne peux pas me permettre de dire à nos plus gros clients que ce sont des menteurs, n'est-ce pas? De toute façon, ce n'est pas mon rôle. Au fond, ce qui m'agace surtout dans cette affaire, c'est que je n'ai pas toutes les cartes en main. Bonnes ou mauvaises, j'aime bien les avoir étalées devant moi. Si ce que je soupçonne est vrai et que l'avocat de Jorgensen me renvoie une balle coupée... eh bien, sans tous les faits, je peux me faire rouler dans la farine.

— Mais, d'un autre côté, fit tranquillement remarquer Rose, si vos soupçons se révélaient dénués de fondement, vous vous sentiriez beaucoup plus à l'aise, non? Au moins vous n'auriez pas à vous soucier de tous ces pauvres types qui risquent de terminer leur vie dans un fauteuil roulant.

— Vous avez amené la boule de cristal? demanda-t-il en souriant.

— Non. Il s'agit de quelque chose de bien plus simple. » Elle se redressa légèrement et le fixa de ses yeux noirs calmes et profonds.

« Quoi?

– La voiture. Pourquoi ne pas en essayer une sur route? Afin de vous rendre compte par vous-même? »

Il lui sourit gentiment. « Ce n'est pas. si simple. Ce défaut – s'il existe – n'affecte sûrement pas toutes les colonnes de direction, autrement Pace serait déjà submergé de procès. C'est pourquoi, à mon avis, ils ne sont pas cent pour cent honnêtes avec moi dans cette affaire. Ils ne veulent sans doute même pas l'admettre *en eux-mêmes*. Ce défaut de fabrication touche peut-être un pour cent des Cyclones, voire un sur mille. Et même là, rien ne prouve que ça se manifeste – tout ceci n'est qu'une hypothèse – sauf peut-être à grande vitesse et seulement dans certaines conditions.

– Qui sait, dit Rose, vous pourriez avoir de la chance. » Elle parlait sérieusement. Bon sang, quelle drôle de fille!

Max sentit quelque chose en lui s'agiter, bouillonner pendant un instant. Après tout, elle avait peut-être raison. Ça valait le coup d'essayer. Il dit d'un air songeur: « Il y a un concessionnaire Pace pas loin d'ici. Je connais le directeur.

– Vous pourriez dire que vous envisagez d'en acheter une, suggéra-t-elle, et que vous voulez l'essayer. »

Max se leva. Il se sentait soudain bien mieux que ces dernières semaines et excité comme un gosse.

« Je vous embarque, dit-il. Oui, vous. Après tout, c'est votre idée, non? Allez chercher votre manteau et on file. »

Ils passèrent le dernier péage du Sawmill et s'engagèrent enfin sur le Thruway. Lorsqu'ils traversèrent le Tappan Zee, le soleil avait baissé à l'horizon et ne projetait plus qu'une lueur jaunâtre entre les peupliers qui bordaient l'autoroute à six voies.

Max ne s'était pas senti aussi surexcité depuis son adolescence. L'odeur de vinyl de la voiture neuve et le long ruban de la route qui se déroulait devant lui l'enivraient.

Il regarda Rose, concentrée sur sa conduite, les deux mains sur le volant rouge assorti à la carrosserie, une longue jambe brune tendue vers la pédale comme un câble d'acier. Puis il jeta un coup d'œil au compteur de vitesse. Cent trente kilomètres heure.

Elle avait insisté pour conduire. Non, le mot insister ne convenait pas. Dans le parking du concessionnaire, elle s'était tout simplement glissée derrière le volant puis l'avait regardé avec l'air ravi d'un gosse montant sur son premier tricycle: « Ça ne vous ennuie pas que je conduise? Je me suis toujours demandée ce qu'on ressentait à piloter ce genre d'engin. »

Au début, elle avait conduit avec prudence et même un peu de nervosité, mais maintenant, elle semblait très à l'aise. Ils n'avaient pas dit un mot depuis une demi-heure et n'en éprouvaient pas le besoin. Cette équipée était si plaisante en elle-même que Max finissait par en oublier le but.

« Je crois que je viens juste de franchir la barrière B-B », dit Rose en lui jetant un regard de côté. Il faisait un temps étonnamment doux pour avril et Max sentait l'odeur acidulée, séduisante, de sa transpiration.

« B-B?

— Brooklyn-Bronx. On dit que quand on naît dans l'une ou l'autre de ces banlieues, on n'en sort jamais vraiment. On ne va pas plus loin que le terminus du métro. Si vous entendiez la façon dont mes voisins parlent du train de Long Island! On croirait qu'il s'agit de l'Orient-Express. »

Max rit. Et vous, à quoi pensez-vous en ce moment?

Une pancarte verte et blanche indiquant New Paltz, se matérialisa sur la droite. Ils avaient gravi une côte et une forêt, assombrie par le crépuscule, s'étendait de part et d'autre de l'autoroute.

« J'essaie de m'imaginer que c'est ma propre voiture – je ne pense même pas aux défauts possibles en ce moment – et que je me rends... attendez une minute... ah oui, dans les Catskills. Je suis une actrice célèbre, scandaleusement riche et... et j'ai rendez-vous avec mon amant pour un week-end de frivolité et de folie. C'est comme ça que feraient Clark Gable et Carole Lombard, non?

— Oui, tout à fait. Vous aimez les vieux films? »

Elle jeta un coup d'œil dans le rétroviseur puis doubla une Buick bleue et une Opel Kadet jaune. Le compteur fit un bond. Devant eux il y avait une grande ligne droite heureusement déserte, et sans bretelle de sortie en vue.

« Ne le dites à personne, parce que les gens penseront que je suis cinglée, mais en fait, je n'aime pas beaucoup ce qui a été fait après 1940. Vous vous souvenez des vieux films de Shirley Temple? Elle dansait toujours avec Bill Robinson. Et Jeanette MacDonald dans *Naughty Marietta*?

Max la regardait, amusé et un peu surpris par son bavardage. Elle était si peu loquace au bureau. On aurait dit que tous deux étaient tombés sous le charme de cette voiture de sport.

« Non, je ne m'en souviens pas, avoua-t-il.

— Je ne vais pas trop vite pour vous? demanda-t-elle, l'air malicieux. Je vous trouve un peu pâle.

— Non », mentit-il. En fait il était mort de trouille. Ils allaient vraiment vite maintenant, et rien ne prouvait qu'elle fût une conductrice expérimentée.

La vision de Quent Jorgensen s'imposa à lui. Dans le document qu'il avait préparé pour le procès, l'avocat de Jorgensen avait habilement juxtaposé une photo de son client prise pendant une course de haies aux Jeux olympiques et un cliché récent de l'homme à présent infirme, tassé dans un fauteuil roulant. Max avait toutes les raisons de croire que le juge ne montrerait pas ce cliché au jury, néanmoins, il se prit à espérer ardemment que l'alcotest pratiqué juste après l'accident prouverait *qu'il* avait perdu le contrôle de sa voiture.

Elle jeta un coup d'œil au compteur de vitesse qui grimpait vertigineusement. « J'imagine que c'est ce que vous appelez le *malum prohibitum.*

– Le non-respect de la loi, mais sans mauvaise intention, traduisit Max. Oui, les excès de vitesse se rangent dans cette catégorie. Écoutez, vous devriez quand même ralentir un peu. Dites-moi... vous êtes une fanatique des termes légaux.

– J'ai une confession à vous faire. J'ai embarqué quelques-uns de vos ouvrages de droit à la maison. » Elle lui jeta un regard inquiet. « Mais un par un et je les rapporte toujours. Je suis très soigneuse. Vraiment. »

Il la vit rougir. Donc, il avait tapé dans le mille. Elle s'intéressait en effet davantage au droit que son travail ne l'exigeait. « Ça m'est égal, lui dit-il. Mais c'est vraiment ouvrir la boîte de Pandore, vous savez. C'est ça que vous voulez?

– Je ne sais pas ce que je veux, » répondit-elle. Ses yeux s'assombrirent. « Avant, je pensais... oh, peu importe. Je suis très bavarde, aujourd'hui.

– Non. S'il vous plaît. Je... » Tout ce qu'il dirait sonnerait comme une mauvaise réplique de film. « Je peux peut-être vous aider », acheva-t-il platement.

Elle se mordillait la lèvre inférieure, comme pour s'empêcher de pleurer. « Non, je ne crois pas. C'est... trop personnel.

– Ah... une histoire de cœur? »

A nouveau, une rougeur colora son teint olivâtre et Max en éprouva absurdement une pointe de jalousie. *Tu as encore tapé dans le mille, mon vieux.*

« Il est à l'armée. Au Vietnam depuis près de quatre mois. Trois mois et vingt et un jours exactement. Je... nous projetons de nous marier quand il rentrera. Mais le truc c'est que... » Sa voix se brisa. « Oh bon Dieu, j'en étais sûre. Je ne peux pas parler de lui sans pleurer. » Elle s'essuya les yeux d'un geste coléreux. « Le problème, c'est que je suis sans nouvelle de lui depuis un moment. Depuis trois mois, en fait. Je n'ai reçu qu'une seule lettre... » Elle donnait l'impression de refouler ses larmes.

« Vous l'aimez vraiment, n'est-ce pas? » Quelle question idiote! Ça semblait évident. Et alors? Ce n'était pas parce qu'il avait raté sa vie conjugale qu'il devait considérer le mariage comme une cause perdue pour tout le monde.

Elle hocha la tête, le regard fixé sur la route. Il y avait quelque chose de coléreux dans ses yeux à présent et ses lèvres étaient pincées. Elle appuya de nouveau sensiblement sur l'accélérateur et Max eut l'impression de se trouver dans un jet faisant le point fixe avant le décollage.

Puis elle dit : « Je mourrais sans lui. Je sais que ça sonne très mélo, mais c'est vrai. Avez-vous jamais aimé quelqu'un à ce point? »

Max pensa à Bernice. Non. Même à l'époque de leur mariage, elle ne lui avait jamais inspiré de sentiments aussi extrêmes.

Il regardait la jeune femme. Cette nature passionnée qu'il subodorait depuis longtemps montrait le bout de son nez, telle une biche effarouchée à l'orée d'une clairière et il avait peur, en faisant un mouvement ou même en parlant, de la faire fuir.

Et alors, il se passa quelque chose en lui. Il entrevit soudain ce qu'on devait éprouver à aimer une femme au point de vouloir mourir pour elle.

Et il se surprit à envier cet homme, quel qu'il fût.

« Ma fille, répondit-il. A sa naissance, je me suis penché sur son berceau en pensant pour la première fois de ma vie, oui, un homme raisonnable peut commettre un meurtre. Si quelqu'un essayait de faire du mal à Mandy, je crois que je n'hésiterais pas à le tuer.

— Elle a de la chance de vous avoir. » Rose se tut un moment. On n'entendait plus que le ronronnement puissant du moteur en accélération. « Je n'ai jamais connu mon père. Ni ma mère. Elle est morte dans l'incendie de la clinique où je suis née. Ça ferait un superbe mélodrame, non? » Il y avait un peu d'amertume dans sa voix.

« Je suis désolé.

— Oh, je ne me souviens de rien. On m'a raconté toute l'histoire par la suite. Ils ont sorti les enfants dans des couvertures mouillées. C'est ma grand-mère qui est venue me chercher — mon père était à l'étranger à l'époque — et elle a toujours été persuadée qu'il y avait eu une erreur, parce que je ne ressemblais pas plus à mes sœurs qu'à mes parents. Mais j'étais la dernière, voyez-vous. Tous les autres enfants avaient été réclamés. Croyez-vous que ma mère aurait voulu de moi si elle avait vécu? » Rose plaqua sa main sur ses lèvres. « Mon Dieu, qu'est-ce que je raconte? Pourquoi est-ce que je vous dis tout ça?

— Ça m'intéresse. Continuez.

— Le reste ne vous amuserait pas du tout. » Le pli amer de ses lèvres s'accentua. « Un jour, j'ai vu ce vieux film de Tarzan où Johnny Weismuller s'enfonce dans des sables mouvants. Eh bien, je comprenais exactement ce qu'il ressentait. Ce qu'on éprouve à se faire piéger et à s'enfoncer lentement. Et plus on lutte, plus on s'enfonce. Vous comprenez ce que je veux dire?

— Oui, tout à fait. » Il pensa à Bernice et éprouva un plaisir pervers à imaginer sa réaction à cette petite escapade. « Rose, vous allez vraiment trop vite, ajouta-t-il inquiet.

— Et Quent Jorgensen, alors?

— Le fait de nous tuer en voiture lui ferait sans doute gagner son procès, mais c'est pousser l'altruisme un peu loin.

— Vous ne voulez pas savoir si... » Soudain, elle se figea, les mains crispées sur le volant.

« Qu'est-ce qui ne va pas? » Max sentit tout son corps se contracter.

« Merde! jura-t-elle. C'est coincé. Je ne peux pas... c'est coincé... » Elle luttait avec le volant qui semblait n'avoir plus qu'un centimètre ou deux de marche de manœuvre dans chaque direction.

Alors Max vit le tournant devant eux, puis, au-delà, le ralentissement de la circulation. Rose écrasa le frein puis rétrograda. Elle était blanche comme un linge.

Bon Dieu. Elle s'affolait, elle freinait trop fort.

Il y eut un horrible grincement, puis une odeur de caoutchouc brûlé. La voiture chassa de l'arrière et fit un tour sur elle-même avant de déraper vers la glissière extérieure. Au-delà, c'était la chute dans le vide. Le cœur de Max fit des ratés.

L'instant semblait flotter dans l'espace, n'être relié ni au passé, ni à l'avenir. Il y avait seulement cette glissière menaçante et au-delà, une pente rocailleuse vers laquelle ils fonçaient dans un interminable crissement de pneus.

Rose, le visage crispé, les yeux dilatés par la peur, cria tout en luttant pour reprendre le contrôle de la voiture.

Max fut violemment projeté en avant et son front heurta la baguette chromée qui entourait le pare-brise. Il crut que sa tête explosait. Ses sens glissaient déjà dans l'abîme.

Dans tout ce boucan, il crut l'entendre prononcer un nom. On aurait dit « Brian ». En reprenant ses esprits, il vit Rose se jeter de tout son poids contre le volant. Puis il y eut un bruit sourd et soudain le miracle se produisit : la direction se débloqua. Rose évita la rambarde de justesse, parvint à redresser la voiture et s'arrêta quelques centaines de mètres plus loin, sur le bas-côté.

Max ouvrit la bouche pour dire quelque chose mais aucun son n'en sortit. Il regarda Rose. Elle ressemblait à une folle, l'air hagard, les cheveux dans la figure, le chemisier sorti de la jupe, le visage blême.

« Seigneur, balbutia-t-il, comment... comment avez-vous appris à conduire comme ça?

— Je n'ai pas appris, dit-elle, des larmes de soulagement plein les yeux. Vous savez, je n'ai mon permis que depuis quelques mois. »

11

C'était le plus vilain cocard que Rose eût jamais vu, violacé, enflé et de la taille d'une balle de golf.

Bon, pas besoin de me faire un dessin, se dit Rose. Elle était sur le palier, devant la porte de sa sœur et regardait fixement l'œil violacé de Marie au-dessus de la chaîne de sécurité.

« Mon Dieu, Marie, *ton œil!*

— Ouais, je sais, je sais. Alfred Hitchcock veut m'embaucher pour son prochain film. » Elle eut un rire qui ressemblait à un aboiement et ouvrit la porte. Malgré la pauvreté de l'éclairage, on voyait que Marie n'avait que la peau sur les os, et que ses cheveux étaient sales. « Tu te rends compte d'une gourde? Je me suis cognée contre une porte. Tu peux croire un truc pareil? »

Non, avait envie de dire Rose, je ne le crois pas. La dernière fois, qu'est-ce que c'était? L'escalier. Marie avait expliqué qu'elle s'était cassé le bras en tombant dans l'escalier. Et la fois d'avant, en glissant sur un jouet des enfants, elle s'était fendu la lèvre. Et bien sûr, c'était une coïncidence si, chaque fois que cela arrivait, Pete, au chomage une fois de plus, était à la maison.

Rose, cependant, gardait ses réflexions pour elle. Quelque chose, dans le regard de Marie, l'empêchait d'aborder le sujet. Il semblait dire : si mon mari me tape dessus, c'est mon affaire, alors garde ta sympathie pour toi.

Elle suivit sa sœur dans la minable salle de séjour aux murs recouverts d'une toile plastifiée. On aurait dit une chambre de motel. Pete était vautré devant la télévision, une canette de Budweiser à la main. Bobby et Missy jouaient par terre, près du radiateur.

« C'est pour ça que tu m'as appelée? » demanda Rose, levant instinctivement la main pour consoler sa sœur. Elle remarqua son imperceptible geste de recul et son bras retomba.

« Ça ? » Marie se toucha l'œil et ébaucha une grimace. « Ce n'est pas grand-chose. Je peux le soigner toute seule. Dis donc, tu veux une tasse de café ou autre chose ? Je te demanderais bien de rester dîner, mais ce n'est pas exactement le Waldorf. Il y a des haricots et des saucisses de Francfort. »

Pete leva les yeux vers elle. « *Encore ?* Écoute, Marie, tu sais que ça me donne des gaz. Bon sang, ça me transforme en ballon captif. Je pourrais voler depuis le temps que tu me sers ces saloperies. » Sa plaisanterie le fit glousser puis il cria : « Reste, Rose, je te donne ma part. De toute façon, je sors. Je boufferai un morceau chez Tony. » Tony était la brasserie locale.

Marie lui lança un regard noir puis se pencha pour prendre le bébé. Le petit Gabe hurlait, la tête rejetée en arrière, la bouche si grande ouverte que Rose voyait ses amygdales.

« Qu'est-ce que tu lui as fait ? » cria Marie à Bobby, à présent innocemment occupé à tirer sur les brins d'une moquette olive, mal clouée dans un angle. « C'est lui qui a commencé. Il m'a tapé avec son biberon.

— La prochaine fois, c'est moi qui te flanquerai une fessée, dit Marie. C'est un bébé. Il ne sait pas ce qu'il fait. »

Bobby lança à Gabe un regard meurtrier puis se concentra de nouveau sur l'arrachage des brins de moquette. Il avait des cheveux bruns, comme son père, et de petits yeux coléreux.

Rose s'agenouilla près de lui. « Tiens, Bobby. Je t'ai apporté quelque chose. »

Elle sortit de sa poche l'un de ces petits parapluies de papier que les restaurants polynésiens plantent dans les cocktails. M. Griffin l'avait rapporté d'un déjeuner au Trader Vic. Ça porte chance, avait-il dit avec un grand sourire, en le lançant sur le bureau de Rose.

Puis il lui avait parlé de son ami Sam Blankenship, directeur de la Fondation Phipps, et de la possibilité d'obtenir une bourse pour l'université et peut-être même pour la faculté de droit, si elle voulait continuer. Quel homme charmant, ce Griffin. Ce serait merveilleux de pouvoir étudier la philosophie, Shakespeare, et d'apprendre le français peut-être... encore qu'elle n'aurait guère l'occasion de le parler dans sa vie.

Puis son rêve s'écroula brusquement.

Quel intérêt tout ça, sans Brian ?

Quatre mois, et pas une lettre. M'a-t-il vraiment oubliée ? A-t-il cessé de m'aimer ? Cette question la hantait.

Non, ce n'était pas possible. Il devait y avoir une explication. Un nœud se formait dans sa gorge. *Non, plus de larmes*, se dit-elle, *tu as assez pleuré.*

Bobby regardait le minuscule parapluie d'un air soupçonneux. « Tu en as donné un à Missy et à Gabe?

— Non, juste à toi, dit-elle. Mais ne le dis pas. C'est notre secret. »

Alors il lui sourit et Rose sentit son cœur s'alléger un peu.

« Tu ferais une bonne mère », dit sa sœur. Elles prenaient leur café dans la cuisine, assises à la table de Formica. Marie avait l'air désenchantée, comme si les bonnes mères, pour elle, tenaient du conte de fées.

Rose pensa de nouveau à Max — il avait insisté pour qu'elle l'appelât Max et non pas monsieur Griffin. Ce serait un peu ridicule, lui avait-il dit, après avoir failli mourir ensemble. Le lendemain de leur équipée, il l'avait fait appeler dans son bureau. Elle était un peu inquiète. Allait-il lui reprocher sa brillante idée maintenant qu'il avait repris ses esprits? Mais il n'en avait pas dit un mot. Il lui réservait peut-être, lui avait-il dit, une surprise pour l'après-midi. Et en effet, après le déjeuner, il lui avait parlé de la possibilité d'obtenir une bourse. Rose était si émue qu'elle n'avait rien trouvé d'autre à dire que « Merci ».

Elle en parla à Marie, en essayant de maîtriser son excitation. Le visage de sa sœur revêtit alors une expression si farouche que Rose en resta interdite.

« Fais-le », dit-elle en se penchant en avant, ses mains fines enserrant la tasse de café posée devant elle. « Bon Dieu de merde, Rose, une chance comme celle-ci ne se reproduira pas. L'université. Comme j'aurais aimé pouvoir y aller. Ne gâche pas tout comme moi, Rose. Sois moins bête. »

Une larme brouilla l'œil en bon état de Marie, mais ne coula pas. Rose avait le cœur serré. Elle en était toujours malade de voir sa sœur piégée dans cet appartement, dans cette cuisine débordant de vaisselle sale.

« Rien n'est encore sûr, dit-elle. M. Griffin — Max, je veux dire — a déjeuné avec cet homme, c'est tout. Ça ne débouchera peut-être sur rien. Outre qu'il faudrait que je continue de travailler au moins à mi-temps, alors ça plus l'école... qui s'occuperait de Nonnie? »

Marie se laissa aller en arrière sur sa chaise, comme si l'effort de réfléchir à sa vie ratée l'avait épuisée. D'une voix lasse, le regard morne, elle dit : « Tu m'as demandé pourquoi je t'avais appelée. Eh bien quand je te l'aurai dit, tu cesseras peut-être de compromettre ton avenir en jouant les Florence Nightingale auprès de notre chère Nonnie.

— De quoi parles-tu? » Marie se leva et ouvrit un tiroir rempli de tout un bric-à-brac — élastiques, biberons, tétines, vieilles cravates. Elle y plongea la main et en sortit une pleine poignée d'enveloppes avion attachées ensemble.

Sur la première, Rose vit son nom et reconnut l'écriture de Brian. Ces lettres lui étaient adressées.

Prise de vertige, elle tendit une main tremblante et Marie lui remit le paquet.

Oh merci, mon Dieu, il ne l'avait pas oubliée.

« Comment les as-tu trouvées? » demanda-t-elle. Mais en fait, cela lui importait peu. L'essentiel, c'était d'avoir enfin ces lettres. Son cœur battait à tout rompre. *Il m'aime, il m'aime encore...*

Mary croisa ses bras maigres sur sa poitrine. « Ça fait des mois que tu me tannes pour que je passe voir Nonnie. Alors, hier, comme je faisais des courses, je me suis dit, oh bon, je vais y aller cinq minutes. Elle était si contente de me voir que le bec ne lui fermait pas. C'est vrai, elle n'a pas complètement récupéré et elle bredouille un peu mais, crois-moi, j'ai compris l'essentiel. Elle te hait, Rose. Elle ne m'a parlé que de toi. Elle dit que tu la laisses seule toute la journée, et que tu ne lui adresses pas la parole quand tu rentres. Elle prétend que tu ne lui donnes jamais ce qu'elle aime et que quand elle tombe en essayant d'aller à la salle de bain, tu ne récites même pas un *Je vous salue Marie* pour elle.

– Je ne comprends pas, dit Rose, sa sensation de vertige s'accentuant. Quel rapport avec les lettres de Brian? »

Marie eut une expression de mépris amusé. « Eh bien, tout en déblatérant sur toi, je voyais qu'elle avait peur. Peur de ton départ, peur de se retrouver seule. Mais elle a fait une erreur. Elle a cru que j'étais de son côté, alors elle m'a parlé de ces lettres et elle m'a même dit où elle les cachait.

Rose la regardait, ébahie. « Mme Slatsky monte le courrier tous les après-midi, dit-elle d'une voix blanche. Nonnie l'attend toujours avec impatience. Même la publicité... » Rose enfouit sa tête dans ses mains. « Mon Dieu, Marie, je n'arrive pas à y croire. Comment a-t-elle pu me faire ça? »

Quelle idiote j'ai été d'espérer qu'un jour elle m'aimerait, qu'elle se rendrait compte de tout ce que je faisais pour elle.

Elle se souvenait encore du choc qu'elle avait éprouvé, des années auparavant, en découvrant une photo de son père à côté d'un espace vide. Ce trou béant avait été occupé par sa mère et Nonnie l'avait supprimée d'un coup de ciseaux, comme on découpe, en suivant le pointillé, une poupée de papier.

« Qu'est-ce que tu vas faire? » demanda Marie, l'air un peu effrayée, à présent, par ce qu'elle avait déclenché.

Rose était paralysée par la colère, une grande vague de colère qui la balayait, lui bloquait la respiration.

Elle pensa à Brian qui se battait dans la jungle, à l'autre bout du monde. Il lui écrivait et devait attendre ses réponses avec impatience, solitaire, effrayé, peut-être même désespéré. Quatre mois. Elle lui avait écrit au moins une fois par semaine, mais voyant qu'il ne répondait pas, elle avait cessé de poster ses lettres. Brian devait se dire *qu'elle* ne l'aimait plus.

La colère se transforma en fureur. Une fureur noire comme la mort. Noire comme le mal. Aussi noire que l'âme pourrie qui battait dans la poitrine décharnée de sa grand-mère.

Rose eut soudain envie de tuer Nonnie, de lui serrer le cou jusqu'à ce que son cœur malfaisant s'arrête de battre.

« Ce que je vais faire? Ce que j'aurais dû faire depuis longtemps », dit-elle.

« Délivre-nous du mal, maintenant et à jamais. Ainsi soit-il. »

Rose regardait fixement la frêle silhouette aux cheveux blancs agenouillée sur le linoléum, près du lit. Ce lit victorien énorme et sombre qui avait donné des cauchemars à Rose lorsqu'elle était enfant. Une unique lampe, posée sur la table de chevet, dispensait une lumière pauvre dans la chambre grande comme une cellule de moine. Un crucifix en plastique, fendu et jauni comme la dent d'un vieux chien, était suspendu au-dessus de son lit. Sous ce crucifix, Nonnie avait accroché une tresse de cheveux gris, sous verre, vestige capillaire de son père décédé.

Rose avait passé quelques heures sur l'un de ces bancs qui bordaient Ocean Parkway, à lire et à relire les lettres de Brian, pleurant et riant tout à la fois. Les passants lui lançaient des coups d'œil furtifs, comme à une clocharde un peu folle. Puis elle avait marché longtemps, jusqu'au moment où sa colère avait diminuée, était devenue un petit noyau dur, logé comme une balle de fusil dans sa poitrine.

Espèce de sale grenouille de bénitier. Comment oses-tu t'agenouiller et prier? Comme si tu avais droit à la miséricorde de Dieu.

Nonnie leva les yeux et les lèvres pincées, s'exclama. « Ah! Miss America a fini par se rappeler qu'elle avait une maison. Viens m'aider à me relever. »

Toutes ces heures passées à travailler pour elle, à l'aider à marcher, à lui réapprendre à parler, pensa Rose. J'aurais dû la laisser pourrir sur pied.

« Débrouille-toi toute seule, vieille garce. » Rose tremblait à présent, les jambes molles, le cœur battant.

« Quoi? » La tête de Nonnie se tendit sur son cou de vieil oiseau. Son expression de stupeur disparut et son visage devint dur comme de la pierre. « Qu'est-ce que t'as dit?

— Tu m'as très bien entendue. Mieux encore, dit Rose, la main crispée sur la poignée de la porte, demande à Dieu de t'aider. Toutes ces années de prières, tous ces « Je vous salue Marie » et « Notre Père » que tu enfilais les uns après les autres comme des pièces dans un parcmètre, tu pourrais au moins essayer d'en tirer quelque chose.

— Saleté! siffla Nonnie. Comment oses-tu proférer de pareilles saletés dans ma maison? »

Rose la regarda lutter pour se redresser en s'aidant du montant du lit mais elle retomba sur les genoux, avec un bruit sec, comme un coup frappé contre une porte dans une maison vide.

« Ta maison, dit Rose d'un ton glacial. Oui, c'est bien le mot, Nonnie. Ce n'est plus la mienne. Tu n'as jamais voulu de moi, et tu as probablement regretté que je ne meure pas dans l'incendie avec ma mère. Un jour, Marie m'a demandé pourquoi je te laissais me traiter ainsi, pourquoi je restais. Tu vois, tu me faisais me sentir si sale, si mauvaise, que je pensais, si seulement j'arrivais à être aussi propre que Clare, elle m'aimerait. Mais la saleté ne voulait pas s'en aller et maintenant je sais pourquoi. »

Elle regarda sa grand-mère d'un air glacial puis conclut : « Parce que la saleté n'était pas en moi mais en toi, et depuis toujours. »

Nonnie, avec des efforts sans nom, était enfin parvenue à se redresser. Elle saisit sa canne, appuyée contre le mur, et fit face à Rose. Même à présent, alors qu'elle était rouillée comme un vieux fil de fer et percluse de rhumatismes, elle lui faisait encore peur.

« Ordure, cria-t-elle, le visage étrangement convulsé – un côté de sa figure était resté paralysé après son attaque –, ordure sortie directement du ruisseau. Oui, je sais ce que tu fais derrière mon dos... tu couches avec ce garçon et avec Dieu sait combien d'autres. C'est là que t'étais cette nuit, hein? A te vautrer dans les bras d'un homme comme une pute. Exactement comme ta mère et comme ta pute de sœur, à me faire honte, à traîner le nom de mon fils dans la boue. »

Rose sentit sa haine reflamber. « Alors tu as caché les lettres de Brian. Pour que je croie qu'il me laissait tomber. »

Les yeux pâles de Nonnie luirent d'un éclat malveillant. « Oui, je les ai cachées. Que la volonté de Dieu soit faite. Si les pêcheurs ne se repentent pas, ils seront terrassés par les justes.

« Oh Seigneur! » Rose, enfouit son visage dans ses mains. Toute cette scène lui faisait horreur, et la voix de Nonnie continuait de se dérouler comme un serpent maléfique.

« Et maintenant, tu peux toujours implorer Sa merci. C'est trop tard. Il te châtiera. Comme Il a châtié Angie. Il l'a fait périr dans les flammes pour la punir d'avoir forniqué. Et devant le Seigneur, à quoi te serviront tes précieuses lettres, hein putain, à quoi? »

Perdant son sang-froid Rose plongea en avant, le bras droit tendu. Il y eu un cri aigu. C'était comme un goût de sang dans sa bouche. Elle ne pensait qu'à une chose, à frapper Nonnie, à lui dévisser la tête.

« Espèce de sale garce! De menteuse! » siffla-t-elle.

Cependant, quelque chose de plus profond que la haine l'empêcha de continuer à frapper sa grand-mère, quelque chose de sain et de digne, tapi au fond de son âme.

Pour se défouler, elle arracha le crucifix du mur et le lança de toutes ses forces contre la grosse commode sur laquelle s'entassaient les médicaments de Nonnie. Il atterrit parmi les flacons qui rebondirent contre le miroir avant de voler en éclats sur le sol.

Nonnie poussa un cri strident et s'effondra brusquement sur le matelas, comme si on lui avait fait un croche-pied.

« Le voilà, ton Dieu », cria Rose, regardant la vieille femme affalée sur le lit. Son sang galopait dans ses veines et elle se sentait étrangement légère, comme si elle venait de se débarrasser d'un terrible fardeau. « Désormais, c'est Lui qui prendra soin de toi. »

28 avril 1969

Cher Brian,

Je ne sais pas très bien comment commencer cette lettre, ni d'ailleurs comment la finir. Ma main tremble tellement que j'ai du mal à tenir mon stylo. Et je n'arrête pas de pleurer. Je viens de relire toutes tes lettres pour la dixième fois. J'espère qu'en recevant la mienne, tu me pardonneras de ne pas t'avoir écrit plus tôt. C'est parce que, en fait, je n'ai reçu les tiennes qu'hier. Nonnie les avait toutes interceptées et cachées. On croirait un roman de Charlotte Brontë, non? Mais je pense que même elle aurait du mal à justifier l'attitude de Nonnie. Mais, à quelque chose malheur est bon, comme on dit, je me suis enfin décidé à la quitter, ce que j'aurais dû faire depuis longtemps.

La nuit dernière, après LA GRANDE SCÈNE, j'ai empilé tout ce qui pouvait tenir dans une valise et je suis allée chez mon amie Alice Lewis (une fille du bureau) qui m'héberge donc temporairement, jusqu'à ce que je trouve un logement. Ce ne sera sans doute pas terrible parce que je ne gagne pas beaucoup d'argent, mais je prendrais n'importe quoi pour être *chez moi* et débarrassée de Nonnie. C'est une sorte de rêve. J'ai du mal à le croire. Nonnie aussi, j'imagine. J'ai appelé Clare pour la mettre au courant. Avant qu'elle ait eu le temps de dire, comme d'habitude, « Je prierai pour toi », la téléphoniste nous a coupées (c'était une cabine publique) pour me dire qu'il fallait rajouter vingt-cinq cents si je voulais continuer. Si je n'avais pas été aussi furieuse, je crois que j'aurais éclaté de rire. J'ai dit à Clare que si elle ne voulait pas voir Nonnie mourir de faim ou se briser les os dans l'escalier, elle avait intérêt à redescendre sur terre et à rappliquer ici le plus vite possible pour s'en occuper. Et tu sais quoi? Je suis sûre que Dieu ne m'en veut pas du tout.

Maintenant, il faut que je te raconte quelque chose d'encore plus incroyable. Ce matin, lorsque je suis arrivée au bureau (je t'écris à l'heure du déjeuner) mon patron, M. Griffin, m'a dit qu'il avait de bonnes nouvelles pour moi. Il a parlé de moi à un vieil ami qui s'occupe de bourses destinées aux adultes (c'est à dire moi!) qui veulent retourner sur les bancs d'école et pratiquement, c'est arrangé. Je vais aller à l'université! Oui, moi! La bourse ne permet pas de folie, bien sûr, elle couvre juste les cours et ce genre de chose, mais M. Griffin m'a promis en plus de me donner autant de textes que je pourrai en dactylographier. Donc je ne mourrai pas de faim. Tout ceci m'excite beaucoup, mais en même temps me fait peur. Est-ce que je suis assez intelligente? Ne rira-t-on pas de moi dans la classe dès le premier jour?

Ça doit te paraître un peu étrange mais je t'assure que tout est pour le mieux. Quand tu rentreras, on recommencera tout, et il y aura juste toi et moi, plus de sainte Martyre, ni de Vietnam. Brian, quelquefois tu me manques tellement que je me demande comment je vais tenir une minute de plus. Est-ce aussi horrible là-bas qu'on le dit? Tu ne parles pas beaucoup des conditions de vie dans tes lettres, et encore moins des combats. As-tu peur que je m'inquiète?

Tu m'écris que tu m'aimes et que je te manque, mais si tu souffres et que tu me le caches, ça nous sépare encore plus. Je préfère être inquiète qu'exclue. Alors, je t'en prie, je t'en supplie, dis-moi tout. Je prie pour toi chaque jour, chaque minute. Mais plus que tout, je prie pour que cette lettre te parvienne avant que tu perdes espoir et que tu t'imagines que j'ai cessé de t'aimer.

Je t'aime, Brian.
Rose.

P.S. Je t'envoie un instantané pris au Polaroïd par April la nuit dernière. Je ne suis pas terrible dessus alors ne la montre à personne. Et ne me demande pas pourquoi je ne porte qu'une boucle d'oreille. C'est une sorte de porte-bonheur, comme le trèfle à quatre feuilles. Je la mets pour te porter chance. Je ne l'enlèverai qu'à ton retour.

12

« Tu penses des fois à c'qui s'passe après la mort? demanda à voix basse le jeune Noir de l'Alabama qui marchait derrière lui sur la piste. J'veux dire tout ce bla-bla sur le paradis, ce genre de conneries?

— Non », murmura Brian. Il donna une gifle à une bestiole qui rampait sur sa joue. Il faisait noir comme dans un four dans cette jungle dégoulinante. Il se guidait au son des bottes de Matinsky sur le sol spongieux, juste devant lui.

Il était bien plus de minuit. Sa section patrouillait depuis quatre heures de l'après-midi, c'est-à-dire une éternité. Quatre ou cinq kilomètres avant, l'un des hommes – Reb Parker – avait sauté sur une mine. Il était mort avec ses bottes aux pieds, sauf que ses jambes, à cet instant précis, n'étaient plus rattachées à son corps.

Non, Brian ne croyait pas au paradis, mais il savait à quoi ressemblerait l'enfer : à un labyrinthe de pistes dans la jungle, avec de l'herbe coupante à hauteur des hanches qui vous entaillait les mains et les bras comme une lame de rasoir, tout ça sous une pluie battante et dans l'odeur nauséabonde de la végétation pourrissante.

« Pourquoi que t'y crois pas? » insista le môme en le rattrapant. Brian distinguait à peine ses traits sous le casque de camouflage. Il chiquait du tabac et son haleine était âcre. « T'es catholique, non? J't'ai vu te signer.

— C'est pas si simple.

— Pas si simple?

— Je veux dire... c'est pas parce que je suis catholique que j'achète tout ce que l'Église dit.

— Tu crois en Dieu, non?

— J'en sais rien. Je sais plus.

— Mec, dis pas ça. Moi qu'ai déjà les foies.

— C'est ta première patrouille de reconnaissance? » Brian en était au moins à sa sixième, mais ce régiment de l'Alabama venait juste de rejoindre sa section.

– J'aimerais bien, mec. J'roule ma bosse dans cette putain de jungle depuis si longtemps que j'serais pas étonné d'être le prochain sur la liste. C'est mon troisième bataillon. »

Brian s'arrêta brusquement. « Écoute. Tu entends? Le fleuve. Nous y sommes presque. Une fois là-bas, on sera tirés d'affaire.

– C'est juste la pluie que t'entends, mec. » Le jeune soldat, dont Brian avait oublié le nom, se mit à rire tout bas. « Depuis qu'y m'ont envoyé dans le Nord, j'entends plus que la pluie. Seigneur, j'donnerais bien mon rouston gauche pour une paire de chaussettes sèches et une cigarette. Si y a des bridés là-dedans, tu les entendras pas parce qu'y portent pas d'bottes. Eux, au moins y rêvent pas de chaussettes sèches! »

Il se mit à glousser doucement puis à rire de façon hystérique derrière sa main plaquée sur sa bouche. Brian se demanda s'il ne perdait pas la tête. Mais ils en étaient tous plus ou moins là, non?

On pense aux chaussettes sèches pour ne pas penser à la mort.

On guette le bruit de la rivière, ça évite de se dire qu'on en est peut-être encore très loin.

De même qu'on entendait jamais un mec dire qu'il était ici depuis longtemps. Ils ne parlaient que des mois qui leur restaient à tirer avant d'être démobilisés.

Le retour. Oh bon Dieu, il ne fallait pas y penser. Ils ne vous renvoyaient chez vous que mort. Il connaissait des sections où les types trimbalaient leur propre linceul, et couchaient même dedans pour rester au sec.

Il revit le jour de son arrivée. L'atterrissage à Saigon à bord d'un Jet Continental, avec, dans les écouteurs, Glen Yarbrough chantant une mélodie sirupeuse. Une jolie hôtesse de l'air leur avait dit avec sa voix de fonction : « Bienvenue au Vietnam, messieurs. Je vous reverrai dans un an. » Ensuite, debout sur la piste d'envol, ils avaient attendu pendant des heures dans une chaleur torride. Les hommes plaisantaient, ivres de chaleur et de ces dix-huit heures de vol, certains rêvant d'en découdre, de « leur filer quelques bons coups de pied au cul ». Brian n'était pas très inquiet, certain que les histoires qui circulaient sur le Vietnam étaient très exagérées.

Puis un gros hélico atterrit et l'équipage se mit à décharger des colis, de gros sacs molletonnés. Il se dit qu'il devait s'agir d'un chargement quelconque et peut-être serait-il arrivé à s'en convaincre si l'un des sacs, heurtant le sol avec un bruit sourd, ne s'était brusquement déchiré, révélant un corps ensanglanté, coupé en morceau. Bienvenue au Vietnam, comme disait l'hôtesse. Brian s'était évanoui.

Maintenant, pataugeant dans la jungle, il essayait de ne penser à rien, comme Trang le lui avait appris. Peut-être entendait-il vraiment la rivière, peut-être s'en approchaient-ils.

Mais ce pouvait être la pluie. Le gamin – Jackson non? – se taisait. Le ciel avait dû se dégager légèrement parce que Brian, scrutant les ténèbres, distinguait à présent une forme brouillée devant lui, la bosse que formait le sac à dos de Matinsky sous son poncho, l'antenne de sa PRC-25 pointant le long de sa tête. Il ressemblait à l'étrange insecte de *La Métamorphose* de Kafka.

En tête de la colonne, devant le lieutenant Gruber, Brian vit la silhouette de Trang Li Duc, se faufilant à travers la brousse avec sa grâce étrange.

Il se dit : *S'il y a des Vietcongs là-dedans, Trang les repérera.*

Trang, un éclaireur de Kit Carson, connaissait cette partie de la jungle mieux que quiconque, et il avait un œil et des réflexes de léopard. A quatorze ans, les Vietcongs l'avaient enrôlé de force. Il s'était enfui deux ans plus tard, mais il avait eu le temps d'apprendre toutes sortes de choses, et notamment à surprendre l'activité ennemie en plaçant un morceau d'écorce sur le sol et en y collant l'oreille.

Dans la section, certains se méfiaient de Trang. « Un bridé reste un bridé », disait Matinsky. Mais c'était Trang, et non Matinsky qui avait sauvé les miches de Brian, au cours d'une patrouille de reconnaissance moins d'un mois auparavant. Ils se crevaient à ratisser les collines entourant Tieng Sung. Brian était en tête de la colonne ce jour-là et il s'efforçait de marcher en ligne droite sur la pente raide.

A l'aube, ils atteignirent le village. Le soleil se levait à l'horizon. C'était un hameau endormi, niché à flanc de coteau, et auquel on accédait par des rizières en terrasses. Fumée s'élevant des huttes en chaume, paisibles buffles, bref, un vrai tableau pastoral. Ils s'étaient arrêtés pendant un bon moment, le temps de vérifier qu'il n'y avait pas de Vietcongs mais juste des gosses, des vieux et des mama-san. Une vieille mama-san faisait cuire du riz dans une énorme marmite. Rien d'anormal. Elle gratifia Brian d'un sourire édenté et lui tendit un peu de riz enveloppé dans une feuille de banane. Il tendait la main pour le prendre quand soudain Trang le saisit à bras le corps et le poussa violemment sur le côté. Une seconde plus tard, un tir nourri trouait le sol là où Brian s'était tenu. Deux des leurs, qui n'avaient pas eu le temps de se mettre à couvert, étaient morts.

« Comment as-tu su qu'on était tombés dans une embuscade? » avait demandé Brian à Trang plus tard.

Celui-ci l'avait regardé de ses yeux noirs impassibles et dit : « Le riz. Elle cuit trop de riz pour un seul village. »

A présent, Brian souffrait trop pour penser à autre chose qu'à lui, qu'à sa propre misère. Il avait envie, comme Jackson, d'une paire de chaussettes sèches. Dans ses bottes, il avait l'impression d'avoir deux éponges en train de pourrir. Et il avait mal aux pieds, si mal qu'il se

demandait avec inquiétude dans quel état il allait les retrouver en se
déchaussant.

De toute façon il ne pouvait rien y faire pour le moment. Pas plus
qu'il ne pouvait se protéger des insectes, des sangsues et de la pluie. Y
aurait-il jamais une fin à ce calvaire? La boue collait à ses semelles, et il
avait l'impression de s'enliser un peu plus à chaque pas.

Un bruissement, au loin dans la jungle, lui fit dresser l'oreille. Le
fleuve? Non, sans doute pas. C'était trop tôt. Dickson, là-derrière, avec
ses drôles de cartes, avait dit encore deux, peut-être trois kilomètres
avant d'atteindre la rivière. Mais c'était plus d'une heure auparavant,
non?

« J'aimerais bien avoir une lampe à infra-rouge, une Starlight, entendit Brian murmurer derrière lui. On peut voir un serpent pisser dans le
noir à trois kilomètres avec ce truc.

– Bon Dieu, ce que je voudrais être à la maison », soupira un gars
derrière. Le silence retomba. On n'entendait plus que le bruit de succion
des bottes dans la boue et le léger grésillement de la radio de Matinsky.

La maison, pensa Brian. Aussitôt, la vision de Rose s'imposa à lui. Il
la revit dans sa chambre à Columbia, agenouillée sur le sol jonché de
pièces de monnaie, nue, le visage sillonné de larmes. Il se vit, la prenant
dans ses bras et lui faisant l'amour là, sur le tapis. Cette vision était si
nette qu'elle s'accompagnait de sensations précises comme le contact
froid des pièces contre sa peau, et la chair humide et chaude entre ces
longues jambes qui l'enserraient. *Ne me quitte pas, Bri, ne me quitte
jamais...*

Puis l'image disparut. Il était de retour dans la jungle. La pluie tam-
bourinait sur son casque et glissait sur son poncho. Brian eut envie de
pleurer.

Si seulement il avait pu penser à elle jusqu'à ce qu'ils atteignent le
fleuve.

Ressaisis-toi, mon vieux, elle t'a définitivement oublié.

Non, il ne pouvait croire cela. Impossible. Mais alors, pourquoi ne lui
avait-elle pas écrit depuis des mois? Elle avait pu rencontrer quelqu'un
d'autre. Non, ça ne tenait pas debout. Une autre fille, oui mais pas
Rose. Cependant, tout était possible. Ici, dans ces jungles, il avait vu des
choses, des horreurs qu'il n'aurait jamais crues possibles.

Tout devenait irréel, même Rose. Elle venait à lui le matin, dans les
quelques secondes qui précèdent le réveil. Il sentait la tiédeur de son
souffle contre sa joue et il était sûr qu'en se réveillant, il allait la trouver
là, endormie dans ses bras. Puis quelqu'un s'agitait sur la couchette au-
dessus de lui et sa vision se dissipait comme une brume matinale.

Dans la réalité, les types se faisaient constamment larguer. Ce pauvre
con de O'Reilly, toujours à se vanter, à prétendre que sa femme n'en

avait jamais assez de lui. Puis, la semaine dernière, voilà qu'il reçoit les papiers du divorce, sans même une lettre d'adieu.

Bon Dieu, si seulement Rose écrivait. Juste une lettre. C'était tout ce qu'il demandait.

Brian frissonna. La pluie avait fini par traverser son poncho. Il songea à son journal, soigneusement enveloppé dans un morceau de toile cirée, au fond de son sac à dos. Il tenait ce journal depuis le tout début de ce cauchemar. S'il s'en sortait vivant, il aurait besoin de ces notes, ne serait-ce que pour se convaincre que tout cela était réel, qu'il n'avait pas rêvé.

Il y eut un bruit soudain. Brian s'immobilisa. Un bruissement, mais plus accentué et plus près que tout à l'heure. Un peu plus loin sur la piste, il vit Trang s'accroupir brusquement, son M-16 en position de tir.

Brian s'aplatit au sol, débloqua la culasse de son M-16 et inserra ses cartouches, comme si une lumière s'était allumée dans sa cervelle, Jackson en fit autant. Ils virent Matinsky, devant eux, tenter de se mettre à couvert, avec son pas lourd de fermier du Nebraska. La radio, sur son dos, tressautait et faisait des embardées.

Brian entendit un crépitement, comme le bouquet final d'un feu d'artifice et Matinsky s'effondra dans les broussailles.

Alors l'enfer commença.

Il y eu un tir nourri d'armes automatiques, puis l'obscurité explosa littéralement. *Des mortiers, oh putain, ils nous tirent dessus avec des mortiers!* Pendant un moment de cauchemar, la nuit devint le jour. La jungle semblait assaillir Brian en Technicolor. Les branches et les plantes, enchevêtrées comme des reptiles, voilées de brume, étaient violemment éclairées par les tirs de mortier. Aucun signe de l'ennemi, mais à entendre le boucan, on aurait cru qu'ils étaient des centaines dans les broussailles, planqués derrière tous ces putains d'arbres. Des mottes d'argile rouge le frappaient au visage. A dix mètres sur sa gauche, il vit un cratère de la taille d'une tombe et les racines dénudées d'un arbre sortant de terre comme d'énormes doigts squelettiques. A l'arrière de la colonne, des hommes criaient. Ils étaient blessés, probablement mourants. Il entendit leur artilleur, Dale Short, arroser la jungle avec une salve de Quad-50.

Une terreur paralysante noua les tripes de Brian.

Ils nous attendaient. Le fleuve. Nous n'atteindrons jamais le fleuve.

Un hurlement s'éleva tout près de lui et il vit Jackson tomber à genoux, comme en prière.

Il avait tout un côté du crâne arraché.

Oh, Seigneur, non... non... non

Une fine pellicule grise vint brouiller sa vision. Ses oreilles bourdonnaient. Il eut soudain l'impression que son fusil pesait cent kilos. Tout semblait se mouvoir avec lenteur, comme dans les cauchemars.

Mais putain, où est le lieutenant Gruber? Pourquoi ne donne-t-il pas d'ordres?

Un nouveau tir de mortier les aveugla un instant. Il entendit quelques craquements provenant de la radio de Matinsky et une voix, mais pas la sienne, gueuler : « Delta Bravo, Delta Bravo, vous m'entendez? Ici Delta Écho. Nous sommes tombés sur une embuscade. Je crois qu'on est encerclés. Nous allons avoir besoin d'un Medevac ici et rapido. Nos coordonnées sont VD 15 – oh... Bon Dieu de... »

La voix fut coupée.

Encerclés. Si seulement il pouvait les *voir*. Brian tira une salve de M-16 dans les broussailles. Il sentit la terre se convulser sous l'impact des AK-47 de l'ennemi. Il essaya de ne pas penser au corps qui perdait sa cervelle dans la boue à côté de lui. Il avait peur de se mettre à vomir.

Mais, deux secondes plus tard, il vomit quand même, à cause de la puanteur qui régnait, un mélange de cordite, de sang et de chair brûlée. *Ils font un carton, comme dans un stand de tir.*

Brian rampa sous l'enchevêtrement de plantes et d'herbe coupante. Il eut de nouveau envie de vomir et s'arrêta. A deux mètres de lui, des yeux levaient vers le ciel un regard aveugle. Gruber. Oh putain! La pluie crépitait sur sa cornée, noyait ses globes oculaires.

Brian faillit pousser un hurlement. Un long cri qu'il sentait enfler en lui depuis un moment et qui ferait éclater ce qui lui restait de santé mentale.

Mais quelqu'un lui agrippa l'épaule, le plaqua au sol. Brian se tordit le cou et fut confronté à un visage oriental maculé de boue rougeâtre, aux yeux noirs impénétrables. Trang.

« *Mau Len!* » souffla Trang, montrant le hallier de bambous situé à environ trente-cinq mètres sur leur gauche. « Le fleuve, de ce côté. Suis-moi. »

Brian regarda derrière lui. Dans la lumière de l'enfer, il vit que tout l'encadrement de la colonne semblait avoir disparu. Il n'y avait aucune ligne visible de soutien, plus aucun officier en vue. Gruber était mort. La Prick-25, arrimée au dos de Matinsky, avait éclaté vomissant ses entrailles – un amas de fils de cuivre, de circuits imprimés et de boîtiers. A côté, le sergent Starkey gisait, dans une mare de sang. Tué avant d'avoir pu communiquer leur position à la radio.

La rivière. Ouais. Si Trang et lui y arrivaient jamais. Sur la rive opposée il y avait un banc de sable où, d'après Dickson, un hélico pouvait se poser.

S'il pouvait s'asseoir assez longtemps pour faire sauter le bouchon de sa balise à infrarouge et creuser un trou pour l'y fourrer, l'hélico les découvrirait peut-être.

Brian extirpa une grenade de sa ceinture, la dégoupilla puis la lança dans la brousse pour nettoyer la voie. Un éclair blanc s'éleva dans la fumée rouge, suivi, une seconde plus tard, d'une formidable explosion. Il y eut une accalmie et il l'entendit, le bruit exquis de l'eau vive. Ils arriveraient peut-être au fleuve, oui, mais entiers? Ça, c'était une autre affaire.

Il suivit Trang qui rampait, aussi silencieux qu'un lézard, leur frayant un chemin en diagonale à travers la brousse. Devant eux se profilait le hallier de bambous, tentant comme un mirage.

Une balle lui siffla à l'oreille. Brian gardait le ventre au sol et l'impact des tirs de mortier se répercutait dans son abdomen. Il se servait de ses genoux et de ses coudes pour progresser. Les branches et les racines lui griffaient le visage, et il avait un goût de terre dans la bouche.

Ne pense pas que tu vas mourir. Ne pense ni au ciel ni à l'enfer, à rien sauf à te sortir de là.

Il gardait les yeux fixés sur la silhouette de Trang, juste devant lui, osant à peine ciller des paupières de peur de le perdre de vue. *Encore quelques mètres. S'il vous plaît, mon Dieu. Encore quelques pas.*

A présent, de petites herbes coupantes lui entaillaient les joues. De minces tiges de bambous, luisantes et vertes comme du jade, s'écartaient de part et d'autre de leurs corps avec un bruissement de papier. Le grondement du fleuve leur emplissait les oreilles et c'était le son le plus merveilleux au monde. Ses genoux s'enfoncèrent dans la vase de la rive du fleuve.

A travers les bambous, il voyait l'eau noire luire comme du satin sous la lune. Son cœur fit un bond. La rivière. Sur l'autre rive s'étendait un long banc de sable, assez large pour qu'un hélicoptère pût s'y poser.

Comme dans un miracle, Brian entendit au loin le bruit distinct des rotors. *Ils nous cherchent.* Il fouilla dans la poche de sa vareuse et en sortit sa balise à infrarouge.

Ses mains tremblaient. Il gratta frénétiquement la terre boueuse pour faire un trou et y enfouir la balise. L'ennemi ne la verrait pas mais le détecteur de l'hélicoptère le repérerait peut-être.

C'est alors que Trang, qui rampait jusqu'à présent, s'accroupit avec précaution pour gagner la rive.

Soudain le hallier de bambous explosa littéralement. Brian sentit quelque chose se jeter sur lui, le renverser comme un bulldozer.

Puis ce fut le noir.

Lorsqu'il revint à lui, il eut l'impression d'être cloué au sol par un énorme pieu chauffé à blanc planté dans son ventre. Il essaya de crier mais il semblait n'avoir plus d'air dans les poumons.

Son esprit flotta de nouveau à la frontière grisâtre de l'inconscience. Il entendait de vagues bruits. Des hommes criaient, mais ces cris lui semblaient lointains. Puis il y eut un tir nourri de mitrailleuses.

Lentement, luttant contre cette marée grise qui lui noyait le cerveau, Brian parvint à se redresser et à s'asseoir. Il regarda, hébété, les restes de son poncho. Oh putain il était salement touché. Il y avait beaucoup de sang. Il se demanda s'il allait mourir.

Il n'avait jamais eu aussi peur de sa vie. Il ne voulait pas mourir, et surtout pas ici, dans ce trou de merde, comme les restes d'un repas pourrissant dans une assiette.

J'ai promis à Rose de rentrer. J'ai promis...

Brian entendit un gémissement. Il scruta l'obscurité et aperçut Trang, le visage dans la vase, le pied droit arraché.

Une mine! Il a sauté sur une mine.

Serrant les dents, souffrant le martyre Brian rampa vers Trang et passa un bras sous les épaules maigres. Il s'agenouilla et lui releva le buste de façon que sa tête repose sur ses cuisses.

« Faut se barrer d'ici, mon pote, dit-il, épuisé par l'effort. Faut gagner l'autre rive. »

Brian leva les yeux vers le ciel. Il vit les lumières rouges de l'hélicoptère d'assaut Cobra décrire un large cercle, puis virer sur l'aile. La manœuvre fut suivie d'une explosion, d'énormes bouquets de feu blancs et oranges qui déferlèrent sur la cime des arbres.

« *Didi mau! Didi mau!* » Trang secouait la tête, le visage couleur de cendre dans la pénombre.

« Non, souffla Brian. Pas question que je te laisse ici. » Trang lui avait sauvé la vie un jour et il ne l'avait pas oublié.

Il serra Trang fermement contre lui puis sentit ses tripes se tordre sauvagement et lutta contre la syncope.

Plus tard, mon vieux, tu ne peux pas te permettre de perdre conscience maintenant. Tu es trop près du but. Personne n'abandonne si près du but.

Le fleuve, le fleuve.

Il faut que je gagne l'autre rive.

Son bras droit passé sous les aisselles de Trang, se servant de son coude gauche pour progresser, Brian commença à ramper dans la vase, à travers les bambous. La rive n'était plus qu'à cinq mètres d'eux.

Il souffrait atrocement et délirait.

Le Christ... Il marchait sur l'eau, il la changeait en vin... Old Man River... Il continue juste à rouler... rouler...

Trang était lourd, si lourd... malgré sa maigreur. Ses genoux enfoncèrent soudain dans une épaisse couche de vase et l'eau emplit sa bouche, obstrua ses narines. Brian parvint à relever la tête. Il suffoquait et toussait. Le voile gris derrière ses yeux se dissipa et il vit qu'il était dans l'eau jusqu'à la taille.

L'eau le portait mais il dut lutter pour empêcher Trang d'être entraîné par le courant.

En levant les yeux il vit que le ciel pâlissait, prenait une teinte orangée. Le jour se levait.

Il se mit à pleurer. Ils étaient si près du but mais il n'y arriverait jamais. Le courant avait emporté ses dernières forces et la douleur était insupportable.

Il entendit soudain une voix, lointaine mais claire comme un écho. La voix de Rose.

Tu m'as promis, Brian. Tu m'as promis que tu reviendrais. Tu m'as promis...

Mais sa promesse ne comptait plus. Ça faisait maintenant une éternité qu'il n'avait pas tenu Rose dans ses bras. Quelque part, dans ce couloir sans fin du temps, il l'avait perdue. Ou elle l'avait perdu.

Elle avait cessé de l'aimer.

Et maintenant, il était temps de se laisser aller.

Il n'avait plus envie de lutter. Il voulait échapper à cette souffrance brûlante et se laisser dériver paisiblement au fil de l'eau, léger comme une plume.

Puis il sentit Trang remuer faiblement dans ses bras et il se dit que non, il ne pouvait pas abandonner, pas encore. Trang lui avait sauvé la vie.

Le cœur cognant tant l'effort de les maintenir tous deux la tête hors de l'eau était grand, il se mit à nager.

13

Les cadavres étaient empilés comme les bûches d'un stère de bois contre le mur de béton du bloc opératoire, leurs yeux vitreux au plafond. En s'approchant, Rachel vit que l'un d'eux vivait encore. L'horreur la cloua sur place. Le visage n'était plus qu'un masque de sang caillé. Elle l'attrapa par les aisselles et lutta désespérément pour le dégager. Peut-être pouvait-elle le sauver, peut-être était-il encore temps. Puis des larmes jaillirent des yeux du soldat, creusant des rigoles boueuses le long de ce qui avait été autrefois des joues. Sa bouche s'ouvrit et il cria : « Pourquoi m'as-tu laissé mourir? Je suis ton fils. Pourquoi? »

Rachel se réveilla en sueur. Elle s'assit dans sa couchette le cœur battant, et se frotta les yeux d'une main tremblante.

Un cauchemar, juste un stupide cauchemar, se dit-elle. Mais, Seigneur, si *réel.* Et ce visage. Cette bouillie sanglante. Elle le connaissait.

C'était le garçon qu'elle avait laissé mourir.

Il prétendait être mon... oh non, si je commence à penser à cet avortement je vais devenir folle.

Quelqu'un frappa à la porte.

« Docteur Rosenthal! » appela une voix de femme. La porte s'entrouvrit et un visage aux traits fins apparut. C'était l'une des infirmières vietnamiennes. « Docteur, s'il vous plaît, on a besoin de vous.

– C'est vous, Lily? » Rachel se sentait groggy, désorientée. Elle avait l'impression que son corps pesait une tonne. Elle avait passé quarante-huit heures d'affilée sans dormir. Depuis son arrivée au Vietnam, six semaines auparavant, elle ne dormait que d'un œil et jamais bien longtemps.

Elle souleva sa moustiquaire, sortit du lit, et chercha à tâtons son pantalon kaki roulé en boule sur le sol. Encore tout ensommeillée, elle enfila par-dessus le grand tee-shirt d'homme qui lui arrivait presque aux genoux.

« C'est moi. L'hélico d'évacuation vient juste de se poser, répondit Lily, un peu haletante. Il y a huit blessés, la plupart sont en très mauvais état. Le Dr MacDougal vous réclame.

– Qu'appelez-vous en "très mauvais état"? »

Rachel tira sur le cordon qui allumait l'unique ampoule du plafond. La lumière acheva de la réveiller et elle regarda autour d'elle la chambre aux murs de béton qu'elle partageait avec Kay. Elle était petite et austère comme une cellule de moine mais cela ne la gênait pas. Deux châlits de fer protégés par une moustiquaire et une vieille commode bancale constituaient tout le mobilier. Des lucarnes de bois tenaient lieu de fenêtres. Les murs étaient nus, mis à part un poster des Grateful Dead punaisé par Kay, et un miroir accroché au-dessus de la commode. Kay était de garde. Parfait. Elle aurait besoin d'elle. Et de Lily aussi.

Elle se tourna vers cette dernière, debout sur le seuil de la porte, vêtue de sa blouse blanche froissée et maculée de sang. Toute petite, fragile, avec les traits exquis d'une statuette d'ivoire. Et pourtant, elle avait une santé de fer. Elle pouvait passer plusieurs nuits blanches d'affilée sans avoir l'air fatiguée. Rachel l'avait vue un jour immobiliser au sol un Marine drogué qui devait peser près de cent kilos.

« Leur section est tombée sur une embuscade », dit Lily, dans son anglais parfait. Son père avait occupé de hautes fonctions dans le gouvernement avant la guerre. « Il y a eu cinq morts. » Après un silence, elle ajouta de sa voix douce : « D'après ce que j'ai compris, les autres ont eu de la chance de s'en sortir. »

Rachel songea à ce jeune marine qui était mort la veille à cause d'elle, d'une erreur qu'elle avait commise. Le garçon dont elle avait rêvé.

Un sentiment d'impuissance paralysante la balaya.

Elle se dit : *Je ne peux pas y aller. Je ne peux pas prendre le risque que ça se reproduise...*

Mais elle savait qu'elle irait. La panique était un luxe qu'aucun d'eux ne pouvait se permettre.

« Dites à Mac que j'arrive », dit Rachel. Lily hocha la tête et fila en laissant la porte entrouverte.

Rachel fourra ses pieds dans une paire de sandales à lanières – un mélange de caoutchouc provenant de vieux pneus et de toile – qu'elle avait achetées à un marchand ambulant de Da Nang pour trente-cinq piastres. Deux semaines à patauger dans la boue de Tieng Sung avaient eu raison de ses luxueuses bottes new-yorkaises.

Elle se planta une minute devant la glace pour nouer ses longs cheveux châtains en un chignon flou sur la nuque. Elle remarqua sa pâleur, ses yeux cernés. Seigneur. *On dirait une missionnaire sortie tout droit d'un mélo, le genre qui lutte contre les fléaux au cœur de l'Afrique. Leora dans Arrowsmith.*

Un sentiment de satisfaction morose dont elle eut aussitôt honte, la traversa. *Tu te punis, n'est-ce-pas?* « *Robe de bure et Cendres* », avec, dans le rôle principal, Rachel Rosenthal. *Et ensuite, qu'est-ce que ça va être, la flagellation?*

Ouais, peut-être que ça *avait* commencé comme ça. Elle était venue ici pour se punir de sa liaison avec David, de cet avortement. Mais plus maintenant. A présent, elle *voulait* se rendre utile.

Rachel parcourut à grandes enjambées le passage couvert qui longeait les baraques. Le jour se levait et le soleil faisait déjà étinceler l'amas des toits en tôle ondulée, en contrebas. Le village commençait à s'agiter, malgré l'heure matinale. Elle repéra quelques chapeaux de paille dans les rizières. Elle entendit le mugissement lugubre des buffles et les roues d'un char à bœufs grinçant sur un chemin caillouteux. Puis un autre bruit, singulier dans ce paysage bucolique, celui des rotors de l'hélicoptère fauchant l'air immobile.

Cela lui rappela pourquoi elle était sortie du lit.

Elle courut, ses sandales claquant sur le béton. Le passage se terminait brutalement par un chemin de terre qui menait à l'hôpital à travers une palmeraie. Rachel enfonça dans la boue jusqu'aux chevilles.

« Merde! » jura-t-elle tout bas.

Dans la lumière laiteuse, elle gagna le caillebotis dont les planches rudimentaires étaient colmatées par la boue. Saloperie de mousson. Elle marcha avec précaution sur les planches, luttant contre l'envie de courir.

Enfin, l'hôpital apparut, bâtisse ancienne comportant un étage, couleur de vanille, ornementée de stuc et recouverte de bougainvillée violette aux troncs aussi épais qu'un poignet d'homme. C'était une maison charmante, si française, qu'on l'aurait facilement imaginée dans le centre de Paris... et le dernier endroit où quiconque, sain d'esprit, eut voulu entrer.

Rachel vit l'hélicoptère sur la piste d'atterrissage devant l'hôpital. Les infirmiers s'agitaient autour du gros transporteur de l'État de Washington, et déchargeaient quelque chose sur une civière.

Quelque chose recouvert de bandages ensanglantés.

Un souvenir remontant à l'école primaire lui traversa la mémoire. Elle était partie avec sa classe visiter les halles de New York dans Lower Manhattan. Elle revoyait encore les rangées de bœufs pendus à des crochets avec leurs veines et leurs tendons exposés. Elle avait vomi tout son petit déjeuner, là, sur le sol couvert de sciure. La forme étendue sur la civière ressemblait atrocement à ces carcasses d'animaux écorchés.

Un vent de panique souffla sur elle.

Et si ça arrivait encore. Si j'étais de nouveau responsable de la mort d'un homme. Si...

Non, n'y pense surtout pas. Cours. Pas d'émotion. *Bouge ton cul, c'est tout ce qu'on te demande.*

Rachel entendait la voix grave de Kay dans sa tête : *C'est comme des stores vénitiens. Tu tires sur le cordon de façon à ne voir que le strict nécessaire. Le reste, tu l'oblitères. Autrement, tu deviens folle.*

Rachel entra. La pièce ressemblait davantage à une usine qu'à une salle des urgences. On accrochait à la hâte flacons de sang et perfusions à des pieds à sérum pendant au-dessus des têtes. Dans un coin, sous les étagères à fournitures, on trempait bandages et pansements ensanglantés dans un récipient contenant cinquante litres d'eau. Lorsque la graisse et la chair remontaient à la surface, les pansements étaient lavés en machine et réutilisés. Pas de matériel compliqué. Un vieux générateur leur fournissait l'électricité. En ce moment elle percevait son ronronnement partiellement couvert par l'agitation bruyante des médecins, des infirmières et les cris des blessés.

L'hôpital était rempli de soldats qui criaient ou déliraient. Il y avait du sang partout, sur les pansements et sur les attelles couvertes de boue. Il jaillissait des blessures artérielles et formait de petites mares sur le sol en béton.

Rachel repéra Ian MacDougal dans un coin. L'affaissement de ses larges épaules trahissait sa lassitude. Il était penché sur un jeune homme dont les deux jambes étaient sectionnées à la hauteur des genoux. Le gosse, blanc comme un linge, n'avait pas l'air d'avoir plus de dix-sept ans. Il hurlait : « Maman! Maman! »

Mon Dieu, se dit Rachel, la gorge serrée. *Ils sont si jeunes. Je ne m'y habituerai jamais.*

« Venez me donner un coup de main, lui cria Mac, avec son accent écossais prononcé. Clampez-moi ce drain. Bon, tenez-le pendant que je débride. Voilà... c'est plus propre que ce que j'aurais fait tout seul. Dana! appela-t-il, branchez-moi une perfusion et emmenez-le en attente. » Il vit Rachel le regarder d'un air interrogateur et lui dit avec sa brusquerie habituelle : « Il vivra. Il ne pourra plus jouer au foot avec ses copains, mais il vivra.

— Maman », gémit le jeune homme en agrippant la main de Rachel. Elle ne put s'empêcher de penser à son propre bébé et à tous ceux qu'elle n'aurait sans doute jamais. Elle lui caressa brièvement le visage et refoulant ses larmes, le laissa précipitamment aux mains de Dana.

Kay entra dans la pièce, sa silhouette replète enveloppée dans une blouse pleine de sang, le visage tendu sous ses boucles emmêlées, donnant des ordres aux infirmières et aux aides-soignantes dont elle avait la charge.

« Installez-moi ces perfusions. Et ne me dites pas que vous ne trouvez pas de veine! Servez-vous d'un tuyau d'arrosage s'il le faut... mais trouvez-la. »

Elle croisa le regard de Rachel et lui sourit tristement. « Bienvenue au Yankee Stadium. Tu crois qu'on va battre les Red Sox ce soir?
— Nous avons nos chances, à condition de ne pas relâcher la pression. »

Leur humour noir ne les faisait pas tellement rire mais ça leur évitait de « craquer ».

Rachel avait l'impression d'être ici depuis des mois bien que cela ne fît que quelques semaines. Après deux jours de vol, elle était arrivée à Da Nang puis avait gagné Tieng Sung en Jeep pour entrer aussitôt dans le vif du sujet. Comme aujourd'hui et même pire. Un village des environs avait été bombardé. Enfants disloqués, bébés brûlés, femmes enceintes agonisantes. Elle était restée immobile, clouée sur place par l'horreur, jusqu'au moment où quelqu'un lui avait mis dans les mains une paire de ciseaux chirurgicaux en la sommant d'amputer un garçonnet de deux ans dont le pied ne tenait plus que par un tendon.

Cependant elle avait appris, et vite. A trier ceux qui allaient mourir et ceux qui avaient une chance de s'en tirer. On installait les agonisants derrière un paravent dans un coin pour qu'ils puissent mourir seuls et en paix. Les autres étaient emmenés dans les salles pré-opératoires dites de « Priorité » ou d'« Attente ».

« Quand on était enfants, lui avait dit Kay le premier jour, on jouait au docteur. Maintenant on joue à Dieu. »

Et parfois, nous commettons des erreurs, pensa Rachel, *parce que nous ne sommes pas Dieu, mais des humains, et que nous avons beau faire tout notre possible, nous ne sommes jamais vraiment à la hauteur.*

Comme avec ce marine de l'Arkansas qui était arrivé hier. Il disait qu'il allait mourir. Il la suppliait de ne pas le quitter. Elle lui avait répondu qu'une rotule en miettes ne fait pas mourir et avait programmé deux autres opérations avant la sienne. Cinq minutes plus tard, le soldat succombait à une embolie pulmonaire.

Elle en avait été bouleversée. Mon Dieu, s'il vous plaît, ne me laissez plus commettre d'erreur de ce genre.

Rachel se dirigea vers la civière que les brancardiers venaient juste d'amener. Y avait-il un espoir pour celui-ci? Au moins il était entier. La première chose qu'elle remarqua fut qu'il était grand. Ses bottes boueuses dépassaient de la civière. Il avait un visage émacié à l'ossature proéminente. Il était trempé et couvert de boue, comme si on l'avait trouvé à plat ventre dans une rizière, et le bandage recouvrant sa blessure abdominale était rouge de sang. Il avait perdu connaissance et son visage était livide, presque transparent. La couleur de la paraffine. La couleur de la mort.

Elle n'avait plus du tout envie de savoir ce qu'il y avait sous le pansement. Elle eut un frisson, comme une coulée d'air froid le long de sa colonne vertébrale.

On sentait à peine son pouls. Effondrement de la pression artérielle. État de choc. Lèvres cyanosées et difficultés respiratoires. Il allait lui glisser entre les mains sans qu'elle puisse rien faire.

« Branchez une perfusion! cria-t-elle à Meredith Barnes. Il me faut six flacons de sang et deux grammes de pénicilline pour commencer. »

Après lui avoir inséré une sonde gastrique dans le nez, Rachel commença à découper le bandage qui lui enveloppait l'abdomen. Oh bon Dieu! C'était encore pire que ce qu'elle avait imaginé. Il avait un trou béant et une rupture de péritoine. Des bouts d'intestin d'un blanc grisâtre étaient passés à travers la membrane déchirée.

Elle comprit que tous ses efforts pour le sauver seraient inutiles. Il fallait le soulager et le laisser mourir en paix. C'était tout ce qu'elle pouvait faire pour lui.

Mais lorsqu'elle leva les yeux sur son visage, la stupeur la cloua sur place.

Il avait repris conscience et la regardait avec de grands yeux gris qui illuminaient son visage de mourant.

Et il souriait.

Rachel éprouva alors une sensation étrange, comme si quelque chose d'enterré profondément en elle remontait brusquement à la surface. Il y avait longtemps qu'elle n'avait pas ressenti cela et elle mit un moment à comprendre.

L'espoir.

Ses yeux s'emplirent de larmes.

Le blessé leva la main et lui effleura la joue. Ses doigts étaient doux comme des ailes de papillon. « Rose, murmura-t-il. Ne pleure pas, Rosie. Je vais rentrer. Rose... »

L'un des infirmiers, un Noir, secoua la tête. « Il répète ça depuis qu'on l'a repêché dans la rivière. Un truc incroyable. Il avait les tripes à l'air et il nageait à notre rencontre, comme si on avait été Jésus-Christ. Il traînait le cadavre de son pote. Encore un qui va finir à la morgue », soupira-t-il.

La morgue. La pièce où les hommes étaient étiquetés, fourrés dans des sacs et renvoyés à leur famille. Et soudain, l'idée que celui-ci aussi allait être jeté comme une valise dans une soute à bagages l'emplit d'une colère froide.

« Pas si je peux l'empêcher », dit-elle, galvanisée par sa fureur.

Rachel se mit aussitôt à l'ouvrage. Elle sutura les artères, débrida la plaie et enleva les éclats d'obus. Puis elle désinfecta le tout avec de la gaze stérile plongée dans la vaseline.

« Ça vous ennuie que je jette un œil? » La voix grave, derrière elle, la fit sursauter. MacDougal fronçait ses sourcils roux et broussailleux au-dessus de ses grands yeux d'épagneul triste.

Il examina le blessé puis entraîna Rachel à l'écart. « Il a perdu beaucoup de sang, et je pense qu'on va être obligé de lui enlever le rein droit. Il y a eu pas mal de fuites dans le péritoine, et le colon et le grêle sont touchés tous les deux. Bon Dieu, ma fille, ce garçon va avoir besoin d'autre chose que de votre compétence pour se sortir de là. Il faudrait un miracle. Et même s'il résiste à l'opération, entre l'état de choc et la péritonite, ses chances de survie sont quasi inexistantes. » Il posa une main paternelle sur l'épaule de Rachel. « Je sais que vous détestez perdre. Je n'ai jamais vu personne lutter avec autant d'acharnement que vous, mais ce que vous pouvez faire de mieux pour lui, c'est de le mettre sous morphine et de le laisser mourir en paix. »

Rachel soutint le regard las de Ian MacDougal pendant un moment puis dit : « Laissez-moi essayer, Mac. Je vous en prie. J'ai besoin de vous pour celui-ci, je le sais, mais à nous deux... je ne dis pas que nous pouvons le sauver mais, au moins, essayons. »

Mac baissa les yeux et parut réfléchir à la question. Rachel retenait sa respiration. Ian était le patron. Il pouvait refuser l'acharnement thérapeutique.

Finalement, il leva les yeux sur elle et la considéra avec l'indulgence d'un père cédant à un enfant obstiné.

« Faites ce que vous voulez », soupira-t-il.

Rachel demanda aux infirmiers d'emmener le patient dans la salle pré-opératoire. Puis elle regarda de nouveau ces grands yeux lumineux et se dit qu'elle ne pouvait pas abandonner ce garçon, pas plus que s'il avait été son propre enfant.

Elle jeta un coup d'œil à son bracelet d'identification et écrivit son nom et son matricule sur sa feuille de malade.

Brian McClanahan.

« Tiens bon, Brian, chuchota-t-elle. Tiens bon pour moi, d'accord ? »

La pluie, tambourinant sur le toit en tôle ondulée de la baraque réveilla Rachel. Elle ouvrit les yeux. Il faisait sombre mais elle distinguait malgré tout le gros cancrelat qui se déplaçait sur le mur d'en face. Encore à moitié endormie et déconnectée de la réalité, elle suivit sa progression. Mais quelque chose la tourmentait inconsciemment... quelque chose dont il fallait qu'elle se souvînt.

Puis cela lui revint brusquement et l'anxiété l'arracha définitivement au sommeil. Brian McClanahan. Il avait été opéré trois jours auparavant et on ne savait toujours pas s'il allait s'en tirer. Il allait peut-être mourir ce matin, pendant qu'elle était encore au lit.

Elle rejeta avec impatience sa couverture de coton et se leva. Elle était déjà à moitié habillée lorsque Kay s'agita sur la couchette voisine, puis s'assit en se frottant les yeux. Elle bailla et jeta un coup d'œil au cadran lumineux de sa montre.

« Tu es folle? marmonna-t-elle. Il est trois heures du matin. Dire que c'est la première nuit entière que je passe depuis des semaines! Qu'est-ce qui t'arrive?

– Désolée de t'avoir réveillée, dit Rachel. Je veux faire un saut à l'hôpital. L'un de mes patients m'inquiète. Sa température montait en flèche quand je suis partie hier soir. »

Kay, complètement réveillée, sortit du lit et alluma la lumière. Elle regarda Rachel, les sourcils froncés, ses yeux bruns bordés de rouge et gonflés. Elle portait une culotte et un tee-shirt d'un rouge éclatant sur lequel étaient imprimés les mots : ET SI TOUT LE MONDE REFUSAIT LA GUERRE?

« Ce patient ne s'appelerait-il pas Brian McClanahan, par hasard? demanda sèchement Kay. Ce McClanahan que tu maternes depuis qu'il est sorti du bloc opératoire? Dana était en larmes la nuit dernière. Il paraît que tu l'as engueulée parce qu'elle ne t'a pas signalé qu'il avait de la fièvre. Comme si mes infirmières n'avaient rien d'autre à faire de toute la journée que de prendre la température des malades!

– Je n'aurais pas dû l'engueuler, reconnut Rachel. C'est une bonne infirmière. » Enfin, bon sang comment ne comprenait-elle pas que Brian n'était pas un malade comme les autres? Qu'il ait survécu à son opération constituait en soi un miracle mais, en plus, il tenait le coup! Il était vivant et elle ferait tout pour qu'il le reste.

Les yeux bruns de Kay lancèrent des éclairs. « Une bonne infirmière? Je comprends! Elle est formidable. Toutes mes infirmières devraient être décorées mais elles ne récoltent que des coups de pied au cul. Pendant des années, nous nous sommes dit que les choses s'amélioreraient pour nous quand il y aurait davantage de femmes médecins. Mais je vais te dire un truc que j'ai appris à mes dépens, un crétin en blouse blanche est un crétin, peu importe ce qu'il y a sous la blouse. » Elle s'arrêta, prit une longue inspiration et sa colère s'évanouit aussi vite qu'elle était montée. Elle se mit à rire. « Autre chose, tu ne peux aller nulle part comme ça.

– Comme quoi?

– Avec ce pantalon. »

Rachel finissait de s'habiller. Elle baissa les yeux et vit qu'elle avait enfilé par erreur le pantalon kaki de Kay. Il bouffait autour de ses hanches et lui arrivait aux chevilles. Elle se laissa tomber sur le lit en proie au fou rire.

« Je crois que je deviens folle », dit-elle, essuyant d'un revers de main les larmes qui coulaient sur ses joues.

« Tu veux en parler? » Kay alluma une cigarette.

Rachel regarda le poster des Grateful Dead au-dessus du lit de Kay,

un squelette entouré de fleurs sur un fond fluo et violet. L'affiche d'un
concert donné au Winterland Auditorium en octobre 1966.

« C'est compliqué, dit-elle. Je ne suis pas sûre de le comprendre moi-
même. J'ai le sentiment... que si je cesse de m'occuper de lui comme je
le fais... je pourrais bien... je ne sais pas... devenir folle pour de vrai.

– Nous sommes *tous* un peu fous ici, Rosenthal.

– C'est autre chose. Ce... ce n'est pas seulement la guerre. C'est moi
qui ne tourne pas rond. A cause de tout ce qui est arrivé avant.

– Tu as fait ce que tu devais faire », répondit Kay un peu trop précipitamment. Et Rachel songea au roc qu'avait été son amie pendant cette
épreuve, comme maintenant du reste.

« Ça semblait la seule solution sur le moment », dit Rachel, et elle se
remit à rire. Seulement à présent ce n'était plus drôle. Le rire obstruait
sa gorge comme de la nourriture refusant de descendre. « Quand j'y
pense, eh bien, j'ai l'impression d'être morte à l'intérieur. Lorsque j'étais
petite, je désirais passionnément une petite sœur. Et ma mère me disait
toujours, quand tu seras grande, tu auras autant de bébés que tu voudras. Je n'ai jamais pensé que je ne pourrais peut-être pas avoir
d'enfants. Pas même un. Est-ce que c'est trop demander à la vie? Est-ce
trop?

– Et moi alors, qu'est-ce que je devrais dire! Ça m'étonnerait que je
trouve un type assez cinglé pour vouloir m'épouser, et encore moins
pour me faire un enfant. » Elle essayait de sortir Rachel de son cafard en
plaisantant mais celle-ci remarqua que ses yeux, derrière l'écran de
fumée de sa cigarette, étaient tout embués. « Les regrets... quelle perte
de temps! Bon Dieu, vivement que cette guerre finisse et que je puisse
fumer autre chose que ces saloperies de cigarettes », dit-elle, écrasant son
mégot d'un geste rageur dans la boîte de sardines qui lui servait de cendrier.

Rachel sourit. « On est tous piégés... d'une manière ou d'une autre.

– Tu connais cette nouvelle d'O. Henry? demanda Kay. C'est l'histoire d'une fille qui est très malade. Elle a une pneumonie, je crois. Elle
reste couchée des journées entières et regarde par la fenêtre la vigne
vierge qui grimpe sur le mur d'en face. C'est l'automne. Elle a un ami,
un artiste, qui vit au rez-de-chaussée. La fille lui dit que lorsque la dernière feuille tombera, elle mourra. Mais toutes les feuilles tombent, sauf
une. Elle tient. Alors la fille tient aussi. En fait, elle va même de mieux
en mieux. Lorsqu'elle est enfin assez forte pour sortir de son lit, elle
comprend pourquoi cette feuille n'est pas tombée. Elle a été peinte par
l'artiste. Et voilà l'ironie de l'histoire: à la fin de la nouvelle, c'est lui
qui meurt parce qu'il est resté sous la pluie à peindre cette feuille sur le
mur et qu'il a pris froid.

– Ne t'inquiète pas », dit Rachel en riant. Elle dénicha son pantalon sous le lit. « Je ne risque en tout cas pas de prendre froid. La malaria, peut-être. Ou une insolation. Mais pas une pneumonie.

— Je ne pensais pas à toi. Je me demandais... » Kay se leva et alla chercher un paquet de Salem sur la commode. Lentement, elle en ôta la pellicule de cellophane. « Ce qui serait arrivé à cette fille si la dernière feuille était tombée. » Elle s'approcha de Rachel, posa ses mains sur ses épaules et la regarda avec insistance. « Oublie cette histoire pour le moment, mon chou. Nous avons assez de soucis comme ça ici. Ça ne peut que t'affaiblir, te démoraliser. Et ici, il s'agit de tenir le coup. »

La pluie avait cessé, mais le sentier menant à l'hôpital était une mare de boue.

Rachel marchait sur les planches dont on l'avait recouvert tant bien que mal lorsqu'elle entendit un sifflement aigu traverser le ciel.

Un tir de mortiers.

Elle se plaqua au sol, le ventre dans la boue tiède tandis qu'un bruit assourdissant faisait trembler l'air. Elle releva la tête et vit une floraison orange et vénéneuse au-dessus des arbres, à cinq cents mètres. Un vent de panique souffla sur elle. La jungle entourant le village avait déjà été bombardée, mais jamais aussi près.

Et s'ils touchent le bâtiment? Et s'ils...

Elle gémit et ferma les yeux pour ne plus voir l'horrible lueur orangée, mais un autre mortier siffla au-dessus de sa tête, puis explosa, bien plus près, lui sembla-t-il d'après le bruit, que le précédent.

Bizarrement, elle avait peur, mais pas pour elle. Elle pensait à Brian, cloué au lit en salle de réanimation, inconscient, bandé jusqu'au menton. Sa vie ne tenait encore qu'à un fil et tout traumatisme pouvait lui être fatal. Il fallait qu'elle le voie, qu'elle s'assure qu'il tenait le coup.

Rachel commença à ramper en direction de l'hôpital. Les obus tombaient à présent sans interruption dans un vacarme infernal. Une aube artificielle embrasait le ciel au-dessus des arbres. Elle eut soudain un goût âcre dans la bouche. La poudre. *Oh bon Dieu, ils sont juste au-dessus de nous !*

Lorsqu'elle ouvrit enfin la porte, elle constata que l'électricité était coupée. Le groupe électrogène avait dû sauter. Elle se fraya un chemin dans l'obscurité jusqu'à la cour extérieure. Les carreaux de terre cuite étaient anciens et cassés, et elle faillit tomber plusieurs fois. Enfin, elle franchit la double porte qui menait aux différentes salles.

Il faisait noir comme dans un four. Rachel fut brusquement aveuglée par une torche électrique. Elle plissa les yeux et leva la main. Il y avait maintenant tout un ballet de lampes électriques qui projetaient des lueurs de feu follet dans la salle. Comme ses yeux s'accoutumaient à cette lumière intermittente, elle repéra Lily, qui s'efforçait de traîner un malade dans le coma sous le lit le plus proche. L'homme devait peser le double de son poids. Sa perfusion avait sauté et une tâche rouge s'étalait sur la bande enveloppant son thorax.

Rachel se précipita pour l'aider, mais Lily secoua la tête et la repoussa.

« Pas le temps. Il faut mettre tous les blessés sous les lits. Ils y seront plus en sécurité si nous sommes bombardés. »

Une explosion secoua le bâtiment et des pans de ciel vermillon apparurent entre les lattes des persiennes. Elle entendit des cris au loin, puis les grognements des porcs, et elle comprit qu'un obus avait dû tomber sur le village, en bas de la colline. S'ils étaient touchés, est-ce que l'un d'eux en réchapperait?

Et Brian? Il était mal hier soir, avec une forte fièvre. Mac avait eu raison pour la péritonite, pourtant elle avait débridé et nettoyé les plaies avec le plus grand soin, enlevant les plus petits éclats d'obus, et toute la terre, mais malgré tout l'infection gagnait. Mac, elle le savait, ne nourrissait guère d'espoir. Et maintenant, ce bombardement...

Oh mon Dieu, faites qu'il survive à cette nuit, je vous en supplie. Je me charge du reste.

Elle descendit la travée qui séparait les deux rangées de lits, se cognant aux infirmières et aux aides-soignants qui tentaient de calmer les blessés affolés. Le lit de Brian tout au bout de la salle, était vide.

Son sang se figea dans ses veines.

« Non! cria-t-elle. NON! »

Elle saisit le bras d'une infirmière qui passait. C'était Dana, ses cheveux blonds tombant sur ses épaules. Elle sursauta et lacha le flacon de perfusion qu'elle tenait à la main. Le verre se brisa et le liquide éclaboussa ses pieds.

« Quand? » demanda Rachel, toujours agrippée à sa manche. Elle perçut le ton hystérique de sa voix. « Quand est-il mort? »

Dana se dégagea violemment et recula d'un pas, l'air effrayé. Rachel se dit qu'elle devait avoir l'air d'une folle. Elle était couverte de boue, les cheveux très sales, comme ces patients drogués à l'opium que leur vendaient les Mama-san.

Dana savait de qui elle parlait. « Il n'est pas encore mort réponditelle. Le Dr Mac, l'a emmené au bloc opératoire. Il a fait un arrêt cardiaque une minute ou deux avant le début du bombardement. »

Oh, merci, mon Dieu. Ainsi tout n'était pas fini. Mais il fallait à tout prix l'aider. Elle savait qu'elle était son seul lien avec le monde, la dernière feuille, celle qui le maintenait en vie.

Rachel refit le chemin inverse. La salle d'opération était à l'autre extrémité du couloir, mais elle eut l'impression d'avoir couru pendant un kilomètre lorsqu'elle poussa la porte, en sueur, les jambes en coton, le cœur cognant follement.

Le bloc opératoire était une pièce longue et étroite, pourvue d'une demi-douzaine de tables d'opération. Une torche électrique tout au bout de la salle projetait des ombres sur les murs et le plafond comme dans un film d'épouvante. Deux silhouettes étaient penchées au-dessus d'une table. Le Dr Mac et Meredith Barnes. Meredith tenait la torche électrique dans une main et une gaze hémostatique dans l'autre.

Sur la table d'opération, Brian. *Son* Brian. Rachel s'approcha.

Il était intubé et ils lui insufflaient de l'air dans les poumons. La poitrine maigre et nue de Brian était couverte de sang. Elle vit la longue incision intercostale sur le côté gauche de son thorax. Max avait une paire d'écarteurs à la main.

Ils allaient pratiquer un massage cardiaque. Dieu merci, il y avait encore de l'espoir. Elle n'arrivait pas trop tard.

Mac leva la tête et elle remarqua son regard ahuri. Rachel enfilait déjà une paire de gants chirurgicaux. Pas le temps de se récurer. Il faudrait bien que ça aille.

« Laissez-moi faire, supplia-t-elle. Ma main est plus petite.

– Vous avez déjà fait des massages cardiaques? » demanda Mac. Il avait l'air épuisé.

« Non. Mais j'en ai vu faire. Pas de problème. » Elle se sentait étrangement calme comme si, au fond d'elle-même, elle s'était préparé à cela dès le début.

« Bon. Le temps nous est compté alors, pas d'erreur, hein? Nous avons déjà trop attendu. Ça fait cinq minutes qu'il a arrêté de respirer. Je lui ai déjà fait six injections d'épinéphrine. Si ça ne marche pas, il est foutu. »

Rachel se concentra sur ce qu'elle avait appris au cours de ses études. Scrutant la plaie ouverte à la lumière de la torche, elle trouva le péricarde et fit au bistouri une incision longitudinale en prenant garde de ne pas toucher le nerf phrénique. Elle y inséra sa main gantée, sentit l'artère pulmonaire et la veine cave. Rien. Pas le plus faible battement de cœur.

Lorsque sa main se referma sur le muscle cardiaque, elle eut l'étrange impression que tout s'immobilisait dans la pièce, dans l'hôpital, dans le monde entier. Le bombardement avait cessé. Ou bien avait-elle cessé de l'entendre?

Doucement, de façon rythmique, elle commença le massage. *Brian, donne-moi un coup de main, je n'y arriverai jamais toute seule. Je t'en prie...*

Mais rien ne se passait.

Des gouttes de sueur perlaient sur son front, dégoulinaient le long de ses tempes. Elle lutta contre l'affolement. Garde le rythme, calme-toi. *Seigneur, aidez-moi s'il vous plaît.*

Tous ses sens étaient en alerte. Elle sentait l'odeur du sang mêlée à celle, légère, de la transpiration de Mac.

Mac secouait la tête d'un air navré. « Inutile de continuer, mon enfant. Ça ne sert à rien. Vous avez fait de votre mieux. »

Rachel sentit une envie de pleurer lui nouer la gorge. « Non, plaida-t-elle. Encore un peu. Je vous en prie. Je veux tout tenter.

— Bon, encore une minute, mais pas plus. Les autres aussi ont besoin de nous. »

Cette minute dura une éternité. Elle luttait pour Brian, mais aussi pour elle-même, pour sa propre santé mentale.

Enfin, alors qu'elle allait perdre tout espoir, elle sentit un spasme imperceptible.

Puis un autre.

Enfin, un battement hésitant.

Plusieurs secondes s'écoulèrent sans qu'il se passât rien d'autre puis le cœur de Brian se remit à battre.

Alors Rachel, à bout de nerfs, fondit en larmes. Elles sillonnèrent ses joues et tombèrent sur le visage inconscient de Brian.

« Son cœur bat! cria-t-elle. Il est vivant! »

Elle sortit sa main de la poitrine du jeune homme et, levant les yeux vers Mac, croisa son regard incrédule.

« Je n'en reviens pas, murmura-t-il. Pour moi, c'est un véritable miracle. Vous n'êtes pas catholique, par hasard? »

Rachel rit à travers ses larmes. « Pas que je sache. Pourquoi?

— Pendant un instant, je jure que j'ai cru voir un ange à califourchon sur votre épaule. »

14

Brian ouvrit les yeux sur un univers blanc. Murs blancs. Draps blancs. Volets blancs grands ouverts laissant pénétrer l'odeur de la pluie et le bleu du ciel tropical.

Je rêve, bien sûr. Je suis à la maison, dans mon propre lit, à côté de celui de Kevin, et maman est dans la cuisine en train de mélanger des céréales dans sa grande casserole et je...

Il changea de position pour être plus à l'aise et ressentit aussitôt à l'abdomen une douleur fulgurante qui irradia dans tout son corps. *Il ne rêvait pas, bon Dieu mais alors, quoi?*

Il était à présent complètement réveillé. Il gémit et des larmes coulant du coin de ses yeux mouillèrent ses tempes et ses cheveux.

A travers ce brouillard, il vit une silhouette se pencher au-dessus de lui. Il cligna les yeux et l'image se précisa.

Une femme.

Elle était petite et menue, comme les vietnamiennes mais avec des cheveux châtain et un teint très clair. Ses yeux étaient incroyablement bleus comme le ciel en été. Peu à peu, il enregistra le reste : un visage en forme de cœur, un nez droit, un menton volontaire. Une bouche un peu grande qui empêchait sa beauté d'être banale. Elle avait une expression anxieuse, les yeux cernés, et sa peau, aux tempes et à la base du cou, semblait légèrement meurtrie. Il ne l'avait jamais vue auparavant, pourtant, chose curieuse, il avait l'impression de la connaître.

« Bonjour, dit-elle, les sourcils froncés, l'air concentré. Comment vous sentez-vous? » Elle portait un pantalon kaki et une blouse verte. Un stéthoscope sortait de sa poche.

Une infirmière? Il regarda autour de lui. La salle était tout en longueur. D'autres lits – plutôt des couchettes sur des châlits métalliques – s'alignaient tout le long du mur en ciment badigeonné de blanc. Ils étaient tous occupés par des êtres humains (parfois à peine humains) pansés ou entourés de bandelettes comme des momies.

Brian avait la tête légère, traversée de fugitives lueurs d'intelligence, et la bouche sèche. Encore un rêve? Ces derniers temps, il ne faisait qu'émerger de temps à autre d'un long rêve, de sorte qu'il ne parvenait plus à reconnaître la réalité. La seule chose bien réelle, c'était sa souffrance. Il avait l'impression d'être passé sous un bulldozer. Même respirer lui faisait mal.

« Ça va, répondit-il, parvenant à ébaucher un sourire. Comme Sonny Liston après quinze rounds contre Cassius Clay. »

Dès qu'il lui eût répondu, son visage se détendit et elle lui sourit chaleureusement.

« Les spectateurs en ont eu pour leur argent, lui dit-elle. Nous ne savions pas si vous alliez gagner, mais le combat était beau. Vous souvenez-vous de quelque chose? »

Brian s'agita dans son lit et la douleur lui coupa la respiration. Mon Dieu, mais que lui était-il arrivé?

« Je ne me souviens pas de grand-chose, dit-il. Je suis ici depuis longtemps?

– Depuis près de trois semaines. Vous étiez sous morphine et vous avez dormi presque tout le temps. »

Il referma les yeux. La lumière trop vive lui faisait mal et la vue de tous ces hommes momifiés et intubés semblait aggraver sa douleur.

Il entendit sa voix étrangement reposante. « Ne faites pas d'effort. La mémoire vous reviendra peu à peu. »

Il connaissait cette voix. Elle lui était presque... familière. Comme si elle avait fait partie de son long rêve. Il sentit sa main fraîche sur son front et la douleur sembla s'apaiser un peu.

Des fragments de souvenirs flottaient, sans lien, dans sa mémoire. Il lutta pour les assembler. « Nous étions en patrouille dans la jungle, dit-il, et nous sommes tombés dans une embuscade. J'ai été touché. Oui, je me souviens maintenant. C'était Trang... il a marché sur une mine. Le fleuve... » Les yeux de Brian s'ouvrirent brusquement. Il essaya de se redresser et retomba, en poussant un gémissement. Il avait la sensation que sa tête allait exploser. Il attendit quelques instants puis murmura : « Trang? Il est... »

La femme hocha la tête. « Je suis désolée, dit-elle gentiment. N'essayez pas de vous redresser pour le moment. Il vaut mieux que vous restiez à plat. Désirez-vous quelque chose? »

Brian sentit la tristesse et la colère l'envahir. Il n'avait même pas réussi à sauver Trang. A quoi bon lutter encore? A quoi servait tout ça? Tous ces types en train de crever, la guerre elle-même?

Il fit mentalement le signe de la croix. *Pauvre Trang. Et combien d'autres... Et pourquoi pas moi? Pourquoi ai-je été épargné?*

Soudain, il n'avait plus envie de le savoir. Il était fatigué, si fatigué. Son cerveau recommençait à flotter.

Il lécha ses lèvres et eut un goût salé dans la bouche. Du sang. Ses lèvres étaient crevassées. « De l'eau, dit-il. Vous êtes infirmière?

— Médecin, dit-elle. Mais, je vous en prie, appelez-moi Rachel. J'ai l'impression que nous sommes de vieux amis maintenant. »

Elle prit la carafe d'eau posée sur sa table de chevet et remplit un gobelet de carton qu'elle porta à ses lèvres tout en lui soutenant la tête. Elle était étonnamment forte pour quelqu'un d'aussi menu. Son long catogan lui effleura la joue, aussi doux qu'un baiser, et il respira un parfum de citronnelle.

Lorsqu'il eut fini de boire, elle l'aida à reposer sa tête sur l'oreiller. « Vous portiez ça sur vous quand ils vous ont amené. » Elle lui mit une pièce métallique dans la main. Sa médaille de saint Christophe. Rose la lui avait donnée la veille de son départ. « Je l'ai gardée, dit-elle. J'ai pensé que vous en auriez peut-être besoin.

— Merci. » Il referma la main sur la médaille, et essaya d'imposer à son cerveau l'image de Rose, mais elle ne vint pas. La seule vision qu'il avait d'elle, c'était cet instantané qu'il gardait dans son portefeuille. Il l'avait pris l'hiver dernier, à Coney Island. Il faisait très beau et ils avaient toute la journée devant eux. Ils avaient mangé des hot-dogs et des clams frits chez Nathan puis ils s'étaient promenés sur les planches désertes balayées par le vent, avec le sentiment d'être les deux derniers habitants du monde, jusqu'au moment où leurs doigts avaient commencé à geler dans leurs mouffles. Il avait pris une photo de Rose devant l'entrée d'un parc d'attraction, ses cheveux noirs malmenés par le vent, les joues rougies, un sourire un peu hésitant sur les lèvres, comme si elle avait du mal à croire à son bonheur et s'attendait à tout instant que quelque chose vînt le gâcher.

Rose, chère Rosie, tu ne savais pas que tu étais en sécurité avec moi? Tu ne le voyais pas?

« Essayez de dormir, dit Rachel. Je reviendrai tout à l'heure. N'en faites pas trop et ne vous attendez pas à des merveilles. Vous vous êtes sorti d'un sale truc. »

Il n'avait pas envie qu'elle parte.

« S'il vous plaît, chuchota-t-il, pourriez-vous vous asseoir près de moi jusqu'à ce que je m'endorme? Ça ne prendra que quelques minutes. »

Elle sourit et s'assit au bord du lit, les doigts posés sur son poignet. Il baissa les yeux et vit que sa propre main était bandée et qu'il avait un cathéter juste au-dessus des articulations. Cela ne sembla pas le troubler. « Je resterai avec vous aussi longtemps que vous voudrez », dit-elle.

Une semaine plus tard, Brian assis dans son lit, un oreiller sur les genoux en guise de bureau, écrivait d'une main quelque peu tremblante sur son journal retrouvé :

Aujourd'hui, premier juin, on a retiré à Bobby Childress sa sonde de trachéotomie. Ce matin, ils l'ont envoyé à l'hôpital naval d'Okinawa. Il y a environ deux heures, ils ont amené un autre type avec un tube sortant de la poitrine et un bras en moins. Quelqu'un a expliqué qu'il avait levé une putain à Quangtri et qu'elle lui avait laissé un petit cadeau avant de filer dans la nuit. Deke Forrester a dit tout haut ce que nous pensions tout bas : « Dommage que ce ne soit pas la chaude-pisse. » On devient cynique ici, au bout d'un moment. Il n'est plus question de bien ou de mal, mais de degrés. Ce genre de notion, quand on couche entre un type qui a perdu une jambe et un gamin de dix-neuf ans dont la moitié du visage est arraché, n'a plus cours.

Pendant que j'écris, quelques types jouent au poker sur le lit d'en face. Big John, Skeeter Lucas et Coy Mayhew. Skeeter distribue les cartes et quelqu'un ramasse pour Big John, car il ne lui reste que deux doigts à la main gauche. Quant à celui qui tient le jeu de Mayhew, il plaisante sur sa « chance aveugle ». Mayhew, touché au visage, a eu le nerf optique sectionné. Il ne verra plus jamais, mais il considère qu'il a eu beaucoup de chance parce qu'il a échappé à une lobotomie.

Le plus bizarre dans tout ça, c'est qu'avec leurs restes mis ensemble, ils forment un tout. Non, mieux que cela. Il y a une générosité de comportement... je ne sais pas comment expliquer cela. Je n'ai jamais rien vu de semblable, même dans les combats. Le don de la miséricorde, comme disait le vieux Shakespeare. Hier, par exemple, j'ai vu un paraplégique se traîner hors du lit pour faire manger à la cuillère un copain trop malade pour s'asseoir.

La nuit, je les entends pleurer. C'est comme le vent soufflant dans les arbres, on s'y habitue. Le bruit étouffé des hommes pleurant dans leur oreiller. Nous voulons tous rentrer à la maison, mais en même temps, nous avons peur. Le monde est le même, mais nous avons changé. Nous nous demandons comment ça va être. Comment peut-on rentrer et reconstituer le puzzle alors qu'aucune des pièces ne s'emboîte plus ?

Je pense à Rose en ce moment. A quoi elle ressemble, ce qu'elle ressent. Eh bien, ce n'est pas évident. Y réfléchir me demande un immense effort, comme de dessiner une image dans ma tête. Et ça m'effraie. Je sais que je l'aime toujours autant mais plus j'essaie de m'en souvenir et plus elle s'éloigne. Pense-t-elle toujours à moi ? Voudra-t-elle encore de moi ? Et si oui, qui retrouvera-t-elle ? Pas le type qui veillait sur elle, qui la materne depuis qu'elle est toute petite. A présent, je ne suis même plus sûr de pouvoir m'occuper de moi, alors... Parfois, la nuit, j'ai peur. Je pense à Trang, à Gruber, à Matinsky et je me mets à pleurer. Ça peut flanquer une trouille terrible à Rose, ça aussi.

Écoute, Rose, pour l'amour du ciel, écris-moi. Dis-moi que tu m'aimes et que tu m'aimeras même si tu trouves quelqu'un de complètement différent dans ma peau quand je rentrerai. Dis-moi...

« Vous écrivez chez vous ? »

Brian leva la tête et vit Rachel, penchée au-dessus de lui avec une expression désenchantée. Depuis combien de temps était-elle là?

« On pourrait dire ça », répondit-il.

Il posa son stylo sur la page couverte d'une écriture serrée et sentit un peu de sa tension se dissiper. Il était content de la voir.

Admets-le, mon vieux, tu l'attendais. Eh bien oui, c'était la vérité. Il avait pris l'habitude de la voir tous les soirs, vers cette heure-ci. Lorsque tout était tranquille, comme ces jours derniers, elle passait lui dire bonsoir. Simplement, jusqu'à maintenant, il n'avait pas réalisé combien c'était important pour lui, combien sa présence le calmait. Pour être honnête, il avait un peu honte de se l'avouer.

« Hé, Doc! » appela Big John. Il brandit son moignon droit, son visage noir fendu par un sourire large comme le Mississipi. « Je suis prêt à vous affronter, si vous voulez vous joindre à nous. »

Rachel rit et répondit : « Je n'en doute pas, vu la façon dont vous m'avez plumée la dernière fois. »

Big John rejeta la tête en arrière dans un accès de franche hilarité. « Doc, si j'avais un as caché dans ma manche, vous en seriez la première avertie. »

Brian savait que tout en plaisantant, ils la respectaient. Ils connaissaient tous son dévouement, mais ils comprenaient d'instinct qu'il valait mieux ne pas essayer de lui pincer les fesses. Il soupçonnait certains d'entre eux d'être amoureux d'elle.

Big John retourna à son jeu. Rachel s'assit au pied du lit de Brian. Elle portait ses cheveux longs ce soir et ils moussaient autour de son visage. Elle venait de les laver et ses reflets roux étaient plus visibles que d'habitude à la lumière crue du plafonnier. Il respira de frais effluves de citronnelle et lui en fut reconnaissant. Il avait assez dégusté l'odeur de la mort et du pourrissement dans cette salle. Chaque fois qu'elle lui rendait visite, son beau sourire, l'éclat de ses yeux bleus, son parfum étaient comme un cadeau qu'il ouvrait lentement et savourait.

Parfois, il regrettait de n'avoir rien à lui offrir en échange.

« C'est mon journal, expliqua-t-il, voyant qu'elle regardait le cahier avec curiosité. J'ai commencé à écrire dès mon arrivée ici. Tous les jours, je consigne un petit quelque chose, comme ces prisonniers qui marquent les jours qui passent sur les murs de leurs cellules pour ne pas perdre espoir. C'est un genre de repère, si vous voulez. Ça m'aide à ne pas devenir dingue. »

Elle hocha la tête. Il vit à son expression qu'il était inutile de continuer les explications. Elle comprenait. « Les fournitures de santé mentale commencent à manquer ici, alors prenez-les là où vous pouvez, dit-elle. Ce qui me rappelle que je vous ai apporté quelque chose. » Elle fouilla dans la poche de son chemisier kaki et en sortit une barre de chocolat,

Eileen Goudge

du Bittersweet de chez Ghiradelli. Il saliva rien qu'à le regarder. « C'est ma mère qui me les envoie. Elle aime s'imaginer que je suis dans un camp de vacances, comme lorsque j'avais dix ans. Alors, bienvenue au Camp Looney Tunes. » Elle le lui tendit, et son regard tomba à nouveau sur le journal de Brian. « Qu'est-ce que vous allez en faire?

— Je ne sais pas encore. Peut-être simplement le garder comme souvenir. Si jamais j'ai un fils, je voudrais qu'il sache.

— Vous aimez les enfants?

— Bien sûr. Avec six frères à la maison, il vaut mieux. J'en veux au moins une douzaine.

— Seulement douze?

— Enfin... pour commencer. »

Elle se mit à rire, mais il trouva qu'il y avait quelque chose de forcé dans son rire.

Il se dit soudain qu'il avait quelque chose à lui offrir. « Vous voulez le lire?

— Je peux? » Elle releva vivement la tête et lui sourit.

Chose étrange, Brian n'était pas gêné de lui révéler ses pensées les plus intimes. En y réfléchissant, il se dit que ça n'avait rien d'étonnant. Elle connaissait mieux son corps que sa propre mère. En un sens, c'était comme si elle lui avait donné une seconde naissance. Elle l'avait patiemment ramené à la vie, elle l'avait lavé, nourri, torché. Il était naturel qu'il se sentît lié à elle.

Il lui tendit son journal, s'attendant qu'elle le fourre dans sa poche mais, à sa surprise, elle l'ouvrit aussitôt et se mit à le lire in extenso devant lui.

Plus d'une heure avait passé. La partie de poker se terminait. Les joueurs regagnaient leur lit avec le pas chancelant des ivrognes. Lily faisait sa ronde, vérifiant les sondes de trachéotomie et les pansements, distribuant les médicaments. Dans toute la salle, les lits grinçaient : les hommes cherchaient une position pour parvenir à dormir sans trop souffrir.

Lorsque Rachel leva la tête, Brian vit que ses yeux étaient remplis de larmes. « C'est bien, dit-elle d'une voix tendue. Ça m'a remuée et pourtant, Dieu sait que je ne tiens pas à l'être.

— Je comprends ce que vous voulez dire. Au début je pensais écrire un livre en rentrant à la maison. C'est pour ça que j'ai commencé ce journal, pour ne rien oublier. Mais maintenant, je ne sais pas si je pourrai le faire. J'aurais l'impression de revivre tout ce cauchemar. »

Elle hocha la tête. « Oui mais je crois qu'il faut en parler. Autrement comment allons-nous mettre un terme à cette folie? »

Brian essayait de réfléchir. Il se sentait vulnérable devant Rachel. Nu, à l'intérieur comme à l'extérieur. *Chaque chose en son temps*, se dit-il. *Je ne peux pas en supporter davantage en ce moment.*

« Même si j'écrivais ce livre, qui aurait envie de le lire? Le public veut clouer au pilori le lieutenant Calley pour le massacre de My Lai. Il ne comprend pas comment une chose aussi atroce a pu se produire. Si on demande aux gens ce qu'ils craignent le plus, la plupart répondent la mort. Mais en fait ce qui nous effraie le plus, ce n'est pas la mort mais plutôt ce dont nous sommes capables si on nous pousse à bout. Des types comme Calley nous fichent la trouille parce que, au fond de nous-mêmes, nous nous demandons si, dans certaines circonstances, nous ne serions pas capables, nous aussi, de massacrer tout un village. »

Elle le regarda longuement avant de répondre. « Vous avez raison, bien sûr. Mais c'est en dénonçant ce genre de chose, en regardant ces horreurs en face que nous éviterons qu'elles se reproduisent. » Elle se pencha, prit sa main entre les siennes. Elle l'avait souvent touché, et un peu partout, mais toujours avec les mains fraîches et efficaces d'un médecin. Aujourd'hui, il sentait que ce contact était différent et tout son corps vibra. « Écrivez votre livre, Brian. Tout est dans ce journal. Ne vous demandez pas qui le lira. Écrivez-le, c'est tout. »

Brian plongea son regard dans ces yeux intenses et se sentit électrisé par cette volonté, cette passion. Il hocha la tête. « Peut-être. Oui, je l'écrirai peut-être. »

Deux semaines plus tard, Brian, toujours au lit, décida de se lever pour aller pisser. Il saisit les glissières de métal pour se redresser et parvint à s'asseoir. Il était encore si faible que cet effort lui fit battre le cœur, mais il en avait vraiment marre du bassin. Aujourd'hui, il pisserait debout, bon Dieu, comme un homme, même si ça devait faire craquer les fils maintenant ses tripes en place.

« Béquilles, souffla-t-il.

– C'est contre l'avis de votre médecin, je veux que vous le sachiez. »

Rachel se tenait devant lui, les bras croisés, vêtue de sa blouse chirurgicale. Elle avait les joues rouges et ses yeux reflétaient l'appréhension et la colère.

Seigneur, était-il mal à ce point? Après un mois de lit, il était naturel qu'il se sente faible en se levant, non? Il sortit ses jambes du lit et les contempla avec stupeur. Elles pendaient au bord du matelas, comme les bas d' 'e vieille dame mis à sécher. La paleur maladive de sa peau accentuait encore la rougeur des cicatrices dont ses cuisses étaient zébrées.

« Au diable, l'avis des médecins, lui dit-il. Si je tombe, vous me ramasserez. Mais plus question de vous laisser m'essuyer le derrière comme si j'avais deux ans. »

Rachel lui tendit les béquilles d'un air sévère. « Si c'est ça qui vous trouble, dites-vous bien que j'ai vu plus de derrières nus qu'un préposé à l'entretien des vestiaires dans un stade et le vôtre n'a vraiment rien de spécial, croyez-moi. »

Dawson, dans le lit voisin, souleva sa tête noire et roula un œil de cinéma muet (l'autre étant dissimulé sous un gros pansement de gaze). « Vous voulez voir keque'chose de *vraiment* spécial, Doc, r'gardez c'que j'ai dans mon caleçon.

— Merci, sergent. J'y penserai. » Elle croisa le regard de Brian et le soutint avec la même dureté que si elle contemplait le canon d'un M-16. « Moi, si j'étais vous, je réfléchirais avec ce que j'ai entre les oreilles et non pas entre les cuisses. Vous vous sentiriez mieux. »

Dawson s'esclaffa mais Brian, tout à sa détermination, ne sourit même pas.

« Faut bien que je sorte de ce lit à un moment quelconque. Autant que ce soit maintenant. »

Il se mit debout et regretta aussitôt sa bravade. Ses jambes tremblaient et les latrines lui semblaient soudain aussi loin que Hong-Kong.

Appuyé sur les béquilles, il fit deux pas et s'arrêta pour se reposer.

L'incendie faisait rage dans son abdomen. Bon Dieu, ce qu'il était faible! Et l'image que lui renvoyait la porte vitrée du cabinet médical n'était pas pour lui redonner confiance. *Oh, putain, c'est vraiment moi?* Un squelette aux yeux creux le fixait, lui rappelant les survivants des camps de concentration nazis.

Seule, sa fierté l'empêchait de s'effondrer. Il se traîna le long du couloir, la sueur dégoulinant le long de son épine dorsale.

Les autres le regardaient progresser avec une certaine admiration, à part Boston — ce n'était pas son nom mais il était de là-bas — qui ne s'intéressait pas à sa performance. Le pauvre gosse, amputé des deux jambes, n'irait plus nulle part.

Je suis parmi les veinards, pensa-t-il.

Mais, à cet instant, il ne se sentait pas particulièrement veinard. Il avait envie de s'étendre et le plus vite possible. A même le sol. Il était si épuisé qu'il voulait simplement fermer les yeux et dormir.

Il s'imagina soudain au milieu d'une mare de pisse et continua. Les supports en bois des béquilles lui meurtrissaient les aisselles.

Il jeta un coup d'œil au-dessus de son épaule et vit que Rachel n'avait pas bougé. Elle était debout là où il l'avait laissée, à une douzaine de mètres derrière lui.

« Ne me regardez pas avec ces grands yeux de vache, dit-elle, furieuse. Puisque vous êtes décidé à me montrer quel homme incroyablement courageux vous êtes, débrouillez-vous tout seul.

— Mais je ne vous demande rien, répondit-il, irrité à son tour.

— Vous connaissez le règlement? Dès que vous tenez sur vos jambes, ils vous expédient à Okinawa par le premier avion. Il paraît qu'ils ont l'air conditionné à bord. Et des toilettes. » Elle avait une curieuse amertume dans la voix.

« Vous me mettez l'eau à la bouche. » Il sentait ses muscles renaître lentement à la vie.

Au diable, Rachel. De toute façon, qu'est-ce que ça pouvait bien lui faire, l'endroit où il irait? Qu'était-il pour elle, à part un matricule sur un bracelet d'identité? Bien sûr, elle lui avait sauvé la vie mais après tout c'était le rôle des médecins, non?

Il se traîna le long d'un couloir sombre pendant une éternité puis, une infirmière lui montra la porte menant aux latrines, situées à l'extérieur.

Dehors, la lumière trop vive lui fit plisser les yeux. A travers ses paupières mi-closes, il vit un sentier boueux qui traversait un terrain vague entouré de fils de fer barbelés, et au bout quatre cabinets en bois, à la toiture en tôle ondulée. Sur l'un d'eux était punaisée une pancarte rédigée à la main : SI TU PEUX ALLER AUX CHIOTTES, C'EST QUE T'ES PAS MORT.

Brian fut pris d'un fou rire nerveux. Des larmes coulaient sur ses joues et il tremblait tellement qu'il faillit tomber. C'était simple, mais il fallait y penser. En effet, si on parvient à aller pisser sur ses deux jambes, c'est qu'on peut encore contrôler sa destinée. Et c'était bien ça le problème, non? Rétablir un peu d'ordre dans une vie qui, ces derniers temps, dérivait de sa trajectoire.

Ici, il sentait sa vie d'autrefois lui filer entre les doigts. Les souvenirs de la maison s'effaçaient de sa mémoire comme des photos jaunissant au fond d'un tiroir. Pis encore, sa loyauté, sa fidélité envers Rose flanchaient. Chaque jour passé ici le rapprochait de Rachel et l'éloignait de Rose.

Je suis un imbécile, se dit Brian. Je confonds reconnaissance et...

Et quoi? Amour?

Non. C'était ridicule. Rachel se montrait amicale avec lui, rien de plus. Il était ridicule de lui prêter d'autres sentiments.

De toute façon, l'envie de pisser devenait si violente qu'il ne pouvait plus penser à rien d'autre.

Brian entendit soudain un bruit derrière lui. Il pivota maladroitement sur ses béquilles et faillit tomber.

Rachel l'avait suivi. Elle s'arrêta à quelque pas de lui et le regarda avec autant d'anxiété qu'une mère surveillant un enfant qui apprend à marcher. Elle lui semblait encore plus petite, maintenant qu'il était debout, et si jeune, avec ses cheveux nattés. On aurait dit une écolière. Il s'imagina un instant dénouant ces tresses épaisses, enfouissant son visage dans sa chevelure parfumée à la citronnelle.

« Je n'ai pas besoin d'un médecin pour ça, lui dit-il avec froideur. La dernière fois que j'ai vérifié la plomberie, tous les tuyaux marchaient.

– Je sais ça. Je voulais juste vous dire... » Sa voix s'enraya dans sa gorge. « Écoutez, reprit-elle plus fermement, je suis désolée. Je n'aurais pas dû vous engueuler comme ça.

– Est-ce que cette explication ne pourrait pas attendre? plaida-t-il, inquiet. Il faut vraiment que je... »

Brian s'interrompit, horrifié, comprenant qu'il n'y arriverait pas. Il sentit quelque chose lâcher en lui et un jet d'urine tiède mouilla son pyjama de coton.

Et soudain, ça lui parut... trop... vraiment trop.

« Oh Seigneur », gémit-il et il se mit à pleurer à gros sanglots étouffés.

Des bras l'enveloppèrent. *Oh oui*, pensa-t-il, le cœur chaviré par cette douceur. *Oh oui.* Et il pleura tout son soûl, le visage contre son épaule.

Puis soudain, l'odeur de l'urine le ramena à la réalité, à sa honte.

Mais qu'est-ce que je fais, *bon Dieu? Un putain de môme de deux ans se contrôle mieux que moi. Je suis là, dans ma pisse, à chialer contre elle.*

Il essaya de se dégager mais elle le retint et le serra plus fort contre elle. Il sentait ses cheveux, tiédis par le soleil, doux, si doux contre son cou.

« Espèce d'idiot, dit-elle d'une voix brisée par l'émotion. Je me fiche de ça. Je vous regardais... et je vous détestais d'être... si courageux. Je ne voulais pas que vous y alliez, bon Dieu. »

Brian était si surpris qu'il resta un instant sans voix, puis il balbutia : « Mais pourquoi?

– Parce que je vous aime, répondit-elle simplement. Et que maintenant, vous allez partir. »

Il se sentit tout étourdi, comme s'il était resté trop longtemps au soleil. Il comprenait qu'elle lui disait quelque chose d'important et pourtant ses mots s'éparpillaient, flottaient loin de lui, le laissant seulement avec une terrible impression de vide. *Comment puis-je la laisser?* se dit-il.

Mais il ne trouvait pas les mots pour le dire.

« Je pue, dit-il.

– Oui, mais j'ai senti bien pire. » Elle eut un petit rire. « Venez, il faut vous nettoyer et vous changer. »

Elle recula d'un pas, prit les béquilles et lui donna le bras. Elle le soutenait sans difficulté, ce petit brin de femme, dont la force et la tendresse n'arrêteraient jamais de le surprendre.

Et, à l'instant même, il comprit ce qu'il avait fui.

Je l'aime.

C'était à la fois simple et... impossible. Il partait. Il allait rentrer, voir s'il pouvait recoller les morceaux avec Rose. Il le désirait depuis si longtemps! C'était comme une prière dont le sens, à force de répéter machinalement les mots, finit par vous échapper.

Mais, en même temps, il avait désespérément besoin de Rachel. Un besoin plus profond que le simple désir. Elle lui était aussi nécessaire que l'air ou le sommeil.

Mais que pouvait-il lui promettre? Comment la prendre sans trahir Rose? Et Rose faisait partie de lui, plus profondément qu'elle en un sens, elle était comme la moelle de ses os.

Brian, appuyé de tout son poids sur Rachel, fit le chemin en sens inverse. Il songeait que, comble de l'ironie, de toutes les choses dont il avait eu à souffrir, son amour pour Rachel resterait la plus douloureuse.

Deux nuits plus tard, elle vint le trouver.

Il distingua sa silhouette qui se glissait le long de la travée centrale entre les rangées de lit où dormaient les hommes.

Elle avait dénoué ses cheveux qui flottaient sur ses épaules, mousseux et brillants à la lumière du clair de lune. Son cœur bondit dans sa poitrine.

Elle caressa sa joue et son parfum, acidulé l'enveloppa tout entier.

« Demain, dit-il en s'asseyant dans son lit.

– Je sais. Je suis venue vous dire au revoir. »

Elle était si près de lui, assise sur son lit dans la pénombre, qu'il sentait son souffle tiède contre sa peau. Et soudain, il eut l'envie irrésistible de la prendre dans ses bras, juste une fois... de la consoler... parce qu'il savait que s'il ne le faisait pas, il ne dormirait plus, il serait miné par le regret de n'avoir pas même entrebaillé la porte de son âme.

Et, en même temps, il savait qu'il ne fallait pas céder à cette impulsion. Il l'aimait mais il ne pouvait rien lui offrir d'autre que des mots, alors peut-être valait-il mieux se taire.

Une semaine à Okinawa, puis, avec un peu de chance, on le renverrait chez lui. Vers Rose. Si elle voulait encore de lui.

Il la revit brusquement, à sept ans, agenouillée devant l'autel dans sa robe de communiante, avec son voile sur la tête, comme une minuscule mariée, grave, les yeux fermés, ses mains gantées de blanc croisées sagement devant elle. Une petite mariée solitaire, et il éprouva exactement ce qu'il avait éprouvé à l'époque, un besoin irrépressible de la protéger, sa pauvre petite Rose qui avait tant besoin d'être aimée.

Puis, une voix s'éleva au fond de lui, une voix laide qu'il s'efforça de faire taire. *Elle t'a oubliée. Tu n'as pas reçu une seule lettre d'elle. Elle a trouvé quelqu'un d'autre pour prendre soin d'elle.*

Rachel demanda, interrompant ses pensées: « J'imagine que vous allez rentrer chez vous, aux États-Unis? »

Il hocha la tête. « S'ils me réforment. Ça m'étonnerait quand même qu'ils me renvoient au casse-pipe. Que dit le proverbe, déjà? Qu'on peut tenter le diable une fois mais pas deux.

— De toute façon, j'ai écrit un mot, recommandant la démobilisation. Vous n'êtes pas mal, mais de là à retourner au combat... »

Elle demeura silencieuse un moment. « Promettez-moi quelque chose, Brian.

— Tout ce que vous voulez, Doc.

— Promettez-moi d'écrire ce livre. Vous avez beaucoup de talent. Et quelque chose d'important à dire. Les gens doivent savoir. Ils doivent comprendre ce qu'est cette guerre. »

Les gens doivent savoir. Il pensa de nouveau à Rose. Non, il ne s'imaginait pas lui racontant tout ça. Comment pourrait-elle comprendre? Il fallait être passé par là pour se rendre compte.

Rachel sait, se dit-il. Je n'ai pas besoin de lui expliquer.

« Si je l'écris, répondit-il, ce sera uniquement pour arriver à m'y retrouver moi-même, comme on pratique un exorcisme. Mais je ne suis pas sûr de pouvoir le faire. »

Elle lui toucha la main, effleura du doigt l'os protubérant de son poignet amaigri. Il sentit une terrible tristesse dans cette timide caresse. Il luttait contre l'envie de lui dire, de tout lui avouer.

« Il faut manger surtout, Brian. Vous avez beaucoup maigri.

— De la pizza, dit-il en riant. Jusqu'à ce que ça me sorte par les oreilles. Bon Dieu, j'échangerais bien toute cette saloperie de riz pour une part de pizza Avenue J.

— Le pastrami de Carnegie Delicatessen, j'en rêve. Faites ça pour moi, Brian. En rentrant, allez manger du pastrami en pensant à moi.

— J'irai sur mes béquilles s'il le faut.

— Vous allez me manquer, Brian. Je ne sais pas comment vous dire ça mais... » Il leva la main, posa un doigt en travers sur ses lèvres. « Vous n'avez pas besoin de le dire. Je sais.

— Je... vous allez me manquer », répéta-t-elle, d'une voix étranglée, et lorsqu'il se pencha pour l'embrasser gentiment, il sentit que sa joue était mouillée.

Je vous aime, mourait-il d'envie de dire. Mais il se contenta de marmonner : « Je l'écrirai. Le livre. » Il le lui dédicacerait, mais probablement ne le saurait-elle jamais.

« J'en suis heureuse », répondit-elle.

Dans la pâle clarté de la lune, il vit les contours de son visage, son menton volontaire, et il eut la certitude qu'il regretterait toute sa vie ce qu'il devait lui dire maintenant :

« Au revoir, Rachel. »

15

Brian prit la bouteille de whisky que lui tendait Dan Petrie. Penchant la tête en arrière, il but une bonne rasade qui lui brûla l'estomac. Ces dix derniers jours à Okinawa avaient été les plus longs de sa vie et il essayait d'arriver au bout de cette interminable journée en s'enivrant consciencieusement.

« Ça descend facile avec cette chaleur, hein? dit en riant le petit Australien. Mon dernier souvenir de cuite remonte à Fidel Castro. On était sur un bateau de pêche dans le golfe du Mexique. On a bu du rhum brun. Cet enfant de pute m'a fait rouler sous la table. Pourtant, il faut se lever de bonne heure avec moi. Toi, tu tiens le coup, mon vieux, rien à dire. Mais on sent que c'est pas vraiment pour tuer les microbes que tu bois. »

Brian observa le reporter assis sur la chaise de plastique orange en face de lui. Petrie avait le physique d'un entraîneur de base-ball d'une petite ville. Il était correspondant de la United Press International, ce qui lui valait actuellement ce bras plâtré. Sa casquette, rejetée en arrière, découvrait des cheveux coupés en brosse et très blonds. Ils avaient fait connaissance au bar de l'hôpital une demi-heure auparavant et Brian avait été frappé par une sorte d'amertume dissimulée sous des plaisanteries en apparence bon enfant. Bien qu'il parût vous écouter distraitement, ses yeux bleus, inquisiteurs, enfoncés sous l'arcade sourcillière, ne vous lâchaient pas.

« J'ai appris que j'allais être démobilisé, dit Brian d'un air sombre. Il ne me reste qu'un rein et encore... pas entier. Et on m'a enlevé une partie de l'intestin. Je suis bon pour le Purple Heart *. »

Dan porta la bouteille à ses lèvres puis l'essuya d'un revers de main.

* **Purple Heart** : Décoration militaire décernée pour blessure en temps de guerre. *(N.d.T.)*

« T'as pas l'air emballé. Je ne parle pas du Purple Heart mais de ton retour. Dans quel régiment t'étais, déjà?

— 121ᵉ régiment d'infanterie. On était basés à mi-chemin entre Da Nang et un village qui s'appelle Tien Sung. »

L'Australien hocha la tête. « Tu parles, je ne connais que trop. J'y étais. Un drôle de merdier. Tu t'es tiré juste à temps. »

Brian se figea, et avala sa salive.

« Tu y étais? »

Petrie montra son bras en écharpe. « Petit souvenir de là-bas. Une saloperie d'éclat d'obus de la taille d'une poignée de porte. » Il eut un large sourire. « Ça m'a fendu l'épaule en deux. Maintenant j'ai deux os bizarres au lieu d'un. Enfin, ça ne devrait pas me gêner trop. » Il s'interrompit et vissa son regard scrutateur sur Brian. « Dis donc, t'en fais une tête! On dirait que t'assistes à ton propre enterrement. »

Brian ne se sentait pas bien. Il avait mal au cœur et l'affreux bar autour de lui — une salle sans fenêtres, aux tables branlantes, remplie d'hommes en pyjamas et robe de chambre — tanguait de façon inquiétante.

Il se cramponna à sa chaise, effrayé à l'idée de tomber. Il était plus ivre qu'il ne le croyait. Mais pas suffisamment pour oublier la peur qui lui nouait les tripes.

« Qu'est-ce qui t'es arrivé? demanda-t-il, luttant contre les nausées.

— J'étais à Da Nang. Je couvrais une de ces opérations pas très nettes de la SEATO * quand on a appris ce qui se passait. Le temps qu'ils m'expédient là-bas, la fête était finie. Les Viets avaient refoulé toute la section dans les collines et infiltré la région. »

Brian sentit le sang se retirer de son visage. « Il... il y avait un hôpital. Un hôpital catholique. A Tieng Sung. Corpus Christi. J'y étais avant qu'on me renvoie ici. Tu sais si on a pu les évacuer?

— Sais pas, mais ça m'étonnerait. T'as eu du bol de pouvoir te tirer avant. Maintenant, l'hosto grouille de Vietcongs. Tous leurs blessés bivouaquent là-bas. »

Oh bon Dieu, pourvu qu'il se trompe. Pour une fois. Cependant, Petrie était un excellent correspondant de guerre, et il avait l'air sûr de ce qu'il disait.

Il songea à Rachel. Il ne pensait qu'à elle depuis dix jours, depuis leur séparation. Il avait entendu des histoires effroyables sur la façon dont les Viets traitaient les Occidentales. On avait retrouvé deux religieuses françaises attachées à un arbre, mortes, la langue coupée. Heureusement ils devaient avoir besoin d'elle pour soigner leurs blessés.

Une petite voix, au fond de lui disait : *Elle est débrouillarde. Elle*

---

* SEATO : South East Asia Treaty Organization, fondée sur le modèle de l'OTAN. *(N.d.T.)*

saura s'échapper en cas de danger. Et puis après tout, tu n'es pas chargé de veiller sur elle.

Brian se sentit brusquement dessoûlé. Le nœud avait disparu. Il savait ce qu'il devait faire. Il se pencha en avant et la salle se redressa d'un coup.

« Petrie, il faut que j'y retourne, dit-il à voix basse. Je connais quelqu'un là-bas... un médecin... je veux m'assurer qu'elle est saine et sauve. Et la sortir de là si elle y est encore. »

Le journaliste eut un rire bref. « Tu te prends pour John Wayne? Personne t'a dit que cette putain de guerre continuait? »

Brian attendit. Au bout d'une ou deux minutes, le sourire cynique disparut du visage de Petrie. Alors Brian dit : « Je n'ai pas beaucoup de temps. Il faut que tu m'aides. »

L'Australien lui avait raconté qu'au moment où il couvrait la guerre des Six-Jours, les Syriens l'avaient fait prisonnier dans le Golan. Il s'était échappé pour éviter, disait-il, de se faire couper les roustes. Même si la moitié de cette histoire était inventée, l'imagination de ce type valait celle de Robert Louis Stevenson. Si Brian pouvait le gagner à sa cause, il serait un allié précieux.

« Putain, mais tu me prends pour quoi? Pour un de ces cons de Bérets verts?

– Ils ne donnent pas le prix Pullitzer aux Bérets verts. »

Il vit l'attention de Petrie se mobiliser brusquement. « Il y a une putain d'histoire à écrire là-dessus, continua Brian. J'étais mort, vraiment mort, et elle... elle m'a ouvert le thorax et elle m'a fait un massage cardiaque. En outre... » Il s'interrompit.

En outre, quoi? Allez, vas-y, tu y as pensé mille fois, se dit-il.

Petrie attendait. Il avait enlevé sa casquette et fourrageait le chaume qui lui tenait lieu de chevelure. Ses yeux bleus étaient fixés sur lui comme s'il attendait que Brian lui délivre le Sermon sur la montagne.

« Je vais la sortir de là et l'épouser », termina Brian.

Le ferait-il? Il n'en savait rien. Mais Seigneur, ce que c'était bon de le dire. Et ça *ferait* une putain d'histoire à raconter.

« Merde. » Petrie se donna une claque sur la cuisse, le visage fendu d'un large sourire. « C'est vrai que c'est une bonne histoire. Peut-être même un film. Avec John Wayne dans le rôle principal. Elle est jolie, cette nana? »

Brian ne sut que répondre. Il n'avait jamais pensé à elle en ces termes. Une jolie fille, pour lui, c'était une fille aux épaules nues, aux longues jambes bronzées, qui passait près de vous sur le trottoir, vêtue d'une robe d'été. Mais ce genre de description ne convenait pas à Rachel.

« Elle ne ressemble à personne », dit-il.

Dan Petrie avala la dernière goutte de whisky. Il avait les joues rouges, le regard allumé.

« Tu as à peu près autant de chance qu'ils te laissent partir que moi d'obtenir le prix Pulitzer. Et, à supposer qu'ils acceptent, ça prendra des mois. Dès qu'il faut faire changer un ordre...

— Je déserterai au besoin. Ne t'en fais pas pour moi. Ce que je veux savoir, c'est si tu es d'accord pour m'aider?

— Je suis peut-être une tête brûlée, mais pas un con.

— Et le Golan? C'était pas un pique-nique quand même!

— C'est autre chose.

— Pourquoi?

— Au moins, dans le désert, on les voit venir. Ils ne se postent pas dans les arbres pour vous tirer dessus. Et ça, c'est à supposer que tu arrives jusque-là. D'abord, comment comptes-tu te barrer d'ici?

— Ça ne doit pas être très difficile. Il n'y en a pas beaucoup qui désertent pour retourner dans cet enfer. C'est le dernier endroit où ils auront l'idée de me chercher. Mais j'ai besoin de toi. »

Petrie réfléchissait en se frottant pensivement le menton. « Il faudrait que j'appelle un de mes copains qui travaille pour *Stars and Stripes*; il pourrait peut-être nous brancher là-dessus. Mais je ne peux rien te promettre.

— Je te donne l'exclusivité de l'histoire, Petrie, insista Brian. Tu seras même mon témoin au mariage. Qu'est-ce que t'en penses? »

Qu'est-ce que je raconte? Quel mariage? Il faudrait déjà un miracle pour réussir cette expédition.

Mais pour Rachel, il aurait promis n'importe quoi.

Petrie hocha la tête avec une expression dubitative. « On verra ce qu'on peut faire, mon pote. »

Le garçon ne devait guère avoir plus de quatorze ou quinze ans, pourtant sur son visage couvert de cicatrices. Dans ses yeux bridés, Rachel vit quelque chose qu'elle n'avait jamais vu auparavant.

La haine. Une haine meurtrière.

Elle eut l'impression d'avoir avalé, l'estomac vide, un gros glaçon. Il lui donnait la chair de poule.

Elle sentait que l'adolescent qui la regardait de ses yeux brûlants, l'aurait tué sans un pli du visage s'il en avait eu la force.

Je suis l'ennemi. Il sait que sans mes soins, il mourrait, mais je crois qu'il préférerait ça. Il ne supporte pas que je le touche.

Rachel frissonna et ses mains se mirent à trembler. Elle lâcha l'aiguille de la perfusion qui tomba sur le sol.

Maîtrise-toi, se dit-elle, tu es un médecin, pas un soldat. Ton travail consiste à guérir. C'est aussi simple que cela.

Elle déchira l'enveloppe de cellophane de la nouvelle aiguille et prit le poignet pour chercher une veine. Il faudrait sans doute lui faire une transfusion mais ses blessures ne semblaient pas aussi graves qu'elle l'avait pensé. Il ne serait peut-être même pas nécessaire de l'opérer. Elle allait nettoyer, débrider et recoudre. Puis...

Quelque chose de mouillé atterrit sur sa joue.

Clouée sur place par l'horreur, elle leva la tête et vit son rictus de triomphe. Sur ses lèvres, il y avait encore un peu du crachat sanguinolent.

Rachel s'essuya la joue avec une gaze. *Oh Seigneur, je ne peux pas y croire. Surtout, garde ton sang-froid...*

Elle eut une sensation de vide dans la tête et tout devint gris et flou. Elle eut peur de s'évanouir. Cela faisait vingt-quatre heures qu'elle était sur ses jambes.

A présent, le garçon criait. Ce flot de venin lui était destiné.

Rachel recula lentement, l'aiguille à la main.

Elle croisa le regard du Vietcong qui gardait l'entrée de la salle et se sentit défaillir : on aurait dit un serpent guettant un lapin.

Je leur étais utile il y a quatre jours, avec tous ces blessés dans la salle des urgences. Mais maintenant, ça se calme et Lily dit qu'ils parlent de faire venir leurs propres médecins. Alors qui sait combien de temps je vais encore leur servir? Et après?

Lily prenait la chose en main. « Yen Lang cho! » siffla-t-elle entre ses dents. *Silence, chien.* Elle prit l'aiguille des mains de Rachel et l'enfonça dans le bras du soldat. Lily avait l'air aussi épuisé qu'elle. Ses yeux étaient injectés de sang et de longues mèches de cheveux huileux échappées de son catogan balayaient son cou gracile.

Depuis combien de temps n'avait-elle pas dormi? Depuis que Tieng Sung avait été pris, quatre jours auparavant. Maintenant le village était infesté de Vietcongs. Comment aurait-elle pu imaginer que les choses allaient tourner ainsi quand elle s'était portée volontaire pour rester et surveiller l'évacuation qui devait durer une semaine. Il fallait bien que quelqu'un s'occupe de ceux qui étaient trop malades pour être transportés. Maintenant, le pire était passé, mais les escarmouches amenaient tous les jours leur contingent de blessés.

Elle pensa à Brian et, pendant un bref moment, se sentit plus forte, plus vivante qu'elle ne l'avait été depuis des jours. Dieu merci il était sorti d'ici à temps.

Puis un désespoir gris la submergea de nouveau. Comme il lui manquait! Elle revoyait son visage émacié, ses grands yeux lumineux. Et ce regard triste et désemparé qu'il lui avait lancé avant de monter dans l'hélico de Da Nang.

Il était parti. Elle ne le reverrait sans doute jamais. Et cette idée lui faisait mal, plus mal qu'elle n'aurait jamais pu l'imaginer.

Il ne fallait pas y penser. Pas maintenant. Ces Vietcongs étaient des êtres humains et ils avaient besoin d'elle. Et tant qu'elle les aiderait... ils la laisseraient sans doute tranquille.

Rachel se dirigea vers la seconde civière. « *Bac-si* », dit-elle en guise de présentation au petit vieux qui la regardait avec des yeux noirs inexpressifs. *Médecin. Ça signifie que je suis ici pour vous aider, même si nous détestons tous deux cette idée. Vous avez reçu le message?* »

Apparemment pas. Pas une lueur n'était apparue dans son regard. Il avait l'air d'avoir cent ans et l'expression de son visage simiesque signifiait clairement qu'il pourrait en vivre cent autres sans que quoi que ce soit puisse le surprendre.

Il n'était pas trop mal en point comparé aux autres, bien qu'il eût la jambe lacérée du genoux à l'aine. On aurait dit une blessure faite à l'arme blanche.

Mais ce visage...

« *Cach nao gia lok?* demanda-t-elle dans son vietnamien hésitant. Quel âge avez-vous?

— *Patombadu*, répondit-il d'une voix tout aussi inexpressive que ses yeux.

— Dix-neuf ans. »

Oh bonté divine...

Rachel lutta contre le rire nerveux qui montait en elle. Si je reste encore longtemps ici, se dit-elle, c'est ma tête que je risque de perdre.

Brian se cramponna à son siège. La Jeep plongea dans un trou assez profond pour engloutir un buffle. Putain! Et il trouvait la route principale mauvaise. A côté de celle-ci, c'était une autoroute!

« T'es sûr qu'il sait où il va? » cria Brian à Dan Petrie, tout en gardant les yeux fixés sur la nuque de Nguyen, leur chauffeur vietnamien.

Cette route ne figurait pas sur la carte Rand McNally, et ils n'avaient vu aucun signe de civilisation depuis au moins cinq kilomètres. C'était ce que Dorfmeyer, un pote de sa section, appelait le pays de la Sueur froide. Rien que des tecks et des manguiers, dans un enchevêtrement de lianes, de fougères géantes et d'herbe coupante. Le coin idéal pour les embuscades.

« J'en sais foutrement rien, cria joyeusement Dan. Mais pourquoi se biler? On le saura bien assez tôt. »

Brian regardait Nguyen négocier avec habileté les fondrières. La route — en réalité un chemin — était à peine assez large pour la Jeep et de constantes embardées les projetaient l'un contre l'autre. Ils laissaient un sillage d'herbe écrasée et de boue.

Pourquoi se biler. Ça faisait la centième fois qu'il entendait Petrie répéter ces mots depuis deux jours. Comme s'ils étaient dans le train de Sheepshead Bay, en vadrouille. Bon sang! Ils pouvaient se faire descendre à chaque instant. Mais il fallait reconnaître que Petrie s'était bien débrouillé jusqu'à présent.

D'abord le vol de Saigon. Petrie s'était arrangé pour avoir les fausses autorisations nécessaires à Brian, censé être un reporter du journal télévisé. Ensuite, ils étaient montés à bord d'un C-130 rempli de nouvelles recrues. Tout avait bien marché jusqu'au moment où un lieutenant-colonel, de la division de Brian, avait demandé à voir ses papiers. Il en avait transpiré, mais le lieutenant-colonel, après l'avoir regardé attentivement, l'avait laissé passer. Il ne l'avait pas reconnu! Au fond cela n'avait rien d'étonnant. Lui-même aurait sans doute eu du mal à se reconnaître. Il avait perdu au moins vingt kilos, peut-être davantage.

Six heures plus tard, le copain de Petrie de *Stars and Stripes* avait fait irruption dans le salon des officiers, à l'aéroport, et les avait conduits à bord de l'hélico de l'État de Washington. Peu après, Da Nang, la mer bleue et les plages frangées de vert, étaient apparues. Une vraie carte postale. Personne n'aurait pu imaginer que, dans ce petit paradis, des gens s'entretuaient.

Les choses se compliquèrent lorsque Dan essaya de convaincre le sergent-fourrier de leur prêter une Jeep. Mais Dan sortit alors un autre lapin de sa manche, en l'occurrence un magazine de nus et un paquet de cigarettes à l'opium. La Jeep fut aussitôt mise à leur disposition.

C'était aussi Petrie qui avait engagé Nguyen, le chauffeur.

Cependant la chance semblait les avoir définitivement abandonnés lorsqu'ils avaient quitté la grand-route. Il fallait pourtant gagner Tieng Sung par des chemins moins fréquentés. Sur la route, ils risquaient à tout moment de tomber sur une patrouille. Mais maintenant ils craignaient de s'être trompés de route.

Ils étaient en territoire ennemi, aucun doute là-dessus. Brian sentait ses cheveux se dresser sur sa tête et ses testicules se ratatiner.

« Inquiet? demanda Petrie, lançant sous sa casquette un regard inquisiteur à Brian.

— Non », répondit calmement Brian. Ils allaient peut-être tous y passer, mais il devait au moins essayer de sauver Rachel.

« Ça doit être quelque chose, cette nana », dit Petrie. Et il se mit à siffler l'air du *Pont sur la rivière Kwai*.

Brian gardait les yeux fixés sur la piste étroite. A tout moment ils pouvaient sauter sur une mine ou se faire allumer par un franc-tireur. Il aurait donné n'importe quoi pour avoir son M-16. Ou même un pistolet. Mais à Da Nang, Dan avait insisté. Pas d'armes. Ils étaient des civils — là, il avait approché son visage tout près de celui de Brian — c'était leur seule chance de passer, leur unique protection et, même s'il était bien mince, leur seul espoir. Par ailleurs, les fusils ne leur auraient pas servi à grand-chose contre des francs-tireurs.

Cependant, les paroles de Petrie lui avaient donné une idée. Il existait d'autres armes que les fusils ou les revolvers. La veille du départ, il s'était rendu dans une église catholique du centre de Da Nang. Le curé, un métis qui parlait anglais avec l'accent français, l'avait emmené par un dédale d'étroits corridors de pierre dans un petit jardin clos dont les murs étaient couverts de plantes grimpantes. Au milieu d'une herbe moussue s'étalait une petite mare parsemée de nénuphars. C'était le plus joli jardin qu'eut jamais vu Brian. Assis sur un banc en teck, à l'ombre d'un hibiscus, le père Sébastien et lui avaient bu du thé de Chine. Ensuite, ils s'étaient agenouillés dans l'herbe et avaient prié. Il se sentait loin de Dieu mais ces mots anciens, le rythme des phrases l'avaient réconforté, comme si sa mère avait posé une main sur son front. Brian était reparti avec la bénédiction du prêtre et ce qu'il était venu chercher... qui pourrait peut-être les sauver. A présent sous sa veste. Il l'avait caché. Même Petrie n'était pas au courant.

Le chauffeur écrasa brusquement le frein, projetant ses passagers en avant.

A trente mètres devant eux, quelqu'un bloquait la route, un môme vêtu d'un pyjama noir et chaussé de nu-pieds. Il avait l'air d'avoir une quinzaine d'années et, n'eut été son fusil AK-47 soviétique, il aurait pu passer pour un simple villageois se rendant à la rizière.

« *Dung Lai!* » ordonna le garçon.

Brian regardait la scène, tout le système nerveux en alerte. Nguyen sauta de la Jeep et se dirigea vers lui. La boue collait aux talons de ses sandales.

S'ensuivit un dialogue rapide en vietnamien ponctué, de part et d'autre, de mouvements violents.

« Pas un geste, chuchota Dan, posant sa main sur le bras de Brian. Contente-toi de sourire. »

Ce que fit Brian. Il plaqua un tel sourire sur son visage qu'il se dit que ses muscles faciaux allaient se figer à jamais dans cette position. La terreur lui nouait les tripes et la sueur dégoulinait sur son front.

Brusquement, Nguyen tourna les talons et revint vers la Jeep. Il avait une expression tendue, méprisante.

Petrie jura tout bas. « Merde! Il ne nous laisse pas passer. On a de la chance qu'il ne nous ai pas tiré dessus. » Il s'interrompit un instant puis ajouta lugubrement : « A moins qu'il ne garde le meilleur pour la fin. »

Brian pensait à Rachel. Il *devait* arriver jusqu'à elle. Il fallait tenter le coup.

Soudain, il eut l'impression que tous ses muscles avaient reçu l'ordre d'entrer en action.

Il sauta à terre et se rendit compte trop tard qu'il aurait dû descendre avec plus de précaution. Il y eut une étincelle orange. Le bruit d'une goutte d'eau tombant sur un grill chauffé à blanc. Brian sentit une langue d'air chaud lui effleurer la joue.

La boue tiède sentait le fumier. Il était sur le ventre, les bras repliés sur la tête, le canon de l'arme semi-automatique contre le cou. *Je vais mourir. Tous ces efforts pour rien... Tiré sur la route comme un lapin. Quel gâchis.*

Après avoir passé quelques secondes glaçantes, à se demander ce qu'on ressentait au moment de mourir, il se dit qu'il avait peut-être, une chance de s'en sortir. En tout cas momentanément. Il baissa les bras et leva la tête. Il fut confronté à deux pieds sales. Lentement Brian se mit à genoux, mains levées, paumes ouvertes, pour montrer qu'il n'avait pas de mauvaises intentions. Le garçon ne semblait pas plus rassuré que lui.

Brian tenta sa chance. Il lui fit signe qu'il voulait ouvrir sa veste. Le Viet leva son fusil et l'appuya le canon contre le front de Brian en hochant la tête.

Brian descendit la fermeture Éclair de son coupe-vent.

Dessous, il portait une chemise de prêtre noire avec un col romain.

Il fit le signe de la croix et pria pour que le garçon soit catholique et non bouddhiste.

Son cœur cognait dans sa poitrine et la sueur coulait le long de son nez et sur son menton. Un essaim de moustiques bourdonnait autour de lui, le rendant à moitié fou, mais il n'osait pas les chasser. Il resta parfaitement immobile.

Après ce qui lui parut une éternité, le garçon abaissa lentement son fusil et fit signe à Brian de se relever. Puis avec précaution, respect, même, il toucha de l'index la médaille de saint Christophe accrochée au cou de Brian.

Brian enleva la chaîne par la tête et tendit la médaille au garçon, souriant pour lui faire comprendre qu'il s'agissait d'un cadeau, d'une offre de paix. L'Asiatique sourit à son tour.

Ça va peut-être marcher, se dit Brian.

Encore tremblant, Brian parla rapidement, sans se retourner, à Nguyen. « Dis-lui que nous devons atteindre l'hôpital... qu'il y a là-bas un médecin, une femme... que nous avons besoin d'elle pour un prêtre de Da Nang qui est très malade. Explique-lui que si nous ne la ramenons pas, le prêtre mourra. »

Nguyen traduisit d'une voix haut perchée.

Cinq minutes plus tard, leur Jeep gravissait la route de montagne de Tieng Sung, avec le garçon en pyjama noir sur le marchepied, ravi de son nouveau rôle.

Dan se tourna vers Brian, avec un sourire incrédule. « Bon Dieu. T'as un putain de culot. Depuis la Cène, on n'a pas fait mieux. »

Brian eut un large sourire. « Mais à la fin de la Cène, ils n'ont pas servi de gâteau de mariage. »

Rachel referma la porte du cabinet médical, puis se dirigea vers l'escalier menant au premier étage, munie d'un plateau de seringues et d'ampoules de morphine et de pénicilline. Elle jeta un coup d'œil au garde vietnamien appuyé contre le mur à l'autre bout du couloir. Le fusil en travers de la poitrine, il la suivait des yeux. Il ne l'effrayait plus. Elle aurait presque souhaité qu'il l'abattît pour mettre un terme à son supplice.

Elle n'avait pas dormi depuis trois jours et elle était épuisée. Kay aussi avait l'air à moitié morte mais elle semblait conserver d'inépuisables réserves d'énergie. Aujourd'hui, Rachel l'avait quand même vue tituber de fatigue et manquer lâcher son paquet de pansements.

Si seulement elles pouvaient s'échapper... Ses pensées tournèrent à nouveau autour de Brian.

Oh mon amour. Si seulement nous avions pu nous aimer ouvertement, même pour une heure.... ç'aurait été tellement mieux.

Elle acceptait Rose. En lisant le journal de Brian, elle avait fini par comprendre leur relation mieux que s'il avait essayé de l'expliquer. Oui, c'était normal qu'il retourne vers elle. Ils se marieraient, ils auraient une ribambelle d'enfants, comme le souhaitait Brian, les enfants qu'*elle* n'aurait sans doute jamais pu lui donner. Mais le fait de comprendre et d'accepter ne l'empêchait pas de souffrir.

Le parquet semblait flotter comme l'asphalte sous un soleil brûlant. La tête lui tournait. Au bout du hall, il y avait à présent deux gardes, engagés dans une sorte de furieuse conversation. Un troisième Vietnamien, non armé, s'agitait autour d'eux, souriant, parlant de façon amicale. Elle surprit le mot cigarette. Puis tous les trois disparurent par la porte qui ouvrait sur la cour.

Les Viets s'étaient un peu détendus depuis un ou deux jours. Grâce à l'arrivée la nuit dernière de deux médecins russes, Ian MacDougal avait même reçu la permission, hier, d'accompagner un petit Vietnamien de deux ans à Da Nang. Il devait subir une opération compliquée que MacDougal ne pouvait faire que là-bas. Mais qu'est-ce que ça changeait? Ces derniers temps, elle avait remarqué la façon dont la regardait l'un des gardes. Ce regard la terrifiait. Elle comprenait qu'il ne se contenterait pas de la tuer. Il avait autre chose en tête.

A présent, deux autres hommes franchissaient la porte. Dans la pénombre, elle ne distinguait que leurs silhouettes. L'un d'eux était grand et maigre, l'autre petit et rondouillard. Le plus grand s'avança. Un prêtre. Que faisait-il ici?

Alors elle vit son visage. Creusé par la maladie mais toujours le plus beau visage qu'elle eût jamais vu. Au début, elle ne put y croire. Ce devait être un rêve.

« Brian », souffla-t-elle.

Il y eu un bruit de verre brisé. Elle venait de laisser tomber son plateau.

Puis elle courut vers lui.

Comme dans un rêve, ses mouvements étaient lourds, maladroits, elle avait l'impression de courir dans le sable. Elle se jeta dans ses bras. Il la serra contre lui à l'étouffer et elle comprit que ce n'était pas un rêve, mais bien les mains, le visage, le corps de Brian. Il était revenu la chercher.

« Brian. Oh Brian. » Elle s'accrocha à lui, enfouit son visage dans sa chemise en sanglotant, sans même se demander pourquoi il était habillé en prêtre.

« Rachel, murmura-t-il contre ses cheveux. Rachel, Dieu merci. Oh, Dieu merci. »

Il l'embrassa, prit son visage entre ses mains pleines de terre. Il avait la peau rêche mais... oh comme c'était bon, merveilleux...

Une explosion de lumière imprima de petites étoiles rouges sous ses paupières closes.

Elle cligna les yeux, ahurie de voir le petit homme au visage de singe brandir un appareil photo à quelques pas d'eux avec l'expression réjouie d'un sportif qui reçoit un trophée.

« Impec, mon pote, dit-il. Le monde entier va voir ce baiser. »

16

Leur Jeep franchit un petit fossé, là où la piste creusée de nids de poule aboutissait à la route. Alors comme par enchantement, ils retrouvèrent le ciel, les nuages, l'espace. C'était une route à deux voies en très mauvais état mais il y avait des gens, un village... et une relative sécurité. Rachel repéra l'arrière d'un camion de l'armée qui gravissait une colline au loin, et un intense soulagement l'envahit.

Ils avaient réussi à sortir de ce guêpier. Tous – Brian et elle, Kay et le reporter australien.

Brian avait un bras autour de ses épaules. Elle le sentit resserrer son étreinte tandis qu'ils passaient sur une fondrière. De l'eau boueuse jaillit sous les roues. *Oui, Brian, serre-moi bien, s'il te plaît, sinon je vais me réveiller, sortir brutalement de ce rêve...*

C'était le crépuscule. Ils avaient roulé sur cette piste à peine tracée pendant des heures. A présent leur chauffeur freinait pour éviter les bœufs, les chiens, les enfants et les Mama-san, ployant sous d'énormes fardeaux posés en équilibre sur leur tête. Ils traversaient la banlieue de Da-Nang. Bidonvilles, égoûts en plein air et feux destinés à la cuisson du repas avaient remplacé les huttes de bambou et les rizières.

Nous sommes sains et saufs, se dit-elle. Finis les francs-tireurs, les embuscades, les mines. Elle se calmait peu à peu. L'endroit était d'une saleté repoussante mais la cacophonie – le bruit des voix, le mugissement des bœufs, les cris des enfants – la réjouissait. Elle avait envie d'embrasser tous les gens qu'ils croisaient.

Libre, elle était libre. Et Brian l'aimait. Il avait risqué sa vie pour elle.

Elle regarda son profil accusé, son menton barbu maculé de boue, et ressentit un tel amour pour lui qu'elle en eut la gorge nouée, douloureuse.

« Une douche, grogna Kay, assise à côté d'elle. Toute affaire cessante.

Bon Dieu, je pue comme une chèvre. Pas étonnant que les Viets m'aient laissée partir avec vous. Ils devaient prier tous les jours pour que je me tire. >

Dan Petrie, sur le siège du passager, se retourna et lui fit un clin d'œil. Son visage n'était plus qu'un ·masque de poussière rouge. « Et comment! Ils en rêvaient, oui. A l'heure qu'il est, on devrait être en train de remplir nos fiches à l'Hilton de Hanoï. Mais il faut que je vous donne ça, jeune femme. > Il tapota son appareil photo sur son genoux. « Cette photo de vous bousculant le Viet va passer à la postérité.

– C'est mon caractère *yentah* ». Vu la façon dont il souriait, il pensait probablement que ça voulait dire bonne chance. Le visage de Kay, rond comme celui d'un Boudha se fendit d'un large sourire et elle leva la main droite repliée au-dessus de sa tête, le majeur dressé. « Eh bien, bonne chance à nous tous. >

Brian avait pris Rachel dans ses bras et l'embrassait fiévreusement. Il était sale et sentait la sueur, mais elle aurait voulu que ce baiser ne finisse jamais. Elle sentit la paume de sa main enserrer sa nuque. Il tremblait.

« Épouse-moi >, murmura-t-il en la serrant de toutes ses forces contre lui. L'avait-il vraiment dit, ou bien était-ce son imagination? Ça n'avait pas d'importance. Il n'avait pas besoin de le dire tout haut. Elle savait ce qu'il ressentait.

« Quand? > demanda-t-elle.

Brian recula en riant mais ses yeux – ces incroyables yeux fendus couleur d'ardoise qui l'avaient captivée avant même qu'il ouvre la bouche – étaient sérieux.

« Dès qu'on arrivera à Da Nang. Petrie connait un chapelain, un *vrai* chapelain, dit-il en riant. Ce type lui doit quelques faveurs. >

Rachel se sentait calme, très tranquille au fond d'elle-même. Oui, tout cela devait arriver. Elle sentait que c'était leur destin.

« Oui, lui dit-elle. Oui, répéta-t-elle, assez haut, cette fois pour que Kay et Petrie entendent, pour que le monde entier entende. Oui, je vais t'épouser. > Elle pleurait à présent. « Je t'épouserai à Da Nang... ou à New York... ou à Disneyland... où tu voudras. >

Brian, je me sens si différente... comme si j'étais dans un autre monde. Ton monde. J'ai traversé une frontière magique et je ne veux pas revenir sur mes pas.

Tout jusqu'à maintenant, David... l'avortement, tous ces morts et ces soldats agonisant, les Vietcongs... c'est arrivé dans un autre monde, à une autre Rachel.

Petrie fit le V de la victoire.

Kay se taisait. Elle prit la main de Rachel et la serra très fort. Ses yeux bruns, derrière les verres poussiéreux de ses lunettes, étaient brillants de larmes.

« Tu es condamnée à être mon témoin, dit Rachel.

– Juste une question, dit Kay. Est-ce qu'on me laissera prendre une douche avant ? »

Le père Rourke, rond comme une bille, tenait à peine sur ses jambes. Rachel, debout à côté de Brian, contemplait ce curieux chapelain avec amusement. Son haleine empestait l'alcool et il vacillait tout en tournant d'une main tremblante les pages du livre de prières. Tout un réseau de vaisseaux dilatés s'étalait sur son nez et ses joues. Un type qui n'avait sans doute pas plus de trente ans et qui en paraissait soixante-cinq.

Il fallait qu'elle grave tous les détails de cette cérémonie dans sa mémoire. Quand ils seraient vieux, pelotonnés dans la chaleur de leur lit, ils évoqueraient en riant leur étrange mariage, le père Rourke, et cela les rapprocherait encore davantage.

Elle regarda autour d'elle. Cette minuscule salle de *mah-jong* derrière le bar où Petrie, après avoir fait le tour de tous ceux du quartier, avait enfin déniché le chapelain, sortait tout droit d'un film de Charlie Chaplin. Rideaux de perles, lanternes de papier orange, musique et bourdonnement de voix à l'arrière-plan. Elle enregistra tout cela dans sa mémoire. Jamais elle n'oublierait cette scène.

Elle leva les yeux vers Brian qui lui fit un clin d'œil complice. Elle pensa au mariage de Mason Gold qu'elle avait trouvé si bizarre à l'époque. *Si Mason voyait ça!*

Brian avait loué une veste de smoking à un sergent-fourrier. Il lui manquait quatre centimètres aux manches, de sorte qu'il gardait ses mains dans ses poches. Kay avait épinglé une fleur d'hibiscus violette sur le revers de la veste, juste avant d'entrer, et Rachel remarqua avec horreur qu'elle grouillait de fourmis.

« Voulez-vous... Rachel... euh... Rosenthal, prendre pour époux euh... Brian...

– Oui, je le veux, l'interrompit-elle, trop impatiente pour écouter le reste.

– Et vous, Brian... »

Rachel entendit Kay étouffer un sanglot dans un mouchoir.

Sois bénie, ma chère Kay, pensa-t-elle. C'était elle qui lui avait déniché cette tunique de soie blanche sur un pantalon assorti – la traditionnelle tenue vietnamienne pour ces circonstances.

Brian la regarda dans les yeux pendant un long moment et elle sentit la chaleur de son amour l'envelopper tout entière.

Je devrais tout arrêter... lui dire avant qu'il ne soit trop tard. Mais s'il savait que je ne peux pas avoir d'enfant, voudrait-il encore de moi? M'aime-t-il suffisamment pour...

Oui, il fallait le lui dire. Immédiatement, pendant qu'il pouvait encore changer d'avis. Mais les mots refusaient de sortir. Ils étaient bloqués dans sa gorge.

Puis elle entendit Brian dire « Oui, je le veux. »

Ensuite, elle fut trop heureuse pour penser à autre chose qu'à Brian qui l'embrassait, la serrait contre lui et la soulevait de terre.

La lumière du flash l'aveuglait, faisait naître devant ses yeux tout un bouquet de petites tiges rouges.

Mariée! Elle et cet homme merveilleux, si courageux, étaient mariés...

Rachel effleura du doigt la cicatrice qui striait comme un éclair le ventre de Brian.

« Z, comme Zorro », le taquina-t-elle. Elle était nue contre lui, le drap emmêlé autour de ses pieds. « J'adorais ces séries à la télé. C'était l'un de mes héros, quand j'étais petite. »

Elle eut un soupir d'aise. Ce lit, à moitié effondré au milieu, était l'endroit le plus merveilleux du monde. Comme cet hôtel minable, avec ses sièges en bambou déglingués et ces affiches jaunies de la tour Eiffel et de l'Arc de Triomphe.

Maintenant, à la lumière de l'aube, ça semblait encore plus minable que lorsque leur taxi, après avoir erré dans un dédale d'allées étroites et peu rassurantes, les avait enfin déposés à l'hôtel de l'Arc de Triomphe. Elle remarqua qu'il manquait plusieurs lattes de bois aux volets. Toutes sortes de bruits leur parvenaient d'en bas – l'eau clapotant contre les sampans sur la rivière de Saigon toute proche, les casseroles entrechoquées, des voix. Une odeur de gingembre, de riz cuit à la vapeur et de kim chee montait de la cuisine, masquant un peu les relents d'urine et de poisson pourri.

Elle se sentait si heureuse! *Nous sommes mariés, vraiment mariés. Et demain, nous rentrons à la maison,* se dit-elle.

À la maison.

Mama, que Dieu la garde, allait tomber raide en apprenant la nouvelle. Pas de gentil médecin juif ou d'avocat pour gendre, mais un catholique irlandais sans le sou. Mais, bon Dieu, *elle* était heureuse. Mama le verrait bien. Et pour elle, rien d'autre ne comptait.

« Je t'aime, dit-elle en se nichant contre lui. Est-ce que je t'ai dit combien je t'aimais? »

Il la serra dans ses bras. Elle entendait les battements rapides de son cœur. Elle aurait aimé rester ainsi à jamais, juste eux deux. Et n'avoir rien à expliquer aux autres.

Mais c'était un rêve, un rêve ridicule. Tôt ou tard, ils devraient affronter les autres. Mieux valait s'y préparer maintenant.

« Parle-moi de Rose », dit-elle doucement.

Il se contracta aussitôt et Rachel eut une bouffée d'angoisse. Si le simple fait de mentionner le nom de Rose le mettait dans cet état, que se passerait-il quand il la retrouverait, ce qui arriverait inévitablement?

Il y eut un long, un terrible silence, puis Brian dit : « J'ai grandi avec elle. Elle et moi... enfin, on peut presque dire que c'est une amie d'enfance.

— Est-ce que tu... tu l'aurais épousée? » demanda-t-elle.

Brian était aussi raide qu'un tronc d'arbre dans ses bras et il demeura silencieux pendant un long moment. « C'est *toi* que j'ai épousée, dit-il enfin. C'est ça qui compte, non?

— Oui, mais seulement si c'est réellement ce que tu voulais. Si tu es sûr que tu ne le regretteras pas par la suite. »

Pourquoi faisait-elle cela? Pourquoi se torturait-elle ainsi?

Brian restait muet. Rachel sentit à nouveau la terreur la gagner. Était-il possible qu'il le regrettât déjà? Rose avait dû signifier beaucoup pour lui. Et peut-être était-ce encore le cas.

« Ne parlons pas de l'avenir, dit-il enfin. Ne pensons qu'à maintenant. Je t'aime Rachel. Plus qu'aucune autre femme. »

Ce n'est pas suffisant, avait-elle envie de crier. Tu ne me réponds pas, tu fuis! Mais, en même temps, Rachel avait honte d'avoir si désespérément besoin qu'il la rassure. Elle se conduisait de façon hystérique. En effet, c'était elle qu'il avait épousée et non Rose. Mon Dieu, elle n'allait pas devenir l'une de ces femmes qui s'accrochent à leur mari, qui leur demandent constamment des preuves de leur amour comme un chien quémandant des restes sous la table.

Laisse tomber, se dit-elle. Pourquoi l'obliger à avouer quelque chose que tu ne supporterais pas d'entendre?

Il lui prit un sein dans sa paume et caressa doucement le téton avec son pouce. « Mme McClanahan. Ça sonne bien, tu ne trouves pas? La dernière femme de la famille qui a porté ce nom a eu neuf enfants. Tu crois que tu feras aussi bien? »

Ce fut à elle de devenir un bloc de marbre. Quelle hypocrite, pensat-elle. Je lui demande de tout me dire sur Rose et moi je lui cache quelque chose d'essentiel.

C'est le moment, se dit-elle. Un mariage doit être fondé sur l'honnêteté, la confiance totale. De toute façon, il l'apprendrait. Dès qu'elle l'avait connu, à Corpus Christi, il lui avait parlé de son désir d'avoir des enfants.

« Brian... » Les mots s'enrayèrent dans sa gorge.

C'était un moment si parfait! Peut-être le plus merveilleux de leur vie. De toute façon, c'était trop tard. Ou trop tôt. Elle ne supportait pas l'idée de le perdre. Elle en mourrait maintenant.

« ... Continue », murmura-t-elle, sentant sa main descendre sur son ventre. Elle ouvrit les cuisses « Oh oui... chéri... oui... si tu continues, je vais...

— Attends... »

Il la pénétra et ils firent l'amour avec passion.

Mais aussitôt après, ses scrupules la reprirent, gâchant ce merveilleux moment. Ce n'est pas une façon de commencer une vie commune, se dit-elle. *Dis-le-lui.* Il t'aime. Il comprendra.

Mais impossible de proférer une parole. La vision de David la cuvette d'acier à la main, s'imposa cruellement à elle et elle entendit sa voix coléreuse, effrayée : « *Un jour, tu le regretteras. Tu regretteras de m'avoir obligé à le faire.*

Puis l'image se dissipa. Il n'y eut plus que la chaleur du corps de Brian contre le sien, ses grandes mains attirant sa tête au creux de son épaule.

Elle étouffa un petit sanglot.

« Qu'y a-t-il? demanda-t-il.

— Rien, répondit-elle. C'est le bonheur. Je pleure quand je suis heureuse, et quand je suis bouleversée ou énervée, je ris, je glousse comme une collégienne.

— Eh bien, j'espère que je ne te ferai jamais glousser. »

Mais ce qu'espérait Rachel de tout son cœur, c'était que les choses restent toujours ainsi entre eux. Elle lui parlerait de son avortement... bientôt. Il comprendrait. Et tout serait parfait. Il n'y aurait pas de mensonge entre eux.

Ils vivraient comme Papa et Mama avaient vécu.

17

Depuis que Brian était parti pour l'Extrême-Orient, Rose lisait avidement les journaux. Chaque matin, elle achetait le *Times* et le *Daily News*, y cherchant les comptes rendus de batailles et de bombardements, les nouvelles fraîches des négociations pour la paix, toute bribe d'information, même infime, qui pût la conforter dans l'espoir que la guerre allait bientôt finir et que Brian rentrerait avant la date officielle de sa démobilisation..

Elle avait lu le *Times* dans le métro et à présent, assise derrière son bureau, un gobelet de café devant elle, elle lisait *The Daily News*.

En troisième page, il y avait un article concernant le Vietnam. Une photo l'illustrait – un garçon en veste de smoking, embrassant sa jeune épousée. La légende disait : MARIAGE D'UN HÉROS AVEC SON MÉDECIN.

Rose sauta les premières lignes pleines de noms et d'âges et lut rapidement l'histoire. Il s'agissait d'un médecin de la zone des combats qui avait réussi à sauver un soldat mourant. Plus tard, ce soldat, évacué entre temps à Okinawa, avait désobéi aux ordres et déserté afin de franchir à nouveau les lignes ennemies et sauver cette femme dont l'hôpital avait été pris par les Vietcongs. Une histoire d'amour. Un vrai conte de fées. *Tu vois, voilà un dénouement heureux. Ça arrive parfois.*

Rose jeta de nouveau un coup d'œil au premier paragraphe, voulant savoir qui étaient ces gens, et elle sentit le sang se retirer de son visage : *Pfc. Brian McClanahan. 121ᵉ régiment d'infanterie.*

Les lettres d'imprimerie se brouillaient devant ses yeux. Ce n'était pas son Brian. Non, impossible. Ce ne pouvait être qu'une coïncidence.

Mais alors, pourquoi son cœur battait-il ainsi? Pourquoi ce froid qui l'envahissait soudain? *Oh Seigneur, je ne peux pas y croire.*

Elle allait s'évanouir, ou devenir folle. Mais non, c'était impossible. Pas ici, dans ce respectable cabinet d'avocat, entourée de gens sains d'esprit et efficaces. Dans quelques minutes, Max Griffin allait gagner son bureau, la gratifiant de son sourire vous-et-moi-contre-le-monde-entier et lui disant bonjour de cette façon charmante qui lui mettait toujours du baume au cœur.

Elle avait l'impression de tituber au bord d'un gouffre.

Tout tournait autour d'elle. Elle agrippa des deux mains le bord de son bureau et renversa le gobelet de café posé devant elle. Oh mon Dieu, elle n'allait pas tourner de l'œil ici. *Brian... c'était si douloureux... un cauchemar...*

Elle se força à regarder la photo attentivement cette fois. Oui, c'était bien son visage, mais il avait tellement maigri qu'il en était presque méconnaissable.

Brian. *Son* Brian.

Ç'avait toujours été sa terreur. Brian tombant amoureux d'une autre. Et c'était pire, cent fois pire que tout ce qu'elle aurait pu craindre, il s'était marié.

Une fureur noire succéda à la souffrance. *J'aurais préféré qu'il soit tué, ç'aurait été moins affreux. Au moins il serait encore à moi.*

Tremblante, Rose s'adossa à son fauteuil. Mon Dieu, elle perdait vraiment la tête. Comment pouvait-elle penser une chose pareille? Brian mort? Non, pas ça. Jamais.

En pleine confusion, elle regarda la tache de café sur sa robe. La robe de Brian. Il fallait rentrer, essayer de l'enlever tout de suite.

Une fois sec, c'était fichu. La jolie robe de Brian...

Puis son regard tomba de nouveau sur la photo et sa légende.

... Le jeune diplômé de Columbia, après un court séjour à l'hôpital d'Okinawa, allait être démobilisé avec une Étoile de bronze. Il a préféré retourner illégalement dans la zone des combats où il avait failli trouver la mort six semaines auparavant afin de sauver ce ravissant médecin qui lui avait sauvé la vie... la femme qu'il aimait.

La femme qu'il aimait,.. Mais c'est moi qu'il aime. C'est moi que Brian aime. Nous allons nous marier, dès qu'il...

Il faut que j'enlève cette tache... que je rentre. Je dois...

Elle se leva machinalement, prit son sac et sortit de son bureau. Elle marchait comme une somnambule dans le couloir. *Rentre. Rentre à la maison. Il faut absolument que tu fasses partir cette tache, comme ça, quand Brian rentrera...*

Le hall était plein de monde. Les gens lui disaient bonjour avant de s'engouffrer dans les ascenseurs. Tous sauf un qui restait derrière. Un homme solide, pas grand mais solide, vêtu d'une veste beige et portant un attaché-case. Max Griffin.

Rose sentit sa confusion céder un peu, son esprit se clarifier. Cet homme allait l'aider. Il l'avait déjà fait, n'est-ce pas? Il lui avait obtenu une bourse pour l'automne. Et il lui parlait comme un ami et non comme un patron.

Il laissa tomber son attaché-case, se précipita vers elle et la prit par les épaules, comme pour l'empêcher de tomber.

« Rose! Qu'avez-vous? Vous êtes blême. Êtes-vous malade? »

Elle secoua la tête. « J'ai renversé mon café, lui dit-elle. J'en ai partout et il... il faut que je rentre. Ma robe. Je rattraperai le temps perdu. Je vous en prie... il faut que je rentre. » Sa propre voix lui paraissait étrange.

Max plantait ses yeux bleus dans les siens, la regardait avec insistance. « Venez, alors, lui dit-il gentiment, je vais vous ramener. »

Elle se sentait incapable de protester, sans force. « Oui, à la maison. »

Il la prit par le bras et la fit monter dans un taxi. Le chauffeur se faufilait dans la circulation. Les vitres étaient ouvertes et l'air poisseux de l'été s'engouffrait dans la voiture. Pourtant elle avait froid, comme s'il y avait eu de la neige tout au fond d'elle, une neige qui lui gelait le cœur.

Elle se mit à trembler et à claquer des dents. Elle aurait voulu s'arrêter mais c'était impossible.

Max, dont la voix semblait lointaine, disait : « Vous êtes malade, Rose. Je pense qu'il vaudrait mieux appeler un médecin. »

Un médecin? Pour quoi faire? Elle n'était pas malade.

Elle secoua la tête, les bras croisés sur la poitrine. « Je n'ai rien, insista-t-elle. C'est ridicule. Vous n'auriez pas dû m'accompagner. Vous perdez votre temps. Vous êtes attendu au tribunal dans une heure.

— Ne vous préoccupez pas de ça. J'obtiendrai un ajournement. C'est vous qui m'inquiétez, Rose. Il faut me dire ce qui est arrivé. A vous voir, on croirait que quelqu'un est mort dans votre entourage. »

Oui, Brian, il est parti. C'est comme s'il était mort.

Rose tendit les bras devant elle comme pour parer un coup, pour empêcher une terrible pensée de l'assaillir.

« Non, cria-t-elle, non!

— Rose, pour l'amour du ciel, qu'y a-t-il? Dites-le moi. »

Elle secoua de nouveau la tête avec violence. *S'il vous plaît... ne m'obligez pas à le dire. Si je vous en parle, ça va prendre corps, devenir réel.*

« Je ne veux que vous aider, insista-t-il. Mais comment puis-je le faire si vous ne me dites rien? Rose? Rose? »

Elle fut soudain prise de nausées. « Max... je crois que je vais vomir. »

Il passa un bras autour de ses épaules et la serra contre lui. Sa nausée se dissipa légèrement. Puis, après ce trajet interminable, il l'aida à sortir du taxi, la soutenant, la portant presque dans l'escalier qui menait à son petit studio.

« Ça va aller, Rose, la calmait-il. Je suis là. Je vais m'occuper de vous. »

Non, avait-elle envie de crier. Non. C'est Brian qui devrait s'occuper de moi. Il l'avait toujours fait. Mais où était-il en ce moment? Elle avait besoin de lui maintenant, plus que jamais.

Elle se sentait si faible, à peine capable de se mouvoir. Elle laissa Max lui enlever ses chaussures, sa robe... sa robe fichue... et la mettre au lit comme une enfant.

La pièce lui semblait soudain petite et sombre. Ce studio de Lower East Side qu'elle avait été tellement heureuse de trouver! Aujourd'hui elle le trouvait sinistre. Le soleil n'y pénétrait jamais. Elle vit que ses géraniums, sur le palier de l'escalier d'incendie, étaient en train de crever, tout bruns et pendouillant. Cet appartement lui fit soudain l'effet d'une cellule de prison, un monde gris et dangereux.

« Ça va aller mieux, répétait Max. Vous n'avez pas besoin de parler. Reposez-vous. Tenez, buvez ça. » Il porta un verre à ses lèvres, lui fit avaler quelque chose... « Je reste près de vous. Je ne vous quitterai pas. »

Elle ne pouvait plus bouger ni respirer.

Elle allait mourir. Cette douleur allait la tuer.

« Aidez-moi », trouva-t-elle la force de murmurer. Elle saisit la main de Max, sentit sa large paume, rassurante. Elle la prit entre les siennes comme si, se noyant, elle s'agrippait à lui pour qu'il la tire vers le rivage.

« Je suis là, entendit-elle. Je suis là, Rose. »

Deuxième Partie

1974

Il est plus facile d'avouer un crime qu'un acte honteux.

Jean-Jacques ROUSSEAU, *Confessions.*

18

Sylvie coupa un bourgeon fané. Quel dommage, pensa-t-elle, il n'a même pas eu le temps de fleurir avant de mourir.

Elle se pencha pour examiner le buisson et remarqua un fin réseau de filaments blancs sur les feuilles. Bon, il faudrait traiter et tailler les rosiers. Elle se redressa, respirant avec joie l'air tiède de cette belle matinée de juin et regarda autour d'elle. Le jardin était mal entretenu. Autrefois jamais elle n'aurait laissé la végétation croître et s'enchevêtrer ainsi, en tout cas pas du vivant de Gerald. Mais depuis six ans tant de choses avaient changé.

C'est *moi* qui ai changé, se dit-elle soudain, tout étonnée. Je ne suis plus la gourde, effrayée par son ombre, que j'étais autrefois. Je ne suis plus culpabilisée par ce que je suis, ce que je peux ou ne peux pas faire. Quand je pense que certains hommes me trouvent encore désirable! Alan Fogherty qui m'emmène dîner chaque fois qu'il est en ville, qui m'envoie des fleurs... et Dennis Corbett, à la banque, qui me téléphone pour me dire qu'il a deux billets pour un ballet. Et puis, bien sûr, il y a Nikos...

Elle imagina Nikos sur le chantier, les manches de sa chemise bleue roulées sur ses avant-bras puissants, tout vibrant d'énergie. Envisageait-il un avenir avec elle? Pensait-il parfois à l'époque où ils étaient amants?

Je divague, se dit-elle. *Et moi, est-ce que je voudrais de lui?*

Elle fut agacée de voir que ses mains tremblaient légèrement. Elle allait avoir cinquante-deux ans et elle se comportait encore comme une gamine! Elle coupa un autre bourgeon abîmé et le déposa dans son panier. Nikos... Pendant les terribles mois qui avaient suivi la mort de Gerald et le départ de Rachel, il avait été d'une extraordinaire gentillesse. Il l'appelait pour prendre de ses nouvelles, lui racontait des blagues au téléphone pour essayer de la sortir de son cafard, lui faisant comprendre que si elle avait besoin d'une oreille compatissante, d'une épaule sur laquelle pleurer, il était là.

Elle se sentait un peu honteuse. Elle avait usé et abusé de sa gentillesse. Mais s'il n'avait pas été là, où en serait-elle maintenant? C'était lui qui l'avait incitée à prendre sa vie en charge, à s'occuper de sa fortune. Gerald n'aurait pas approuvé mais il n'était plus là pour la protéger. Alors elle s'y était mise, à peu près comme un explorateur part à la découverte d'une terre inconnue ne figurant sur aucune carte et vraisemblablement dangereuse. C'était, en tout cas, un vaste programme auquel elle avait décidé de s'attaquer. Packard Haimes, leur avocat, était censé gérer ses biens et c'eut été un soulagement de le laisser faire mais quelque chose – probablement Nikos – l'avait poussée à prendre son destin en main.

Elle était allée trouver Packard dans son bureau ancien qui ressemblait à une bibliothèque, au 55 Water Street.

Ce cher vieux Packy. Elle revoyait son visage rose, aux yeux pétillants, penché vers elle. Il lui avait tapoté l'épaule, l'avait fait asseoir dans le fauteuil de cuir, en face de lui. Très paternel.

« Ne vous inquiétez surtout de rien, ma chère Sylvie. Les sociétés que Gerald a créées sont aussi solides que le rocher de Gibraltar. La banque suit tout cela. Vous pouvez dormir sur vos deux oreilles et profiter de la vie. Pourquoi ne partez-vous pas faire une croisière dans les mers du Sud ou dans les Caraïbes? Ça vous ferait le plus grand bien. » Et tout cela avec ce sourire avunculaire, qu'elle trouvait autrefois si rassurant. Mais ce jour-là, il l'avait irritée.

Elle se souvenait que Nikos lui avait dit un jour : « Les fortunes sont souvent mieux gérées par ceux qui risquent de perdre leur chemise s'ils font des bêtises. » Et soudain, elle s'était entendue prononcer ces mots : « J'ai décidé de gérer mes biens moi-même.

– Vous ne parlez pas sérieusement, avait protesté Packy. Mais vous ne connaissez rien à...

– Absolument rien, l'avait-elle coupé. Mais je ne suis pas idiote je peux apprendre, non? »

Et, avec l'aide de Nikos, elle avait appris. Et lorsque les longues colonnes de chiffres – bilans et comptes des diverses sociétés – commençaient à se brouiller devant ses yeux, elle se souvenait des paroles de Nikos.

« En fait, ce n'est pas si compliqué, lui avait-il dit, mais, au début, ça semble inextricable. Souvenez-vous de deux choses. D'abord, il ne faut jamais avoir peur de poser des questions. Ensuite, ne pensez jamais que vous pourriez ne pas comprendre les réponses. »

Et – comme une petite graine plantée dans sa tête – l'idée qu'elle pût faire autre chose que tuer le temps, germa en elle. Pourquoi se limiter au jardinage, aux courses, aux déjeuners avec Evelyn Gold, aux œuvres de bienfaisance et aux dîners occasionnels avec Rachel et Brian?

Il y avait la banque. Au début, l'idée d'assister aux réunions du conseil d'administration – seule femme parmi tous ces hommes – lui donnait la migraine.

Penchée sur son rosier, son sécateur à la main, Sylvie se revoyait entrant pour la première fois dans la salle de réunion sous le regard surpris et réprobateur des membres du conseil d'administration.

Elle n'avait pas dit un mot. Elle s'était contentée d'assister à la séance. Même chose pour la suivante. La troisième fois, sa peur avait disparu, même si elle ne se sentait pas très à l'aise. Elle savait ce qu'ils pensaient, elle le lisait dans leurs yeux : *Elle s'ennuie à la maison, elle est seule, elle veut s'occuper. Ça lui donne l'occasion de « s'habiller », à défaut d'autre chose. Elle nous dérange plutôt mais enfin, si ça l'amuse...*

Et quel choc pour eux le jour où Sylvie – la timide veuve de Gerald – s'était levée pour proposer tranquillement d'élire un nouveau président, celui auquel elle pensait depuis un moment déjà, le jeune vice-président, Adam Cutler. C'était le fils d'un représentant en chaussures de la Caroline du Nord, un self-made man. Ne faisant pas partie de *l'establishment*, Cutler était tenu pour quantité négligeable. Pour Sylvie, c'était le seul type vraiment intelligent du groupe.

Le moment qui avait suivi sa proposition resterait à jamais gravé dans sa mémoire. Elle revoyait la longue table de noyer, si brillante qu'ils se reflétaient dedans comme des fantômes. Puis Pyne, le visage rougi par l'outrage, s'était levé avec un sourire glacial.

« Nous... et je crois m'exprimer en notre nom à tous... nous sommes ravis de l'intérêt que vous portez depuis un certain temps à notre banque, madame Rosenthal, dit-il d'une voix qui sembla abaisser la température de la pièce d'au moins dix degrés. Mais je dois vous rappeler qu'ici il s'agit d'autre chose que d'organiser un cocktail ou de discuter de la facture de Saks. »

Sylvie lui avait été reconnaissante, oui *reconnaissante,* de l'avoir fait bouillir de rage. Ses mains, qui avaient tremblé un moment auparavant, étaient parfaitement immobiles sur ses genoux, et les hommes assis autour de la table ne lui semblaient pas plus menaçants que les vendeurs à qui elle s'adressait dans les magasins.

« N'essayez pas de m'embarrasser, répondit-elle sèchement. Il est vrai, comme vous l'avez souligné, que mon intérêt pour la banque est récent. » Elle les avait regardé un par un, les forçant à soutenir son regard. « Mais la seule chose qui pourrait m'embarrasser, c'est de ne pas m'en être préoccupée plus tôt. Je vous rappelle que je possède soixante pour cent de Mercantile Trust. Si vous n'êtes pas décidés à tenir compte de mon avis, je vendrai mes parts. J'ai le devoir de vous informer qu'on m'en a proposé un bon prix. Je crois que plusieurs d'entre vous connaissent l'acheteur en question, continua-t-elle calmement. Il s'agit de M. Nikos Alexandros. »

Il y eut un long silence. Elle jubilait. Elle avait joué la bonne carte. Ils préféraient de toute évidence avoir affaire à une femme qu'à un étranger. Un Grec, par-dessus le marché, un requin qui les boufferait.

Avant que le vote ne commence, Sylvie savait qu'elle avait gagné.

Elle interrompit sa rêverie et, en se redressant, fut prise d'un étourdissement. Des taches de couleur dansaient devant ses yeux et son cœur battait trop vite.

Elle rentra dans la maison. Il fallait qu'elle se prépare. Elle avait rendez-vous avec Nikos pour déjeuner.

Il avait, prétendait-il, des nouvelles excitantes à lui annoncer. De quoi pouvait-il bien s'agir? Peut-être, songea-t-elle avec une pointe d'envie, avait-il rencontré quelqu'un, une femme qu'il voulait épouser. Et pourquoi pas? Il était encore séduisant et plein d'énergie. Et si gentil!

Au fond, à mieux y réfléchir, ce serait normal qu'il se remarie. Simplement, c'était la première fois qu'elle y pensait réellement. Mais... oh mon Dieu, cesserait-il de déjeuner avec elle, de l'emmener à l'opéra? C'était si important pour elle!

Cher Nikos! Elle lui devait tant. D'abord, il était parfait avec Rachel. En dépit des dénégations de Sylvie, Nikos demeurait persuadé que Rachel était sa fille bien qu'il n'abordât plus du tout la question. Il était toujours courtois et amical avec Rachel, rien de plus. Sylvie lui en était reconnaissante, mais pas au point de lui dire la vérité sur Rose.

Pendant toutes ces années, j'ai menti à Gerald et maintenant je mens à Nikos. Cette pensée la déprima.

S'il sait un jour pour Rose, il remuera ciel et terre pour la retrouver. Mais ne méritait-il pas cette enfant qu'il avait tant désirée?

Elle avait essayé à maintes reprises de lui raconter l'histoire mais c'était impossible. Les mots refusaient de franchir ses lèvres sans doute parce que Rachel aussi était impliquée dans tout cela. Rachel, Rose et elle. Oui, elle aussi.

Ma pauvre Rose, pensa-t-elle, et ses yeux se remplirent de larmes. *Tu ne me connais pas mais je pense à toi chaque jour. Avec moins d'angoisse qu'autrefois, il est vrai. Le temps a fini par adoucir mon chagrin. Mais, oh ma chère enfant... comme je souhaiterais...*

Il fallait qu'elle se dépêche, autrement elle allait être en retard. De nouveau, elle se demanda avec appréhension ce que Nikos allait lui annoncer. Elle se méfiait des surprises. Il y en avait eu suffisamment dans sa vie.

« Alors, qu'en penses-tu? » demanda Nikos, du premier étage de la maison où il l'avait emmenée après leur déjeuner. « Je suis un imbécile ou un génie? Mais quelque chose me dit que je suis un imbécile. »

Sylvie rejoignit Nikos sur le palier. Elle l'avait accompagnée jusqu'à cette maison abandonnée, en bordure de Gramercy Park, en s'interrogeant sur ce qu'il pouvait bien avoir à lui montrer. A présent, elle comprenait. Son regard erra dans la pièce délabrée, à la maçonnerie visible sous le plâtre écaillé, qui avait sans doute été un magnifique salon edwardien. Les grandes portes arrondies étaient hideusement barbouillées de vieille peinture et la moitié des boiseries sculptées était cassée ou manquait. Quant au plafond à moulures, il ressemblait à un gâteau de mariage rongé par les rats.

Une maison. Voilà de quoi il voulait me parler. Dieu soit loué. Ce n'était pas une mauvaise nouvelle.

Un vif soulagement l'envahit. Puis elle se dit que rénover cette baraque en ruines coûterait très cher à Nikos. Quelle idée de vouloir se lancer là-dedans. Il allait y passer un temps fou. Ce n'était plus un jeune homme, après tout, il avait plus de soixante ans.

Inquiète, elle le regarda, debout sous une arche, au milieu des gravats et des carreaux cassés. Il semblait aussi costaud que trente ans auparavant, mis à part un léger embonpoint autour de la taille. Mais ses cheveux, bien qu'encore épais, étaient tout gris.

Il avait enlevé sa veste et l'avait jetée sur son épaule. La tête rejetée en arrière, les yeux brillants, il examinait la pièce avec intérêt.

Cela faisait longtemps qu'elle ne l'avait pas vu aussi joyeux. Pendant tout le déjeuner, il s'était comporté comme un enfant qui meurt d'envie de confier son secret. Il la regardait bizarrement, puis, à la fin, il avait commandé une bouteille de champagne. Pas étonnant que la tête lui tournât un peu!

« Je pense que c'est... qu'on peut sûrement en faire quelque chose », dit-elle avec diplomatie.

Nikos tourna ses yeux sombres vers elle et partit d'un rire tonitruant qui résonna dans la pièce vide. « Quelle hypocrite vous faites! Vous détestez cette maison, Sylvie. On dirait que vous venez de goûter à quelque chose de très mauvais.

— Eh bien... je trouve surtout qu'elle est en très mauvais état, répondit-elle, embarrassée sans trop savoir pourquoi. Nikos, vous n'envisagez pas sérieusement d'acheter ça, tout de même? Je veux dire... c'est vrai qu'elle est bien située, en bordure de Gramercy Park et à cinq blocs de votre bureau. Mais *regardez*-la. C'est surprenant qu'elle n'ait pas été murée. Et puis, n'est-ce pas un peu grand?

— Trois étages en tout. Venez voir le reste. » Avant qu'elle ait pu répondre, il la prit par le bras et l'entraîna vers l'escalier branlant.

En montant, elle sentit certaines marches s'affaisser sous leur poids et grincer comme un mât en plein vent. Par ailleurs, il régnait ici une odeur âcre, très désagréable, comme des baies de genièvre en décomposition. En arrivant en haut, elle distingua une forme qui filait à sa vue. C'était un chat. Voilà d'où venait cette puanteur.

Au second, Nikos ouvrit la porte d'une grande pièce aérée, pourvue d'une cheminée de marbre, probablement une chambre. Par la fenêtre encrassée de suie, on apercevait, sur la gauche, Gramercy Park avec ses pelouses vertes et ses plates-bandes de part et d'autres de l'allée de graviers. Des jeunes femmes promenaient leur bébé et des gens lisaient, assis sur un banc au soleil.

Et soudain, elle se dit que Nikos avait raison. Oui, indiscutablement, on pouvait tirer quelque chose de cette vieille bâtisse. Beaucoup de travaux en perspective mais, au bout du compte...

En se retournant, elle vit Nikos, accroupi sur le plancher, en train de dérouler des plans. Il posa des morceaux de briques cassées aux quatre coins pour les empêcher de se replier.

« Vous voyez... là et là, il faudrait abattre la cloison, faire de grandes pièces, une vaste cuisine. Ce matin, j'ai repéré un énorme billot de boucher chez un antiquaire de Greene Street. Ce serait parfait le long de ce mur. Mais la porte, je ne sais pas... peut-être faudrait-il la déplacer... »

Avant d'avoir réalisé ce qu'elle faisait, Sylvie se retrouva à genoux près de lui, gagnée par son enthousiasme.

« Non, dit-elle, je ne vois pas une porte ici... A mon avis, il faudrait ouvrir ce mur et faire des portes-fenêtres. Cette pièce est au sud et donne sur le jardin. Vous voyez, il y a toute la place qu'il faut pour faire une salle à manger de ce côté.

— Oui, vous avez peut-être raison. » Il plissa les yeux, comme pour juger de l'effet. « Et ici? Un office? C'est trop petit, non? On ne pourra même pas y prendre le petit déjeuner.

— C'est faisable, à condition d'abattre tout ce mur de placards. Vous le remplacez par un comptoir dont on peut se servir des deux côtés et qui fera buffet en dessous. Au-dessus, il faudrait accrocher des casseroles et des marmites de cuivre. »

Nikos leva la tête vers elle. « Surprenant! Sylvie, vous m'étonnerez toujours. Comment vous êtes-vous débrouillée pour cacher tous ces talents jusqu'à présent? »

Elle se mit à rire. « Vous allez vraiment vous lancer là-dedans? Vous n'avez jamais rénové de maison ancienne. C'est parfois plus difficile que d'en construire une neuve. » Elle se souvenait de l'époque où Gerald et elle avaient acheté à Deal une maison qui devait avoir une centaine d'années. Pendant des mois elle avait consacré tous ses week-ends aux rendez-vous de chantier. Et pourtant, elle était en meilleur état que celle-ci.

« Avec votre aide, répondit-il sans hésiter..

— Moi? Mais je n'y connais rien.

— Vous en savez bien assez et vous avez le sens de la beauté. Cette maison est féminine, je le sens, pas vous? Elle a besoin de la main d'une femme.

— Oh, Nikos... » Sylvie le regarda dans les yeux et comprit qu'il parlait sérieusement... Elle était à la fois surprise et flattée. « Vous êtes l'homme le plus impossible que j'aie jamais connu.

— Ça signifie qu'il est impossible de me dire non?

— Je ne sais pas...

— Réfléchissez-y. S'il vous plaît. »

Puis il prit son menton dans ses grandes mains calleuses qui sentaient l'encre d'imprimerie et l'embrassa.

Elle en éprouva un choc, puis une douce chaleur se répandit en elle. Mon Dieu, se dit-elle, c'est moi qui suis devenue folle. Il y a trente ans, il m'a embrassée comme ça. Mais maintenant? Ce n'est pas possible. Nous sommes de vieux amis, et ce genre de chose nous est passé depuis longtemps. Mais elle sentait le désir se réveiller en elle. Depuis quand n'avait-elle pas ressenti cela? Oh, des années.

Pourquoi pensais-je que j'étais trop vieille?

A-t-il attendu tout ce temps pour que je sois vraiment prête?

Elle recula son visage et chercha la réponse dans ses yeux. Oui, il l'avait attendue. Ils étaient si différents, à présent, des jeunes gens qui s'étaient aimés autrefois dans la précipitation et la honte. Il leur avait fallu du temps, oui, bien des années, pour apprendre à se connaître et à se respecter. A devenir amis.

Mais avec ce baiser brûlant, il lui rappelait qu'elle était encore une femme désirable et lui un homme. Ses yeux lui disaient : *Je suis là, si vous voulez de moi.*

Pas encore, répondit-elle en silence, mais bientôt. *Oui, ce pourrait être très bientôt.*

Sylvie se dégagea. Il commençait à faire froid dans la pièce. Le soleil avait tourné et ils étaient à présent dans l'ombre.

Un énorme chat, surgissant de nulle part, se matérialisa soudain devant eux, et les regarda fixement, la queue hérissée. Sylvie laissa échapper un petit cri.

« Ne vous inquiétez pas, dit Nikos. Il a faim, c'est tout. Il se demande si nous n'avons pas un peu de nourriture pour lui.

— Il a plutôt l'air de *nous* considérer comme de la nourriture. »

Puis le chat disparut, se fondit dans l'ombre.

Nikos lui tendit la main pour l'aider à se relever. « Venez, ma chère Sylvie. Je vais vous ramener chez vous où aucun chat sauvage ne vous mangera. Puis je vous dirai au revoir. Je pars à Boston jusqu'à lundi prochain. Peut-être, à mon retour, pourrions-nous dîner ensemble?

– Oui, bien sûr, appelez-moi. » Elle ramassa les plans et les roula. « Je les prends. Comme ça j'aurai le temps d'y jeter un coup d'œil. »

Il lui sourit – un éclair blanc contre le cuir tanné de son visage. Elle se sentit fondre à nouveau et le désir renaquit en elle, chaud et lourd dans son ventre.

Dans quoi est-ce que je me fourre? se demanda-t-elle.

19

Max Griffin buvait son café tout en contemplant la Tamise qui luisait au soleil comme de l'argent terni. Inespéré ce soleil. A Londres, il faisait gris la plupart du temps. Il prenait son petit déjeuner préféré au Savoy, tout en regardant cette vue qu'il adorait. Alors pourquoi se sentait-il aussi déprimé?

Ce devait être à cause de Rose. Hier, ils étaient restés assis côte à côte pendant des heures dans l'avion, puis, arrivés à Londres, ils s'étaient engouffrés dans ce restaurant bondé de Chelsea, prenant la dernière table libre, une minuscule table d'angle où ils étaient pratiquement l'un sur l'autre. Pendant toute la soirée, il avait respiré son parfum, l'avait entendue rire, avait vu ses yeux briller.

La nuit dernière, il avait eu terriblement envie de lui prendre la main. Il sentait sa cuisse tiède contre la sienne. Au fond, l'atmosphère n'était pas très différente de celle du bureau. Où, entre parenthèses, elle aurait dû rester. Voyage d'affaires? Qui croyait-il abuser?

De toute façon, il était un peu tard pour y penser. Il n'y avait plus qu'à essayer d'en tirer le meilleur parti possible. Et dans trois jours, ils seraient de retour. Peut-être moins, si l'avocat de la partie adverse acceptait l'offre plus que généreuse qu'on l'avait autorisé à faire.

Max abaissa son regard sur Victoria Park, tapis vert parsemé de massifs de fleurs et traversé de chemins pavés. Au-dessous, le quai était encombré de voitures et le trottoir de piétons, employés se rendant à leur travail d'un pas vif mais égal, sans avoir l'air de se presser.

Que Dieu bénisse les Anglais, se dit-il, amusé. Le soleil brille. Le ciel est totalement bleu mais ils ont quand même pris un parapluie. Certains portaient un chapeau et avaient un imperméable plié soigneusement sur le bras.

Ils ne prennent pas de risque, au moins, pensa-t-il. Pas plus que tu n'en as pris hier soir, mon vieux.

La suite de Rose communiquait avec la sienne et la porte n'était fermée que par un loquet, le genre que n'importe qui est capable d'ouvrir. Pourtant, la nuit dernière, pendant plus d'une heure, il était resté là, les mains moites, le cœur battant, incapable de frapper à la porte et, à fortiori, de s'attaquer au loquet. Pourtant, il mourait d'envie de prendre Rose dans ses bras, de lui dire qu'il l'aimait depuis très longtemps, qu'il était fou d'elle, qu'il la désirait...

Et s'il avait osé? Quelle aurait été sa réaction? Choquée? Au début, sans doute, puis elle l'aurait consolé. Pauvre vieux Max. Elle l'aimait bien. Elle ne voulait sûrement pas lui faire de peine.

Ouais, elle l'aurait même peut-être invité à entrer dans son lit, par pure reconnaissance. Elle se serait dit qu'elle lui devait bien ça. Seigneur, arriver à ses fins de cette façon... il préférait ne pas l'avoir du tout.

« Vous désirez commander, monsieur? »

Max leva la tête.

« Non, pas encore, répondit-il au serveur à la veste immaculée, j'attends une jeune femme qui devrait arriver d'une minute à l'autre.

– Très bien, monsieur. »

Max laissa son regard errer sur les autres clients, installés le long des fenêtres. A en juger par leurs vêtements c'étaient tous, ou presque, des types de la Cité. Il y avait aussi deux dames d'âge moyen, vêtues de tweed, sans l'ombre d'un maquillage. Typiquement haute société britannique.

Tournant la tête vers l'entrée de la vaste salle, il vit s'avancer une grande fille brune aux jambes longues, voluptueuse et manifestement inconsciente de sa beauté. Max la regardait fixement.

Bonté divine, je la connais depuis six ans et elle me fait encore bander comme un adolescent quand elle entre dans une pièce.

Ses cheveux bruns et frisés lui arrivaient aux épaules. Comme si elle avait voulu contrebalancer son exotisme flamboyant, elle portait une jupe droite en tweed, un chemisier de soie blanche et un seul rang de perles. Il le lui avait offert pour fêter son inscription au barreau. Curieux qu'elle ne portât qu'une boucle d'oreille. Juste une, comme un pirate et depuis des années. C'était un petit rubis en forme de goutte. Sa pierre de naissance *. « Ça porte bonheur », lui avait-elle expliqué.

L'ayant repéré, elle lui fit un grand sourire, et un petit signe de la main. Max vit les têtes se tourner. Même les Anglais, remarqua-t-il avec amusement, savaient reconnaître une belle chose quand ils en voyaient une.

---

* *Birthstone* : Pierre précieuse symbolisant le mois de naissance et caractérisant la personne née au cours de ce mois. Rubis: août. *(N.d.T.)*

Rose se glissa sur la chaise d'en face. Elle avait les joues rouges et était un peu haletante, comme si elle avait dévalé l'escalier au lieu d'attendre le vieil ascenseur. Elle sentait bon, une odeur florale et fraîche.

« Je suis désolée d'être en retard. J'ai dormi comme un loir. Vous auriez dû frapper à ma porte avant de descendre. »

J'ai été bien près de faire beaucoup plus que de frapper, se dit-il.

« J'ai pensé que vous aviez besoin de vous reposer. De toute façon, nous avons tout le temps. La réunion avec Rathbone est à onze heures.

Elle sourit. « Je ne me suis pas tellement reposée, en fait. Je suis restée éveillée une partie de la nuit pour préparer le dossier. J'avais des notes de tous les côtés. Mon Dieu, ce que la plus anodine des remarques peut engendrer comme paperasserie! Est-ce que le café est encore chaud? J'en prendrais bien une tasse. Ça fait longtemps que vous m'attendez?

– Non, je viens d'arriver. Je contemplais la vue. » Il fit signe au serveur. « Et oubliez le café. Je vais vous commander du thé. On doit boire du thé la première fois qu'on va à Londres et de préférence au Savoy. C'est la loi. Ils le mentionnent sur votre passeport.

– Ce doit être leur façon de nous faire payer la Tea-Party de Boston *. » Elle riait, mais au fond de son regard, il y avait cette tristesse, cette ombre dont il ne se départait jamais. Un sentiment d'impuissance, comme souvent, l'envahit. Six ans maintenant, c'était long. Pourquoi refusait-elle d'en parler? N'avait-elle pas suffisamment confiance en lui?

Elle se pencha en avant, les coudes appuyés sur la table, le menton dans la main, et contempla la vue magnifique de la Tamise. La lumière jouait sur son visage et une expression d'émerveillement enfantin lui fit écarquiller les yeux. Il avait tellement envie de la toucher qu'il en tremblait presque.

Puis l'image de sa mère disant cyniquement : *Personne n'est plus idiot qu'un vieil idiot,* lui traversa l'esprit. Il sentit son cœur dégringoler dans sa poitrine, comme happé par une trappe.

Pourquoi irait-elle se fourrer dans une histoire avec un homme marié? Et de surcroît, de vingt ans plus âgé qu'elle?

Mon vieux, tu déconnes complètement, disait en lui une petite voix moqueuse. *Que tu sois marié ou non, elle s'en fout. Pour elle, tu es un ami, son patron, une figure paternelle. Rien de plus. Un mélange d'Edmund Gwen et de Frederic March.*

Et un de ces jours, elle va se marier. Même si elle ne parvient jamais à oublier le salaud – quel qu'il soit – qui lui vaut ce regard blessé. Elle a

---

* *Boston Tea Party* : Raid des colons, déguisés en Peaux-rouges, sur les bateaux britanniques en rade de Boston, le 16 décembre 1773. Des chargements entiers de thé furent jetés à la mer par les attaquants pour protester contre les impôts britanniques sur certaines denrées alimentaires et en particulier sur le thé. *(N.d.T.)*

trente et un ans, bon Dieu, il serait temps. Elle va vouloir des enfants avant qu'il ne soit trop tard.

Il l'imagina un instant enceinte, grosse d'un enfant, de *leur*, de *son* enfant.

Puis il se dégoûta. Combien de temps allait-il se torturer ainsi?

« C'est beau, n'est-ce pas? » dit-il, interrompant sa contemplation silencieuse.

Rose se tourna vers lui. « Oh, Max, c'est le paradis! Je n'ai jamais été dans un endroit aussi merveilleux. » Elle eut un petit rire puis ajouta : « A dire vrai, je n'ai jamais été nulle part. Londres c'est... c'est un conte de fées... je m'attends presque à voir surgir Peter Pan.

– Ça ne manque pas d'à propos. » Il rit. Devon Clarke – la partie adverse dans l'affaire qu'ils étaient venus négocier – avait joué Peter Pan ici-même, à Londres, et ce rôle l'avait rendue célèbre. Ce rôle et d'autres choses encore, notamment ses innombrables aventures. Elle avait couché avec tous les hommes de la troupe, y compris les techniciens.

Curieux de penser que c'étaient les infidélités de Devon Clarke qui les avaient amenés ici.

Si seulement son ex-mari avait consulté Max avant de publier son manuscrit et d'étaler tout ce linge sale, il lui aurait suggéré des coupures ici et là. Mais Jonathon Booth – c'était clair à présent – avait voulu se venger des infidélités de Devon et il l'avait fait avec une vulgarité dont elle le punissait maintenant. Au début, elle avait même refusé de régler le problème hors du tribunal. Elle exigeait le grand jeu.

Puis la semaine dernière, Jonathon avait appelé. Devon était, semblait-il, prête à négocier mais seulement si l'avocat de Jonathon acceptait de venir à Londres, aux frais de ce dernier, bien sûr.

Comme Rose s'était occupée du dossier et avait conduit toutes les enquêtes nécessaires, Max lui avait proposé de l'accompagner. Par ailleurs Rose avait le don d'aborder les problèmes latéralement, comme les crabes, et dans ce cas précis, ce serait sans doute très utile.

Elle pouffa de rire. « Peter Pan? Ah oui, je me souviens de cette partie du livre... quand Jonathon la trouve au lit avec les jumeaux, âgés de seize ans, de Lady Hemphill. Elle n'est pas banale, celle-là!

– Bien sûr, nous savons qu'elle ne faisait pas cela pour s'amuser, dit Max pince-sans-rire. C'est une actrice très méthodique. Elle étudiait son rôle... elle essayait de... comment dit-elle cela, déjà? Ah oui, de se mettre dans la peau d'un adolescent. »

Rose rit : « C'est un numéro, cette Devon Clarke. Croyez-le ou non, ça m'amuse de la voir. Vous êtes sûr qu'elle va venir?

– Oui et elle sera probablement couverte de sequins et de clochettes. Je crois que tout ça lui plaît. C'est une bonne publicité pour sa nouvelle pièce. Elle joue actuellement la reprise de *Blithe Spirit*. Il paraît que la salle est pleine tous les soirs depuis ce scandale. »

Au serveur, qui s'était approché de leur table il commanda « du thé pour madame. »

« Max, je ne sais pas... Vous croyez que je vais m'en tirer avec elle?

— Vous oubliez votre intrépidité. Je vous revois encore au volant de la voiture. Vous avez bien failli nous tuer tous les deux pour prouver que quelque chose clochait dans cette foutue bagnole! Je vous assure que Devon Clarke est moins dangereuse. » Il lui tendit le panier recouvert d'une serviette. « Une brioche?

— Merci. Je meurs de faim. En parlant de cyclone, humain ou autre, vous aviez raison, vous savez. Je ne sais pas si je vous l'ai jamais dit mais je vous ai admiré de risquer votre job comme ça. »

Max demeura silencieux. Il revoyait la réunion avec Graydon Wilkes, le président de Pace Auto, deux jours après cet essai sur l'autoroute. Max l'avait brutalement accusé de dissimuler une information capitale, ajoutant que si le public l'apprenait, les conséquences pour Pace Auto serait absolument désastreuses.

« Vous aurez tellement de procès sur les bras que vous ne saurez plus que faire, avait-il dit à Wilkes. Vous allez susciter une nouvelle vocation dans la profession : les avocats spécialisés dans l'attaque en justice de Pace Auto. Vous vous retrouverez avec votre chemise sur le dos. »

Wilkes était devenu aussi gris que son costume et il l'avait regardé avec tant de haine que Max s'était dit qu'il allait à coup sûr se faire virer. En fait, il s'apprêtait lui-même à refuser l'affaire et à sortir de la pièce lorsque Wilkes, au bout d'une interminable minute, avait baissé les yeux et dit : « D'accord. Récapitulons toute l'affaire. »

Max se souvenait encore de son excitation. Et aujourd'hui il ressentait la même en voyant l'admiration avec laquelle Rose le regardait. « Non, vous ne me l'avez jamais dit », répondit-il.

Rose fronça les sourcils et ses yeux furent soudain sombres et pensifs. Max eut de nouveau un moment de découragement.

« Il se passait beaucoup de choses à ce moment-là, dit-il d'un ton hésitant. C'était juste après... votre maladie.

— Ah oui... bien sûr! » Et elle détourna le regard.

Bon Dieu, pourquoi ne voulait-elle jamais en parler? Cela faisait six ans!

Six ans. Il repensa à la maladie de Rose, à cette fièvre qui l'avait tellement affaiblie qu'elle pouvait à peine sortir du lit. Non, en fait, elle ne *voulait* pas sortir du lit, et elle maigrissait à vue d'œil. Il passait la voir tous les jours à l'heure du déjeuner ou après son travail. Il lui apportait de la tarte aux épinards, un pigeon farci, du pain frais de chez Balducci et des plats tout préparés du Szechuan. Il lui achetait des tonnes de magazines, de romans puis, quand elle alla mieux, il lui apporta du travail. Lentement, très lentement, elle avait refait surface, réintégré le monde des vivants.

Max connaissait les causes de ce profond chagrin. Brian. Il avait reconstitué l'histoire à partir du peu qu'en avait dit Rose et de ce qu'il avait lu dans les journaux. Après la parution de l'article et de la photo dans le *Daily News*, la plupart des journaux avaient relaté l'affaire. Brian et sa femme étaient même passés à la télévision, dans l'émission *Today*. Bref, les deux protagonistes de cette histoire d'amour avaient été la coqueluche de l'Amérique pendant une ou deux semaines.

Rose avait très vite cessé de parler de Brian mais Max savait qu'elle souffrait. Cela se voyait à ses yeux. Seigneur, ces yeux! Ils le hantaient même quand elle n'était pas là.

Curieusement, après cette épreuve, elle était devenue plus dure, plus forte et plus... brillante. Comme une pierre précieuse, ciselée par la tragédie. D'abord elle avait travaillé avec acharnement pour passer son examen, puis elle avait fait ses études de droit à Columbia avec le même sérieux, la même détermination. En la prenant comme associée, le cabinet d'avocats ne lui avait accordé aucune faveur particulière. A mieux y réfléchir, c'était plutôt le contraire.

L'arrivée du thé interrompit la rêverie de Max.

Rose contemplait, les yeux écarquillés, la grande théière Sheffield, la passoire en argent posée sur la tasse, le sucrier assorti plein de morceaux de sucre brun, le pot à lait fumant, le pot d'eau bouillante.

« Je ne sais pas par où commencer, dit-elle. Vous êtes sûr qu'il ne faut pas suivre un cours particulier avant de se servir? »

Son expression perplexe lui rappela soudain celle de Monkey, et il eut une envie folle de serrer sa fille contre lui, de ne plus la lâcher. Elle l'avait regardé faire ses bagages pour ce voyage, assise sur le lit ses longues jambes étendues devant elle. C'était un rituel. Chaque fois qu'il partait en voyage, et ceci depuis qu'elle était enfant, elle le regardait entasser ses affaires dans sa valise. Autrefois, quand il avait fini, il restait debout un moment, l'air méditatif, les mains sur les hanches et disait : « Hmmm, j'ai l'impression d'avoir oublié quelque chose. Je me demande bien quoi. » Alors Monkey sautait dans la valise en riant comme une folle et criait : « Moi, papa! Moi. » Mais cette fois-ci, en entendant le rituel : « Je me demande ce que j'ai oublié », elle avait levé les yeux au ciel et dit : « Tu ne crois pas que j'ai un peu passé l'âge, papa? »

Quinze ans. Où le temps s'était-il enfui? La facilité avec laquelle les gens qu'on aimait glissaient entre vos doigts l'effrayait. Il ne fallait pas que cela arrive avec Rose. Non, il devait la garder comme amie, sinon comme maîtresse.

Max souleva la grosse théière blanche.

« Tenez, laissez-moi vous montrer. » Une voix lugubre au fond de lui, disait : *Espèce de Pygmalion, quand cesseras-tu ce numéro?* « Il faut d'abord mettre le lait. Ensuite on verse le thé dans la passoire. Il ne faut remplir qu'à demi la tasse parce qu'il est très fort. Voilà pourquoi ils vous donnent toujours de l'eau bouillante. Pour le diluer. Vous prenez du sucre? »

Il regarda Rose boire une gorgée avec circonspection. « Pas mauvais, mais il n'y a pas de quoi en faire un plat. Pas étonnant que les Anglais aient perdu contre nous, avec de pareilles idées!

– Buvez, dit Max, jetant un coup d'œil à sa montre. Les Anglais n'ont pas encore perdu. Nous saurons qu'ils ont perdu quand nous verrons le blanc des yeux de Devon Clarke », plaisanta-t-il.

Max s'agita dans son fauteuil. Il était une heure vingt et il faisait une chaleur épouvantable dans le bureau d'Adam Rathbone. Ils n'étaient pas plus près d'un accord que deux heures et demie auparavant. Il avait l'impression de jouer une pièce ennuyeuse dans laquelle il ne se passe rien.

Devon Clarke, la star de leur petite comédie, était assise au milieu de la pièce, sur l'accoudoir rembourré du grand canapé, ses pieds effleurant à peine le tapis oriental usé jusqu'à la corde. C'était une femme minuscule d'une cinquantaine d'années. Avec son nez busqué, sa robe vert cru et ce foulard de mousseline bleu noué autour de son cou, elle avait l'air d'une perruche.

En face d'elle, derrière un énorme bureau sculpté, était assise la caricature d'un avoué, un homme corpulent et à moitié chauve vêtu d'un costume à gilet orné d'une montre de gousset.

Booth avait autorisé Max à offrir cinquante mille livres pour se débarrasser d'elle, mais Devon Clarke semblait ne vouloir qu'une chose, se lamenter et accabler ce salaud de Jonathon Booth, cause de tous ses malheurs.

« ... Voulez-vous savoir la vraie raison pour laquelle il a écrit ce torchon? » demanda-t-elle en allumant sa centième cigarette.

Mais Max ne voulait pas se laisser entraîner dans une discussion passionnelle. « Je ne suis pas sûr que ce genre de spéculation puisse vraiment faire avancer nos affaires, dit-il.

– Parce que j'ai refusé de jouer sa pièce, continua-t-elle comme si Max n'avait rien dit. Je lui ai dit ce que j'en pensais... un fatras complaisant. Et ennuyeux, ennuyeux, mortel! »

Max s'éclaircit la voix. Ça suffisait. Cette fois, il fallait la neutraliser, et entamer la négociation.

« Miss Clarke, mon client et moi regrettons vivement les souffrances que la parution de cet ouvrage vous a causées. Et Jonathon, croyez-le ou non, veut absolument réparer ses torts. En fait, il pense que vous avez tout intérêt, comme lui du reste, à...

– Tout intérêt? l'interrompit-elle en éclatant d'un rire métallique. *Tout* intérêt? Pardonnez-moi, mais ce qu'il m'a fait endurer n'a pas de prix. Je vais vous raconter comment votre salaud de client s'est comporté pendant notre lune de miel. *Notre lune de miel*, bonté divine! Nous étions à Majorque et j'étais malade comme un chien. J'avais attrapé une saloperie de virus. Et lui, où était-il pendant ce temps? Au chevet de son épouse souffrante? Non, pas du tout, pas une seconde! La maladie déprimait monsieur, alors il filait toute la journée! »

Max regarda Rose, assise sur un vieux fauteuil près du feu. Elle se leva, l'air gêné. Qu'avait-elle en tête?

« Je suis désolée de cette interruption, dit-elle, mais je me demandais... euh... Miss Clarke, pourriez-vous m'accompagner aux toilettes? Cet appartement est si grand et je n'ai aucun sens de la direction. Auriez-vous la gentillesse... »

Max faillit éclater de rire. Rose aurait pu trouver son chemin dans l'Himalaya par un jour de blizzard. Elle était la seule femme qu'il connût à n'être jamais désorientée chez Bloomingdale.

Elle manigance quelque chose, se dit-il aussitôt.

Les deux femmes revinrent, quelques minutes plus tard, avec des airs de conspiratrices.

L'actrice se tourna vers Max et dit : « Vous parliez tout à l'heure d'un accord? Eh bien, qui sait, peut-être Jonathon a-t-il raison de vouloir régler les choses ainsi. Toute cette histoire a été un vrai cauchemar et j'aimerais mieux ne pas la prolonger... »

Max se tourna vers Rose qui lui lança un regard de connivence.

« ... En fait, minauda miss Clarke, j'ai la migraine, alors je vais vous laisser conclure l'affaire avec Arthur. » Elle se tourna vers son avoué. « Arthur, chéri, ne fais pas attendre ces gens si aimables tout l'après-midi. Ils ont fait une offre généreuse et je l'accepte. »

Et, dans une envolée de mousseline de soie et d'effluves de Chanel n⁰ 5, elle quitta la pièce.

Max nageait dans l'euphorie. Il n'en croyait pas ses oreilles. Que s'était-il passé pendant ce court intermède où Rose et elle avaient quitté le bureau?

Dans le taxi qui les ramenait à l'hôtel, il le lui demanda.

« C'est très simple, répondit Rose. Dès que j'ai été seule avec elle, je lui ai dit que je partageais son indignation, que les hommes étaient de vrais salauds! Puis j'ai insinué que, peut-être, elle perdait son temps en poursuivant Jonathon alors que la meilleure vengeance, elle l'avait sous le nez.

– A savoir? demanda Max, amusé.

– Écrire son autobiographie, bien sûr. On voit bien, à entendre toutes ses histoires, qu'elle en meurt d'envie. Comme ça elle pourra régler son compte à ce "salaud de Booth". Je n'ai fait que la pousser légèrement dans la direction qu'elle hésitait à prendre.

– Vous êtes étonnante, savez-vous? » Max eut soudain une irrésistible envie de l'embrasser.

Et il le fit. Et comme dans ses rêves les plus fous, Rose répondit à son baiser, fut consentante, se blottit contre lui, passa ses bras autour de son cou.

Mais quelques secondes plus tard, presque aussitôt lui sembla-t-il, elle se dégagea avec un petit rire embarrassé. Max redescendit brutalement sur terre.

« Max... je sais ce que vous ressentez. Moi aussi je me sens un peu bizarre en ce moment. Ça été une matinée si étrange. Mais ne nous laissons pas embarquer *trop loin.* »

Il fut pris d'un léger malaise. Elle doit me prendre pour un de ces hommes mariés qui cherchent à tirer un coup. Oh Seigneur...

Il aurait aimé que ce fût aussi simple. En fait, il avait envie de vivre avec Rose. C'était à la fois simple et compliqué.

Il la voulait près de lui la nuit, et en face de lui au petit déjeuner. Tous les jours. Il l'imagina dans sa vieille robe de chambre à lui, les cheveux ébourriffés par le lit, buvant une tasse de café, et mettant des miettes de pain sur la table de la cuisine. Puis il songea de nouveau à sa mère. *Il n'est pire idiot qu'un vieil idiot.* Ces paroles s'adressaient généralement à son père reluquant les jolies filles sur la plage d'Edgemore.

Et c'est ce qu'elle dirait de moi maintenant. Et si elle savait dans quel état me met Rose, elle rirait et elle aurait raison.

Non, il n'était plus l'étudiant boursier de Harvard, le plus beau fleuron du cabinet Griffins, devenu l'associé principal au cours de ces dix années fertiles. A présent, il n'était plus qu'un homme mûr qui, comme son père, s'intéressait aux jeunes femmes. Un vieil idiot.

Pour sauver son honneur, il dit : « Ne vous inquiétez pas ». Et il garda son bras autour de ses épaules, comme s'il n'avait même pas remarqué qu'il s'y trouvât. « Vous êtes une fille terriblement séduisante, Rose, mais je vous aime trop pour faire quoi que ce soit qui puisse vous heurter. »

Elle parut soulagée et se mit à rire. « Max, moi aussi je vous adore. »

Il avait tant attendu ces mots. Il l'avait imaginée les prononçant des centaines de fois. Mais pas ainsi, pas avec cette légèreté, comme si elle parlait de sa robe préférée ou d'un délicieux repas.

Max eut l'impression d'avoir reçu un coup à l'estomac. Il regarda par la vitre et vit qu'il s'était mis à pleuvoir.

20

« Ça va? Je ne suis pas trop habillée? »

Elle était absurde de s'inquiéter pour si peu mais comment savoir ce que les filles portaient dans ce genre de soirée?

« Ne vous en faites pas, la rassura Max. Cette robe est ravissante. Il n'y aura pas une fille aussi spectaculaire que vous à cette réception. »

Rose le regarda. Max était assis sur le canapé pêche, devant le feu (une cheminée en marbre dans sa chambre, elle n'arrivait pas à y croire!) Il avait l'air parfaitement à l'aise dans son élégante veste du soir et pourquoi pas? Tout cela faisait partie du monde de Max – Londres, le Savoy, etc. Son regard erra dans la pièce aux teintes pastels, aux meubles français délicats. Oui, c'était le monde de Max. Mais en faisait-elle partie? Où se situait-elle dans tout cela?

« Mais c'est justement ça qui m'inquiète », répondit-elle. Comment ne comprenait-il pas? Elle n'avait pas envie que les gens la regardent comme un phénomène de foire. Elle voulait se fondre dans cette foule élégante et non pas détonner. Rupert Everest, l'éditeur de Jonathon Booth, était apparenté à la famille royale. Un jour, elle était tombée sur le compte rendu d'une de ses célèbres soirées dans le *Time*. Sur la photo illustrant l'article, on voyait Mick Jagger en train de boire du champagne dans la chaussure de Julie Christie. Qu'avait-elle de commun avec ces gens?

Rose entra dans la salle de bains pour se regarder dans la glace en pied. L'heure de vérité.

Elle resta immobile, les yeux écarquillés. La femme du miroir n'avait rien à voir avec elle, rien à voir avec la *vraie* Rose Santini, la gamine empotée éternellement vêtue de son uniforme de classe bleu marine qui habitait Avenue K et Ocean Avenue. Cette grande femme mince et sophistiquée, perchée sur des hauts talons, les cheveux remontés avec des peignes scintillants était... était... eh bien, oui, *belle*.

Dans l'après-midi, Max l'avait emmenée faire des courses chez Liberty, dans Regent Street, et elle avait acheté un imperméable Burberry avec un châle assorti et cette robe.

Max avait raison, elle était ravissante. D'inspiration Renaissance, en panne de velours, et d'un violet profond, elle était droite jusqu'au dessus du genou puis s'évasait en plis étroits – comme des pétales de fleurs – chaque pli s'ouvrant sur un fond de dentelle mauve. Les manches, également en dentelle mauve, étaient larges et froncées aux coudes, puis épousaient étroitement ses bras jusqu'aux poignets.

Un sentiment d'amer triomphe l'envahit. *Si tu pouvais me voir aujourd'hui, mon cher, mon fidèle Brian, me regretterais-tu? Essaierais-tu de me reprendre?*

Elle repensa à l'article du *Daily News* et à tous ceux qui avaient suivi. Celui de *Life* avec les photos spectaculaires du sauvetage, du mariage, puis le gros plan de Brian et de sa femme, pelotonnés sur le canapé de leur appartement de Murray Hill. Une autre de Brian devant sa machine à écrire, travaillant, disait la légende, à son roman sur la guerre du Vietnam.

Rose avait tout déchiré, les articles, les photos, mais ils brûlaient quand même dans sa mémoire et la torturaient sans cesse avec, chaque fois, cette interrogation qui demeurait sans réponse : *Pourquoi? Pourquoi as-tu fait ça, Brian.*

Lorsqu'elle avait appris – si brutalement – son mariage, elle était tombée malade. Elle ne voulait plus quitter son lit, son appartement.

Puis, un matin, trois semaines plus tard, elle se réveilla morte de faim. Elle eut envie de se lever et de sortir mais, en dépit de son énorme petit déjeuner, elle put à peine aller jusqu'à la porte tant elle était faible.

Le lendemain, elle parvint à descendre l'escalier, accrochée à la rampe et se traîna jusqu'à Washington Square, à trois blocs de chez elle. Elle se dit que le fait d'être sortie et d'avoir marché dans la rue constituait en soi une preuve de courage et d'énergie. Elle était *quelqu'un*. Et un jour, Brian le comprendrait. Un jour, il réaliserait son erreur. Et il la regretterait.

Elle devint plus forte à d'autres égards. Elle apprit à ne plus tenir compte des appels téléphoniques incessants de sa grand-mère qui exigeait qu'elle vînt, qu'elle appelât, qu'elle écrivît. Lorsque Rose passa enfin son *Law Bachelor* à Fordham, elle eut l'impression d'avoir mis des kilomètres entre sa vie d'autrefois et celle qu'elle menait aujourd'hui.

Elle devait, naturellement, une bonne partie de ses succès à Max. Sans lui pour la soutenir et la diriger, elle se serait sans doute fait coller à ses examens.

Elle se tourna vers lui – son cher, son fidèle ami – et se força à lui faire un grand sourire. Sa vieille rancœur contre Brian céda.

« Vous êtes, comme disent les Anglais, d'une grande élégance. » Il portait une veste de smoking noire avec un col en satin et une large ceinture marron de cet imprimé à paons qui avait fait le succès de Liberty. Elle ne l'avait jamais trouvé aussi séduisant. Ses cheveux, habituellement ébouriffés, étaient coiffés avec soin et ses yeux brillaient à la lueur du feu.

Max se leva et s'approcha d'elle pour l'aider à boutonner sa robe dans le dos. Elle sentit ses mains tièdes lui effleurer la nuque et poussa un soupir de plaisir. Comme c'était agréable de sentir que quelqu'un s'occupait de vous. Max chéri. Le plus merveilleux des amis.

Hier, dans le taxi, ils avaient un peu perdu les pédales. Tous deux, dans leur soulagement d'en avoir terminé avec l'actrice, avaient pendant quelques instants oublié leurs rôles respectifs.

Oui, murmurait une petite voix au fond d'elle-même, *mais sur le moment, tu ne te disais pas cela, n'est-ce pas? Quand il t'a embrassée, tu t'es sentie... enfin tu as aimé ça et tu étais sûre que lui aussi aimait ça. Et sur le moment, tu avais envie de faire l'amour avec lui.*

Rose se ressaisit. Quelle idiote! Max était sans doute aussi gêné qu'elle au souvenir de ce baiser. Et même si lui aussi *avait* eu envie d'elle, il était marié, alors ce ne pourrait être qu'une aventure sans lendemain qui, au fond, les mettrait mal à l'aise tous les deux. Non, elle aimait beaucoup trop Max pour risquer de gâcher leur amitié.

« Expliquez-moi pourquoi, alors que nous avons tous deux mis nos chaussures devant notre porte, seules les vôtres sont revenues cirées, dit-elle cherchant à dissimuler son trouble.

– C'est élémentaire, ma chère. Les Britanniques tolèrent une femme sur le trône d'Angleterre mais de là à cirer leurs chaussures... Il ne faut pas leur en demander trop. »

Rose se pencha, enleva l'une de ses chaussures à talons hauts qu'elle avait cirées elle-même et la lança de toutes ses forces contre la lourde porte de la chambre.

Elle atterrit en plein milieu avec un bruit satisfaisant et Rose se sentit aussitôt beaucoup mieux. Pas seulement au sujet de la réception mais de tout.

Elle se tourna vers Max avec un regard triomphant. « On y va? »

Il lui offrit son bras, l'air amusé. « Ravi, ma chère Cendrillon. »

Rose, appuyée sur Max, se dirigea à cloche-pied vers sa chaussure, se demandant comment Cendrillon s'était débrouillée pour descendre un escalier quatre à quatre avec une pantoufle de verre.

Parce que tout est possible dans un conte de fées... même le bonheur éternel.

A la porte, Max l'aida à enfiler son nouvel imperméable. Tout en éteignant elle jeta un coup d'œil à la baie vitrée arrondie flanquée d'épais rideaux en tapisserie. Un halo féerique de brume entourait les vieux réverbères. Elle vit la lueur jaune des feux des péniches remontant la Tamise. Un instant elle imagina le martèlement des chevaux sur les pavés, le grincement des attelages. Un carrosse magique l'attendait pour l'emmener dans la nuit.

Et soudain Rose se sentit heureuse, plus heureuse qu'elle ne l'avait été depuis des années. Mais *c'était* un conte de fées. Londres... cette élégante réception... cette robe. Quelque chose émergeant d'un autre temps. Un endroit où l'on pouvait rêver en toute sécurité.

Le chauffeur de taxi mit un certain temps à trouver la maison de Rupert Everest.

Les hôtels particuliers de Cheyne Walk étaient très en retrait par rapport à King's Road et, dans l'obscurité, les branches feuillues des vieux arbres assombrissaient leurs façades austères, rendant difficile la lecture des numéros.

Rose regarda sa montre. Ils avaient une heure de retard! Après tout, ce qu'elle portait n'avait guère d'importance. Quand ils arriveraient là-bas, la réception serait terminée.

Max, comme toujours, demeurait flegmatique. Rose sentit sa main exercer une légère pression sur son bras. « Ne vous inquiétez pas. Ça va être le bordel. Rupert ne remarquera même pas notre retard. Il lance un nouvel auteur – un Américain, je crois – et il a sans doute invité la BBC, toute la critique londonienne et quelques stars du rock pour mettre un peu d'ambiance. C'est toujours ainsi qu'il procède. Lorsque le livre de Jonathon est sorti, Rupert a loué Aldwych Theatre et a donné une fête sur la scène. » Il lui fit un clin d'œil. « Il a même invité Devon Clarke. »

Un violent coup de frein les projeta en avant et le taxi s'arrêta devant un portail de fer forgé en forme de cœur.

« Ça doit être ça », grommela-t-il.

En descendant du taxi, Rose scruta l'obscurité brumeuse et aperçut un chérubin ailé sur chacun des montants de la grille. Ils étaient si finement sculptés qu'ils donnaient l'impression d'être sur le point de s'envoler.

Elle franchit le portail et pénétra dans un immense vestibule au sol de marbre, flanqué de deux alcôves voûtées remplies de roses, des douzaines et des douzaines de roses émergeant de grosses amphores. Ces roses, blanches sur un mur, rouges sur l'autre, faisaient un effet extraordinaire et parfumaient violemment l'air. Un grand escalier montait au premier étage d'où lui parvenait un bourdonnement de conversations.

Leurs manteaux disparurent dans les bras d'une domestique sortie directement d'un film des années trente. Robe noire, tablier d'organdi et coiffe sur la tête. Puis un homme de petite taille, vêtu d'un smoking de couleur prune, apparut en haut de l'escalier et descendit pour les accueillir.

Max accentua la pression de sa main sur son épaule et chuchota : « Il est un peu excentrique, mais charmant.

– C'est merveilleux de vous voir... je suis tellement ravi que vous ayiez pu venir », dit-il. Rose, amusée, pensa : *Il ne sait absolument pas qui nous sommes.* Mais la chaleur de l'accueil compensa le trou de mémoire. Le regard de Rupert s'attarda sur la robe de Rose et il joignit les mains, petites et ridées comme celle d'un nourrisson, devant sa poitrine, comme s'il priait. « Vous êtes délicieuse, ma chère. Où avez-vous trouvé cette robe? Non, ne me dites rien, je suis incapable de garder un secret et toutes mes invitées vont me le demander. Montons, voulez-vous? Je veux vous présenter notre invité d'honneur.

– Un écrivain, je crois? » parvint à glisser Max.

Rupert se pencha vers eux et Rose remarqua la très légère ligne de khol qui entourait ses yeux vert jade. « C'est son premier roman en fait, mais je suis persuadé qu'il va faire parler de lui. C'est une très bonne opération pour moi aussi, dit-il à voix basse. A mon avis, c'est la découverte littéraire de ces dix dernières années et il paraît que le *Times* va faire une critique dithyrambique de son livre. Ça ressemble un peu à Hemingway. Le type a fait la guerre du Vietnam. Le titre doit être une sorte de jargon militaire, j'imagine, *Double Eagle.* Peut-être l'avez-vous déjà lu? »

A ces mots Rose fut prise de vertige.

Le livre de *Brian*, oh mon Dieu...

Elle se souvenait du choc qu'elle avait éprouvé en le découvrant à la librairie Doubleday dans Fith Avenue. Elle était entrée, l'avait pris et avait longuement regardé la jaquette – la photo de l'homme qu'elle avait tant aimé et pendant si longtemps. Pendant quelques minutes, elle était restée clouée sur place, incapable de bouger.

Rose, à présent, avait envie de crier, d'attraper ce petit homme par les épaules et de le secouer pour faire disparaître de son visage cette expression satisfaite. Comment pouvait-on lui faire un coup pareil?

Puis sa colère se dissipa brusquement et tout, autour d'elle, devint gris, plat et lointain.

Mon Dieu je vous en supplie, pensa Rose, *je ne peux pas affronter ça de nouveau...*

« Rose? Rose... ça va? »

Max, pensa-t-elle, s'accrochant à cette voix inquiète comme à une bouée de sauvetage. *Dieu merci, Max est là.*

Le voile gris se dissipa et Rose regarda Max, un peu grisonnant, plus tout jeune mais près d'elle, merveilleusement présent, un homme sur lequel on pouvait compter.

« Ça va, s'entendit-elle répéter comme dans un rêve. Juste un peu fatiguée. C'est le décalage horaire, peut-être.

— Ne voulez-vous pas vous étendre un peu, ma chère? proposa leur hôte d'un air anxieux. Il y a plusieurs chambres là-haut où vous ne serez pas dérangée. Pour tout vous dire, vous avez une mine à faire peur.

— Ça va, maintenant, merci, dit Rose, plus fermement. Vraiment. »

Puis elle s'aperçut dans la grande psyché Arts déco, en bas de l'escalier. Comme elle était pâle!

Elle monta les marches ou plus exactement elle flotta jusqu'en haut car, curieusement, ses pieds lui semblaient détachés de son corps.

Elle faisait des signes de tête, souriait aux gens qu'elle croisait. *C'est étrange*, se disait-elle, *parce que je ne suis pas vraiment ici, je fais simplement semblant d'y être.*

En haut, la pièce était immense et toute blanche avec des formes et des couleurs qui semblaient se précipiter vers vous — dragons cramoisis se tortillant sur une armoire chinoise —, une énorme toile de Mondrian — des carrés rouge et jaune — des glaces qui reflétaient toute une galaxie d'hommes en smoking et de femmes en robe à sequins dérivant vers l'infini.

Et soudain, elle le vit debout devant une grande baie vitrée. Il lui tournait le dos, toujours très mince mais légèrement voûté. Son visage — ce visage qui avait hanté ses nuits — se reflétait dans la vitre sombre comme celui d'un spectre. Et alors rien d'autre, plus personne n'exista pour elle.

Brian...

Rose eut l'impression que le champagne qu'elle venait d'avaler s'était transformé en acide et lui brûlait l'œsophage.

Elle repensa au premier homme avec lequel elle avait couché après Brian. L'un de ses professeurs de Fordham — un homme plutôt petit avec des cheveux épais et noirs et une barbe comme de la fourrure, qui ne ressemblait en rien à Brian, mais qui, comme lui, mettait pour lire des lunettes à monture d'écaille. Exactement les mêmes. C'était pour cette raison qu'elle avait couché avec lui. Il l'avait emmenée dans une pizzeria et avait discouru sur Proust pendant tout le repas. Ensuite elle était montée chez lui, et dans des draps qui sentaient vaguement l'aigre, il lui avait fait l'amour. Elle n'avait rien ressenti, à part de la détresse.

Il y en avait eu quelques autres, des hommes qu'elle avait bien aimés et dont les corps lui avaient plu, mais elle n'était plus jamais tombée amoureuse.

Oh Dieu, comment faire? Devait-elle aller lui parler, agir avec naturel? Manifester juste un peu de surprise, comme lorsque deux vieux amis tombent l'un sur l'autre dans une réception mondaine...

Elle quitta Max et se dirigea vers Brian, les paumes moites, le cœur cognant dans la poitrine. Les sons lui parvenaient déformés, comme si elle nageait sous l'eau. Le bruit des conversations n'était plus qu'un bourdonnement indistinct alors qu'un morceau de glace tintant dans un verre lui donnait l'impression que tout un plateau venait de s'écraser au sol.

Enfin elle se retrouva en face de lui et lui tendit la main. Elle vit le choc que sa vue lui causait. Un instant de souffrance nue, totale. Puis il se ressaisit, reprit l'attitude qu'il avait une minute auparavant.

Émacié, l'air affamé. Ce cliché romanesque s'imposa à elle parce qu'il décrivait parfaitement l'expression de Brian. C'était le visage qu'elle avait porté dans son cœur pendant toutes ces années. Il avait juste un peu vieilli. Ses cheveux, nettement plus longs, bouclaient sur le col de sa veste de velours côtelé et ses tempes grisonnaient. Ses yeux gris argent, autrefois éclairés de l'intérieur, n'étaient plus que des miroirs dans lesquels elle ne voyait rien d'autre que son propre reflet.

« Bonjour, Brian...

— Mon Dieu, je ne peux pas y croire... Rose! » Il faillit lâcher le verre qu'il tenait à la main et fit un mouvement brusque pour le rattraper. Un peu de liquide ambré se répandit sur le tapis blanc. « Tu es la dernière personne que je m'attendais à voir ici! » s'exclama-t-il.

Elle eut un rire bref. « Eh bien, moi aussi. Je veux dire, *tu* étais vraiment la dernière personne que je m'attendais à voir. Comment vas-tu?

— Bien. Mieux que jamais. J'ai écrit un livre. J'ai même réussi à le faire publier et à en vendre quelques exemplaires. M. Everest s'est chargé du lancement en Angleterre et ça démarre bien. »

Il souriait mais son sourire était si faux, si tendu que Rose avait envie de le frapper pour qu'il cesse, comme elle avait eu envie, d'un coup de pied, de disperser tous ces posters de lui dans la vitrine de la librairie. Des bribes de critique littéraire flottaient encore dans sa mémoire.

... *Les débuts d'un écrivain remarquable*

... *Plus de réalisme, plus de puissance que dans LES NUS ET LES MORTS, plus poignant que dans A L'OUEST RIEN DE NOUVEAU*

Si *DOUBLE EAGLE est le nom de code d'une opération militaire au Vietnam, c'est également le symbole de la désillusion du héros à l'égard de son propre pays. Si vous lisez ce livre, préparez-vous à avoir le cœur brisé...*

Elle l'avait lu. Malgré son désir de le détester, elle avait été si bouleversée qu'ensuite elle avait pleuré pendant des heures.

En ce moment même, Rose sentait ses larmes toute proches. Dans une sorte de brouillard, elle entendit Brian lui dire : « Rose, je voudrais te présenter ma femme... »

Incroyable! Elle était là, *à côté de lui, depuis le début, et elle ne l'avait pas vue!*

« ... Rachel... »

Avec un coup au cœur, Rose pensa, *elle est belle*. Je ne pensais pas qu'elle était aussi belle.

Petite et menue, elle avait bien une tête et demie de moins que Brian, mais elle n'avait rien d'une poupée. Au contraire elle respirait la force et l'énergie.

Elle se pencha légèrement vers Rose et, en souriant, lui serra la main. Ses doigts fins serrèrent les siens avec une fermeté surprenante. Tout en elle était... intense. Et différent. En un sens, elle ne ressemblait à aucune des autres femmes de la pièce. On ne voyait partout que perles, bracelets, sequins et sa fraîcheur, sa simplicité n'en ressortaient que davantage. Elle était vêtue d'un tailleur de toile vert clair et ses cheveux très longs tombaient de part et d'autre d'une raie médiane en vagues souples sur ses épaules.

En lui serrant la main, Rose ne put s'empêcher de regarder fixement la fine alliance en or qui ornait sa main gauche. Elle eut brusquement envie de la lui arracher.

C'est la mienne. C'est moi qui devrais la porter. Brian devrait être mon mari, pas le tien.

Et soudain, les larmes montèrent, chaudes, suffocantes. Rose comprit qu'elle ne pourrait continuer à jouer ce rôle plus longtemps. Elle les quitta brusquement et s'enfuit jouant des coudes pour se frayer un chemin dans la foule... *Allez tous au diable, je me fiche de ce que vous pensez.*

Elle dévala l'escalier et longea un couloir. Au bout, il y avait une porte. Elle l'ouvrit et se retrouva dans un jardin. Un jardin aussi vieux que la maison, sombre et silencieux comme un puits, entouré de murs de brique recouverts de lierre et orné d'une fontaine moussue gardée par un Cupidon décapité.

On n'entendait que le bruit de l'eau gouttant sur la brique. Rose se laissa tomber sur un banc de pierre humide et vit qu'elle tenait toujours sa flûte de champagne à la main. On dirait la dernière scène d'une pièce de Noël Coward, se dit-elle. Et elle se mit à rire mais le rire se mua en sanglot.

Elle leva son verre et porta un toast au Cupidon sans tête. « A nous, Bri. Puissions-nous reposer en paix. »

21

« Rose, je suis désolé... »

La voix de Brian, pourtant douce, résonna dans le silence et la fit sursauter. Les yeux pleins de larmes elle se tourna vers lui.

« Désolé de quoi? demanda-t-elle avec amertume. D'être venu ici ce soir? Désolé que j'aie eu le mauvais goût de te dire bonjour? Ou désolé de m'avoir laissée tomber sans un mot? Tu sais, Brian, on dit toujours qu'une photo vaut un millier de paroles. Tu ne sais pas à quel point c'est vrai... » Sa voix se brisa.

Elle scruta son visage dans l'ombre, cherchant à y lire une souffrance analogue à la sienne mais, à la pâle clarté qui venait des fenêtres, son visage était blême et misérable. Elle eut envie de le prendre dans ses bras pour le consoler.

A cet instant, Rose comprit pourquoi elle ne se libérerait jamais complètement de lui. Parce qu'elle ne parvenait pas à choisir entre l'amour et la haine. Pourquoi ne pouvait-elle pas tout simplement le haïr?

« Ce n'est pas ça, dit-il tristement. Et je ne suis pas désolé que tu sois venue ce soir. Rose je... j'ai souvent eu envie de t'appeler... très souvent. Mais... » il eut un geste d'impuissance qui voulait tout dire et rien dire.

Rose tremblait. Fallait-il vraiment qu'elle s'inflige cette épreuve?

Mais elle savait, au fond d'elle-même, qu'elle ne fuirait pas malgré l'envie qu'elle en avait. Cette rencontre faisait, en quelque sorte, partie de son destin, comme si Brian et elle, venant chacun d'un bout du même chemin, ne pouvaient qu'entrer en collision à un moment de leur vie.

« Si j'avais su que tu serais là ce soir, je ne serais pas venue, dit-elle la voix brisée. Pourquoi, Brian? Pourquoi as-tu fait cela? J'aurais tellement voulu savoir... comprendre. C'est ça qui m'a tuée. De ne pas comprendre... »

Il y eut un long silence puis Brian dit : « Ce n'est pas parce que je ne t'aimais pas, Rose. Je veux que tu le saches. Il aurait peut-être mieux valu... Je... j'ai vraiment essayé de te voir quand je suis rentré mais tu...

— Je t'ai raccroché au nez, c'est ça? Une bonne douzaine de fois, si je me souviens bien. Tu crois que ça aurait changé quelque chose? Tu le crois vraiment, Brian? Tu voulais déjeuner avec moi, m'expliquer tout, rompre avec netteté? Salut, c'était sympa de se connaître. Oh, à propos, tu préfères un sandwich au corned-beef ou une choucroute? » Elle pleurait à présent. « Nous valions mieux que cela, non, Brian? Nous n'étions pas que des gosses de Brooklyn baisant sur le toit.

— Rosie... Rosie... » Il tendit les mains vers elle comme s'il voulait la consoler mais ne savait comment faire. Dans l'ombre ces longues mains étaient si pâles qu'elles semblaient presque lumineuses. Elle les avait tant aimées, elle les connaissait si tendrement, si intimement. « Je souhaiterais pouvoir expliquer... c'est que... ce n'était pas simple... ça n'a pas été une décision... je veux dire je ne me suis pas dit, ça va être comme ça et pas autrement. »

Ses mains retombèrent le long de son corps. Il s'assit sur le banc et fixa l'obscurité d'un regard aveugle. Elle pensa : *Il me fend le cœur. Rien que de le regarder me fend le cœur. Il a vieilli, maigri. On ne voit plus que son ossature. Ses os sortent de son visage, comme des arêtes de montagne et, j'ai du mal à le croire, mais il a déjà les tempes qui grisonnent.*

« Beaucoup de gens essaieront de te faire comprendre comment c'était au Vietnam, dit-il, mais tu ne le croirais pas. C'était... enfin un cauchemar... La guerre, la jungle, il n'y avait rien d'autre. C'était la seule réalité. Ma maison, ma famille, même toi tu n'existais plus. Je n'arrivais plus à imaginer vos vies, ce que vous faisiez... c'était comme de regarder ces vieilles télévisions en noir et blanc, à l'image brouillée. J'ai eu beau me dire cent fois que tu m'attendais, que tu m'aimais, ça me paraissait complètement irréel. Et en plus, tu n'écrivais pas... »

Rose eut un coup au cœur. « Tes lettres... celles que Nonnie interceptait. Oh Dieu. Tu n'as pas reçu ma...

— Si, j'ai reçu ta lettre. Ils me l'ont fait suivre à la base. Après ma démobilisation. Après que Rachel et moi... » Il se tut. « Voilà... enfin, tu vois comment c'était.

— Tu me demandes de te pardonner, Brian? Tu veux me faire croire que tu l'as épousée parce que tu pensais que j'avais cessé de t'aimer? »

Il se tourna vers elle et Rose vit des larmes briller dans ses yeux. « Je ne sais plus. Ça fait si longtemps. Je ne sais vraiment plus ce que je pensais à ce moment-là. Je ne sais pas ce que je ressentais... j'étais coupé de la réalité, de toi... après, quand j'ai été blessé, ce sentiment d'irréalité est devenu bien pire. J'avais l'impression de m'éveiller d'un long rêve. Tout ce qui m'était arrivé avant n'était qu'un long rêve. De certains, je me souvenais à peine.

— Comme de moi par exemple?

— Non. Je me souvenais de toi, Rose. Mais tu étais devenue complètement irréelle. La seule chose réelle, c'était cet hôpital, ce lit, l'atroce douleur. Et Rachel. Elle m'a sauvé la vie. Elle... elle était *réelle.* »

Ce que je ressens en ce moment aussi, c'est réel et je le déteste de me dire tout ça, de me faire encore plus mal.

Mais une part d'elle-même, malgré tout, comprenait. A des milliers de kilomètres de chez lui, quelque chose de terrible lui était arrivé. Et ce cauchemar avait fait exploser leurs deux vies.

Elle savait à présent, après toutes ces années, que Brian ne voulait pas la faire souffrir. Mais ne l'avait-elle pas toujours su, au fond de son cœur, là où était enfoui le pardon?

Rose vit qu'il lui disait la vérité, pour autant qu'il la sût. Ses yeux remplis de larmes brillèrent un instant à la lumière.

Une vérité se fit jour en elle : elle l'aimait encore et elle continuerait à l'aimer, en dépit de tout ce qu'il pourrait lui dire.

« Brian », murmura-t-elle dans un sanglot.

Soudain, elle sentit ses genoux fléchir. Elle se laissa tomber sur le banc près de lui et enfouit son visage dans la veste de velours côtelé de Brian, s'accrochant à lui comme elle le faisait lorsqu'elle était enfant.

Brian l'entoura de son bras, gentiment, comme s'il cherchait à consoler une enfant perdue et, le cœur chaviré, Rose se souvint de toutes les fois où il l'avait tenue ainsi.

« Embrasse-moi, Bri, cria-t-elle, s'écartant légèrement pour lever les yeux vers lui. Ne me fais pas ça. Ne m'oblige pas à demander. Simplement... pour l'amour du ciel, *embrasse-moi.*

— Rose, je ne peux pas... »

Le salaud. Elle allait l'obliger à l'embrasser. Il fallait qu'elle sache si, tout au fond de lui, il l'aimait encore.

Rose lui jeta les bras autour du cou et l'attira contre elle comme si elle se noyait. Dieu, oh Dieu, combien de fois avait-elle pensé à eux ainsi? A lui venant vers elle, la serrant à l'etouffer. *S'il te plaît, Brian, juste une fois... juste un baiser...*

Mais il ne voulait pas. Il la repoussait, se dégageait d'un geste brusque.

« Non, cria-t-il. Non, je ne peux pas. Rose, ces choses que je t'ai dites, elles sont vraies. Mais c'était il y a longtemps. J'aime Rachel. C'est ma femme. Ça... n'aurait pas dû arriver. Je suis désolé.

— Désolé? » Un rire de dérision montait en elle. On était désolé quand on marchait sur les pieds de quelqu'un ou quand on renversait une lampe. Pas quand on pulvérisait l'univers des gens.

Brian se leva et la regarda avec une expression d'infinie tristesse. Elle avait envie de hurler, de se jeter sur lui et de lui lacérer le visage. *Je ne veux pas de ta pitié, espèce de salaud.*

Il n'y avait rien à ajouter. Il s'éloignait, emmenant avec lui tout ce à quoi elle avait jamais tenu.

Oh bon Dieu, elle avait *mal*, elle avait si mal!

Rose, de fureur et de souffrance, saisit la flûte de champagne qui était restée sur le banc pour la lancer de toutes ses forces sur Brian.

Mais, pour une raison quelconque, sa main se crispa sur le verre. Il y eut un bruit sec suivi d'une douleur sauvage, intense. Elle regarda sa main et vit le sang sombre et épais, mêlé aux éclats de verres enfoncés dans la chair. *Qu'ai-je fait? Mais qu'ai-je fait?* se demanda-t-elle, atterrée.

Rose resta assise, se tenant le poignet, regardant avec horreur le sang se répandre, former une petite mare au creux de sa paume, s'égoutter le long de son poignet sur sa cuisse, tacher la jolie robe de velour violet.

« Rose... oh bon Dieu... » Brian. N'était-il pas parti? Non. Il était là, à côté d'elle. Il prit sa main blessée et les gouttes de sang, tombant sur sa chemise blanche, formèrent de minuscules fleurs rouges.

« Ça a l'air profond, dit-il d'une voix anxieuse. Il va peut-être falloir te faire des points de suture. Oh, mon Dieu, Rose... » Il se pencha en avant et se mit à sangloter. C'étaient des sanglots étranges, réprimés, ressemblant aux gémissements d'un animal souffrant.

Et elle comprit soudain avec un sentiment de triomphe que, au-delà de la souffrance et de la jalousie, dans une région de son être épargnée par la douleur, il lui appartenait encore et resterait sien à jamais, en dépit de tout ce qui pourrait leur arriver, ensemble ou séparément.

Brian lui banda la main avec son mouchoir et la ramena au premier étage. Elle se sentait étrangement détachée. Elle se disait : *Rien de tout cela n'est réel. C'est un film dont je suis la vedette.*

Les gens se turent peu à peu et s'écartèrent pour les laisser passer. Les visages reflétaient la stupeur, l'incompréhension.

Puis, surgie de nulle part, elle fut là. Rachel. Se frayant un chemin à travers la foule compacte, marchant à grands pas vers elle, déchirant ce voile rouge dans lequel tout baignait... à présent, c'était le bleu qui dominait, le bleu de ses yeux, le bleu des rêves, de la fumée, des promesses non tenues.

« Laissez-moi vous aider », disait Rachel avec un calme très professionnel. Des doigts fins lui enserrèrent le poignet. « Je suis médecin. »

C'est du cinéma, se dit Rose, en proie à la confusion la plus totale. Ces choses-là n'arrivent pas dans la vie réelle.

Rose retira vivement sa main. Elle ne voulait pas du contact de Rachel, de sa douceur, de sa compétence. « Non, non... ça va aller. C'est... je ne pense pas que ce soit profond... merci, je vais me débrouiller...

— Ne soyez pas ridicule. » Cette fois Rachel lui prit plus fermement le poignet, comme un adulte s'apprêtant à faire traverser un enfant indocile. « Vous saignez encore. Ce doit être profond. Comment est-ce arrivé? » Elle se tourna vers Brian et Rose vit la question flotter entre eux.

Elle éprouva de nouveau ce sentiment de triomphe. Cette fois, elle n'essaya pas de lui échapper. La fascination qu'elle éprouvait pour cette femme l'en empêcha. Elle voulait la connaître, l'approcher, comprendre pourquoi Brian s'était épris d'elle.

Connais ton ennemi. N'était-ce pas ce que disait la Bible? Peut-être ainsi découvrirait-elle les faiblesses de Rachel.

« C'est une flûte de champagne, dit-elle. Elle s'est brisée dans ma main. J'ai dû trop la serrer.

— Laissez-moi regarder. » Rachel commença à défaire le mouchoir puis se ravisa. Il y avait trop de monde autour d'elles. « Pas ici, dit-elle. Allons dans la salle de bains. »

Rose sentit une main ferme sur son épaule. Elle leva la tête et vit la silhouette familière de Max devant elle. Il avait l'air surpris et désemparé.

« Rose! je vous cherche depuis des heures. Êtes-vous... » Il s'arrêta, regarda fixement sa main et son visage se décomposa. Doucement il dit : « Oh, Rose, oh ma pauvre petite fille... »

Rose se sentit aussitôt mieux. Max était là. Il allait chasser toutes ces pensées folles qui lui traversaient le cerveau comme des éclairs rouges.

« Max... ça va, dit-elle. Ce n'est qu'un petit accident. Attendez-moi. J'en ai pour cinq minutes. Et puis je vous en prie... je vous en supplie, ramenez-moi à l'hôtel.

— Je vous attends », dit Max et à cet instant Rose surprit quelque chose dans sa voix, dans ses yeux, qui la fit se demander...

Puis Rupert Everest, en se tordant les mains, les pilota vers la salle de bain.

Rose s'assit sur le siège des cabinets.

Rachel ferma la porte.

Elles étaient seules.

Rose avait l'impression que la réalité retenait son souffle, la laissant — les laissant toutes les deux — dans une sorte de vide surréaliste. Un endroit où rien... et tout... avait une signification.

Comme ce sentiment étrange d'avoir déjà vu Rachel. Ça ne pouvait venir de cette photo un peu floue parue dans les journaux, parce que son visage était en partie caché par celui de Brian. Non, il s'agissait d'autre chose, d'un air vaguement... *familier*. C'était très bizarre. Rachel lui rappelait quelqu'un qu'elle connaissait, seulement elle ne savait pas qui.

C'est mon imagination, se dit-elle.

Rachel trouva une trousse d'urgence dans l'armoire à pharmacie puis s'agenouilla devant Rose afin d'examiner sa blessure. La longue coupure en diagonale sur la paume était moins profonde qu'on n'aurait pu le croire.

Rose se sentit soulagée. Ce n'était pas bien méchant. Même la douleur s'était muée en un élancement sourd.

Mais comme Rachel extirpait un long éclat de verre de la plaie avec une pince à épiler, elle tressaillit et poussa un gémissement.

Rachel leva la tête avec une expression de sympathie.

« Ça fait mal, hein? Mais vous n'aurez pas besoin de points de suture. Je vais nettoyer tout ça et vous bander la main.

— Merci, dit Rose. Vraiment, je me sens si stupide. C'est un accident stupide.

— Les accidents arrivent. Ce n'était pas votre faute. » Mais, à nouveau, il y eut une sorte d'interrogation dans son regard. *Que s'est-il passé entre vous et Brian*, lut Rose dans ses yeux.

Je vous laisse le deviner, répondit-elle en silence.

Elle resta immobile pendant que Rachel versait sur la plaie un antiseptique à l'odeur âcre, puis lui bandait la main. Admirant secrètement la grâce de ses gestes, Rose ne pouvait s'empêcher d'imaginer ces mains caressant le corps de Brian.

Assez. Cesse immédiatement, s'ordonna-t-elle. *C'est de la folie. Tu te conduis comme une folle.*

Rachel se releva et alla se laver les mains. « Gardez le pansement un ou deux jours », dit-elle. Elle se sécha les mains à l'une des serviettes roses alignées sur le porte-serviettes chromé puis se tourna vers Rose.

« Quel dommage pour la robe, dit-elle. J'espère qu'elle n'est pas fichue. Elle est si jolie. »

Fichue sa robe? Elle n'y avait même pas songé. Mais sa vie, elle, était fichue. Cette vie qu'elle aurait dû partager avec Brian...

Rose se mit soudain à pleurer à gros sanglots irrépressibles, le front appuyé contre le rebord du lavabo rose.

« Écoutez, dit Rachel de sa voix douce et professionnelle, vous avez eu un choc. Rentrez à l'hôtel, prenez deux aspirines et couchez-vous. »

Luttant pour refouler ses larmes, Rose se tourna vers Rachel. « Brian ne m'a pas dit où vous étiez descendus. Votre hôtel... Je voudrais vous envoyer un chèque. »

Rachel se raidit. « Ce n'est pas nécessaire, dit-elle. Je ne fais jamais payer les amis. De Brian », ajouta-t-elle vivement, en rougissant. Une rougeur qui gâcha son teint clair.

Rose en éprouva une certaine satisfaction. Donc, elle avait un talon d'Achille. Et c'était manifestement Brian.

« Eh bien, dans ces conditions, je vous suis redevable », dit-elle.

A la porte, Rachel se retourna et lui lança un long regard.

« Vous ne me devez rien du tout, répondit-elle plaquant un sourire sur son visage. Nous sommes à égalité. »

Pas encore, pensa Rose, avec amertume. *Pas tant que tu as Brian.*

22

Avant de s'asseoir sur le siège des cabinets, Rachel examina de nouveau sa culotte, pour être sûre.

Pas de sang. Ouf!

Quatre jours, se dit-elle. Et elle n'avait pratiquement jamais de retard. Cependant, il était encore trop tôt pour se réjouir.

Mais elle ne pouvait s'en empêcher. Elle était tout excitée. En se relevant, elle se sentit les jambes un peu molles. Elle tira sur l'élastique de son soutien-gorge. Il la serrait depuis quelques jours. Ses seins étaient lourds et douloureux.

Elle avait tous les signes.

Et si elle était enceinte? Après tout ce temps! Il y avait une chance sur un million mais... L'une de ses patientes avait essayé pendant des années d'avoir un bébé. Elle avait fini par abandonner et lorsque ses règles avaient cessé, elle s'était dit c'est ma ménopause. En fait, elle attendait un enfant, à quarante-sept ans et pour la première fois. Ces choses-là arrivaient.

Je vous en supplie, mon Dieu, pria-t-elle, faites que ce soit ça.

Elle pensa en frissonnant aux tests de fertilité. La dernière fois, elle avait dû absorber de la morphine. Et que prouvaient-ils qu'elle ne sût déjà? Depuis combien de temps prenait-elle sa température chaque matin, en l'inscrivant sur une feuille, comme une laborantine? Et l'espoir, les prières, les trajets à la salle de bain pour examiner le fond de sa culotte! Et, rien... jamais.

Mais ce qui la rendait malade, ce qu'elle supportait infiniment moins bien que sa propre déception, c'était d'avoir menti et fait croire à Brian qu'il n'y avait aucune raison pour qu'ils n'eussent pas d'enfant. S'il savait...

Six ans. En six ans, elle n'avait jamais trouvé le bon moment pour le lui dire. C'était sa faute, bien sûr. Il n'y avait pas plus tendre, plus humain que Brian. Elle savait qu'il comprendrait tout mais elle ne pouvait tout simplement pas lui en parler. Et plus elle attendait, pis cela devenait. C'était une véritable trahison.

Ces années avaient été si merveilleuses qu'elle n'avait pas eu le courage de les gâcher. De retour à New York, elle avait terminé son internat à Beth Israël tandis que Brian travaillait avec acharnement à son livre. Ils avaient si peu de temps à se consacrer mutuellement que chaque heure passée ensemble devenait infiniment précieuse.

Elle se souvenait d'un soir où elle était rentrée après trente-six heures de garde. Dans le taxi qui la ramenait chez elle, elle s'était soudain souvenue qu'ils devaient aller à Carnegie Hall entendre un récital d'Arthur Rubinstein. Cela faisait des semaines qu'ils se réjouissaient d'aller au concert, puis de souper au Russian Tea-Room. Mais à présent, elle n'avait plus qu'une envie : prendre un bain chaud et dormir dans *son* lit. Mais impossible de laisser tomber Brian. Il était si patient, ne se plaignant jamais de ses horaires contraignants, ne la culpabilisant pas. Elle lui devait bien ça.

Cependant, lorsqu'elle était entrée, Brian, superbe dans son costume de soirée, l'avait longuement regardée et dit : « Ça ne vaudra pas le Russian Tea-Room mais je peux te faire une omelette. Veux-tu que nous restions à la maison et que j'improvise un repas?

– Oh Brian... » Elle était si nerveuse, si fatiguée qu'elle avait failli se mettre à pleurer. « Mais le concert? Tu avais tellement envie d'y aller...

– Il y en aura d'autres. Carnegie Hall ne va pas s'écrouler cette nuit... Contrairement à toi. Et par ailleurs tu es beaucoup plus agréable à regarder que le vieux Rubinstein. Il n'y aura qu'à mettre un disque. »

Et elle avait pris un long bain pendant que Brian préparait le dîner. Ensuite, ils avaient écouté Brahms en dînant. Puis il l'avait emmenée dans la chambre et l'avait déshabillée lentement, lui suçant les seins, faisant traîner ses lèvres sur son ventre.

« Pour le dessert », avait-il murmuré avec un sourire malicieux avant de la pénétrer. Et, comme toujours, ç'avait été merveilleux.

En glissant dans le sommeil, la tête au creux de son épaule, elle avait ressenti un tel bonheur... penser qu'elle était mariée à cet homme merveilleux et qu'elle aurait encore une foule de nuits aussi passionnées que celle-ci! Et peut-être, un jour, le miracle finirait-il par se produire et serait-elle enceinte. Le spécialiste avait dit que ce n'était pas impossible, mais peu probable. Ça pourrait arriver maintenant, en ce moment même. Le bébé de Brian. Alors tout serait parfait.

Seigneur, depuis combien de jours n'avons-nous pas fait l'amour? se demandait-elle à présent, pleine de remords.

Mais elle allait rattraper le temps perdu... dès qu'elle pourrait prendre quelques jours de vacances. Peut-être pourraient-ils aller à Antigua, c'était si romantique. Et la clinique valait bien quelques sacrifices, non? Sa propre clinique, où elle parvenait presque à oublier le cauchemar du Vietnam, la mort, où les femmes pauvres accouchaient dans de bonnes conditions. Ç'avait été si dur à créer! Toutes ces consultations d'avocat, ces lettres de recommandation, ces montagnes de formulaires à remplir pour obtenir une maigre subvention du ministère de la Santé publique. Et que de difficultés pour trouver un autre médecin ayant les mêmes qualifications qu'elle! Puis il avait fallu attendre que Kay passe son diplôme de sage-femme, et dénicher les locaux adéquats.

Elle revoyait encore le jour de l'ouverture d'East Side Women's Health Center. La peinture jaune vif à peine sèche des murs. Le local avait été un entrepôt pendant soixante ans. Le sol en plastique luisant de cire. Et la salle d'attente... avec ses canapés d'occasion, ses plantes suspendues, ses paniers de jouets colorés en plastique... Personne n'était venu. L'endroit ressemblait à une station de métro un jour de grève.

Et puis Kay avait eu une idée de génie, la machine à café. Elles avaient mis une grande pancarte sur la fenêtre rédigée en anglais et en espagnol : CAFÉ ET BEIGNETS GRATUITS. Ce jour-là, trois femmes entrèrent. Timides, brunes, les yeux baissées, un enfant à califourchon sur la hanche. A la fin de la semaine, la salle d'attente était pleine.

Aujourd'hui, au bout d'un an et demi, tout marchait comme sur des roulettes. Ces femmes fières et volontaires avaient commencé à lui faire confiance. Elle les accouchait, les écoutait et les aidait quand elle le pouvait. *Bien sûr*, elle voulait être davantage avec Brian mais ces jeunes femmes, ici, avaient besoin d'elle. Elles remplaçaient en quelque sorte ses enfants.

La poignée de la porte tourna, interrompant sa rêverie. « Rachel, vous êtes là? appela Nancy Kandinsky. Je m'apprête à partir. Vous aussi, je le sais, mais pourriez-vous voir Lila Rodriguez avant? Elle vous demande. Elle... enfin, vous verrez ça vous-même. »

Rachel poussa un soupir. Il était plus de sept heures. Elle mourait d'envie de rentrer, de se blottir contre Brian. Elle ne lui parlerait pas de ces quatre jours de retard, pas avant d'être sûre. Ils avaient été déçus tant de fois!

Puis elle se souvint. Brian faisait une conférence à la Veteran's Administration ce soir. Depuis la parution de son livre, il était constamment sollicité. On le voulait à la télévision, à la radio, aux associations d'anciens combattants du Vietnam... et Dieu sait quoi encore. En tout cas, une chose était sûre, il rentrerait tard. C'était la troisième nuit cette semaine qu'elle se glissait dans un lit vide.

Pourquoi donne-t-il toutes ces conférences? Personne ne l'y oblige. Peut-être commence-t-il à se fatiguer de m'attendre, d'attendre l'enfant... Et si je ne peux pas lui donner cette joie, n'ira-t-il pas chercher ailleurs?

Un souvenir lui traversa l'esprit. Une soirée, deux mois auparavant à Londres. Rose. Belle, sombre, avec ces yeux hantés. *Et la façon dont elle regardait Brian.* Elle eut brusquement peur, et s'obligea à chasser cette image.

Si je suis enceinte, tout changera. Nous formerons enfin une famille.

« Dites à Mme Rodriguez que j'arrive dans une minute, répondit-elle à Nancy à travers la porte.

— Entendu. Je file. A demain. »

Émergeant des toilettes, Rachel aperçut une tête roux carotte déjà au bout du couloir qui menait à la salle d'examen. Nancy courait toujours.

Elle se dépêcha elle aussi et alla chercher le dossier de Lila dans son petit bureau.

Celle-ci était tassée sur une chaise pliante, sous la fenêtre à barreaux qui donnait dans l'allée. Toute petite, avec un très gros ventre. Son visage était violacé, couvert de contusions, comme un masque en caoutchouc de Halloween, les yeux réduits à deux fentes par l'enflure.

La prochaine fois, il va la tuer, pensa Rachel horrifiée. Et une fureur noire s'empara d'elle. Quel salopard!

Avalant sa salive, elle s'efforça de demeurer impassible. Pourquoi cette femme laissait-elle son mari la battre? Et elle essayait même de le protéger. La dernière fois, elle avait prétendu qu'elle était tombée dans l'escalier. Mon œil!

« *Señora*, dit-elle, prenant gentiment sa main molle et moite, *digame que pasa.* »

Lila secoua la tête et des mèches brunes et grasses tombèrent devant ses yeux. « *Mi niño? Esta bien, mi niño?* ». Comme si elle voulait protéger son enfant, elle mit ses bras autour de son ventre.

« Nous allons voir cela. Je vais vous examiner tout doucement, je vous le promets. »

Rachel la fit monter sur la table d'examen et releva sa jupe. Pas de sang, heureusement, mais un gros bleu sous la cage thoracique l'inquiéta. Ce pouvait être l'indication d'un traumatisme. Il faudrait faire une analyse du liquide amniotique.

« Je pense que le bébé n'a rien, mais j'aimerais vous garder cette nuit à l'hôpital, lui dit Rachel. Pour être sûre que tout va bien. *Entiendes, señora?* »

Lila comprenait. En entendant le mot hôpital, son visage s'était décomposé. Elle a peur de l'hôpital, se dit Rachel étonnée. *Elle préfère rentrer chez elle où son mari la tabasse.*

Lila secoua la tête puis descendit de la table d'examen.

« Non, dit-elle, avec une sorte d'obstination lasse. Pas hôpital. Ils prennent mon bébé. »

Elle était déjà à la porte, avant que Rachel ait pu l'arrêter. « Madame

Rodriguez, s'il vous plaît, attendez. Ce qui est arrivé, lors de votre fausse couche, est différent... »

Mais Lila secouait de nouveau la tête, poliment mais fermement. « *Gracias*, Docteur. *Gracias... pero, no.* »

Rachel avait envie de l'empoigner par les épaules et de la secouer. *Vous ne savez pas ce que vous risquez? Ne comprenez-vous pas qu'il y a des femmes qui donneraient n'importe quoi pour avoir un enfant?*

Mais ça ne servirait à rien. Lila ne comprendrait pas. Et elle cesserait de venir à la clinique, ce qui serait pire.

Rachel regagna son bureau qui communiquait avec la salle d'examen et chercha le dossier d'Alma Saucedo. En rentrant à la maison, elle s'arrêterait à l'hôpital pour voir Alma. Là, au moins, elle pouvait être utile.

Kay passa sa tête bouclée par la porte entrebâillée. « Tu veux quelque chose avant que je parte? Sandwich, café, une transfusion? Tu as l'air fatiguée, Rachel.

— Ça ira mieux quand je serai sortie d'ici. A cette heure-ci, je trouverai peut-être une place assise dans le métro. Dis-donc, Kay, est-ce qu'on a reçu les résultats de l'analyse de sang d'Alma Saucedo?

— Pas encore. On l'aura demain matin, en principe. Tu les connais au laboratoire... jamais pressés. Des promesses et des promesses. Tu veux que je leur dise que c'est urgent? » Kay aussi avait l'air fatiguée, amaigrie, avec des cernes sous les yeux.

« Non, demain matin ça ira, décida-t-elle. Bonne nuit, Kay. Et essaie de te reposer un peu. Tu n'as pas trop bonne mine, toi non plus. »

Quelques minutes plus tard, Rachel remontait le no man's land de East Fourteenth Street. Le trottoir était une véritable poubelle – crottes de chien, bouteilles cassées, papiers partout, cabines téléphoniques vandalisées. Des graffiti couvraient les murs – VIVE LA RAZA! CHICO AIME ROXY! MORT AUX VACHES! Et provenant de toutes les maisons, ou presque, le battement sourd, incontournable de la musique latino-américaine.

Au début, tout cela l'effarait. Elle se sentait comme un astronaute mettant le pied sur une planète inconnue. Margaret Mead parmi les aborigènes. Que pensaient-ils en la regardant passer sous leurs fenêtres? Qu'elle était une gosse de riche venant « faire le bien » chez les pauvres? Avaient-ils envie de lui voler son portefeuille?

Mais maintenant, pensa-t-elle, contente, *c'est ma planète.* En approchant de l'hôpital, elle entendit la sirène d'une ambulance. Elle entra dans l'affreux bâtiment de brique. Le long des portes en glace, quelqu'un avait écrit au spray : MARIO SE FAIT ENCULER. On avait aussi fait sauter la plupart des lettres en cuivre qui composaient le nom de l'hôpital ST. BARTHOLOMEW. C'était devenu ST. BART.

Rachel prit le vieil ascenseur et se retrouva serrée entre un interne à l'œil endormi et une femme de ménage munie d'un chariot où s'entassaient des piles de draps sales.

Alma Saucedo était en salle C, tout près de la porte. Elle dormait. Son visage ressemblait à un camée en ivoire, et ses cheveux bruns étaient répandus sur l'oreiller. Elle n'a que seize ans, se dit Rachel. Elle devrait faire des études, sortir avec des garçons, aller à des fêtes, et surtout ne pas avoir d'enfant.

Rachel la revoyait encore, entrant pour la première fois à la clinique. Elle était si émouvante dans son uniforme de classe devenue trop petit pour elle. Elle était enceinte d'environ quatre mois. Après l'examen elle lui avait raconté toute son histoire, avec des larmes plein les yeux. C'était son premier amant. Il lui avait dit qu'il l'aimait, lui avait *promis* que rien ne lui arriverait. Maintenant il ne voulait plus entendre parler d'elle. Ses parents, catholiques pratiquant, avaient refusé qu'elle se fasse avorter. Pour eux, c'était un meurtre.

Rachel se demandait si ce bébé n'allait pas tout simplement tuer Alma. Depuis ce matin, elle avait une pression artérielle très élevée et un œdème qui ne cédait pas en dépit du traitement. *Merde. Si son état ne s'améliore pas. Il va falloir prendre rapidement une décision. Autrement je risque de perdre les deux. Demain matin, dès que j'aurai les résultats de son analyse de sang...*

« Docteur! Oh je suis si contente que vous soyez venue! » Alma était réveillée. Elle semblait bouleversée et des larmes coulaient de ses yeux noirs bouffis de sommeil.

Rachel s'assit sur son lit et lui prit la main. « Ça ne va pas très fort, hein?

— Cet homme, chuchota-t-elle si bas que Rachel dut se pencher pour entendre. S'il vous plaît, ne le laissez plus me toucher... »

Alma avait-elle fait un cauchemar? « Quel homme? demanda-t-elle, perplexe.

— Un médecin, je ne sais pas son nom. Grand et... enfin, certaines filles doivent le trouver bien physiquement. » Elle eut une grimace montrant clairement qu'elle ne partageait pas cet avis. « Il est venu avec un groupe, il y a un moment... » Rachel hocha la tête. « La visite du soir. C'est la routine.

— Non, non, dit Alma en secouant la tête. Il... il n'était pas comme les autres docteurs. Ce n'est pas parce qu'il m'a examinée... Il était si *froid*. Comme si j'étais un article à vendre dans une vitrine. La façon dont il m'a *touchée*... Je me suis sentie si »... Elle enfouit son visage dans ses mains. « Il n'a pas dit un mot, reprit-elle. Il m'a écarté les jambes et... et devant *tout le monde*... il m'a enfoncé ce truc en métal et pendant tout ce temps il parlait de moi comme si je n'avais pas été là... oh Dieu, j'avais envie de *mourir*. »

Rachel sentit une fureur noire monter en elle. *Le salaud. Qui ça peut bien être?*

Elle menait une guerre permanente contre les médecins qui traitaient leurs patientes avec autant d'égards que les cadavres qu'ils disséquaient autrefois à la faculté de médecine.

Surtout ici, en salle de maternité. Le personnel hospitalier, y compris les internes, semblait considérer que toute fille assez bête pour se faire engrosser méritait d'avoir ses organes génitaux exposés, comme des pommes et des bananes chez l'épicier.

J'en parlerai à M. Townsend, se dit-elle. Il bat un peu la campagne mais il a bon cœur. Puis elle se souvint que Townsend avait déjà pris sa retraite. Il y avait même eu une réception à laquelle elle n'avait pu se rendre. Qui donc avait pris sa place? On avait avancé plusieurs noms devant elle – ce n'était que des hypothèses – et elle n'en connaissait aucun. N'avait-il pas été également question de faire venir un grand ponte de Presbyterian?

Elle pressa la main d'Alma pour la calmer puis lui tendit un mouchoir en papier qu'elle prit sur sa table de chevet. Alma se moucha consciencieusement et la fibre maternelle de Rachel vibra. C'est ainsi que les mères réagissent, pensa-t-elle. Elles cherchent à protéger leurs enfants, à les consoler mais, au bout du compte, que peuvent-elles faire, à part leur tendre un mouchoir?

Une mère. C'est peut-être ce que je vais être. Si seulement je pouvais être enceinte, cette fois...

Rachel prit une longue inspiration. « Écoutez, Alma, je sais ce que vous subissez. Actuellement tout vous fait mal et voir ces médecins armés de spéculums autour de vous doit vous être insupportable. Mais croyez-moi, si vous êtes ici, c'est que nous pouvons vous aider, vous et votre bébé. Maintenant, essayez de dormir. Je passerai vous voir demain matin de bonne heure. »

Alma hocha la tête, puis agrippa sa main, s'y cramponna, comme si elle se noyait. « Promettez-moi, docteur. Promettez-moi que personne d'autre ne m'accouchera. Je ne veux personne d'autre que vous. »

Rachel se tut, troublée. Comment aurait-elle pu faire une telle promesse? Il y avait neuf chances sur dix pour qu'elle accouchât Alma. Mais quelque chose pouvait toujours survenir, l'empêcher d'accourir auprès de la jeune femme...

Rachel ouvrait la bouche pour la rassurer, lui dire qu'il y avait bien d'autres médecins aussi bons qu'elle mais devant son expression angoissée elle se ravisa, comprenant qu'il valait mieux lui faire une promesse qu'elle ne serait peut-être pas en mesure de tenir.

« Je vous le promets », dit-elle.

Elle vit de la lumière sous la porte portant l'inscription CHEF DU SER-VICE DE GYNÉCOLOGIE ET D'OBSTÉTRIQUE. Eh bien, celui qui avait remplacé Henry devait en vouloir pour rester aussi tard!

Rachel frappa doucement.

« Entrez », dit une voix distraite.

Rachel ouvrit la porte et vit une tête penchée sur le bureau, des cheveux blonds et bouclés brillants à la lumière de la lampe, des avant-bras musclés sur un dossier ouvert. Lorsqu'il leva la tête, Rachel faillit tomber raide.

Elle se demanda si elle ne rêvait pas. Après tant d'années... tomber sur David Sloane!

Bien qu'il fût toujours séduisant, elle n'aimait pas la façon dont il avait vieilli. Il avait des poches sous les yeux et un air malsain. Au lieu de prendre de l'âge naturellement, il semblait se gâter de l'intérieur, comme un fruit rongé par les vers.

Soudain, elle frissonna. Une autre image de lui venait de s'imposer à elle. Un David plus jeune, vêtu d'une blouse blanche, une curette à la main. Elle la chassa précipitamment. C'est de l'histoire ancienne, se dit-elle. Maintenant, ils étaient destinés à se rencontrer souvent et, bien que cette perspective lui fût tout sauf agréable, il fallait en tirer le meilleur parti.

Il se leva. « Eh bien, en voilà une surprise! » dit-il avec un sourire radieux.

Rachel lui tendit la main et se força à sourire aussi.

« Bonjour, David. Ça fait un bout de temps, n'est-ce pas? Je savais que tu étais à Presbyterian. Ici le bruit courait que quelqu'un de là-bas viendrait peut-être remplacer Townsend, mais jamais je n'aurais imaginé...

— Et moi, j'avais entendu dire que tu jouais les Dr Schweitzer dans la jungle. Eh bien, je suis content que tu sois rentrée entière. Tu as l'air en grande forme, Rachel.

— Toi aussi. »

Ce n'est pas vrai, pensa-t-elle. Il a une tête épouvantable. Il est la caricature de ce qu'il a été. Comme Dean Martin qui joue toujours les séducteurs malgré ses yeux pochés d'alcoolique. Seigneur, comment avait-elle pu se croire amoureuse de ce type?

— Je t'inviterais bien à t'asseoir, dit-il, mais comme tu vois... » D'un geste il lui montra les cartons à demi remplis et les piles de livres qui s'entassaient sur toutes les chaises. « Je suis en train d'emménager. Harry Townsend ne jetait rien, semble-t-il. Certains rapports d'autopsie datent de vingt ans. Et j'ai l'impression qu'il dirigeait ce service avec la même négligence, le même désordre. J'ai du pain sur la planche.

– Tu sais, Saint-Bart n'est pas exactement Presbyterian, mais j'y viens souvent et ma clinique est tout près, alors si je peux t'aider... »

Un peu de lèche ne nuira pas. Il pourrait me rendre la vie impossible ici, s'il voulait.

« Écoute, dit-il, avec son sourire de cent mille volts, j'allais filer. Ça suffit pour aujourd'hui. Si on allait prendre un verre rapidement? Tu pourrais me donner quelques idées pour aérer un peu cette morgue. Qu'en penses-tu? »

Non, pensa Rachel. Je n'ai aucune envie de traîner dans un bar avec David.

Mais si elle refusait... il pourrait mal le prendre. Et se le mettre à dos serait une erreur. Elle ne faisait pas partie du personnel de l'hôpital et son travail ici constituait un privilège qu'il pourrait facilement lui retirer.

« C'est une bonne idée, mentit-elle, mais très vite alors. Ça fait déjà une heure que je devrais être rentrée à la maison. »

Il attrapait déjà son coûteux blouson de daim et le jetait sur son épaule d'un air dégagé, à la James Dean. Rachel réprima son envie de rire.

« On va retrouver son petit mari? » Il y avait quelque chose de déplaisant dans son sourire mais elle décida de se montrer diplomate.

« Mais oui. Et toi? Tu es marié?

– Moi? Non, pas encore. J'aime trop la liberté. Et une femme en aurait vite marre de moi. Tu vois ce que je veux dire? » Il lui prit le bras et la guida vers la porte. Elle dut lutter pour ne pas se dégager d'un geste brusque. « Je préfère la prison du travail à celle du mariage. »

Sa plaisanterie sembla le réjouir et il se mit à rire.

Rachel se recroquevilla intérieurement. Elle vit soudain briller quelque chose à son cou. Une chaîne en or. Oh Seigneur, était-elle vraiment obligée de prendre un verre avec cet individu?

Quelque chose d'autre, en dehors de son humour macho, la dérangeait, traînait dans un coin de sa tête. Oui, sa vieille amie, Celia Kramer, une infirmière du service d'obstétrique de Presbyterian, lui avait raconté une histoire concernant David quelque temps auparavant. Une espèce de scandale... mais quoi? Oh, ça lui reviendrait à un moment ou à un autre.

Elle lui rendit son brillant sourire. « Eh bien, nous ne pouvons pas tous avoir de la chance à cet égard. »

« Mais... où m'emmènes-tu? » demanda Rachel inquiète, voyant que le taxi tournait pour la seconde fois dans une rue étroite du Village.

Elle regrettait à présent de s'être laissée convaincre de prendre un verre ailleurs que chez *Gordo*. Pour minable et bruyant qu'il fût, ce bar se trouvait en face de l'hôpital et elle y connaissait tout le monde.

« Dans un endroit tranquille, répondit David. Où nous pourrons bavarder. Pour la couleur locale, Saint-Bartholemew me suffit largement. Ça me donne même la nausée. Ne t'inquiète pas, nous y serons dans trois minutes. »

Le taxi s'arrêta enfin. David paya le chauffeur et ils descendirent.

C'était une rue résidentielle et agréable, avec une rangée d'arbres et de vieilles maisons en brique rénovées. Un couple élégamment vêtu promenait son chien. Des maisons, oui, mais pas de bar...

« David... » Elle se retourna vers le taxi mais deux travestis en robe du soir montaient déjà dedans.

« Je voulais te montrer mon nouvel appartement, expliqua David un peu gêné. J'ai emménagé le mois dernier. Évidemment, il faut monter deux étages à pied, mais c'est très calme, nous pourrons bavarder. »

Elle était réticente sans savoir exactement pourquoi. « Bon d'accord, mais je ne peux rester que quelques minutes. »

Trois quarts d'heure plus tard, Rachel était encore assise sur le canapé de cuir blanc de David. Son verre, posé sur son genou, formait un cercle humide sur sa jupe de velours côtelé bleue. À deux reprises, elle s'était levée pour partir mais il avait insisté pour qu'elle prenne un dernier verre.

Elle n'avait même pas fini le premier mais David en était déjà à son troisième scotch.

Et elle n'aimait pas la façon dont il était vautré sur le canapé en face d'elle, une jambe sur les coussins du dossier, un bras replié derrière la tête, comme s'il avait décidé de passer la nuit là. Et puis il commençait à avoir l'œil légèrement vitreux.

Cet appartement... elle ne l'aimait pas du tout non plus. On aurait dit un hall d'exposition à Bloomingdale. Tout dans des dégradés de beige et de vert pâle, avec des angles vifs partout. Complètement dépourvu d'âme.

David ne savait sans doute même pas que cette esquisse, sur le mur d'en face, était un Icart. Elle soupçonnait le décorateur de l'avoir choisie pour la couleur assortie à celle de la table juste en dessous.

David parlait de Presbyterian maintenant et elle essaya de se concentrer sur ce qu'il disait, mais son esprit était ailleurs. Brian ne devrait pas tarder à rentrer à présent, se dit-elle, peut-être est-il déjà arrivé. Il faut que je rentre.

Maintenant, la voix de David montait. Il s'énervait contre quelque chose. Rachel écouta, le système nerveux en alerte.

« ... Ouais, je sais que ça semble bizarre mais c'est vrai. Mon diplôme de Princeton ne signifiait rien pour eux. Je venais d'ailleurs. Et dans ces cas-là, ils vous snobent. Ils ne veulent pas de vous dans leur club. Oh, rien de tout ça n'est exprimé, bien sûr. Ils ne vous rejettent pas à proprement parler, mais ils vous snobent. Par exemple, ils vous appellent par votre nom de famille alors qu'entre eux, ils se donnent des diminutifs. A la cafétéria, il n'y a jamais de place à leur table. Et ces salauds m'ont eu. J'ai travaillé comme une bête et je *méritais* le poste de chef de service. J'étais le meilleur, et de loin. Aucun doute là-dessus. »

Il respirait fort, le visage empourpré. Rachel sentit qu'il se contrôlait mal, qu'il ne lui en faudrait pas beaucoup pour qu'il perde son sang-froid. Elle posa son verre sur la table basse et se leva.

« David, tu me raconteras la fin de l'histoire un autre jour. Il faut vraiment que... »

Sa main enserra son poignet comme une menotte d'acier.

« Ne pars pas, Rachel... tu ne m'as rien dit de toi, ni de ton expérience au Vietnam. Et tu n'as même pas fini ton verre. »

David l'implorait, lui faisait un numéro de charme, comme autrefois, mais le charme n'opérait plus... C'était comme un masque qu'il aurait essayé de plaquer sur son visage mais qui s'obstinait à glisser. Pour quelque raison absurde, elle pensa à Lon Chaney, dans *Le Fantôme de l'Opéra*. Mais soudain, elle n'eut plus du tout envie de savoir ce qu'il y avait derrière ces yeux injectés de sang et ce sourire étrange, un peu fou.

Il ne me lâche pas le poignet. Il ne va pas...

Elle se laissa tomber sur le canapé, les jambes soudain molles, et frotta son poignet meurtri. Puis elle se ressaisit. Qu'allait-elle imaginer? Que David était dangereux? Elle se conduisait comme une idiote. Elle était venue ici pour bavarder de Saint-Bart et d'Alma Saucedo. Et c'est ce qu'elle allait faire.

Puis, quand il serait calmé, elle se lèverait tranquillement et sortirait. Elle trouverait un taxi dans la rue.

Dans dix minutes, se promit-elle.

« David, je voudrais ton avis sur une de mes patientes. » Elle se plaça de façon à être face à la porte. Puis elle lui parla d'Alma. « Je n'ai pas envie de la mettre sous Pitocin. Les chances de survie de son enfant seraient alors de moins de cinquante pour cent. Mais, d'un autre côté, si on attend trop...

— Écoute, quand je suis arrivé à l'hôpital, j'ai fait le tour des services. Le service de pédiatrie est au-dessous de tout et les autres ne valent guère mieux. Tu dis cinquante, moi je dirais plutôt quarante pour cent, si on tient compte du sous-équipement de la salle de réanimation et du fait que la gamine en question s'est probablement nourrie de chips et de Coca-Cola pendant huit mois.

— C'est un point de vue plutôt pessimiste. Je t'accorde que les circonstances ne sont pas idéales mais Alma est une fille intelligente. Très bonne élève. Ce n'est pas du tout une inconsciente et elle n'a certainement pas fait n'importe quoi.

– De nos jours, il faut être inconsciente pour se faire coller un môme à seize ans », dit-il.

Rachel eut l'impression d'avoir reçu une gifle. David la regardait bizarrement. Il la couvait du regard. Oh mon Dieu, ce n'était pas son imagination. Il *voulait* coucher avec elle.

Elle resta assise, paralysée, et regarda David terminer d'un trait ses deux doigts de scotch.

« Je l'ai examinée moi-même, peut-être deux ou trois heures avant que tu n'entres dans mon bureau. Elle n'a pas l'air très en forme, mais moi, si j'étais toi, je ne me précipiterais pas sur ce traitement. Donne-lui encore un jour ou deux avant de lui coller du Pit. »

Ainsi, c'était toi, se dit-elle. J'aurais dû y penser. Une brute reste une brute.

Rachel se leva si brusquement qu'elle se cogna le genou dans la table. Merde! Elle s'était fait mal. Elle allait avoir un bleu. Tout ce qu'elle voulait, c'était filer d'ici au plus vite.

« Merci pour le verre, dit-elle. Écoute il faut vraiment que j'y aille. Ne te dérange pas. »

Il se leva lourdement et, d'un air décidé, lui bloqua le chemin. Le cœur de Rachel fit un bond.

« Pourquoi es-tu si pressée? »

Il était tout rouge, les veines du cou gonflées, les yeux plissés.

« Sept ans, bon Dieu, ça fait sept ans que je ne t'ai pas vue et tu ne penses qu'à te tirer. C'est une façon de traiter un ami?

– Écoute, David, ne gâchons pas les choses. C'était formidable de se revoir mais...

– Tu as quelqu'un qui t'attend, en dehors de ton petit mari? Un enfant ou deux, peut-être...

– Pas d'enfants. » Prononcer simplement ces mots la faisait souffrir. Comment osait-il aborder ce sujet?

« Tu sais, c'est curieux, parce que j'ai toujours pensé que tu ferais une mère merveilleuse, continua-t-il, s'adossant à la porte. Prends ma mère, par exemple. Jamais elle ne s'interposait entre mon père et moi, même quand il me foutait des branlées. Mais je n'en veux pas à mon vieux. C'était elle, la garce. Une sale égoïste. Rien n'était jamais trop bien pour elle. C'est pour ça qu'il s'est mis à boire ses six bouteilles de bière tous les soirs. Et si le petit Davey était dans les parages à ce moment-là, eh bien, tant pis pour lui.

– David, arrête. » Elle avait vraiment peur à présent. Il était ivre et sa voix rauque, vieillie, n'avait plus rien à voir avec celle qu'elle connaissait, celle du jeune et brillant interne qu'elle avait aimé.

« Hé... je commence juste. Tu sais, sept ans, c'est long. Il en passe des idées dans la tête d'un homme en sept ans. Par exemple, je n'ai jamais réalisé à quel point tu me rappelais ma mère. »

Ses yeux déments fixés sur les siens la terrorisaient.

« David, pourquoi t'excites-tu comme ça? demanda-t-elle d'une voix mal assurée. Écoute, essaie de te reposer, de dormir un peu. Nous parlerons demain matin. »

Elle fit un pas vers la porte mais il l'empoigna brutalement par les épaules. Elle ne pouvait plus bouger. Elle était glacée, comme dans un cauchemar.

Son visage était à dix centimètres du sien et son haleine empestait l'alcool. Elle vit soudain ce qu'il y avait sous le masque. La folie. Elle avait affaire à un *fou*.

« Non! cria-t-il. Nous allons parler maintenant. *Tout de suite.*

— Tu es fou », dit-elle.

Elle lutta pour se dégager mais il la fit pivoter d'un geste violent et l'envoya valser contre le mur, la *clouant* là. Elle était affolée, déboussolée. Ça ne pouvait pas...

David plaqua sa bouche contre la sienne.

Oh Seigneur, non... NON.

Elle sentit sa langue s'enfoncer en elle. « C'est bon, hein, ma petite pute? dit-il haletant. Oui, oh oui, tu n'en avais jamais assez, hein? Tu en as envie maintenant? Tu veux que je te baise comme au bon vieux temps, que je te fasse gueuler? C'est pour ça que tu es venue, non? »

Elle eut une bouffée d'adrénaline. Elle était comme folle, elle avait envie de le tuer.

« Espèce de salaud! » cria-t-elle en martelant de ses poings au hasard.

Soudain elle fit mouche et sentit l'impact du coup dans son bras.

Il leva les avant-bras pour se protéger la figure et, horrifiée, elle vit que ses dents étaient couvertes de sang.

Elle bondit vers la porte et tourna frénétiquement la poignée. Elle avait l'impression de lutter sous l'eau. Elle avait du mal à respirer et ses membres étaient lourds comme du plomb.

Je n'y arriverai jamais. Je ne vais jamais réussir à sortir d'ici.

Puis elle trouva le verrou sous la poignée et réussit enfin à ouvrir la porte. Merci, mon Dieu, merci...

Mais soudain, quelque chose la faucha brutalement. La pièce bascula, murs et plafond se confondirent. Tout devint gris et lisse. Elle essayait de comprendre ce qui se passait mais, bizarrement, elle n'y parvenait pas.

« Salope! » Une voix retentit dans sa tête. « Je vais te donner ce que tu es venue chercher. »

Elle reprit peu à peu ses esprits et sentit une vive douleur à la nuque, comme si elle avait été embrochée par un tisonnier.

Et elle vit.

David. Agenouillé au-dessus d'elle. Débouclant frénétiquement sa ceinture, descendant sa fermeture Éclair. *Oh Dieu. Non. Je vous en supplie...*

Elle avait l'étrange impression que toutes ces années avaient été englouties d'un seul coup. Elle était étendue sur une table d'examen et voyait le masque blanc de David entre ses genoux remontés...

Il lui écartait les jambes, ne la sortant du cauchemar d'autrefois que pour la faire entrer dans un autre.

« Non! Non! ARRÊTE! » cria-t-elle, retrouvant soudain sa voix.

Elle entendit quelque chose se déchirer. C'était sa jupe. Puis il fut sur elle. Il s'écrasait, elle suffoquait sous son poids. De l'air, elle avait besoin d'air. Quelque chose de doux et d'humide cherchait à pénétrer en elle.

« Pute. Espèce de pute. Je veux t'entendre *crier*. »

Mais il ne bandait pas. En un instant, Rachel comprit. *Il ne peut pas me violer. Il ne bande pas.* Elle lutta contre le rire nerveux, hystérique qui montait en elle. *Il ne peut peut-être pas me violer mais il peut me faire mal.*

Au même instant, David roula sur le côté et elle put enfin respirer, faire entrer une goulée d'air dans ses poumons. Et elle sut que c'était terminé. Comme une corde usée qui, trop tendue, se rompt brusquement.

Rachel s'assit, en proie à un sentiment d'extrême confusion. La scène était surréaliste. On aurait dit un tableau de Dali. Le portrait d'un homme échevelé, qui avait été beau autrefois, affalé au milieu des glaçons et des verres renversés.

Il pleurait. Les larmes coulaient sur ses joues et se perdaient dans ses favoris à la dernière mode.

« Je ne peux pas, sanglota-t-il. Ni avec toi... ni avec les autres. Depuis sept ans... oh bon Dieu... qu'est-ce que tu as fait? Qu'est-ce que tu m'as fait cette nuit-là? » Il fixait sur elle un regard fiévreux, plein de haine. « C'est toi que j'aurais du tuer, pas l'enfant... *j'aurais dû te tuer.* »

Rachel se releva en tremblant. Il était malade... malade. Il fallait qu'elle parte.

Elle bondit vers la porte sortit et la claqua derrière elle.

Attention maintenant. L'escalier. Une marche à la fois. Elle pressa ses mains contre ses oreilles pour ne plus entendre cette voix qui la poursuivait. Mais impossible. Elle semblait retentir sous son crâne, crier : *Je t'aurai. D'une manière ou d'une autre. Je te ferai payer ce que tu m'as fait.*

Dehors à son grand soulagement, elle aperçut un taxi avec sa lumière allumée, et lui fit signe.

Une fois sur la banquette arrière, elle se mit à sangloter. De grandes vagues de sanglots qui la balayaient, la laissaient sans force.

« Ça va pas, ma p'tite dame? marmonna le chauffeur de mauvaise grâce.

— Non.

— Quelqu'un vous a fait mal? Vous voulez que j'appelle les flics?

— Non, non.

— Hé, j'suis désolé, mais moi, faut que j'bosse. Alors, où je vous emmène? »

Elle lui donna son adresse. Brian. Oh, comme elle avait besoin de lui! Elle tremblait des pieds à la tête. Je suis folle, se dit-elle. Je ne peux pas... comment le lui dire? Si je lui raconte ce qui s'est passé ce soir, il faudra aussi que je lui parle de l'avortement, et il saura que pendant toutes ces années, je lui ai menti.

Alors elle se sentit glacée et songea à la pauvre Lila Rodriguez, avec ses bleus partout. C'est pour ça qu'elle ne lutte pas. Ce n'est pas par peur mais par honte. Comme ce que je ressens maintenant. Un sentiment de saleté, de culpabilité. Comme si, au fond de moi, je savais que je méritais ce qu'il m'a fait subir.

Si au moins elle pouvait être enceinte! Seule une grossesse mettrait un terme à sa souffrance, à ses remords.

Brian serait si heureux! Alors le passé n'aurait plus d'importance. Elle ferma les yeux et l'imagina, poussant fièrement un de ces grands landaus anglais dans les allées de Central Park.

Mais elle essayait en vain d'imaginer le visage du bébé. Non, impossible, elle ne *voyait* pas le visage de l'enfant.

Puis elle sentit soudain une humidité entre ses cuisses accompagnée d'une douleur sourde au bas ventre. Il n'y avait aucune erreur possible. C'étaient ses règles.

23

Brian regarda son auditoire. Une centaine de personnes, estima-t-il au jugé. Des anciens combattants, parfois accompagnés de leur épouse. Ils étaient assis sur des chaises pliantes en métal. Des visages durs, frustrés, à l'expression coléreuse. Des types qui en avaient vu de toutes les couleurs, et à qui on ne la faisait pas.

Il se redressa, se demandant ce qu'ils attendaient au juste de lui. *Comment puis-je les aider alors que je ne comprends même pas ce qui cloche entre Rachel et moi?*

Tant de gens voulaient entendre ce qu'il avait à dire. Surtout les anciens du Vietnam. Des hommes qui n'arrivaient pas à trouver les mots qui convenaient, qui avaient besoin d'une voix. D'un gars qui, comme eux, en était revenu, et pouvait témoigner.

A présent c'était l'affaire du Watergate qui remplissait les journaux. Les gens ne parlaient plus que de cela. Nixon avouera-t-il? On avait l'impression que tout le pays était frappé d'amnésie. Ils avaient oublié jusqu'à l'existence du Vietnam. Et ces anciens combattants n'étaient plus qu'une bande d'emmerdeurs qui voulaient les obliger à s'en souvenir.

« Quand j'étais gamin, commença-t-il, s'avançant sur l'estrade, les gosses du quartier connaissaient tous les mots grossiers des langues anglaise, espagnole, italienne ou yiddish. Et quand nous ne nous les lancions pas à la figure, nous les écrivions sur les murs des immeubles. Mais il y avait un vilain mot que nous ne connaissions pas. Qui n'avait pas encore été inventé à l'époque. » Il s'interrompit une seconde pour que cesse le bourdonnement des voix, puis dans un silence total, lança : « Vietnam. »

« Bien dit! » cria un auditeur.

Brian sourit. « Vous les gars, vous savez de quoi je parle, hein? Dès qu'on parle du Vietnam, les gens détournent leur regard. Ou bien, ils s'excitent, vous accusent d'avoir massacré des femmes et des enfants vous disent que, d'abord, on avait rien à y faire, là-bas. » Il fit une pause, vit des gens opiner du chef. « Alors, on apprend à se taire, à enfouir tout ça dans un coin de sa mémoire. Ils parviennent même à vous donner mauvaise conscience, à vous mettre dans la tête que vous êtes un salaud. Alors on se dit : " Hé, mec, c'est pas juste, ça. Moi je me suis battu pour mon pays. Je devrais être un héros. " » Il attendit quelques secondes, puis abattit son poing sur le pupitre. « Eh bien, *oubliez!* Je suis ici pour vous rappeler que nous ne sommes pas des héros. Pas des salauds non plus. Juste des hommes. Des hommes qui ont fait ce qu'ils considéraient comme leur devoir et qui, en remerciement, n'ont reçu que des coups de pied au cul. »

Une demi-heure plus tard, Brian comprit qu'il avait su les toucher. Ici et là, des hommes pleuraient en silence. Puis ils commencèrent à applaudir.

J'ai de la chance. C'est grâce à l'écriture que j'ai sorti ce poison de mon organisme. Et, à l'époque, je me fichais qu'on me lise ou pas.

Il avait écrit *Double Eagle* dans la fièvre, comme s'il avait eu la malaria. Les mots le consumaient et, à la fin de la journée, le laissaient exténué et couvert de sueur. Grâce à Rachel, ce torrent de mots avait pris forme, était devenu un roman. Elle avait tout relu, page par page, lui avait proposé des corrections, l'avait aidé à faire une véritable histoire de cette explosion brûlante et coléreuse.

A l'époque elle passait son internat et rentrait souvent épuisée à n'importe quelle heure du jour ou de la nuit. Cependant elle avait toujours le courage de relire les pages qu'il avait écrites. Il la revoyait encore — c'était une image précise comme un instantané — sur le canapé écossais de son bureau, des pages dactylographiées sur ses genoux, un stylo-feutre entre les dents. Comme les gosses en classe, elle mâchonnait toujours ses feutres. Et elle n'avait pas l'air beaucoup plus âgée qu'eux avec ses cheveux nattés, ses grandes chemises d'hommes (celles de Brian) qu'elle portait sur un jean. Comme il la trouvait émouvante, adorable!

D'autres souvenirs heureux lui revenaient à l'esprit et, notamment, les trois semaines qu'ils passaient à Fire Island tous les ans au mois d'août avant que la clinique n'accapare totalement Rachel. Ils couraient le long de la mer jusqu'à l'épuisement puis s'affalaient sur le sable chaud en riant. Et ces baisers brûlants le soir, devant le feu, avant de faire l'amour dans le lit où traînait toujours un peu de sable...

Rachel. Nous avons été heureux, n'est-ce pas?

Avec un pincement au cœur, Brian réalisa qu'il pensait à leur bonheur au passé.

Pourtant il l'aimait autant qu'avant. Simplement ce n'était plus la même chose. A l'époque, ils ne faisaient qu'un, ils respiraient le même air... à présent, ils vivaient dans deux sphères séparées. Il repensa aux serviettes *Elle* et *Lui* que ses cousins lui avaient envoyées pour leur mariage. Comme ils avaient ri sur le moment! A présent, cela ne lui semblait plus si drôle. *Elle* et *Lui.* A mieux y réfléchir ça résumait parfaitement la situation.

La salle se vidait. Il ne restait plus qu'une poignée d'hommes, ceux qui, tout en souhaitant se libérer du Vietnam, cherchaient à recréer cette fraternité qu'engendre la souffrance partagée et qu'ils avaient connue là-bas.

Des bribes de conversation lui parvenaient tandis qu'il descendait de l'estrade.

« La 101ᵉ? Sans blague? Moi aussi. Régiment Delta. Dites donc les gars, ils vous ont mené la vie dure à Phu Bai, après le Tet... »

Brian eut soudain envie qu'ils s'en aillent. Il commençait à avoir mal à la tête. Il voulait rentrer... et retrouver Rachel en train de préparer le dîner... ou juste de traîner. Il la prendrait dans ses bras...

Arrête ton cirque, mon vieux. Elle ne sera pas là. Elle doit être à la clinique ou à l'hôpital. En train de sauver une vie. Mais pas la tienne, en tout cas. Toi, tu as eu ton tour.

Brian leva la tête et, assez loin de lui, vit une femme remonter la travée de droite. Pendant une seconde, il crut que c'était Rachel et fut pris d'une grande joie. Elle était venue à sa rencontre!

Mais non, il se trompait. Elle était trop grande, trop brune, et portait un chapeau qui dissimulait en partie son visage. Rachel n'en mettait jamais. Avec un chapeau, une petite femme ressemble à un champignon, disait-elle.

Celle-ci n'avait rien d'un champignon. Elle était grande et gracieuse. Il la regarda se frayer un chemin à travers cette assemblée d'hommes, sa jupe de coton blanc voletant autour de ses mollets dorés. Quelque chose de familier en elle...

Puis la fille leva la tête et Brian aperçut son visage. Il en resta bouche bée.

Rose... Que fait-elle ici?

Elle dépassa les trois hommes qui bavardaient devant elle et s'avança vers lui. Rejetant légèrement la tête en arrière, elle lui sourit et lui tendit la main. L'embarras de Brian fit place à une grande bouffée de tendresse.

Il revit la petite fille solitaire dans la cour de l'école, les genoux écorchés dépassant d'une jupe trop courte, l'air malheureux. Un jour, il l'avait prise par la main et elle l'avait regardé avec une expression radieuse qui, en une seconde, avait transformé le vilain petit canard en une créature de rêve. Sur le moment il en avait eu le souffle coupé.

Et c'était exactement ce qu'il ressentait maintenant. « Rose... mais que peux-tu bien faire ici?

– Quelle façon d'accueillir une vieille amie! » Elle rit de bon cœur et il en fut soulagé. Non, leur rencontre n'allait pas ressembler à celle de Londres. « Je suis venue pour te voir, dit-elle. Enfin... plutôt pour t'écouter. Je n'étais pas sûre d'arriver à t'approcher avec tous ces gens. Je voulais te dire que tu étais formidable tout à l'heure. J'ai toujours su que tu pourrais écrire mais ça... enfin, tu m'as vraiment épatée. » Elle semblait sincère.

Et soudain il fut ravi qu'elle soit là. « Écoute, tu peux m'attendre quelques minutes? Il faut encore que je voie deux ou trois types mais ensuite on pourrait aller prendre un café, qu'en dis-tu? Il y a un *Diner's* au coin de la rue. »

Elle hésita un instant puis répondit : « Ça ne me ferait pas de mal. J'ai un dossier à préparer et je vais sans doute bosser toute la nuit. En fait, je n'aurais même pas dû venir, mais ils annonçaient ta conférence dans le journal et je n'ai pas pu résister. J'habite tout près, tu sais, à quelques blocs d'ici.

– Formidable. Donne-moi cinq minutes. »

Brian se retourna vers le groupe qui l'attendait en bas de l'estrade, mais des éclats de voix, près de la sortie, attirèrent son attention. Deux hommes se battaient. Il aperçut la lame d'un couteau. Bordel de merde!

Brian fut pris de rage. Les cons. N'en avaient-ils pas eu *assez*? La guerre était finie.

Il se précipita vers eux, dans un brouhaha de chaises butant les unes contre les autres. Un groupe de spectateurs entourait les deux hommes et il joua des coudes pour parvenir jusqu'à eux. Brian vit deux visages convulsés de rage, une chemise de cow-boy à carreaux déchirée à la manche. Un Blanc très maigre était en train de dérouiller furieusement un Noir plutôt corpulent.

« Va te faire foutre, gueula la chemise de cow-boy. Moi, j'y étais en soixante-huit, à Hué. J'suis pas un connard de planqué, moi!

– Me fais pas rigoler, ricana le Noir, moi j'ai perdu une guibole pendant l'offensive du Têt alors raconte pas de conneries. »

Brian remarqua qu'il avait une posture étrange et une hanche plus haute que l'autre – une prothèse. Apparemment, ça ne suffisait pas à l'arrêter.

Chemise-Écossaise se précipita en avant, le couteau à la main et Brian sentit un déclic dans sa cervelle, en alerte. Comme au Vietnam.

Il se jeta sur Chemise-Écossaise, parvint à lui prendre le poignet et à coincer son autre bras derrière son dos. Il entendit un grognement de fureur. L'homme se débattit pendant quelques instants, puis se laissa faire. Le couteau tomba sur le sol.

Chemise-Écossaise s'afaissa puis se recroquevilla sur lui-même. Brian le rattrapa et le serra fermement contre lui. Il entendit un sanglot étouffé.

« Tout va bien, mon vieux, murmura Brian. Tu n'as plus rien à prouver. C'est fini. La guerre est finie. »

L'homme pleurait à gros sanglots. Certains le regardaient avec dédain, d'autres avec pitié, la plupart avec un mélange des deux. *Nous ne sommes pas censés pleurer*, pensa Brian, *mais c'est ça le problème, n'est-ce-pas? C'est bien pour ça que nous nous battons.*

Mais, bordel, qu'est-on censé faire quand on ne sait pas qui est l'ennemi, ni même quelle forme il peut prendre? Il pensa à son mariage. Il aurait aimé comprendre ce qui clochait et régler le problème, comme il venait de le faire avec ce type.

Brian sentit une légère pression sur son épaule. Il se retourna et vit Rose. Elle le regardait avec une expression très douce.

« Ça m'a rappelé la cour de l'école, dit-elle. Tu interrompais toujours les bagarres. Tu n'as pas changé, Brian. Un de ces jours, tu finiras par te faire assommer, à vouloir toujours empêcher les gens de se battre. »

Il haussa les épaules. « Ces types ne cherchent pas la bagarre. Tu sais seulement ils sont écorchés vifs, alors, ils prennent la mouche pour un rien. On y va? »

Un peu plus tard, attablée devant un café au City Diner, Rose lui dit : « Je comprends ce que tu disais tout à l'heure à propos de ces types... Il y a quelques mois, j'ai plaidé une affaire... un garçon qui, de rage, avait descendu un automobiliste. Le type lui avait simplement coupé la route sur le Jersey Turnpike. Cette folie meurtrière pour une si petite chose, sur le moment ça m'a paru insensé. Maintenant, je crois que je peux comprendre ce genre de réaction. »

Brian lutta contre l'envie de mettre sa main sur la sienne. La vapeur montant de sa tasse brûlante formait un voile devant son visage.

« La colère n'est pas tout, dit-il. Il y a aussi la culpabilité. Quand on a vu la plupart de ses copains crever là-bas, on se demande pourquoi on s'en est tiré, et avec une médaille. On s'interroge sur ce qui vous distingue des autres, vous rend si spécial. Et quand on ne trouve pas la réponse, on finit par se dire qu'on n'est, au fond, pas si spécial, et que peut-être, on *méritait* de mourir aussi là-bas.

— C'est ça que tu ressentais?

— Pendant un moment, oui, mais je l'ai surmonté. Ce qui aide beaucoup, c'est d'en parler. En fait, en écrivant ce bouquin, j'ai vraiment pratiqué un exorcisme. Écoute, tu veux manger quelque chose? Un burger, une tarte?

— Non merci. J'ai vu les portions. Elles sont énormes. C'est le genre de truc qui vous tient compagnie toute la nuit. » Elle sourit et se pencha en avant. « Qu'est-ce que tu fais en ce moment? Tu travailles à un autre roman?

— Quand j'ai le temps. C'est... » Brian hésita. Devait-il le lui dire? Ce livre racontait son adolescence à Brooklyn dans les années cinquante. Et elle en faisait tellement partie. « C'est trop tôt pour en parler. Pour le moment, il y a davantage de pages dans la corbeille à papiers que sur mon bureau.

— Oh Brian... » Elle eut un sourire radieux qui l'émut. « Je suis si heureuse pour toi! Tu sais, si je suis venue ce soir, c'était aussi pour te dire que je suis désolée de ce qui est arrivé à Londres. C'était... le choc de te voir là-bas. Je ne m'y attendais pas. D'accord, j'étais furieuse, blessée, mais ça ne m'a jamais empêchée d'être fière de toi. J'ai toujours su que tu écrirais un merveilleux livre un jour.

— Tu dois avoir une boule de cristal alors, parce que, avant celui-ci, j'en ai écrit de bien nuls. »

Elle rit. « Je m'en souviens. Mais on voyait malgré tout que tu avais l'étoffe d'un bon romancier. Combien d'héroïnes se font poursuivre par des éléphants, encorner par un rhinocéros, étrangler par un python et trouvent encore l'énergie de jouer au badminton?

— Ça ne vaudra jamais mon héros ressuscité, dans mon roman policier; j'avais oublié que je l'avais tué au chapitre deux. »

Elle éclata de rire et il lui fit écho. Et Brian sentit soudain toutes ces années lui glisser des épaules. Il pensa aux chaudes nuits d'été où Rose et lui sortaient de chez eux pour se retrouver sur le palier de l'escalier de secours. L'odeur des *bagels* montait du Hot Spot Deli, de l'avenue J. Ils mangeaient du raisin et fumaient les Lucky Strike de son père. Et Rose lui montrait plein de tours de cartes. Mon Dieu! que les choses étaient simples à cette époque. L'idée même d'avoir un jour trente ans était aussi irréelle que la mort. Il eut brusquement une déchirante nostalgie de son adolescence, de son innocence.

« Et les enfants, Bri? Je sais que tu en voulais une ribambelle. »

Son regard s'assombrit. « Nous essayons, dit-il. Jusqu'à présent, ça n'a pas marché.

— Je suis désolée.

— Il n'y a pas de raison. Ce n'est pas sans espoir, mais c'est salement frustrant. Je voulais une grande famille. Maintenant je me dis, si seulement je pouvais en avoir un...

— Ta femme... j'ai lu quelque chose sur sa clinique, dit Rose, changeant de sujet avec tact. C'est formidable ce qu'elle a fait dans ce quartier.

— C'est une femme dévouée. »

En un sens, se dit-il, Rose et elle se ressemblaient. Toutes deux brûlaient d'un feu intérieur mais chez Rachel, les étincelles partaient un peu dans toutes les directions. Elle voulait sauver le monde. Le feu de Rose était plus lent mais plus ramassé.

Brian repensa à cette soirée à Londres, à la façon dont elle l'avait regardé. Comme en ce moment, ses grands yeux noirs fixés sur lui, avec ce sourire tranquille de Mona Lisa qu'il connaissait si bien. Seigneur, il fallait qu'elle arrête de le regarder ainsi, de lui faire ressentir des choses qu'il n'était pas censé...

« Cet homme avec qui tu étais à Londres... tu vas l'épouser?

— Max? » Elle eut l'air ahurie et, portant la tasse à ses lèvres, renversa un peu de café sur sa main. Elle l'essuya avec une serviette. Brian vit la cicatrice irrégulière sur sa paume et fit intérieurement la grimace. « Regarde ce que je fais... Tu te souviens, Bri, quand j'étais gamine, je tombais constamment de ma bicyclette et je me couronnais les genoux? Eh bien, ça n'a pas changé. La semaine dernière...

— Il est amoureux de toi. »

Ses joues s'empourprèrent. « Tu es fou. Max est... enfin, Max. Je ne pourrais pas vivre sans lui mais nous ne sommes que... oh, c'est ridicule, pourquoi parlons-nous de lui?

— Pourquoi pas? Tu n'es pas amoureuse de lui?

— Non, bien sûr que non. De toute façon, il est marié.

— Oh... je vois. »

Elle baissa les yeux. « Non, dit-elle sèchement. Tu ne vois pas. Nous ne sommes pas... ce n'est pas ce que tu crois. Max a été merveilleux pour moi. A l'époque où tu... enfin, après toi, j'ai vécu un moment très dur et il s'est occupé de moi. S'il ne m'avait pas aidé, je crois que je n'aurais jamais pu entreprendre et mener à bien des études de droit. »

Brian pensa : *Ou bien tu mens, ou bien tu es aveugle parce que ça crève les yeux qu'il t'aime. Il n'y a qu'à voir la façon dont il te regarde.*

De toute façon une chose était claire : quelle que fût la vérité, elle ne voulait pas en entendre parler.

« Je suis sûr que tu es une super avocate, dit-il. J'aimerais bien te voir plaider un de ces jours.

— Ne dis pas ça. Tu auras peut-être besoin de moi plus tôt que tu ne le penses. Max dit que les avocats, c'est comme les croquemorts. On en a toujours besoin à un moment ou à un autre, mais mieux vaut avoir affaire à eux le plus tard possible.

— Il a l'air d'un type intelligent, ton Max. J'aimerais bien faire sa connaissance un de ces jours.

— Un de ces jours », répéta-t-elle.

Brian vit son profil se refléter dans la vitre. Il y avait quelque chose de si volontaire, de si courageux dans cette vision fantomatique que pendant un instant, il pensa à son arrière grand-mère dont il possédait une photo sépia, Mary Taighe McClanahan qui, à vingt ans, avait traversé l'océan et perdu deux bébés.

Puis Rose se redressa et regarda sa montre. « Oh, il est tard. Il faut que je me mette au boulot. Je dois être au tribunal de très bonne heure demain matin. »

Elle posa une seconde sa main sur la sienne. Ce fut comme un chuchotement intime. « Ça m'a fait plaisir de te voir un peu tranquillement, Bri. Sincèrement. Je voudrais qu'on reste en contact. »

Brian se dit : *Je devrais arrêter ça tout de suite. Elle est toujours amoureuse de moi. Cette relation ne peut nous mener nulle part, il faut le lui dire.*

Mais il en fut incapable. Au contraire, il sentit un besoin urgent, fou de la revoir.

« Nous déjeunerons ensemble. Bientôt. Je t'appellerai.

– Promis ? » Elle se leva, traîna un peu, ses yeux cherchant les siens.

« Juré. »

Après son départ, il resta encore un moment au bar, et songea à cette promesse qu'il lui avait faite des années auparavant et qu'il n'avait pas tenue. Il ne voulait pas risquer de la faire souffrir à nouveau. Mais en décidant de ne pas la revoir, il lui ferait tout aussi mal.

Tu l'aimes encore ? demanda une voix au fond de lui.

L'aimait-il ? La vérité, c'était qu'il n'en savait rien. En un sens, il l'aimerait toujours. Mais ce mot, l'amour, recouvrait tant de choses. Au fond, il était incapable de définir ses sentiments pour Rose.

En rentrant chez lui, 52ᵉ Rue Est, Brian fut surpris de trouver l'appartement plongé dans l'obscurité, alors qu'il était presque minuit.

« Rachel ? Tu es là ? » appela-t-il doucement en allumant la lumière.

Pas de réponse.

Les ombres menaçantes du salon se transformèrent aussitôt en une image familière et rassurante. *C'est un endroit agréable*, se dit Brian. Il regarda avec sympathie le vieux canapé recouvert de chintz, rempli de coussins brodés, la table en pin où s'empilaient à présent des manuscrits sur lesquels les éditeurs voulaient son avis, et des comptes rendus de presse.

Et ce fauteuil affreux, près de la cheminée, qu'ils avaient déniché dans l'Adirondack, chez un brocanteur. Rachel, après l'avoir examiné sous toutes les coutures, lui avait dit : « C'est l'objet le plus hideux et le plus fascinant que j'aie jamais vu. Si nous ne l'achetons pas, je ne m'en consolerai jamais. » C'était un siège sculpté de façon délirante, au dossier incurvé. Les pieds représentaient des griffes d'ours, les accoudoirs des têtes d'ours. L'œuvre d'une sorte de facteur Cheval local. Le vieux fermier qui tenait la boutique vendait ça une fortune mais Rachel avait insisté pour le prendre et ils l'avaient chargé dans le coffre en se demandant où ils allaient le mettre. Rachel voulait en faire la pièce maîtresse du salon. Brian souhaitait le dissimuler dans quelque coin obscur. Mais après l'avoir nettoyé et ciré, il s'était rendu compte que Rachel avait raison: C'était une pièce unique et très belle dans son genre. Comme Rachel au fond.

Son regard tomba sur les photos de famille et, comme d'habitude, il eut un petit pincement au cœur. Sa mère encore jeune et mince, sans un cheveu blanc. Ses frères sur leurs tricycles.

Ils nous quittent sans qu'on s'en rende compte, se dit-il.

Quelque chose de doux lui effleura la jambe. Il se pencha et prit dans ses bras le gros matou tigré. « Salut, Général Custer. Tu fais ta ronde, tu gardes le fort, ou bien tu veux un petit souper? » Général Custer se mit à ronronner. Il avait un ronronnement particulier. On aurait dit une scie à ruban rouillée. En fait c'était le chat de Rachel mais dès qu'il était question de nourriture, il faisait des grâces à n'importe qui.

Brian trouva une boîte entamée de pâtée pour chat dans le réfrigérateur et la vida dans son écuelle, près du radiateur. Il resta là un moment, debout, à regarder par la fenêtre le collier scintillant de Queensborough Bridge enjambant la rivière, puis il remarqua la fougère sur l'appui de la fenêtre. Elle avait l'air de tourner de l'œil. Il tâta la terre. Elle était sèche comme un os.

Il remplit un verre d'eau et arrosa la plante. Cet endroit commençait à ressembler à un de ces appartements qu'on ferme pour l'été. Sauf qu'on n'était pas en été mais au printemps. En avril. Et qu'ils ne prenaient plus beaucoup de vacances.

Depuis combien de temps n'avaient-ils pas quitté New York? Pas même pour un week-end?

Ça commençait même à sentir le moisi, ici, comme ces vieilles couvertures qu'on sort d'un placard bourré de naphtaline.

Il sentit soudain autre chose. De la fumée de cigarette. Il en fut troublé. Rachel fumait autrefois mais elle avait cessé depuis des années.

Brian suivit l'odeur. Elle aboutissait dans leur chambre et il aperçut Rachel pelotonnée dans le grand rocking-chair capitonné près du lit. Elle n'avait pas allumé et la pièce n'était éclairée que par la lumière de la rue. Elle ne dormait pas mais... ne semblait pas vraiment réveillée non plus. La cigarette qu'elle tenait à la main était consumée jusqu'au filtre et la cendre constellait la couverture afghane qu'elle avait étalé sur ses genoux. Elle regardait droit devant elle, le visage blême, avec une expression qui lui donna la chair de poule.

L'air hébété des soldats après les combats, se dit-il.

« Rachel? appela-t-il doucement. Chérie? »

Il ne l'avait jamais vue dans cet état. Bonté divine, que s'était-il passé?

Puis, comme si l'hypnotiseur venait de la réveiller, elle cilla les paupières, perdit cet air de zombie et se tourna vers lui.

« Salut », dit-elle.

Brian s'approcha d'elle et l'embrassa sur le front. Ses cheveux étaient humides, comme si elle venait juste de les laver. « Je ne savais pas que tu étais rentrée. Tu n'as pas répondu.

— Je ne t'ai pas entendu. Excuse-moi. »

Il prit doucement le filtre qui continuait de se consumer entre ses doigts, alla le jeter dans les cabinets et tira la chasse d'eau.

Il revint et s'assit sur le lit recouvert d'un patchwork qu'ils avaient acheté aux Amish, en Pennsylvanie, des années auparavant; dans l'angle, un berceau Shaker ancien, datant de l'époque où ils avaient décidé d'avoir leur premier enfant. Il était rempli de vieux magazines, de livres qu'il avait commencés à lire puis abandonnés et de tout un bric-à-brac, y compris une paire de bottes Rocksport que Rachel devait porter chez le cordonnier.

« Tu veux m'en parler? » demanda-t-il.

Elle eut un pâle sourire. « Non, je n'en ai pas très envie, si ça ne t'ennuie pas. »

Mais si, ça l'ennuyait! Il sentit la colère lui nouer l'estomac et répondit sèchement : « D'accord. Comment s'est passée ta journée? Depuis quand as-tu recommencé à fumer?

— Je n'ai pas recommencé. J'avais juste envie d'une cigarette. Je t'en prie, Brian, ne nous disputons pas. Ce soir, je n'en ai vraiment pas le courage. »

Elle avait une mine épouvantable. Bon, il n'allait pas la martyriser. Elle lui dirait sans doute d'elle-même ce qui n'allait pas. Sans doute.

Il attendit, laissa le silence s'installer entre eux. On n'entendait plus que le tic-tac du réveil et le bruit lointain de la circulation urbaine.

« J'ai mes règles », dit-elle enfin.

Le découragement, mêlé à une sourde irritation s'abattit sur lui.

Ce n'est pas juste, se dit-il. Quand je pense que les gamines de quatorze ans se font cloquer à l'arrière des Chevrolet dès la première fois! Maman a eu huit enfants. Alors pourquoi pas Rachel? Ouais, je sais. Elle a un problème de trompes. Mais il commençait à en avoir marre de tous ces traitements, de ce planning, de la façon dont elle se précipitait à la maison pour faire l'amour dès que sa température montait... dont elle cherchait à garder la moindre goutte de sperme en se mettant un oreiller sous les fesses...

Et tout ça pour ce résultat!

Ce n'était pas la faute de Rachel, bien sûr. Ni la sienne. Mais alors pourquoi cette irritation, cette amertume? L'impression d'avoir été *trompé* en quelque sorte. Il souffrait et il avait envie de lui sortir tout ce qu'il avait sur le cœur, de lui reprocher d'être si occupée, si accaparée par son travail qu'il ne la voyait plus, et de faire l'amour avec lui de façon presque machinale.

En ce moment, il la haïssait d'être aussi stoïque. Pourquoi ne pleurait-elle pas, ne criait-elle pas? Au moins, ils en parleraient. Ce silence morose était pire que tout. Malsain. Le monstre du Loch Ness prêt à surgir à la surface de leurs vies.

Brian regardait fixement le berceau, des larmes plein les yeux. Il ne pouvait plus le supporter. Il s'en débarrasserait dès demain.

Et soudain, il fut pris de remords. *Je suis là à m'apitoyer sur moi-même, mais pour Rachel, ce doit être bien pire.*

« Je suis désolé, dit-il.

— Moi aussi. Cette fois, je croyais vraiment... » Elle se mordit la lèvre.

« C'est sans importance. »

Parle-moi, la supplia-t-il *in petto*. Bon Dieu, ne peux-tu pas au moins en *parler*?

« Rachel, commença-t-il, as-tu réfléchi à ce que nous envisagions l'autre jour?

— Non, et je ne veux pas y réfléchir maintenant. Je ne suis pas mûre pour l'adoption, Bri.

— On pourrait au moins remplir les formulaires. Ça prend des années. Entre-temps... »

Elle se raidit, ôta la couverture de ses genoux et se leva. « Je suis désolée, je ne peux pas. Pas maintenant. Plus tard, peut-être. »

Il l'empoigna par les épaules. « Quand? Tu ne veux même pas aborder le sujet.

— Je ne veux pas en parler *maintenant*. Ça peut quand même attendre quelques jours, ou demain, non? »

Brian commençait à avoir la migraine, de sourds élancements dans les tempes.

« Non, parce que, vois-tu, notre vie n'est faite *que* de lendemains, dit-il avec lassitude. Demain, on parlera. Demain, je quitterai la clinique de bonne heure. J'en ai marre d'entendre parler de demain. Qu'est-il arrivé aujourd'hui? »

Il tremblait, sentait qu'il allait perdre son sang-froid.

« Parle-moi », la supplia-t-il en l'attirant vers lui. Il l'embrassa sur le front. « Dis-moi ce que tu ressens. Dis-moi d'aller au diable. N'importe quoi. Rachel, je t'en prie, ne te ferme pas comme ça. »

Il la sentait palpiter comme un oiseau blessé dans ses bras. Il souffrait pour elle mais il avait aussi envie de la secouer, de *l'obliger* à sortir de sa solitude morale.

Elle se dégagea brusquement, et le regarda longuement avec une expression angoissée.

« Brian... il y a quelque chose... » Elle s'interrompit, l'air désespéré. « Ce soir, en rentrant de l'hôpital, je me suis fait... un homme m'a attaquée. »

Rachel, oh mon Dieu! Et c'était le moment qu'il choisissait pour la tourmenter, la mettre devant ses responsabilités. Une fureur noire le prit. *Le salaud. S'il lui a fait mal, je le tuerai, oh bonté divine, ma pauvre chérie...* Il la serra contre lui. « Oh mon trésor, il t'a fait mal? Que s'est-il passé?

— Il... non, non pas vraiment. Il m'a jetée par terre, c'est tout. Je n'ai rien... simplement ça m'a secouée.

— Pourquoi ne me l'as-tu pas dit quand je suis rentré? Pourquoi m'as-tu laissé m'énerver comme ça? Tu aurais pu m'arrêter!

— Je ne sais pas... vraiment je n'en sais rien. J'ai eu si peur! Il m'a fait tomber mais j'ai réussi à lui échapper. J'étais tellement soulagée que... je n'avais pas envie d'en parler, pas même d'y penser.

— Tu l'as vu? Tu as vu son visage? »

Rachel baissa les yeux et il la sentit frissonner contre lui. « Non, je n'ai pas vu son visage, dit-elle en s'écartant de lui.

— Et la police? Tu n'as pas porté plainte?

— Je n'ai pas appelé la police. Brian, je te l'ai dit, il n'y avait rien à raconter. Il ne m'a pas fait mal et je n'ai pas vu son visage. Je t'en prie... essayons d'oublier cette histoire. Je ne veux plus en parler. » Sa voix se brisa.

Brian lut un tel désespoir dans son regard qu'il sentit ce noyau dur et gelé en lui fondre comme la neige au printemps. Jamais Rachel ne l'avait supplié ainsi. Elle, toujours forte, capable, semblait brusquement si vulnérable!

Il avait envie de la protéger, de l'apaiser. Et de tuer son agresseur.

Il l'entraîna doucement vers le lit, s'allongea près d'elle et l'attira contre lui. Son bras s'engourdissait mais il ne le retira que lorsqu'il constata qu'elle dormait à poings fermés. Alors, il se mit sur le dos et sentit des larmes brûlantes lui monter aux yeux.

Mon Dieu, s'il lui arrivait quelque chose... comment ferais-je pour vivre sans elle?

« Je t'aime, ma chérie », murmura-t-il en tournant la tête vers elle. Dans la pénombre, son profil se détachait sur l'oreiller comme un camée. Il vit une veine battre sous sa tempe et fut submergé par la tendresse.

Que leur était-il arrivé? Pourquoi avait-elle trouvé si difficile de lui raconter tout ça? Au début, ils se disaient tout. Ils s'aimaient tant qu'il se demandait parfois si on pouvait s'aimer *trop*. Bien sûr, par la suite ils avaient pris un peu de recul, c'est normal, quand on vit ensemble. Mais maintenant...

Brian, effleurant la jolie courbe de sa joue, pensa : *Nous sommes allés trop loin en sens inverse...*

Et l'ironie dans tout cela, c'était qu'il l'aimait toujours autant. Peut-être davantage.

Mais Rose aussi tu l'aimais, murmura une voix dans sa tête, *et ça ne t'a pas empêché de la perdre.*

Rose...

Il poussa un soupir. Si seulement Rachel pouvait être enceinte, porter *son* enfant. Il fut pris d'une grande tristesse. Il revoyait sa mère, après chaque naissance, rentrant à la maison avec le bébé. Ses frères et lui se précipitaient à la fenêtre et regardaient Pop aider Ma à sortir du taxi avec son paquet bleu dans les bras. Puis il y avait le miracle de ces petits doigts, de ces minuscules orteils et de l'odeur du bébé, délicieuse, qui envahissait l'appartement.

Brian aurait aimé aborder le sujet avec Rachel. Mais chaque fois qu'il essayait, elle se fermait. Était-ce si dur pour elle ?

Ou bien – une pensée odieuse s'insinua en lui – peut-être ne souhaitait-elle pas *réellement* avoir des enfants. Pas comme lui, en tout cas. Sa saloperie de clinique était peut-être plus importante pour elle... plus importante que lui.

Effrayé, Brian chassa cette pensée. Si c'était vrai, quel avenir les attendait ?

Doucement, afin de na pas réveiller Rachel, il se leva et étendit la couverture afghane sur elle. Oui, qu'elle dorme. Elle en avait bien besoin. Et demain, ils discuteraient de tout cela. Ils parleraient... oui, ils parleraient.

24

Rose bâilla et regarda les feuillets étalés sur la table de la cuisine. Les paragraphes de l'affidavit et du mémorandum de droit se brouillaient devant ses yeux. Elle était trop fatiguée pour continuer à travailler. Son cerveau renaclait en dépit des nombreuses tasses de café qu'elle avait ingurgitées et qui s'entassaient maintenant dans l'évier.

Elle lança un coup d'œil à la pendule électrique accrochée au-dessus du réfrigérateur. Deux heures du matin. *C'était* demain. Sainte Marie, mère de Dieu! Il ne lui restait plus que quatre heures pour dormir.

Qui crois-tu abuser? Une voix sèche retentit dans sa tête et la réveilla brusquement. *Tu n'aurais pas dormi de toute façon. Tu serais restée étendue, les yeux au plafond, à penser à Brian. A te demander quand... ou même si tu allais le revoir. A prier pour que ce soit bientôt.*

La sonnerie du téléphone la fit tressaillir.

Qui pouvait appeler à cette heure-ci? Marie? Pete l'avait tabassée? Il avait blessé l'un des enfants? Ou bien était-ce Nonnie? Clare appelant pour prévenir que Nonnie était malade?

Puis elle eut une bouffée d'espoir. *Brian?*

Elle se précipita pour répondre. Le téléphone mural était au-dessus du billot de boucher.

« Rose? » C'était une voix familière et lasse.

— Max! » s'exclama-t-elle. Sa déception fit aussitôt place à l'inquiétude. Max ne l'appelait jamais aussi tard. « Que se passe-t-il? demanda-t-elle. Ça ne va pas? »

Il y eut un bref silence puis il dit: « Ça va. Écoutez, je suis désolé. Je sais qu'il est très tard. Je vous ai réveillée?

— Non. Je travaillais sur l'affaire Metcalf. De toute façon, ça n'aurait pas eu d'importance. Je suis sûr qu'il y a quelque chose... autrement vous ne m'auriez pas appelée à cette heure-ci.

– C'est stupide, je sais mais... est-ce que je peux monter? Je suis dans la cabine, au coin de la rue.

– Bien sûr », répondit-elle sans la moindre hésitation. Max ne lui avait jamais rien demandé et il avait fait tant de choses pour elle!

Elle savait qu'elle passerait une nuit blanche, qu'elle serait crevée demain au tribunal et qu'elle aurait une mine de chien. Et alors?

Elle raccrocha, remarquant avec dépit qu'elle portait une vieille robe de velours côtelé. Oh, c'était sans importance. Max l'avait vue dans des trucs bien plus moches que ça. De toute façon, il ne venait pas pour la séduire.

En revanche, le désordre qui régnait dans l'appartement risquait de faire le pire effet à Max qui venait chez elle pour la première fois. Elle se rua dans le salon, ramassa tout ce qui traînait – vieilles tasses de café, journaux éparpillés un peu partout, vêtements jetés sur le dossier des chaises. Depuis quand n'avait-elle pas passé l'aspirateur?

Depuis que Patsy, sa colocataire, était partie en tournée. Ça faisait des semaines!

Elle se souvenait de l'impression que lui avait fait cet appartement la première fois qu'elle l'avait visité. C'était le dernier étage d'une maison en brique de la 21e Rue et Dixième Avenue. Merveilleusement ensoleillé, avec de hautes fenêtres, des plantes partout; de gros coussins de cuir marocain sur le sol en guise de canapé et des affiches de cinéma partout sur les murs.

Patsy était l'amie d'une amie, une chanteuse-danseuse-actrice. Elle cherchait une colocataire pour remplacer la dernière, une autre actrice qui était partie pour Los Angeles. Elles avaient emménagé quelques jours plus tard. Patsy ne reviendrait pas avant un an de sorte qu'elle avait l'appartement pour elle toute seule.

Max comprendra que je suis trop occupée pour faire le ménage à fond, se dit-elle. Elle emporta les vêtements dans sa chambre et les laissa tomber sur le lit, ce merveilleux lit ancien en fer forgé peint en blanc qu'elle avait acheté en pensant à Brian, tout comme elle avait pensé à lui en faisant l'acquisition de cette couverture de mohair tissée à la main, de la couleur d'un coucher de soleil sur le désert.

Soudain déprimée, elle pensa : *S'il vous plaît, mon Dieu, faites que Brian vienne. J'ai déjà tant attendu.*

La sonnerie de la porte retentit. Max. L'immeuble était fermé à clé. Elle appuya sur le bouton de l'interphone puis elle sortit sur le palier. Elle se pencha et le regarda monter lentement l'escalier. Elle remarqua sa pâleur, ses yeux injectés de sang. Son costume gris était tout froissé, sa cravate de travers.

« Salut », lui dit-il avec un sourire bizarre.

Rose, ahurie, comprit qu'il avait bu. Elle ne l'avait jamais vu dans cet état.

« Max, vous êtes *ivre?* »

Il soutint son regard incrédule avec la dignité excessive des ivrognes. « Non. J'ai essayé, j'ai bien essayé de me soûler – le barman du PJ peut en témoigner – mais, désolé, ça n'a pas marché. »

Elle remarqua soudain qu'il tenait à la main un sac de voyage. « Vous partez? demanda-t-elle.

– On peut dire ça comme ça. » Il s'interrompit et respira à fond. « Je suis parti de chez moi. En fait, j'avais décidé de coucher en ville. Il y a un hôtel convenable près du bureau. Mais j'imagine que j'ai davantage besoin d'une présence amicale que d'un endroit pour dormir. Merci de m'avoir laissé monter.

– Vous savez, je voulais vous inviter depuis longtemps, mais j'attendais d'avoir un peu moins de travail pour faire le ménage à fond. Je n'ai jamais le temps », dit-elle en souriant nerveusement.

Il regarda autour de lui. « Ne changez rien pour moi, lui dit-il, c'est parfait comme ça. »

Elle se sentit soudain contente et soulagée qu'il fût là. Puis elle se rappela la raison de sa présence ici : il avait quitté sa femme.

Elle aurait dû en être surprise. Pourtant elle ne l'était pas vraiment. Peut-être parce que Max ne lui parlait jamais de sa femme. Cependant, elle avait senti plus d'une fois une tristesse et même une sorte de désespoir dissimulés sous son énergie, son rire prompt. Elle avait remarqué certaines choses, des détails révélateurs, comme, par exemple, la façon dont Max, inconsciemment, fronçait les sourcils quand sa femme lui téléphonait au bureau et parfois se pinçait l'arête du nez comme s'il avait mal à la tête. En revanche, quand sa fille Mandy l'appelait ou passait le voir, son visage s'éclairait.

En le regardant, Rose eut envie de lui dire : *Je suis désolée... ça va sans doute s'arranger... les choses ont toujours meilleur air le matin.*

Mais elle comprit que Max attendait d'elle autre chose que des platitudes. *Ça fait des années que je le connais et j'en sais si peu sur lui. Sur ce qui se passe en lui.*

Soudain elle eut envie d'être le genre d'amie que Max avait été pour elle.

« Il est inutile que vous alliez à l'hôtel, dit-elle fermement. Il y a bien assez de place ici. Vous n'aurez qu'à prendre la chambre de Patsy. Et pour l'amour du ciel, asseyez-vous. Je vais faire du café. J'ai l'impression que vous en avez besoin.

– Mais je ne voulais pas... non, je ne peux pas, vraiment...

– Mon café n'est pas si mauvais que ça.

– Vous savez ce que je veux dire. C'est gentil, Rose, merci, mais... oh vous comprenez, c'est mon problème. C'est à moi de le régler. Je ne veux pas vous embêter...

– Pour une fois, Max Griffin, cessez de jouer les Superman et laissez quelqu'un vous aider, d'accord? »

Il hésitait mais avant qu'il ait pu dire un mot, elle était déjà partie dans la cuisine.

« La chambre du fond est à gauche. Mettez-y vos affaires, appela-t-elle par dessus son épaule. Allumez, autrement vous allez buter sur le matériel de gym. Patsy est une fana de l'exercice. Ça me maintient en forme, moi aussi. Un seul coup d'œil à cette chambre de torture m'empêche de manger des gâteaux pendant au moins un mois. »

Lorsqu'elle revint avec le café, Max était assis sur l'un des poufs, l'air emprunté, les genoux à la hauteur du menton, les chevilles découvertes. Elle réprima son envie de rire et s'assit près de lui après avoir posé le plateau entre eux sur le tapis.

Il poussa un soupir. « C'est incroyable, les couples, dit-il, l'air misérable. Un beau jour, on se réveille – vingt ans après – et on réalise qu'on est plus loin l'un de l'autre qu'avant de se rencontrer. Oh bon Dieu... s'il n'y avait pas Mandy... » Sa voix s'enraya et ses yeux s'emplirent de larmes qu'il ne chercha même pas à dissimuler.

Rose lui prit la main. « Ne vous croyez pas obligé d'en parler si vous n'en avez pas envie, Max. Ce n'est pas parce que je vous héberge... »

Il la regarda attentivement et Rose se troubla, songeant à ce jour pluvieux à Londres où il l'avait embrassée dans un taxi.

Elle eut envie qu'il l'embrasse à nouveau.

Je suis folle, se dit-elle. Je n'aime pas Max... enfin, pas de *cette* façon.

Mais elle avait besoin des bras d'un homme autour d'elle, de son souffle contre son cou, de son corps nu sur le sien. Ça faisait si longtemps...

Arrête, se dit-elle. *C'est Brian que tu désires, pas Max.*

Brian. Oui. Ce soir, assise en face de lui dans ce bar, elle le désirait plus que tout.

Rose sentit sa gorge se nouer. Oh Seigneur, ne me laissez pas pleurer, dit-elle. Comme c'est égoïste et injuste. Max n'est pas venu ici pour me consoler.

Elle versa le café dans d'épaisses tasses en céramique et lui en tendit une, souhaitant de tout cœur trouver les mots qui apaiseraient sa souffrance.

Max prit sa tasse à deux mains.

Il y a quelque chose de différent en elle, se dit-il. Elle est plus vivante que jamais. Et si belle. Elle est radieuse comme...

Comme une femme amoureuse.

Il sentit son cœur faire un bond dans sa poitrine.

Avait-elle rencontré quelqu'un? Était-elle tombée amoureuse?

Cette idée le tortura, surtout après ce qu'il venait d'endurer ce soir. Les larmes de Monkey quand il était venu lui dire au revoir. Mon Dieu, la façon dont elle s'accrochait à lui en sanglotant. Il en était malade, absolument malade.

Bien sûr, il savait qu'il avait pris la bonne décision. Il verrait sa fille souvent. Ils partiraient en voyage ensemble. Il allait prendre un appartement en ville, un endroit où elle pourrait mettre ses pieds sur le canapé, inviter ses copains à manger une pizza à la maison sans être terrifiée à l'idée qu'ils puissent renverser du Coca-Cola sur le tapis. Mais n'empêche, il avait mal, très mal.

Des larmes lui picotèrent les yeux. « Je suis désolé, dit-il. Je ne suis pas un compagnon bien gai ce soir.

— Ne vous excusez pas. » Il sentit sa main sur son épaule, chaude, réconfortante.

« C'est drôle, n'est-ce pas? Pendant des années, j'ai essayé de rassembler tout mon courage et de partir. Et maintenant j'ai l'impression d'être un lâche, d'abandonner Mandy. Tous ces livres de Judy Plume qu'elle lisait... toutes ces angoisses d'adolescente... maintenant, elle va les vivre. Déchirée entre son père et sa mère. Je ne la verrai qu'en week-end. Je l'aime tellement... ça fait mal d'aimer quelqu'un autant.

— Je sais. » Les yeux bruns de Rose eurent une expression de poignante mélancolie. Puis elle sourit. « Je trouve que votre fille a beaucoup de chance. J'aurais donné n'importe quoi pour avoir un père comme vous. Même à mi-temps. »

Max sentit la chaleur de la tasse se répandre dans ses mains, dans ses veines. Chère, chère Rose. Elle savait exactement ce qu'il fallait dire pour panser les blessures.

Si seulement...

Arrête, non. Il était venu ici chercher ce qu'elle était toute prête à lui offrir... sa sympathie. Il n'allait pas commencer à rêver.

Max sortit un mouchoir de sa poche. Bien repassé, plié en un triangle parfait. Le cadeau d'adieu de Bernice, en quelque sorte.

Il pensa à sa femme, assise au pied du lit, le regardant faire sa valise, figée, les yeux secs. Elle lui avait seulement demandé de lui laisser son numéro de téléphone, « en cas d'urgence ».

Avec Bernice, ce terme s'appliquait à tous les moments de la vie. L'incident qui avait provoqué leur rupture s'était passé hier. En rentrant du bureau, il avait trouvé Monkey en larmes dans la baignoire, les cheveux trempés.

« Je suis sale, avait-elle sangloté. Maman dit que je suis sale. Et ça ne partira pas. Plus personne ne me touchera. Jamais. »

Max avait senti l'angoisse lui serrer le cœur. Seigneur, s'agissait-il d'un garçon? L'avait-on touchée, forcée à faire quelque chose? Bernice était-elle au courant?

Il mourait d'envie de la prendre dans ses bras comme lorsqu'elle était petite et de l'envelopper dans une grande serviette de bain. Mais, en la voyant ainsi toute tremblante et misérable, il avait compris qu'elle avait besoin d'autre chose que de confort. D'un peu de dignité. Il lui avait apporté une serviette et l'avait tenue étendue devant lui pour qu'elle puisse cacher une partie de sa nudité. A quinze ans, elle était si timide, si consciente de son corps! Puis il l'avait prise dans ses bras et lui avait dit que rien au monde ne le ferait cesser de l'aimer ou penser qu'elle était sale.

Monkey calmée, il était parti à la recherche de Bernice.

Il l'avait trouvée dans la lingerie, un foulard sur la tête, les mains dans des gants de caoutchouc. L'air sombre, elle enfournait des monceaux de vêtements, de draps et de taies d'oreiller dans la machine à laver.

« Que se passe-t-il? Qu'est-il arrivé à Mandy? » avait-il demandé, malade d'anxiété, imaginant le pire, une histoire de pervers, de viol, Dieu sait quoi.

Bernice avait levé la tête, l'air lugubre.

« On l'a renvoyée à la maison avec un mot de l'infirmière. Des poux. Elle *grouille* de poux. » La bouche tordue de dégoût, elle avait reculé d'un pas songeant sans doute que Monkey avait pu lui refiler ses poux.

Et Max, en un éclair, avait tout compris. Bernice avait dû humilier Mandy, la faire se sentir sale, mal aimée. Tout ça pour des poux. Pauvre gosse!

Alors la rage l'avait pris et, pour la première fois de sa vie, il avait giflé Bernice.

Bien sûr, il avait honte d'avoir perdu son sang-froid mais il avait encore plus honte d'être restée marié tant de temps avec une femme qu'il n'aimait pas et qui ne l'aimait pas.

Il n'était resté avec elle qu'à cause de Monkey. Stupide, parce que leur fille était consciente de ce manque d'amour et qu'elle en souffrait. Non, il était temps de partir, de sauver ce qui pouvait encore l'être pour lui et sa petite fille.

Et voilà pourquoi il était ici, chez Rose.

Maintenant, une autre forme d'angoisse l'assaillait. Et si à présent qu'il était libre, Rose s'obstinait à le repousser?

Où irait-il? Deviendrait-il l'un de ces types pathétiques qui laissent pousser leurs favoris, s'habillent comme des minets et traînent dans les bars pour célibataires en essayant de draguer des filles qui ont vingt ans de moins qu'eux?

Puis il regarda le visage lumineux de Rose.

C'était elle qu'il voulait.

Et s'il y avait la moindre chance, il ne la laisserait pas passer. Il attendrait tout le temps qu'il faudrait.

Max commença à se sentir mieux, plus calme, plus fort.

« Merci, dit-il.

— Pour vous avoir laissé entrer? » Elle rit. « Je vais vous dire la vérité. Je me sens un peu seule depuis le départ de Patsy. Je suis contente que vous soyez venu. Vous me tiendrez compagnie.

— Quelques jours, dit-il. Le temps de m'organiser un peu.

— Restez autant que vous voudrez. » Elle lui sourit. « Mais il faut que je vous fasse un aveu. Je suis très désordonnée, vous l'avez sans doute remarqué. Et je n'ai pas l'intention de changer mes habitudes à cause de vous.

— C'est parfait. Merveilleux même. Je déteste l'ordre.

— J'ai un autre aveu à vous faire. »

Elle rougit, se dit-il étonné.

« Quoi donc?

— Patsy m'a offert un joint avant de partir. Une sorte de cadeau d'adieu. Je suis trop trouillarde pour essayer toute seule. Vous voulez qu'on le fume ensemble? »

Max lui sourit. « Pourquoi pas? ».

Et il sentit soudain le poids qui pesait sur lui s'alléger. Qu'était-ce au juste, de l'espoir? Cela faisait si longtemps qu'il n'avait pas ressenti cela. Cent ans. Et il se dit : *Il n'est peut-être pas trop tard pour moi. Je ne suis peut-être pas encore trop vieux pour recommencer.*

25

Une sonnerie stridente réveilla Rachel en sursaut. Elle se dressa sur son séant, un goût amer dans la bouche. Puis elle vit le radio-réveil. Il aurait dû sonner à six heures et il était neuf heures et demie. Oh merde! Nancy et Kay allaient s'inquiéter, se demander ce qu'elle pouvait bien fabriquer. Pas le temps de prendre sa douche ni son petit déjeuner. Il fallait qu'elle se dépêche.

Rachel éteignit la radio, interrompant Paul McCartney qui chantait *Rocky Racoon* et sortit du lit. Elle avait la gorge sèche, comme tapissée de fibre de verre, et ses tempes battaient douloureusement.

Le souvenir de la soirée de la veille lui revint tout à coup et elle s'assit sur le bord du lit, les jambes coupées.

David. Ses règles. La dispute avec Brian.

Elle était décidée à dire la vérité à Brian. Lui expliquer que ce n'était pas un étranger, mais David qui l'avait attaquée. Et elle avait commencé à... mais en voyant Brian devenir blanc de rage, elle s'était arrêté net. Qu'est-ce que ce serait s'il savait pourquoi elle ne pouvait pas être enceinte! Et le fait qu'elle ne lui en ait jamais parlé avant l'aurait mis en fureur. Alors, elle s'était dégonflé.

Elle remarqua que le côté de Brian, dans le lit, était froid, comme s'il l'avait quitté depuis des heures. Elle se souvenait vaguement qu'il l'avait aidée à se coucher et bordée la veille au soir. Mais où était-il maintenant?

« Brian? » appela-t-elle.

Pas de réponse.

Elle saisit son oreiller, le serra contre elle. Une pensée réfrigérante la traversa : si Brian l'abandonnait, elle se réveillerait tous les matins dans un lit vide.

Mais il ne m'a pas abandonnée, se rappela-t-elle fermement. Il n'est sorti que pour quelques minutes. Peut-être est-il allé courir ou se promener et il va rentrer dans un moment. Il savait que j'avais besoin de dormir et il n'a pas voulu me réveiller.

Puis elle se souvint. Bien sûr. Brian allait tous les matins chercher son journal puis descendait jusque chez Levy pour manger un *bagel* chaud. Si elle avait passé plus de matinées avec Brian au lieu de se ruer dès son réveil à la clinique, elle aurait compris tout de suite.

Rachel se força à se lever. Elle se sentait toute raide et douloureuse, et elle avait très mal au ventre.

Dans la salle de bains, elle fouilla dans l'armoire à pharmacie pour chercher un tampon. Puis elle se lava la figure avant d'enfiler un jean et un large chandail.

Je vais quand même prendre une tasse de café avant de filer, se dit-elle, puis je passerai à l'hôpital pour voir Alma. Si ça n'allait pas, on m'aurait prévenue.

Rachel jeta un coup d'œil au téléphone posé sur le bureau dans l'entrée et se figea : il était décroché.

Elle se souvint aussitôt que la veille, pendant qu'elle cherchait fébrilement la clé de l'appartement dans son sac, le téléphone avait sonné. Elle s'était précipitée pour répondre, pensant que ce pouvait être Brian. Priant pour que ce fût Brian. Mais c'était David. La voix tremblante de rage. *Espèce de garce, de salope... tu crois que tu peux m'échapper... je te briserai...*

Elle avait coupé la communication puis décroché le téléphone, terrifiée à l'idée qu'il pût recommencer.

Son cœur se mit soudain à battre plus fort. Et la promesse qu'elle avait faite à Alma?

S'il lui était arrivé quelque chose cette nuit, elle ne le saurait pas. Personne n'aurait pu la joindre. *Oh mon Dieu*, pria-t-elle, *faites qu'elle aille bien et que l'enfant soit sain et sauf.*

« ... huit centimètres. Et elle n'a pas bronché pendant toutes les contractions. Pas un cri, pas un gémissement. Vous avez intérêt à vous dépêcher. Elle se laisse aller. »

Rachel, atterrée, regardait la surveillante. Alma. Mon Dieu! Elle saignait et donnait des signes d'épuisement.

« Qui s'occupe d'elle? demanda Rachel.

— Monsieur Hardman. C'est l'interne de garde. Nous avons *essayé* plusieurs fois de vous joindre, dit Mavis sur la défensive. Bien sûr nous ne savions pas qu'il s'agissait d'une urgence. Elle semblait un peu secouée mais elle n'a pas dit qu'elle souffrait. Alors que personne ne vienne me faire des reproches. » Elle fourra un dossier dans un tiroir qu'elle referma bruyamment. « J'ai trop à faire pour chercher à lire dans la tête des gens. »

Le cœur battant, Rachel parcourut le long couloir recouvert d'un linoléum vert. Elle imaginait Alma, se réveillant au milieu de la nuit en proie aux douleurs de l'accouchement, réclamant en vain le Dr Rosenthal. Et quand ils lui avaient dit qu'ils ne parvenaient pas à la joindre elle avait décidé d'attendre, de ne pas parler de ses contractions.

Quelle puérilité. Mais Alma *était* une gamine. Une charmante enfant terrifiée par ce qui lui arrivait et qui prenait son médecin pour Dieu.

Dans la salle d'accouchement, Rachel trouva un jeune interne donnant des ordres brefs aux infirmières. Hardman. La nouvelle cuvée des jeunots. Son visage blanc, luisant de sueur, inquiéta davantage Rachel que la vue d'Alma sur la table, les pieds dans les étriers, son énorme ventre recouvert d'un champ opératoire. A voir sa tête, il s'attendait manifestement à des ennuis. De gros ennuis.

Elle n'avait pas le temps de passer en salle d'asepsie, cela prendrait trop longtemps. D'ici, elle voyait que l'œdème avait encore empiré. Les pieds et les chevilles d'Alma étaient très enflés.

« Elle a perdu les eaux? demanda-t-elle en enfilant ses gants.

— Juste avant votre arrivée. Je l'ai examinée. La tête est engagée, prête à sortir. Si vous optez pour la césarienne, je n'attendrais pas à votre place. » Hardman n'avait peut-être pas une grande expérience mais il était tout sauf stupide.

C'était l'alternative. Accouchement par voie naturelle ou césarienne. Mais dans le second cas, elle prenait un risque important en raison de la pression artérielle très élevée d'Alma. L'effort de pousser un enfant pourrait provoquer une hémorragie, cependant, la césarienne, d'après les statistiques, comportait davantage de risques.

Rachel contourna la table et regarda attentivement le visage d'Alma rouge et luisant contre le drap blanc. Une contraction crispait ses traits et ses yeux, immenses et noirs, lui sortaient de la tête. Hypertension inquiétante.

Lorsque la contraction s'apaisa, les lèvres craquelées d'Alma s'étirèrent en un sourire épuisé et elle se cramponna à la main de Rachel.

« Je savais que vous viendriez, lui souffla-t-elle. J'ai attendu.

— Vous y êtes presque, jeune fille. » Rachel lui serra très fort la main. « Mais surtout, ne vous affolez pas, c'est le principal. Ne pensez qu'au bébé. Dans peu de temps, vous le tiendrez dans vos bras.

— Ça va être une fille. Je le sais. Je vais l'appeler... ooohhh, docteur, j'ai mal. Oh j'ai mal... »

Rachel fit un signe à l'infirmière. « Tenez-la comme ça, presque assise. Elle n'aura pas à pousser aussi dur. Et vous... » Elle lança un coup d'œil à Hardman : « Détachez-lui les pieds.

— Mais... ce n'est pas très... orthodoxe.

— Je me fiche que ce soit orthodoxe ou non, lança-t-elle. Faites ce que je vous dis.

L'air désapprobateur, Hardman défit les courroies de cuir qui maintenaient les pieds d'Alma dans les étriers. Il avait l'air encore plus effrayé que tout à l'heure.

Si j'accouchais, se dit Rachel, je ne supporterais pas d'être sur le dos, les pieds attachés. Dans cette position, la mère fait moins d'effort. C'est plus naturel.

Elle sentit qu'Alma était prête à pousser. Elle vérifia la dilatation, et lui dit : « Allez-y, mon chou. Poussez de toutes vos forces »

Alma s'exécuta, le visage cramoisi, convulsé par l'effort.

La tête venait maintenant, un cercle de cheveux noirs qui apparaissait et disparaissait. Rachel prit les ciseaux d'épisiotomie, attendant de voir si Alma risquait de se déchirer. Hardman pendant ce temps, prenait sa pression artérielle en permanence. Elle grimpait en flèche. Rachel, effrayée, sentait son propre cœur battre à grands coups, comme si elle avait piqué un sprint.

Mon Dieu, pria-t-elle, *laissez-moi celui-ci.*

Alors, comme si Dieu exauçait sa prière, les épaules du bébé se présentèrent. « Ah, elle est pressée, dit Rachel, faisant pivoter les petites épaules en douceur tout en recueillant la tête.

Le reste glissa tout seul. « Un garçon! s'exclama Rachel. Il n'y a plus qu'à couper le cordon ombilical. »

Alma pleurait. Des larmes sillonnaient ses joues. « Un garçon, répéta-t-elle doucement d'un air émerveillé. Je peux le prendre?

— Bien sûr. Il est à vous. »

Rachel lui mit l'enfant dans les bras. Sa petite figure écarlate se nicha contre elle. Il trouva le bout de son sein et se mit à têter.

Une tristesse poignante envahit Rachel. *Je ne connaîtrai jamais ça,* se dit-elle. *Je ne saurai jamais à quoi ça ressemble.*

Mais, aujourd'hui, elle avait gagné la course et c'était tout ce qui comptait. Le bébé et sa mère étaient sains et saufs.

Elle jubilait, comme si elle venait de gravir l'Himalaya et d'y planter le drapeau américain.

Un peu plus tard, comme elle buvait une tasse de café dans la salle des médecins, Hardman arriva en courant, toujours vêtu de sa blouse de chirurgie, le visage aussi vert que sa tenue. Avant qu'il n'ouvre la bouche, elle comprit que quelque chose était arrivé.

« C'est Alma Saucedo. Elle est dans le coma. On l'a transportée en réanimation. »

Lorsqu'elle rentra chez elle peu après dix heures, elle trouva un mot collé au réfrigérateur avec l'aimant en forme de papillon.

> Des amis sont passés. Nous sommes sortis manger un morceau. Ne m'attends pas.
> P.S. J'ai nourri Custer.

Rachel appuya son front contre l'émail froid de la porte.

Viens, rentre à la maison, lui ordonna-t-elle en silence. J'ai besoin de toi. Maintenant. Immédiatement. Je t'en supplie, Brian.

Mais elle savait bien que c'était injuste. Combien de nuits l'avait-il attendue, seul dans l'appartement?

Elle regarda le mot. *Des amis. Quels amis? Et si c'était une amie?*

Rose, par exemple.

Rachel chassa ce soupçon. C'était ridicule. Brian ne voyait jamais Rose.

Il m'aime. C'est moi qu'il a épousée, pas elle.

Oui, se dit-elle, mais c'était des années auparavant. Et s'il avait changé d'avis depuis? S'il regrettait son choix?

Préoccupée, Rachel prit la bouilloire et mit de l'eau à chauffer. Une tasse de thé la calmerait. Avec un peu de miel et de citron, comme le faisait Mama quand elle était petite et qu'elle avait mal à la gorge.

Elle réalisa qu'elle n'avait pas eu sa mère au téléphone depuis une semaine, peut-être même davantage. Mama l'appelait généralement tous les jours mais ces derniers temps, elle avait été elle-même très occupée.

Rachel se rendit compte avec surprise que sa mère lui manquait.

Pourtant elles différaient en tout ou presque. Elles ne vivaient pas, ne pensaient pas, ne s'habillaient pas de la même manière. Mais Mama était la seule personne sur laquelle elle pourrait toujours compter et qui l'aimerait quoi qu'elle fasse.

Elle composa son numéro.

« Rachel! » Sylvie semblait surprise et même excitée comme s'il se fut agi, non pas de sa fille, mais d'une vieille amie, perdue de vue depuis longtemps et téléphonant de Nairobi. « Oh chérie, je suis contente de t'entendre. J'étais sur le point de sortir.

— Ah bon... je ne te retiendrai pas alors... » Rachel, qui avait envie de bavarder avec elle, était déçue. *Quelle égoïste tu fais, se dit-elle. Tu voudrais qu'elle laisse tout tomber pour toi.*

« J'ai tout mon temps, chérie. C'est encore une de ces organisations qui vous tapent pour la recherche. Ils ne découvriront pas la façon de guérir les cancers parce que j'arriverai une heure plus tôt. De toute façon, je t'aurais appelée moi-même, mais j'ai cavalé toute la journée. J'ai passé la matinée au *D and D* et cet après-midi...

— *D and D?*

— *Designers and Decorators showrooms.* Sur la Troisième Avenue. Ils ont les plus jolis tissus et papiers... chérie, tout va bien? Tu as l'air bizarre. Tu n'es pas malade au moins? »

Rachel se mit à rire. « Non. Simplement je ne suis pas encore habituée au nouveau toi.

— Au nouveau moi » Ce fut au tour de Sylvie de rire. « Ciel, quelle expression! Comme une nouvelle lessive? Ai-je changé à ce point?

— Tu sembles... » Rachel chercha le mot approprié « ... tout excitée. Plus heureuse, c'est depuis que tu as commencé à arranger cette maison pour Nikos. Mais je suis vraiment contente pour toi, Mama. Honnêtement. » Elle était un peu envieuse aussi, regrettant de n'être pas aussi joyeuse que sa mère en ce moment. « Je sens comme une réticence dans ta voix. » Une pause. « C'est Nikos? Est-ce le fait que nous passions tant de temps ensemble?

— Non, bien sûr que non. J'aime Nikos, tu le sais bien. Il est charmant et visiblement fou de toi. Tu couches avec lui?

— Rachel! » Elle sentit que sa mère retenait sa respiration puis elle étouffa un rire, ou plutôt une ébauche de rire. « Tu adores me choquer, hein? La réponse est non. Nikos et moi sommes amis, c'est tout.

— Parfois les amis couchent ensemble.

— Honnêtement, je... oh chérie, quand on parle du loup... il vient d'arriver. Il m'attend en bas. Il faut que je me dépêche. Tu m'appelais pour une raison précise?

— Non, Mama. » *Rien de spécial, et tout.*

A cet instant, Rachel aurait tout donné pour être encore une petite fille et pouvoir se blottir contre sa mère.

« Bon...

— Au revoir, Mama. Amuse-toi bien. Et embrasse Nikos pour moi. »

Lorsqu'elle raccrocha, elle entendit la bouilloire siffler. Elle fouilla dans le placard à la recherche des sachets de thé. Ça sentait le renfermé. Depuis quand n'avait-elle pas fait de course, préparé un dîner?

Rachel avait faim mais elle était trop fatiguée pour cuisiner. Elle emporta sa tasse dans le salon, alluma la télévision, et tomba sur les auditions du Watergate programmées en direct plus tôt dans la journée.

Rachel n'écoutait pas, obsédée qu'elle était par le sort de la pauvre Alma Saucedo, couchée en ce moment même dans le service de neurologie. Hémorragie cérébrale massive. Elle ne reprendrait sans doute jamais conscience.

Elle ne tiendrait jamais son bébé dans ses bras.

Le cœur de Rachel se serra.

C'est ma faute. Jamais je n'aurais dû lui faire cette stupide promesse. C'était de la faiblesse. Pourquoi, au nom du ciel, ai-je fait ça?

Si seulement Brian revenait, pensa-t-elle. J'ai tellement besoin de lui!

Rachel éteignit la télévision et alla tout au fond de l'appartement, dans le bureau de Brian. C'était, initialement, la pièce dont ils comptaient faire une chambre d'enfant. Elle l'attendrait ici, entourée de ses affaires. Elle s'y sentirait moins seule.

Elle se laissa tomber dans le grand fauteuil en cuir de Brian et regarda fixement sa machine à écrire, une vieille Smith Corona qu'il avait achetée lorsqu'il était encore à l'université. Son porte-chance, comme il l'appelait.

Une pile de feuilles s'entassait dans le panier métallique, à côté de la machine. Son nouveau roman. Il avait l'air déjà très avancé. Ne venait-il pas juste de commencer? Ou bien n'avait-elle pas fait attention?

Elle eut un coup au cœur, se souvenant combien Brian et elle avaient été proches lorsqu'il travaillait à *Double Eagle*.

Où était partie cette intimité? Il devait bien en rester un peu, tout de même.

Rachel sortit alors la page de la machine à écrire et commença à lire.

> *... sombre, mais il trouva l'échelle, les montants, sur lesquels le soleil avait tapé tout l'après-midi étaient encore tièdes. Au loin, on voyait Coney Island éclairé comme un sapin de Noël. Laura l'attendait dans le fort qu'ils avaient construit ensemble lorsqu'ils étaient enfants. Les deux Lucky Strike qu'il avait « empruntées » à son père étaient cachées dans la poche de sa chemisette. Une pour chacun. Il se représenta leur soirée: Laura près de lui, son épaule contre la sienne, ses longues jambes dorées sous sa robe trop courte. En dépit de la brise qui soufflait sur sa nuque, il avait chaud. Soudain, il s'irrita contre lui-même. Il était peut-être temps qu'il cesse de lui donner rendez-vous là-haut. Il allait avoir quatorze ans et se doutait bien que la bouche de Laura était faite pour autre chose que pour raconter des blagues ou fumer les Lucky de Pop.*

Rachel laissa tomber le feuillet. Elle eut soudain froid, très froid.

Rose... il écrit un livre sur *elle*.

Pourquoi ne me l'a-t-il pas dit?

Qu'est-ce que cela signifiait?

Rachel se mit à trembler. Elle avait peur. Bien plus peur qu'au Vietnam.

Troisième Partie

Vous pouvez casser, briser le vase en mille morceaux si vous voulez, le parfum des roses n'en continuera pas moins à flotter.

Thomas Moore.

26

« Non, celui-ci est trop sombre. Trop solennel. Mais ça, en revanche... » Sylvie prit l'échantillon de papier mural et le tint un instant près de la fenêtre. « Regardez comme il prend la lumière. Ce sont les tons des tableaux de Van Gogh.

– Oui, opina Nikos d'un air pensif. Je crois que vous avez raison. Comme toujours. Mais vous pouvez m'accorder une chose, c'est que je savais ce dont cette maison avait le plus besoin. » Il se tourna vers elle et lui sourit. « De vous. »

Sylvie sentit sa main, tiède et lourde, sur sa nuque.

L'échantillon de papier William Morris – des tournesols d'un jaune éclatant – tomba par terre. Comme c'était calme maintenant que les peintres étaient partis. Et la lumière de fin d'après-midi dorait la pièce. Dehors on entendait les pigeons roucouler dans la gouttière.

Sylvie, un peu effrayée, sentit battre son cœur. *Qu'est-ce que je vais faire?* se demanda-t-elle. *J'ai envie de lui. Mais de là à accepter tout ce qui va avec... l'amour, peut-être même le mariage...*

Non... Peut-être.

Non. Oh je ne sais pas! Je ne peux plus penser quand il me touche.

De lentes, de chaudes vagues de désir montaient en elle. Seigneur, comme c'était bon de sentir à nouveau cela. Après tant d'années!

Sylvie frissonna, regardant la poussière se prendre dans les derniers rayons du soleil. Puis sa vieille peur la reprit.

Si Nikos apprenait la vérité sur Rose, aurait-il encore envie d'elle? S'il savait qu'elle lui avait menti, l'avait privé de ce qu'il désirait peut-être le plus au monde...

Et sa propre vie? Avait-elle envie de la bouleverser? Toutes ces années passées à essayer de faire ce qui était bien, ce qu'on attendait d'elle...

Maintenant, elle ne faisait plus que ce qui lui plaisait... et elle s'en trouvait très bien.

Elle s'écarta légèrement.

« Je crois qu'il faudrait meubler cette pièce en rotin, hasarda-t-elle. Comme un jardin d'hiver. On pourrait recouvrir les coussins d'un tissu japonais... et là, près de la fenêtre, mettre un gros bouquet d'immortelles... »

Elle voyait que Nikos ne l'écoutait pas. Il lui massait les épaules avec de larges mouvements circulaires des pouces.

« Nikos..., protesta-t-elle faiblement. Vous ne faites pas attention à ce que je vous dis. Vous m'avez embauchée pour...

— Vous êtes trop maigre, Sylvie, l'interrompit-il. On sent vos os. On dirait un moneau.

— Un moineau, corrigea-t-elle avec un rire nerveux.

— Vous voulez que j'arrête?

— Oui... non... oh c'est très agréable. Mais Nikos, je croyais que vous vouliez voir ces échantillons avec moi. Je peux vous influencer mais c'est quand même à vous de choisir. C'est votre maison, après tout.

— Nous aimons les mêmes choses. »

Ses mains caressèrent ses épaules, effleurèrent ses bras nus sous son chemisier à manches courtes.

« Nikos... si vous ne coopérez pas davantage, ça va prendre des heures.

— J'ai été très égoïste dans cette histoire. Je vous empêche de travailler.

— Travailler?

— Diriger une banque, ce n'est pas travailler? »

Sylvie comprit. Il ne plaisantait pas. Et, pendant un instant, elle se vit comme Nikos devait la voir : une femme prenant de la force et du caractère avec les années et possédant bien d'autres attraits que sa beauté fanée. Une femme qui avait enfin appris à se servir de son intelligence.

Oui, en un sens, c'était vrai. Elle jouait un rôle non négligeable à la banque. A présent, lorsqu'elle entrait dans la salle du conseil d'administration, les hommes ne se grattaient plus la gorge et ne se regardaient pas d'un air embarrassé. Au contraire, ils l'accueillaient avec respect et écoutaient ses suggestions.

Mon Dieu, toutes ces peurs qu'elle avait traînées pendant des années...

Maintenant, à cinquante et un ans, Sylvie se sentait enfin libre.

Cependant, se laisser aller à tomber amoureuse de Nikos pouvait remettre tout en question.

« Nikos... » Il l'embrassait dans le cou, laissait traîner ses lèvres sur sa peau, l'excitait délicieusement. Sylvie, en soupirant, se laissa aller contre sa poitrine. Elle se sentait si faible! Elle ne pouvait s'empêcher de le désirer.

« Je vous préviens, murmura-t-il, que je suis un homme jaloux.

— De qui, au juste, êtes-vous jaloux? De M. Caswell à la banque? C'est un sémillant vieillard de quatre-vingts ans. Il y a aussi Neal, mon coiffeur, mais il préfère nettement les garçons...

— Non, non, non. De ça. De cette maison. » Il gloussa contre son oreille. « Cette maison vous intéresse plus que moi, non? »

Elle parut réfléchir à la question. « Vous savez bien que j'aime cette maison. Mais pas comme vous croyez. C'est ce que je *fais* que j'adore. C'est comme être une artiste, en un sens. Cette maison est une toile vierge. Nikos, je ne vous en ai jamais parlé mais j'ai toujours adoré la peinture. Vous n'imaginez pas le temps que j'ai passé dans les musées quand j'étais petite. Mama me croyait douée. Elle m'achetait des cahiers de croquis et des tubes d'aquarelle. Et, bien sûr, ce que je faisais était affreux. Mes chevaux ressemblaient tous à des chiens.

— On pourrait en dire autant de Picasso. »

Sylvie se retourna dans ses bras, leva la tête et le regarda droit dans les yeux. « Il faut que je vous remercie, Nikos. C'est vous qui avez découvert mes dons. Sans vous...

— Vous l'auriez découvert vous-même, dit-il. Vous êtes une femme remarquable, Sylvie. Vous ne manquiez que d'une chose, c'est de confiance en vous.

— Oh, Nikos... »

Il l'embrassa lentement, avec légèreté. Puis son baiser se fit plus insistant, un baiser passionné. Il enleva ses épingles et libéra ses cheveux.

Elle était déchirée entre l'envie de rester dans ses bras et celle de fuir.

« La baptiserons-nous, ma chérie, cette maison que vous aimez tant? Ici? Maintenant? »

Et alors, Sylvie comprit qu'elle ne pourrait pas lui résister parce qu'elle le désirait autant que lui. Elle recula d'un pas et commença lentement à se déshabiller. D'abord son chemisier. Six boutons de nacre. Symbole des six années qu'elle avait passées sans homme, sans sentir une chair exigeante contre la sienne. Maintenant la jupe. Oh, comme ses doigts tremblaient. Sa culotte à présent. Heureusement, elle n'achetait que des dessous de soie et de dentelle.

Enfin, elle enleva son collier, son bracelet, ses boucles d'oreille et posa le tout sur le rebord poussiéreux de la fenêtre.

En dernier, elle ôta sa bague — une ravissante marquise de diamant entourée de saphirs qui devait avoir au moins deux cents ans et que Gerald lui avait offert pour leur mariage.

Là. Comme c'était joli les derniers rayons du soleil sur son corps nu. Elle avait l'impression d'avoir seize ans... une jeune fille sur le point de devenir femme.

Idiote. Tu as cinquante ans passés. Ridée et la peau sur les os... ne l'a-t-il pas dit lui-même? Ne voit-il pas ces vaisseaux apparents sur *tes jambes, tes cheveux grisonnants? Comment peut-il avoir envie de toi?*

Sylvie regarda Nikos. Il avait enlevé ses vêtements et se tenait nu devant elle. Elle constata qu'il avait vieilli lui aussi, les poils de sa poitrine étaient aussi gris que ses cheveux et ses muscles moins visibles qu'autrefois. *Comme un vieux tigre,* se dit-elle. Mais le voir ainsi attisait encore son désir. Et, comme il avait envie d'elle lui aussi!

Il l'entraîna vers une pile de bâches propres dans l'angle de la pièce. *Je me souviendrai toujours de ça,* se dit-elle. La toile rêche contre ma peau. L'odeur de la peinture fraîche. Le roucoulement des pigeons dehors.

Et cet homme. La légère pellicule de sueur sur ses larges épaules brunes. Sa bonne odeur de terre, comme l'herbe qu'on vient de tondre, comme le pain qu'on sort du four. Et, cette merveilleuse solidité.

Il la pénétra et la sensation fut comparable à celle qu'on éprouve en rentrant chez soi après une longue absence. Ses yeux s'emplirent de larmes. Par-dessus l'épaule de Nikos, elle vit un éclair : sa bague frappée par les derniers rayons du soleil projetait un prisme éclatant, un bouquet de couleurs dans la pièce.

Je t'en prie, Gerald, mon chéri, comprends-moi. Ce n'est pas que j'aime Nikos plus que je t'ai aimé... ce n'est pas ça du tout... c'est moi. Je commence enfin à connaître la personne que tu as aimée. La femme que Nikos aime maintenant...

Puis elle cria. « Nikos! »

Elle sentait sa bouche chaude contre sa tempe, son souffle dans ses cheveux. *Oh Nikos... oui... oui...*

Ensuite elle resta pelotonnée dans ses bras, et laissa les battements de son cœur s'apaiser. L'air frais rafraîchissait ses membres couverts de sueur.

Nikos l'étreignit sauvagement et, d'une voix rauque, murmura: « Épousez-moi, Sylvie. »

Sylvie sentit cette exquise sensation de bien-être la déserter.

Pourquoi, oh pourquoi tout devait-il être si compliqué?

J'ai peur, se dit-elle. Non, c'est impossible.

« Je ne peux pas », dit-elle en s'asseyant.

Il la regarda longuement l'air blessé. « Mais pourquoi?

— Ma fille... », commença-t-elle. Puis elle laissa mourir sa phrase. Qu'était-elle sur le point de dire? Qu'elle ne pouvait pas faire cela à Rachel?

Mais ce n'était pas ça.

Sylvie leva la main et lui caressa la joue. Son menton était rêche de barbe à la fin de la journée. Elle sentit ses yeux s'emplir de larmes, sa gorge se nouer.

Je ne peux pas l'épouser. Mais il faut lui dire la vérité au sujet de Rose.
Il y a trop longtemps que je la lui cache.

Trente-deux ans, exactement. Maintenant, elle devait lui faire confiance. Il l'avait amplement mérité.

Peut-être se mettrait-il à la détester, mais au moins il saurait... il pourrait voir sa fille, de loin bien sûr... en apprendre davantage sur elle.

Il faudrait qu'il comprenne, bien sûr, qu'il serait désastreux qu'il approche Rose, qu'elle risquerait d'apprendre la vérité...

Mais il le comprendrait, n'est-ce-pas? Il était si intelligent, si sensible.

« Nikos, mon chéri, j'ai quelque chose à vous dire... j'aurais dû le faire depuis longtemps. C'est au sujet de ma fille. De notre fille. »

Nikos s'assit, le visage figé par l'attention.

« *Notre* fille, dit-il. Oui, j'ai toujours su. Rachel ne me ressemble en rien, elle est blonde et jolie comme vous, Sylvie. Mais, dans mon cœur, je sens qu'elle est à moi. Oh, ma chérie, vous ne savez pas comme c'est bon d'entendre ça.

— Il ne s'agit pas de Rachel. »

Nikos la regarda avec stupeur, comme si elle était soudain devenue folle.

Et, pendant un instant, Sylvie pensa qu'elle l'était bel et bien.

« De qui, alors? murmura-t-il.

— Elle s'appelle Rose. »

Alors elle lui dit tout. Son désespoir, sa frayeur. La sinistre maternité du Bronx, l'incendie. La décision démente qui avait gâché sa vie, dont elle ne s'était jamais remise. Les années et les années de souffrance, de désespoir à l'idée qu'elle ne tiendrait jamais son enfant dans ses bras, qu'elle ne la verrait même pas.

En lui racontant tout cela, Sylvie avait l'affreuse impression de revivre son drame mais en pire parce qu'à présent, il lui fallait subir le regard incrédule de Nikos.

Allait-il se mettre à la haïr?

Et pouvait-il la haïr plus qu'elle ne l'avait fait elle-même?

Le soleil s'était couché et à présent il faisait froid dans la pièce. Elle essaya de se lever mais ses jambes tremblaient tellement qu'elle y renonça. Sa vision se brouillait, comme si elle avait regardé à travers un pare-brise noyé de pluie.

Et alors il se passa une chose incroyable.

Nikos l'attira vers lui, la prit dans ses bras, la serra contre son cœur à l'étouffer. Il pleurait à chaudes larmes.

« Oh, Sylvie... ma pauvre Sylvie... »

C'est une sorte de miracle, se dit-elle à la fois ahurie et éperdue de reconnaissance.

Ses mots lui ôtaient un poids énorme de la poitrine. Il comprenait. Il lui pardonnait. Et, ce faisant, il lui permettait de se pardonner un peu elle-même.

Puis Nikos, d'une voix qui semblait sortir d'un puits, dit : « Dieu merci, Dieu merci. Mon enfant. Ma propre fille. Nous allons la retrouver, Sylvie. Nous lui dirons tout. Ce n'est pas trop tard. »

Non, *non*, il n'avait pas compris.

Il fallait lui expliquer... mais elle était incapable de proférer une parole. Elle se sentit soudain incroyablement fragile comme si le moindre geste pouvait la faire voler en éclats. Elle avait envie de hurler, de le marteler de ses poings. Mais elle ne pouvait bouger, ni même respirer. Elle ne parvenait qu'à regarder fixement Nikos avec une expression d'impuissance angoissée.

Non, ce n'était pas la faute de Nikos mais la *sienne*.

Que Dieu lui vienne en aide. Elle lui avait donné le pouvoir de briser sa vie et celle de ses deux filles.

27

Le garçon, dans son blouson de cuir, la regardait d'un air mauvais.

« Hé, mais pour qui vous vous prenez? C'est d'ma femme que vous parlez? Mais, putain, c'est mon môme qu'elle va avoir! Alors, laissez tomber toutes ces idées à la con. J'peux très bien m'occuper de Tina.

— Vous vous fichez de moi? » riposta Rachel en se levant d'un bond. Puis elle se rassit dans son fauteuil, choquée et furieuse.

Elle se dit: *Arrête, tu ne dois en aucun cas perdre ton sang-froid.* Il faut être ferme mais tu es là pour les aider. Concentre-toi sur les problèmes de ta patiente.

Depuis des semaines, Rachel avait l'impression de marcher sur une corde raide. Elle était tendue, anxieuse. Irritée pour la moindre chose.

Mais je *suis* sur une corde raide, se dit-elle. David veut m'avoir, il essaie de me faire endosser l'histoire d'Alma, il cherche à me couler aux yeux de tout Saint-Bart.

Oui, c'était cela. Ce gamin lui rappelait David, bien qu'ils n'eussent rien de commun physiquement. Non, c'était plutôt sa dureté, le fait qu'il ne se préoccupât en rien du confort de sa compagne.

Il quitta sa posture avachie, se redressa. Ses cheveux noirs et graisseux tombaient sur son front piqueté d'acné.

Rachel se leva calmement et le regarda bien en face.

« Écoutez, dit-elle, ce n'est pas le moment de jouer les machos. Votre compagne est venue me voir parce qu'elle a des ennuis. De gros ennuis. Elle pourrait bien perdre son bébé. Alors je veux que vous me disiez la vérité. Est-ce que vous vous droguez, tous les deux?

— Pas du tout... » Ses yeux évitèrent ceux de Rachel et il passa sa langue sur ses lèvres.

— J'ai vu des marques sur ses bras. Elle m'a dit que c'était ancien, mais ça m'a paru récent. Qu'en dites-vous, Angel?

— J'vous ai dit. Tina et moi, on n'y touche pas. »

Rachel contourna son bureau et se planta devant lui, assez près pour sentir l'odeur de tabac refroidi et de sueur qui émanait de ses vêtements.

« Je ne vous crois pas », dit-elle sèchement, traquant son regard, essayant de le forcer à la regarder.

« Va t'faire *foutre*, alors. » Ce fut comme s'il lui avait craché à la figure. Il avait les traits convulsés de rage. « Occupe-toi de tes fesses. » Il avança vers elle, les yeux plissés. « C'est mon secteur, t'entends? Et on n'en a rien à foutre de ton aide. »

Il eut un sourire malin comme si quelque chose lui venait soudain à l'esprit. Un sourire aussi engageant qu'un tesson de bouteille, qui découvrit ses dents gâtées et jaunâtres. Rachel sentit son souffle sur elle. Puis il leva la main et traça le contours de sa joue avec une tendresse menaçante. « T'sais c'que j'pense? Que t'es jalouse de toutes ces filles qu'ont des gros ventres. Ouais. J'parie que t'as ni homme ni gosse. Tu veux que j'te mette en cloque, comme Tina? »

Alors une rage aveugle s'empara de Rachel. Le voile rouge, les oreilles bourdonnantes.

Saisissant la corbeille métallique pleine du courrier de la veille, elle la lui lança au visage.

Puis elle recula, horrifiée par son geste.

Angel restait figé, une expression hébétée sur le visage.

Rachel, tremblant comme une feuille, le cœur battant, ne le lâchait pas des yeux.

Il ne m'aurait pas fait mal, se dit-elle. Il jouait seulement les durs. Pourquoi me suis-je mise dans cet état?

Il pivota sur lui-même, marcha vers la porte et, avant de sortir, lui lança un long regard menaçant.

Rachel se laissa tomber dans son fauteuil et enfouit son visage dans ses mains. Elle avait mal au cœur. *Tu as tout gâché*, se dit-elle.

Elle comprit soudain ce qui la faisait vraiment souffrir. Alma Saucedo. Elle ne voulait pas que l'histoire recommence avec cette petite, fragile et malade elle aussi. Une autre tragédie en perspective.

Elle songea à sa dernière visite à Alma, gisant, inconsciente dans le service de neurologie. Cette fille si jeune et si jolie! Depuis trois mois, il n'y avait eu aucune amélioration.

Rachel avait lutté contre l'envie irrésistible de s'agenouiller près de son lit, de la supplier de lui pardonner. Non qu'elle eut conscience d'avoir commis une faute professionnelle. Elle avait opté pour la solution la moins risquée. C'était uniquement cette promesse faite à Alma et qu'elle n'avait pas tenue qui la tourmentait et la culpabilisait.

Ce qui la tracassait aussi, c'était David. La guérilla, les attaques sournoises... sans jamais voir l'ennemi. Ses rapports du laboratoire mystérieusement envolés. La froideur des infirmières autrefois si gentilles. Une coopération minimale de la part des internes, mais rien de plus. Et l'attitude glaciale de David chaque fois qu'il l'apercevait.

Derrière son dos, il sabotait son travail et, lorsqu'elle ne comprenait plus ce qui arrivait à ses propres patientes, il lui faisait de cinglantes réflexions devant les autres, la faisant passer pour une idiote.

Il fallait qu'elle trouve un moyen de l'arrêter, de se dresser contre lui, de l'obliger à le lâcher. Mais pour cela, il aurait fallu dire à Brian qu'il avait essayé de la violer. Et pourquoi.

Imaginant la scène, elle se couvrit de sueur.

Qu'est-ce qui cloche chez moi? Je n'y arriverai jamais. Pourtant j'ai toujours cru que je pouvais faire face à n'importe quelle situation.

Apparemment, ce n'était pas le cas. En ce moment, elle avait même du mal à résoudre les petites difficultés de la vie quotidienne et un rien suffisait à l'abattre.

Rachel s'agenouilla sur le tapis et commença à ramasser les papiers éparpillés sur le sol.

Elle entendit la porte s'ouvrir, sentit un courant d'air frais et se figea.

« Attends, je vais t'aider. »

Ce n'était que Kay.

Elle s'accroupit près d'elle et balaya le reste des papiers d'un seul et large geste de ses mains carrées.

« Bien visé mais les munitions étaient mauvaises », dit Kay, oscillant sur ses talons. Ses yeux bruns se fixèrent sur Rachel. « J'ai tout entendu. Tu aurais dû prendre ça. » Elle se releva et saisit le presse-papier posé sur le bureau – une géode, des cristaux d'améthyste.

« J'aurais surtout dû garder mon sang-froid, répondit Rachel, d'un air las. A quoi ça rime? C'est lamentable ce manque de contrôle.

– Tu recommences?

– A quoi faire?

– A te culpabiliser. Tu es médecin, c'est entendu, mais ça ne signifie pas que tu doives être parfaite en toutes circonstances. Tu es aussi un être humain, ce qui te donne le droit de perdre ton sang-froid de temps en temps. » Kay poussa un soupir et regarda la pierre scintillante qu'elle tenait à la main. « Tu sais, j'ai parfois l'impression que nous n'avons pas quitté le front. C'est simplement un autre genre de guerre. »

Rachel rangeait son bureau. « Eh bien, j'ai l'impression de perdre celle-ci. »

Kay mit un bras autour de ses épaules. Elle sentait le patchouli. « Tu perds une bataille de temps en temps, mais pas la guerre. Écoute, tu devrais prendre des vacances. Pars avec Brian dans une de ces auberges avec cheminée et lit à baldaquin. Ça te fera le plus grand bien. »

Ce n'est pas si simple, se dit Rachel.

« Je ne peux pas.

— Pourquoi pas? Nancy et moi nous pouvons garder le fort pendant quelques jours.

— Ce n'est pas juste. Vous non plus vous n'avez pas pris de vacances depuis un temps fou.

— Il faut bien que quelqu'un commence. De toute façon, si j'avais un mari — sans parler d'un mari aussi séduisant que le tien — j'alimenterais le feu de temps en temps.

— Merci, Kay. J'y réfléchirai.

— Pour une gynécologue, tu en sais vraiment peu sur la question. Il faut faire davantage que d'y réfléchir, ma chère. »

Rachel se mit à rire et pensa : *Eh bien, au fond, pourquoi pas?*

Oublier, pendant quelques temps, la salle d'attente pleine de gros ventres, d'enfants accrochés à la jupe de leur mère, oublier Alma Saucedo...

Et surtout, oublier David Sloane.

« Rachel... »

Elle se raidit imperceptiblement. Kay la regardait gravement et elle sentit que ce qui allait suivre lui ferait mal.

« Il faut en finir, poursuivit-elle. Ça te tue à petit feu. Sloane est un fou mais tu ne comprends pas que tu l'encourages par ton silence? » Elle s'interrompit un instant. « Je ne voulais pas t'en parler mais le bruit court, parmi les infirmières, qu'il essaie de te faire virer de l'hôpital.

— C'est vraiment la pire des ordures.

— Il devrait être jeté en prison pour ce qu'il t'a fait, continua Kay, furieuse. Et si tu ne m'avais pas fait promettre de garder le secret, le scandale aurait éclaté depuis longtemps.

— Ce n'est pas David qui me fait peur, dit Rachel. C'est Brian. S'il savait... » Un coup frappé à la porte la fit s'interrompre.

C'était sa secrétaire, Gloria Fuentes. Elle semblait nerveuse et roulait une mèche de cheveux noirs autour de son index.

« Il y a quelqu'un, un homme, qui veut vous voir, madame Rosenthal, dit-elle. Il a quelque chose pour vous. Il dit que c'est important. »

Sans doute un visiteur médical, pensa-t-elle. Un de ces types qui croient toujours que leurs produits vont sauver l'humanité.

« Très bien, soupira-t-elle. Faites-le entrer. »

C'était un gros homme et il n'avait pas l'air d'un représentant.

« Vous êtes le docteur Rosenthal? » demanda-t-il avec un accent de Brooklyn prononcé.

Elle hocha la tête.

Il lui tendit une enveloppe longue et mince et, avant qu'elle ait pu demander, ce dont il s'agissait, il avait déjà franchi la porte.

Rachel eut brusquement peur. Qu'est-ce que c'était que cette enveloppe? Elle l'ouvrit et parcourut le document, dactylographié de façon curieuse. Comté de New York. État de New York. Hector et Bonita Saucedo, plaignants. Dr Rachel Rosenthal, accusée.

Les parents d'Alma l'attaquaient en justice pour faute professionnelle. Rachel ferma les yeux.

David, se dit-elle. C'est lui qui est à l'origine de cette histoire. J'en suis certaine.

Et il ne s'arrêtera pas là, il me laminera, m'écrasera. Et quand je serai foutue, sur le dos, pieds et poings liés, il pourra recommencer, ôter ce qui reste de vie en moi.

28

En effet, le moins qu'on pût dire, c'était que l'affaire Tyler-Krupnik ne manquait pas de piquant. Rose s'en doutait un peu parce que, jeudi dernier, Bernie Stendhal lui avait tendu le dossier avec un clin d'œil, en ajoutant : « Amusez-vous bien. »

Tout en faisant entrer Shimon Krupnik dans son petit bureau, à côté de la salle de conférence, Rose se demandait comment discuter avec ce type. Krupnik semblait sortir tout droit d'un ghetto du XIXᵉ siècle. Bien qu'il fît trente degrés dehors, il était vêtu d'un long manteau noir avec gilet et coiffé d'un feutre assorti. Il était pâle, avec des yeux de taupe, comme s'il avait vécu toute sa vie dans un tunnel. Deux longues papillotes encadraient son visage et une barbe noire dissimulait partiellement ses joues. Seigneur, se dit-elle, qu'est-ce que je vais bien pouvoir lui dire?

Elle lui tendit la main. « Je suis contente de faire votre connaissance, monsieur Krupnik. M. Stendhal s'excuse. Il n'a pas pu venir. »

Elle le regarda, mal à l'aise. Krupnik immobile, fixait sa main comme s'il se fût agi d'un serpent mort.

Il murmura : « Ravi... », mais sans tendre la sienne.

Alors elle se souvint. Un ami juif lui avait expliqué que les Hassidiques ne touchaient jamais aucune femme, à part la leur.

Elle se sentit rougir et, laissant vivement retomber sa main, lissa sa jupe comme si elle n'avait rien remarqué. « Vous voulez une tasse de café? » demanda-t-elle.

Il secoua la tête et elle remarqua l'imperceptible haussement de sourcils. Elle comprit. Bien sûr, les tasses sales, non cachères. *Ça commence bien*, se dit-elle. *Deux gaffes en trois minutes.*

« Asseyez-vous, je vous en prie », dit-elle, lui désignant la causeuse d'un vert passé.

Elle le regarda s'installer avec raideur sur le bord du siège et revit, en un éclair, les Juifs hassidiques qu'elle voyait quand elle était petite, ces hommes d'un autre monde qui se hâtaient le long de l'avenue J, dans leurs longs manteaux flottants, les yeux fixés droit devant eux, évitant soigneusement le regard des femmes qu'ils croisaient. Un jour, en passant près d'eux, Nonnie lui avait donné un coup de coude et soufflé : « Ils portent ces chapeaux pour cacher leurs cornes. C'est la marque du démon. C'est pour nous rappeler qu'ils ont tué Notre Seigneur Jésus-Christ, de sang froid, comme un chien. »

C'était la première fois qu'elle adressait la parole à un Hassid et cela la rendait nerveuse. Elle aurait aimé que Max fût là. Lui aurait su quoi dire.

Curieusement, penser à Max la détendit. Elle l'imagina, ouvrant une bouteille de chardonnay frais à la fin de la journée, sachant exactement ce dont elle avait besoin. Et même ce qu'elle avait envie d'écouter. Vivaldi, John Renbourne, Cat Stevens si elle avait les nerfs en pelote. Les Moody Blues, Led Zeppelin, ou la *Symphonie n° 9* de Beethoven, si elle se sentait bien.

Il avait dit deux jours, mais cela faisait deux mois qu'il habitait chez elle. Il visitait des appartements, cependant aucun ne lui plaisait jamais. Et, en fait, elle s'habituait à l'avoir près d'elle. Le mot était faible. En réalité, elle *aimait* ça.

Rose fit un effort pour se concentrer sur son client et parcourut le dossier posé devant elle.

Krupnik était accusé d'avoir agressé Tyler qui tenait un kiosque à journaux sous le pont de King's Highway BMT. Selon la déclaration de Tyler à la police, Krupnik, furieux de voir un journal sioniste à l'affichage – la secte des Satmyr était violemment opposée au sionisme – avait demandé à Tyler de l'enlever. Celui-ci avait refusé. S'en était suivie une dispute à laquelle Krupnik avait mis un terme en envoyant d'un coup de poing violent son adversaire au sol et en le martelant ensuite de façon répétitive. Des passants alertés par Tyler avaient donné la chasse à l'agresseur et appréhendé un homme que le marchand de journaux avait identifié comme son agresseur.

Krupnik niait tout. Il se trouvait, à ce moment-là, à un bloc de là et fermait sa boutique. Des gens lui étaient tombés sur le dos sans qu'il comprît pourquoi. Les traces rouges sur ses mains n'étaient pas du sang mais de l'encre d'imprimerie. Néanmoins, il avait été arrêté. Les preuves étaient malgré tout insuffisantes pour l'inculper. Il n'y avait d'autres témoins que Tyler.

Celui-ci le poursuivait pour essayer d'obtenir trois cent mille dollars de dommages-intérêts.

« Il va falloir que je témoigne ? » demanda Krupnik à brûle-pourpoint, ses longs doigts blancs tapotant nerveusement sa cuisse.

Rose lui sourit pour le mettre à l'aise. A cet égard, nous sommes tous semblables, se dit-elle. Nerveux dès qu'il s'agit de faire face à un juge et à un jury.

« Pas nécessairement, dit-elle. Nous aurons d'autres témoignages. Mais ce serait mieux. En dehors des faits bruts de l'affaire, le jury voudra savoir quel genre de personne vous êtes, et le genre de vie que vous menez. » Elle s'interrompit, se souvenant avec horreur de la remarque de Nonnie. Comme les gens étaient vite soupçonneux et même effrayés dès qu'ils avaient affaire à des gens qui ne leur ressemblaient pas. « Monsieur Krupnik, êtes-vous marié? »

Il cilla les paupières et pianota plus nerveusement encore sur son genou.

« Je vis avec ma mère.

— Quel âge avez-vous?

— Quarante-trois ans le mois prochain, si Dieu le veut.

— A quoi occupez-vous vos loisirs? Je veux dire... observez-vous les oiseaux? Faites-vous des photographies? »

Il ne répondit pas, se contentant de la regarder d'un air incrédule.

Bon, se dit-elle, c'est une question idiote. Les bonnes œuvres, peut-être. Lecture aux aveugles, des trucs dans ce genre-là. Ça impressionnerait favorablement le jury.

« Je vais vous poser la question autrement, monsieur Krupnik. Que faites-vous quand vous ne travaillez pas?

— J'étudie le Talmud. » Cette fois-ci, il répondit sans hésiter. « Je lis la Torah, les Cinq Livres de Moïse. Je vais à la *shul*. » Il y avait dans sa voix une nuance d'arrogance qui signifiait clairement : qu'est-ce qui a de l'importance, à part ça?

Rose commençait à s'inquiéter. Si je ne trouve pas quelque chose d'autre, se dit-elle, le jury va effectivement s'imaginer que ce chapeau dissimule une paire de cornes.

Mais quoi?

Puis elle repensa brusquement à une affaire qui avait attiré son attention des années auparavant. Il s'agissait d'un Noir accusé de viol. Et dans la salle bondée de Noirs, la victime, une Blanche, avait été incapable de désigner l'accusé.

« J'ai une idée, dit Rose, s'animant soudain. Qui pourrait marcher.

— Laquelle?

— Quand avez-vous vu M. Taylor pour la dernière fois? demandat-elle. Je veux dire, quand vous êtes-vous retrouvé face à face avec lui? »

Krupnik réfléchit un moment en fronçant les sourcils. « En octobre dernier. Au tribunal. Depuis, tout s'est fait par l'intermédiaire de nos avocats. »

Rose sourit. Parfait.

« Monsieur Krupnik, combien d'amis et de relations pourriez-vous rassembler dans la salle du tribunal le jour du procès? Il m'en faudrait au moins vingt-cinq, davantage si possible. »

Krupnik la regarda sans comprendre. Alors elle lui expliqua son plan, et un sourire éclaira sa figure pâle et solennelle.

« *Alevas*, s'exclama-t-il. Je les trouverai, soyez-en sûre. Une centaine si vous voulez et même davantage. »

Dix jours plus tard Rose, debout sur les marches du palais de justice à Foley Square, vit s'arrêter un car jaune. Une quarantaine d'hommes vêtus de lévites, portant chapeau noir, barbe et papillotes en descendirent.

Lorsque les Hassidim furent tous installés, Rose se tourna vers le juge. « Votre Honneur, j'ai une requête assez inhabituelle à vous faire. Avant la séance, j'aimerais faire venir M. Tyler à la barre.

Le juge Henry, un Noir doté d'une barbe blanche à l'Afro, fronça les sourcils. Rose retint son souffle. S'il refusait...

« Soyez plus explicite, maître. Pourquoi voulez-vous faire venir M. Tyler?

– Je voudrais qu'il identifie mon client, M. Krupnik. »

Il y eut un remous dans la salle et Rose remarqua que les jurés perdaient leur expression d'ennui et se redressaient.

Le juge opina et elle comprit qu'il était intrigué. Bien sûr qui n'aurait pas préféré un peu de théâtre à l'habituel enfilage de mots? Seul le plaignant, compassé et le visage rouge, monta à la barre avec une expression outragée.

« Monsieur Tyler, lui demanda-t-elle, pouvez-vous identifier l'homme qui vous a agressé le soir du 21 octobre? Est-il dans la salle?

– Bien sûr que je peux. » Il montra du doigt le barbu, chapeauté et vêtu de noir, assis à la table de la défense.

« Voulez-vous vous lever, je vous prie, monsieur Krupnik? »

Tous les regards convergèrent vers l'homme assis paisiblement au banc de la défense.

Alors, deux rangs derrière, Shimon Krupnik se leva avec un large sourire.

Rose fut prise d'un sentiment de triomphe et se dit : *Si seulement Brian pouvait voir ça! C'est bien mieux que les tours de cartes qu'il me montrait quand nous étions enfants.*

Dix minutes plus tard, elle avait gagné son procès et se frayait un chemin vers la sortie, la tête haute, comme une reine donnant sa bénédiction, souriant aux Hassidim qui hochaient la tête d'un air appréciatif. La foule était si nombreuse qu'elle ne parvenait pas à avancer. Elle vit soudain un homme aux cheveux gris s'avancer vers elle. Il lui prit le coude et l'aida à franchir la porte de la salle d'audience.

Elle s'arrêta un instant dans le couloir pour le remercier et remarqua qu'il était plus vieux que ne le laissait supposer la fermeté de sa poigne. Plus de soixante ans, se dit-elle, mais viril et séduisant dans le genre méditerranéen. Il portait sa veste de costume jetée sur son épaule et les manches de sa chemise roulées jusqu'aux coudes découvraient des avants-bras musclés et poilus.

Il la regardait avec insistance, de façon étrange, comme on étudie un portrait dans un musée.

Brusquement, à sa surprise, il s'empara de sa main et la lui serra.

« Je vous félicite, mademoiselle Santini. » Il avait une voix grave à l'accent indéfinissable. « Quelle magnifique performance! J'ai été épaté.

— Merci, répondit-elle en riant. C'était un pari, vous savez. J'aurais pu le perdre et avoir l'air d'une parfaite imbécile.

— Non, dit-il hochant la tête. Jamais.

— Je ne pense pas que nous nous connaissions, dit-elle, retirant sa main.

— Nikos Alexandros...

— Nous sommes-nous déjà rencontrés? J'ai bien peur de ne pas m'en souvenir ».

Une expression de tristesse, presque de douleur passa sur son visage et il dit : « J'aurais aimé... mais, non. » Puis avec l'ébauche d'un sourire, il ajouta : « Au revoir, Rose. Et bonne chance. J'espère que nous nous reverrons. »

Dehors, en descendant l'escalier, elle se dit soudain : *Il m'a appelée Rose. C'est bizarre. Comment connaît-il mon prénom?*

Cette énigme la tracassa un moment puis elle cessa d'y penser et fouilla des yeux Centre Street, très encombrée à cette heure, dans l'espoir de trouver un taxi. Elle se représenta avec plaisir la soirée avec Max.

Ils déboucheraient une bonne bouteille de vin pour le dîner. Pourquoi ne pas fêter sa victoire? Elle allait mettre cette robe de jersey blanc qu'elle avait achetée à Bloomingdale la semaine dernière. Et des fleurs. Du lilas dans toutes les pièces.

Du coin de l'œil, elle repéra trois hommes qui tournaient la tête vers elle. Autrefois, quand on la regardait, elle se demandait toujours ce qui n'allait pas. Maintenant elle savait pourquoi elle attirait les regards. Parce qu'on la trouvait jolie.

Et, aujourd'hui, elle se *sentait* attirante, et même jolie, oui. Hier soir, après le dîner, Max et elle avaient écouté de vieux disques de Glenn Miller qu'ils avaient acheté au marché aux puces dimanche dernier. Puis Max lui avait appris à danser le lindy.

Il l'avait fait tournoyer tant et plus jusqu'au moment où, hors d'haleine, elle s'était affalée sur le canapé en riant comme une folle. Il y avait bien longtemps qu'elle ne s'était pas autant amusée ni sentie si heureuse.

« Porc Moo-shu. » Rose tendit un carton à Max puis regarda l'autre avec circonspection. « Je n'imagine même pas ce qu'il peut y avoir dans celui-ci. On dirait les restes d'un chat écrasé par un camion-poubelles.

– C'est du canard désossé. L'une de leurs spécialités. » Il sortit une bouteille d'un sac en papier. « Ça aussi. J'ai pensé qu'on pourrait fêter votre succès. »

Rose regarda l'étiquette. « Du perrier-jouet! Oh Max, vous n'auriez pas dû. Même *moi* je sais combien ça coûte.

– Un bonus. Pour aujourd'hui. » Il enveloppa la bouteille dans un torchon et entreprit de la déboucher.

Je suis contente qu'il soit fier de moi, se dit Rose. *Je lui dois tant.*

Le bouchon sauta avec un bruit discret et Max versa le vin pétillant dans les flûtes. Il venait de prendre une douche et ses cheveux bouclaient sur sa nuque.

Il était torse nu, vêtu d'un jean. Il semblait plus mince, plus jeune en un sens, et pas seulement parce qu'il avait maigri. Non, il avait retrouvé une sorte d'insouciance, de gaieté propre à la jeunesse.

Elle se demanda soudain si les autres femmes le voyaient de cette manière. Plein de vitalité et de sex-appeal. Elle eut une pointe d'envie en songeant à Max embrassant quelque jolie cliente, venant le voir, par exemple, pour un divorce.

Il va bientôt partir, se dit-elle.

Elle réalisa brusquement qu'elle n'avait pas du tout envie qu'il la quitte. L'appartement serait si vide sans lui! Comme ces soirées passées à bavarder, à préparer un bon dîner lui manqueraient. En un sens, leur vie quotidienne ressemblait à celle de gens mariés. Ils prenaient le métro pour aller au bureau et parfois, le soir, rentraient ensemble. Si l'un des deux devait travailler tard, l'autre faisait les courses. Elle prenait sa douche le matin, lui le soir. Ils s'occupaient même à tour de rôle du blanchissage.

Ils faisaient tout ce qu'un couple fait, sauf l'amour.

La nuit dernière, en dansant avec Max, elle s'était dit : *Pourquoi pas?* C'étaient des amis, ils s'aimaient beaucoup. Et ça faisait longtemps... si longtemps. L'époque n'était-elle pas à l'amour libre, sans attache?

Cependant, coucher avec Max risquait de gâcher leur merveilleuse amitié. Et tout ça pour quoi? De toute façon, un jour, Max s'en irait, rencontrerait d'autres femmes, tomberait même peut-être amoureux.

Et moi je serai toujours ici, à rêver de Brian, plus solitaire que jamais. Non. Ne changeons rien. C'est mieux ainsi.

Rose but une gorgée de champagne. « Mumm... Délicieux.

– Il ne faut pas que ça vous monte à la tête. »

— Quoi? Le champagne ou mes succès au barreau?

— Le champagne. Vous connaissant comme je vous connais, je parie que vous n'avez pas déjeuné.

— J'étais trop tendue pour déjeuner. De toute façon, je vous promets de ne pas me soûler comme un pilier de bistrot. Pas avec un vin de ce prix. Une gorgée, un dollar. »

Il leva son verre « A vos futures victoires. Je souhaite qu'il y en ait beaucoup d'autres et... oh, merde, excusez-moi... le canard. Je l'ai mis au four pour le réchauffer. » De la fumée sortait de la cuisinière et l'odeur lui rappelait désagréablement celle des raffineries bordant Jersey Turnpike. Max retira du four les restes calcinés du canard désossé et le contempla d'un air lugubre.

« Aucune importance, dit Rose. De toute façon, je n'avais pas faim. Le chat écrasé me suffira largement. »

Rose but son champagne et se resservit. Une bonne chaleur commençait à l'envahir. Elle se sentait la tête légère et avait l'impression de se mouvoir au ralenti. Par exemple, il s'écoulait un temps anormalement long entre le moment où elle tendait sa main vers la flûte et celui où elle en saisissait le pied légèrement poisseux.

Bon, je suis un peu bourrée, mais c'est agréable. Ça fait longtemps que ça ne m'est pas arrivé. Des années... Brian, et moi? Oui. Là-haut, sur le toit. Avec du Red Mountain. Eh bien, à toi, Brian et à la femme avec qui tu bois en ce moment...

Sa gorge se serra et les larmes lui montèrent aux yeux.

Rose but précipitamment une gorgée de vin et avala de travers. Max lui tapa dans le dos. Quand ce fut terminé, elle leva la tête pour le regarder, lut l'inquiétude sur son visage et lui jeta les bras autour du cou.

« Si vous avez essayé de m'enivrer, ça a marché, marmonna-t-elle, contre sa poitrine tiède. Promettez-moi une chose. Si je perds conscience, mettez-moi au lit.

— Bien sûr. A quoi d'autre servent les amis? »

Il lui caressa doucement les cheveux. Rose frissonna au contact de ses doigts sur sa nuque. C'était bon. Si bon d'être touchée.

Max se dégagea brusquement et se dirigea vers l'évier. Rose le regarda remplir d'eau le plat dans lequel il avait fait réchauffer le canard. L'eau gicla et se répandit en goutelettes graisseuses tout autour.

« Max? » appela-t-elle.

Quelque chose n'allait pas. Il avait l'air en colère. Il lui tournait obstinément le dos. Cependant, lorsqu'il se retourna, elle comprit, et rougit. Elle se sentit idiote, maladroite.

Max avait tout simplement envie d'elle.

Bien sûr. Il n'avait pas couché avec une femme — tout au moins le croyait-elle – depuis des mois. Comment avait-elle pu le traiter de façon aussi désinvolte? Elle traînait dans la maison en pyjama et se précipitait pour répondre au téléphone dans n'importe quelle tenue. Oh bon Dieu, et maintenant... que devait-il penser d'elle?

Une allumeuse. Voilà ce qu'elle était. Une vieille allumeuse. L'idée, le mot faillirent la faire pouffer de rire. Elle se mordit la lèvre inférieure. « Oh Max, soupira-t-elle. Allons au lit. Maintenant. Tant pis pour le dîner. Je suis un peu saoule, mais pas au point de ne pas savoir ce que je fais. »

Rose se leva et, titubant légèrement, le rejoignit. Elle lui mit les bras autour du cou.

« Rose..., dit-il d'une voix rauque.

— Ne vous inquiétez pas, dit-elle avec un demi-sourire. Je ne le regretterai pas demain matin. Tant qu'on reste amis. D'accord? »

Il hocha la tête et sa pomme d'Adam circula dans sa gorge. Puis il l'attira contre lui et l'embrassa. Avec passion, avec fièvre. Seigneur! Qui aurait pensé... Max...

C'est merveilleux, absolument merveilleux, se dit-elle, comme il la déshabillait dans la salle de bain. A la fin, il s'agenouilla pour lui enlever ses chaussettes et lui embrassa les pieds, effleurant de sa langue la voûte plantaire. Sur le lit, il la retourna sur le dos, posa ses lèvres sur le creux de ses genoux puis sur les tendres croissants de chair de ses fesses.

Rose frissonna de plaisir. Comme c'était merveilleux de faire aussi bien l'amour sans être amoureuse, *sans la souffrance et les problèmes de l'amour.*

Doucement, il la remit sur le dos et enfouit sa tête entre ses cuisses.

Oh, elle jouissait! Rapidement, de façon incontrôlable. De grandes vagues qui la balayaient. Ses doigts s'enfoncèrent dans ses cheveux. *Jésus... doux Jésus... Oh Max, comme tu fais ça bien.*

Lorsque la sensation s'estompa, elle lui dit, haletante : « Prends-moi. Vite. »

Ce fut meilleur encore. Meilleur que sa langue. Solide. Profond. Elle avait l'impression que tout son corps, puissant, musclé, entrait en elle. Brian était si différent avec sa grâce d'adolescent, ses membres longs et minces.

Non, se dit-elle, *ne pense pas à Brian. Ce n'est pas juste. Pas juste du tout. Même si tu n'es pas amoureuse de Max. Tu n'as pas le droit de penser à Brian pendant qu'il te fait l'amour.*

Ensuite, elle resta immobile, reprenant son souffle, attendant que les battements de son cœur s'apaisent. Bien au chaud dans le cocon glissant de sueur de leurs corps mêlés.

« Oh Max, murmura-t-elle, c'était si bon. »

Et, à cet instant, elle fut prise d'une grande tristesse. Elle aurait tellement souhaité être amoureuse de lui!

Quelques heures plus tard, Rose, assoupie, nichée contre Max, songeait que même après l'amour elle était bien avec lui. Ce qui n'avait pas été le cas dans ses précédentes aventures. Elle rêvait toujours de regagner au plus vite son propre lit. Mais avec Max, elle se sentait bien, et n'avait aucune envie qu'il s'en aille.

Elle allait s'endormir pour de bon lorsqu'elle l'entendit dire avec le plus grand naturel : « J'ai eu un coup de fil de Stu Miller, de la Prudential. L'un de ses clients est poursuivi. Un médecin... quelqu'un que tu connais, en fait. Rachel Rosenthal. »

Rose eut l'impression de recevoir un baquet d'eau froide sur la tête. Tous ses nerfs furent aussitôt en alerte. Rachel... la femme de Brian.

Elle se mit sur le dos et évita le regard de Max. Elle ne voulait surtout pas qu'il devine ses sentiments. Ils étaient trop secrets, trop douloureux.

« Vraiment? » Elle feignit de bâiller. « Que lui arrive-t-il?

— Je ne connais pas encore les détails de l'affaire. J'ai rendez-vous avec Stu pour en discuter demain matin. J'ai pensé que tu pourrais venir avec moi. Ça devrait être intéressant. »

Bon Dieu, pourquoi Max lui faisait-il un coup pareil? Il devait bien se douter qu'elle n'en aurait aucune envie.

« Je ne sais pas si je pourrai, dit-elle, du ton le plus neutre possible. Il faut que je consulte mon agenda. »

Mais son esprit bondissait déjà, anticipait. Dans son imagination, elle se voyait déjà à la réunion... avec Rachel, et peut-être Brian. Rachel serait peut-être bouleversée. Brian lui passerait un bras autour des épaules, la consolerait. *Non, je ne supporterai jamais ça. Après tout ce que j'ai déjà subi?*

Ah non, ressentir de la compassion pour Rachel, c'était vraiment trop lui demander.

Puis, elle se représenta soudain la scène autrement. Ne pouvait-elle simplement *faire semblant* d'en ressentir? Feindre de vouloir l'aider? Et, après tout, peut-être pourrait-elle réellement l'aider. Max était si occupé ces derniers temps avec l'affaire Boston Corp. Et alors, quelle noble attitude, quel panache dans le pardon!

Et Brian, lui en serait-il reconnaissant? Oui, bien sûr. Elle voyait cela d'ici... ils déjeuneraient ensemble, iraient prendre un café. Unis par la même cause. Au début ils ne parleraient que de Rachel. Mais par la suite, ils plaisanteraient et riraient comme la dernière fois, ils recréeraient l'intimité du temps de leurs amours.

Ce serait un lien. Cela frappa Rose. Oui, un lien entre Brian et elle.

Mais Max? Que lui dirait-elle? Il faisait exprès de lui imposer cette épreuve. Il ne pouvait en être autrement. Il était si intelligent. Rien ne lui échappait. Il devait bien soupçonner ce que cela signifiait pour elle. Le salaud! Il voulait voir si elle allait mordre à l'hameçon. Si elle était vraiment détachée de Brian.

Mais après tout, en quoi cela l'intéressait-il? C'était incompréhensible. Rose tourna et retourna le problème dans sa tête. Eh bien, parfait. Elle relèverait le défi mais en dictant ses conditions, et sans se préoccuper des siennes.

Lentement, elle se tourna vers Max, bouillonnant d'une telle excitation qu'elle aurait pu rester debout toute la nuit sans ressentir la moindre fatigue.

« Je m'arrangerai pour venir », lui dit-elle.

29

Rachel s'agita sur le canapé de la salle d'attente du cabinet juridique. Pour la troisième ou quatrième fois, elle regarda sa montre. Il était près de onze heures et elle avait rendez-vous à dix heures et demie. Un instant elle eut l'envie irrésistible de se lever et de sortir.

Bien que la climatisation marchât à fond et qu'il fît froid dans la pièce, elle transpirait.

Encore cinq minutes, se dit-elle, puis j'inventerai une excuse quelconque pour filer. Je n'aurais jamais dû accepter d'être défendue par Rose Santini. Seigneur, parmi tous les avocats de New York, il avait fallu qu'elle tombe sur elle!

Lorsque l'assureur lui avait dit son nom, elle n'avait pu s'empêcher de rire. Quelle ironie du sort! Le destin, comme une main, la poussait vers Rose. Incroyable, quand on songeait au nombre d'avocats exerçant dans cette ville.

Mais au fond, n'était-ce pas pour cela qu'elle était venue? Par curiosité? Non, il s'agissait d'autre chose, d'un sentiment plus fort. Il *fallait* qu'elle la voie, qu'elle la connaisse. Cette femme que Brian avait aimée un jour... et qu'il aimait peut-être encore.

Je n'irai qu'une seule fois, s'était-elle dit dans le taxi qui l'amenait au cabinet juridique. Après tout, le rendez-vous avait été pris et il était difficile de le remettre. Elle verrait Rose, discuterait avec elle puis insisterait auprès de la compagnie d'assurances pour qu'elle trouve un autre avocat.

Mais venir ici comme une espionne, c'était déplaisant en un sens. Elle avait honte, et se sentait aussi légèrement ridicule. Quel était le but de tout cela?

Elle se leva et se dirigea vers le bureau de la réceptionniste, une jeune femme blonde et bronzée avec de longs ongles laqués rouge vif.

« Ça ne devrait plus tarder, lui dit cette dernière avec un sourire apaisant.

– Oui mais le problème c'est que je ne peux plus attendre, vous comprenez, il faut que je sois de retour à... »

Rachel entendit une porte s'ouvrir, puis une voix grave et musicale.

« Je suis désolée. On m'a appelée de l'étranger. J'espère que je ne vous ai pas fait trop attendre. »

Se retournant, Rachel vit une grande femme, debout sur le seuil d'un couloir qui menait aux différents bureaux.

Rose.

Rachel la reconnut immédiatement. En un instant, elle remarqua la masse de boucles brunes remontées sur les côtés avec des peignes d'argent, la chemise de coton noire toute simple, le châle drapé joliment sur ses larges épaules, le bracelet en or martelé ornant son avant-bras doré, presque à la hauteur du coude. Et, chose étrange, une unique boucle d'oreille, un rubis en forme de goutte, serti dans de l'or, qui se balançait à son oreille gauche, scintillant à la lumière fluorescente du plafonnier.

Une sorte de panique s'empara de Rachel. *Elle est belle, originale. Comment ne m'en suis-je pas aperçu à Londres? Pas étonnant que Brian n'arrive pas à l'oublier.*

Elle se sentait éclipsée par Rose, en dépit de son joli tailleur d'été en shantung ocre. Elle ressemblait à une plante qu'on a oublié d'arroser. Les cheveux tirés en arrière, la figure pâle, sans aucun maquillage et les yeux cernés par les nuits agitées qu'elle avait passées depuis qu'elle avait reçu sa citation à comparaître.

Pars tout de suite, se dit-elle. Invente n'importe quoi. Il ne faut pas que tu restes.

« Je comprends, dit Rachel avec nervosité, mais il faut absolument que je rentre à la clinique. Écoutez... J'ai sans doute eu tort de venir ici. Il vaudrait mieux que... »

– Vous avez des ennuis et je peux vous aider », l'interrompit Rose, les yeux plantés dans les siens. Il n'y avait pas de sympathie dans sa voix mais pas de ressentiment non plus. Elle énonçait un fait. « Venez... entrez. Nous allons en discuter. Ensuite vous pourrez partir si vous le désirez. Vous n'avez aucune obligation envers nous. »

Rose sourit et son visage sombre s'illumina soudain comme celui d'une icône.

« Je vous ai dit un jour que j'avais une dette envers vous, lui dit Rose. J'étais sincère. »

Rachel, désarmée et un peu surprise, sourit à son tour, pensant : *Cette femme devrait me haïr. Pourquoi fait-elle cela?*

« Bon, d'accord », dit-elle.

Rose lui tendit la main. De longs doigts frais s'emparèrent brièvement de ceux de Rachel.

« Je ne vous fais pas entrer dans mon bureau, dit Rose, parce qu'il y a des papiers partout. Je prépare une affaire. Nous allons nous réfugier dans celui de Max Griffin. Voulez-vous une tasse de café ou de thé?

– Je veux bien un thé.

– Un thé pour Mme McClanahan, Nancy », cria Rose à la réceptionniste. Rachel fut frappée par le fait qu'elle l'appelait par son nom d'épouse. Pourquoi pas Dr Rosenthal?

Elle la suivit le long de couloirs lambrissés jusqu'à un bureau d'angle qui donnait sur East River. Elle eut aussitôt l'impression de pénétrer dans une pièce familière. Tapis oriental ancien, lampes victoriennes, chaises hollandaises marquetées recouvertes d'un velours capitonné usé. Sur le bureau, ancien lui aussi, s'empilait une montagne de dossiers et de papiers. La bibliothèque vitrée contenait un grand nombre de vieilles éditions aux reliures dorées à la feuille. C'est ravissant, pensa-t-elle. Et terriblement intimidant.

Rose lui désigna un fauteuil. « Je vous en prie, asseyez-vous. »

Rachel se laissa tomber sur le siège raide et regarda Rose prendre place en face d'elle, sur une chaise dont le dossier incurvé et sculpté – elle fut frappée par l'ironie de la chose – représentait une colombe tenant dans son bec un rameau d'olivier.

Il y eut un silence embarrassé, puis Rose dit : « Mme McClanahan, je crois qu'il serait préférable que nous allions droit au fait. Qu'en pensez-vous? »

Rachel ne put s'empêcher d'admirer sa franchise.

« Oui, je le pense aussi. Mais appelez-moi Rachel... »

Rose sembla considérer un instant sa proposition. Le soleil, brillant entre les doubles rideaux, la nimbait d'une lumière dorée.

« D'accord. Rachel. » Elle prit un carnet jaune sur la table et le posa sur ses genoux. « J'ai lu le dossier que Prudential m'a envoyé et je vais être très franche avec vous. Je pense que vous avez fait tout ce qui était en votre pouvoir pour sauver Alma Saucedo. Et le jury le croira sans doute aussi. Néanmoins, ce même jury *pourrait* fort bien vous condamner. »

Rachel sentit son cœur cogner dans sa poitrine. Elle ne pouvait tout simplement pas envisager cette issue. Elle serait ruinée, la clinique n'aurait plus qu'à fermer. HEW retirerait ses fonds – Sandy Boyle ne l'avait-il pas averti de cette éventualité lors de la dernière réunion? Quant à ses privilèges à Saint-Bart, adieu! Tout ce pour quoi elle avait travaillé d'arrache-pied serait anéanti. Et toutes ces femmes qui avaient tant besoin d'elle, qui lui faisaient confiance, où iraient-elles?

« Dans une situation comme celle-ci, continua Rose, la sympathie du jury va naturellement à la victime — surtout lorsqu'il s'agit d'une jeune fille de seize ans réduite à l'état de légume, et dont l'enfant nécessite des soins coûteux. Nous parlons donc ici de grosses sommes. Ils ne se demanderont pas nécessairement qui est coupable mais plutôt qui va payer. Les parents d'Alma Saucedo qui n'ont pas le sou ou bien la prospère compagnie d'assurances?

— Je vois. » Rachel se sentait étrangement déconnectée. Elle se représentait déjà avec une grande lucidité toutes les catastrophes que la perte de son procès allaient engendrer.

« Je n'en suis pas si sûre. La plupart des gens s'imaginent qu'au tribunal, il s'agit toujours d'innocence et de culpabilité. »

Rachel reprit ses esprits et répondit : « En médecine, ce n'est pas si simple. On a toujours l'impression, quand on quitte un patient, qu'on aurait pu faire davantage.

— C'est le sentiment que vous inspire l'histoire d'Alma Saucedo?

— Oui.

— Pensez-vous que vous auriez pu faire davantage?

— Je n'en étais pas sûre, au début, quand tout est arrivé, répondit-elle, décidée à être franche elle aussi. Mais par la suite, en repensant à chaque stade de l'affaire... » Elle se redressa légèrement. « Non, je crois vraiment que je n'aurais rien pu faire d'autre. Compte tenu de son état, j'ai opté pour la solution la moins risquée. Je pense que tous mes confrères auraient agi de la même façon. »

Rose la regardait si intensément que Rachel en resta interdite.

Une pensée la traversa soudain : *Elle et moi nous sommes ici pour y voir plus clair. Et pas seulement dans cette inepte poursuite judiciaire.*

Dès leur première rencontre, elle avait eu l'étrange impression que Rose et elle, par un curieux caprice du destin, se retrouveraient un jour face à face.

Toutes deux amoureuses du même homme.

Rose ressentait la même chose qu'elle, Rachel en était sûre. Elles se mesuraient du regard, comme deux héros de western prêts à dégainer.

Que me veut-elle? se demandait Rachel. Elle n'était pas obligée de s'occuper de mon affaire. Elle aurait pu la confier à quelqu'un d'autre.

Pourquoi l'a-t-elle acceptée?

Puis Rose se pencha pour écrire quelque chose sur son calepin et la tension se dissipa peu à peu.

Elle leva la tête. « J'ai vu Stu Miller cet après-midi. Les Saucedo ont rejeté la proposition de la Prudential. Deux cent mille dollars.

D'après Stu, ils étaient pratiquement d'accord hier mais entre-temps ils ont changé d'avis. »

Rachel sentait la colère monter en elle. David. Il était derrière tout cela. Elle sentait ses griffes sur elle. Les pauvres Saucedo, elle ne leur en voulait pas. Ils avaient le droit d'exiger le maximum. Mais David, ce qu'il faisait était... haïssable, le *mal* absolu.

Et brusquement, elle fut terrifiée, désespérée. Comment pouvait-elle lutter toute seule contre lui? Elle se sentait piégée. Dire la vérité, raconter pourquoi il agissait ainsi avec elle, mettait un terme à sa vie conjugale. Et si elle gardait le silence, ce serait la fin de sa carrière.

« Alors, que peut-on faire? » demanda-t-elle avec accablement.

Rose la regarda droit dans les yeux et dit. « Aller en justice. Le procès. Je vous défendrai. »

Rachel la regarda, médusée, puis la question qui la tourmentait jaillit brusquement d'elle. « Pourquoi? Pourquoi faites-vous cela? »

Rose demeura silencieuse et l'espace entre elles se chargea brusquement d'électricité.

Puis Rose ébaucha un sourire bizarrement asymétrique.

« Disons simplement que je paie mes dettes. Je ne peux vous faire aucune promesse, ajouta-t-elle, à part celle de me battre pour vous. Je ferai tout ce qui est en mon pouvoir pour gagner ce procès. Et qui sait? » Son sourire s'accentua. « Je peux peut-être le gagner. »

En regardant ces yeux sombres et brillants, Rachel cherchait désespérément à comprendre.

Fait-elle cela pour moi... ou pour elle-même? Se sert-elle de moi pour se venger de Brian? Ou alors – Dieu m'en préserve – pour se rapprocher de lui?

Un nœud se forma dans sa gorge. Puis elle se dit: *Si elle le fait pour elle, alors elle se battra plus durement que n'importe qui d'autre. Et il me faut cela. Cette fois-ci, j'ai vraiment besoin d'aide.*

On frappa à la porte.

Rachel, perdue dans ses pensées, sursauta. Ce n'était que la blonde réceptionniste apportant le thé. Une chope fumante avec le fil du sachet de thé qui pendait à l'extérieur.

Elle la prit et y trempa ses lèvres. C'était si chaud qu'elle se brûla et que des larmes lui picotèrent les yeux.

« Bon, dit-elle. Admettons que je sois d'accord. Comment procéderons-nous?

– Nous prendrons son dossier médical et nous ferons défiler à la barre tout le personnel impliqué de près ou de loin dans cette histoire. Pensez-vous que quelqu'un puisse témoigner contre vous? Un médecin? Une infirmière? »

Rachel pensa à Bruce Hardman, le jeune interne qui l'avait aidée à accoucher Alma. Son visage blême, affolé, la sueur qui tachait sa blouse chirurgicale. Il devait être soulagé de ne pas être sur la sellette.

La pensée de David lui traversa naturellement l'esprit mais elle n'osa pas en parler. En outre, se rappela-t-elle, il lui avait conseillé d'attendre, de ne rien provoquer. Et il n'assistait pas à l'accouchement, alors quelle preuve pouvait-il avancer?

« Non. Je ne vois personne. »

Rose écrivit de nouveau sur son calepin.

« Nous en reparlerons plus tard. Il est possible que nous évitions le procès. La Prudential voudrait bien trouver un arrangement à l'amiable. J'ai une réunion lundi avec l'avocat des Saucedo. Ensuite je saurai mieux à quoi m'en tenir. »

Depuis des années, Rachel menait seule ses propres combats. Pouvait-elle à présent se contenter de rester assise et de regarder quelqu'un lutter à sa place?

Outre qu'il s'agissait de la seule personne, en dehors de David, qui avait de bonnes raisons de la détester.

Elle se battra pour moi si cela signifie se battre pour Brian.

Et si ça tournait à la partie de bras de fer entre Rose et elle? Laquelle des deux gagnerait?

A la fin, qui Brian choisirait-il?

Rachel avait le sentiment de s'avancer vers un abîme. *Au moins je saurai s'il m'aime encore. Même si cela doit me tuer.*

« Si nous déjeunions ensemble lundi, après mon rendez-vous, avec l'avocat? » proposa Rose en se levant.

Rachel reposa sa tasse de thé à demi vidée sur la table basse et se leva à son tour. « Entendu. C'est une bonne idée.

– A l'Odeon, vers douze heures trente?

– D'accord. »

Elle était à mi-chemin de la porte, la secrétaire s'apprêtant à la raccompagner, lorsque Rose cria: « Oh, et dites à Brian que je l'embrasse. »

Rachel se figea, ébaucha un geste pour se retourner puis y renonça. Elle ne voulait pas que Rose comprenne combien elle avait peur. Peur de perdre cet homme qu'elles aimaient toutes les deux.

L'ascenseur de l'hôpital était d'une lenteur incroyable.

Exaspérée, Rachel appuya de nouveau sur le bouton, sachant pourtant que cela ne servirait à rien. Les ascenseurs, comme tout le reste à Saint-Bart, étaient préhistoriques.

« Merde! » jura-t-elle à voix haute. Dans ce foutu hôpital, tout, même le matériel, conspirait contre elle. Une infirmière qui passait par là se retourna. Rachel reconnut Jane Sackman. Elle s'apprêtait à lui dire bonjour, mais Jane évita son regard et accéléra le pas.

Que se passait-il ici? Toute la journée, elle avait eu droit à ces regards détournés. Ou bien devenait-elle paranoïaque?

Elle sortait de la salle de réanimation et comme d'habitude la vue d'Alma aussi immobile qu'un cadavre lui avait coupé les jambes. Cela la rendait de plus en plus malade. Et le café fort et amer qu'elle avait avalé lui avait laissé une mauvaise bouche.

Les portes de l'ascenseur s'ouvrirent et elle s'engouffra à l'intérieur. Elle allait enfin rentrer chez elle. Brian devait l'attendre en buvant un verre de sherry et en grignotant du fromage ou des Rye-Krisp. Ce soir ils devaient aller à l'inauguration d'une nouvelle galerie de Spring Street puis dîner avec l'agent littéraire de Brian, et sa femme. La soirée miroitait devant elle comme une oasis dans le désert. Elle allait retrouver des gens qu'elle aimait et qui l'appréciaient. Elle ne penserait à rien d'autre. Ni à Alma ni à Rose. Ni...

« Bonjour, Rachel. »

Elle se retourna. David. Elle n'avait pas vu son visage, seulement la blouse blanche.

Les portes se refermèrent bruyamment, l'ascenseur, après un soubresaut, commença à descendre. Rachel sentit ses entrailles se contracter.

David avait un sourire froid et triomphant. La lumière fluorescente lui donnait un air presque surnaturel. Il était, comme toujours, impeccable. Le pli du pantalon beige repassé, la blouse blanche empesée, les cheveux coiffés avec un soin extrême. Une publicité pour une revue médicale... à part ses yeux injectés de sang.

A cet instant, ils étaient fixés sur elle et elle en eut la chair de poule. Se retournant, elle appuya sur le bouton du rez-de-chaussée, bien qu'il fût déjà allumé, se disant que si elle l'ignorait, il la laisserait tranquille.

Quelle saloperie ce vieil engin. Elle pressa de nouveau sur le bouton.

« Tu peux courir autant que tu veux, ça ne servira à rien, dit David avec une douceur menaçante. J'ai demandé au conseil d'administration de mettre un terme à tes activités à Saint-Bart. »

Elle se retourna, furieuse. « Sous quel prétexte?

– Négligence criminelle. Tu croyais vraiment t'en tirer comme ça? Cette gamine et son gosse. Tu aurais pu aussi bien essayer de l'assassiner. »

Rachel le regarda, bouche bée, trop stupéfaite pour proférer une parole. Une part d'elle-même avait envie de rire. Elle n'arrivait pas à croire que David pût proférer si calmement des répliques de mauvais mélodrame.

L'ascenseur s'arrêta enfin, les portes s'ouvrirent.

David l'effleura en passant. Il s'arrêta et un sourire cruel flotta sur ses lèvres. « Le chemin de l'enfer est long, Rachel, et tu n'en es encore qu'à la moitié. »

Tremblant de tous ses membres, elle le regarda s'éloigner. Elle était terrifiée.

Terrifiée par elle-même.

Elle avait eu envie de le tuer. Si elle avait eu une arme entre les mains, elle aurait tiré.

30

Rose et Max dînèrent au restaurant indien de Lexington et 28e Rue, puis gagnèrent la Cinquième à pied. C'était une nuit chaude, rendue plus chaude encore par les plats pimentés qu'ils avaient mangés. Rose était en sueur malgré son chemisier de coton et sa jupe légère. Le macadam était encore tiède sous la semelle de ses sandales.

Elle avait envie de rentrer et de prendre une douche froide avant de se coucher dans le lit qu'elle partageait à présent avec Max. Elle pensa à la façon dont il allait lui faire l'amour, lentement, avec une infinie tendresse. Elle se sentit les jambes molles, rien qu'à l'imaginer.

Puis aussitôt, ce trouble l'effraya, la désorienta.

Comment? Comment puis-je désirer Max à ce point alors que c'est Brian que j'aime?

Et Max, qu'attend-il de moi?

Un peu de chaleur, sans doute, après cette union qui en avait tant manqué. Un visage amical en face de lui le matin pour l'encourager, lui faire comprendre que la vie pouvait recommencer après un divorce.

Mais ensuite, lorsqu'il partirait, que se passerait-il? Redeviendraient-ils amis, comme autrefois? N'était-il pas difficile de revenir en arrière? Un sentiment de solitude s'empara soudain de Rose et elle lui prit la main. Leurs doigts s'entrelacèrent.

« Nous y sommes, dit-il.

– Où cela? » Plongée dans ses pensées, elle s'était contentée de le suivre sans faire attention aux pancartes des rues. Elle leva la tête et vit l'Empire State Building.

« Allez, viens, dit Max, on va monter. Là-haut il y aura de la brise.

– N'est-ce pas trop tard? L'*Observation Deck* va être fermé. »

Il lui fit un clin d'œil. « Ne t'en fais pas. J'ai des relations. »

Quelques minutes plus tard, ils étaient dans l'ascenseur.

« C'est un vieil ami de mon grand-père, expliqua Max, parlant du concierge qui avait ouvert pour eux l'ascenseur fermé à clé. C'est papa qui lui a trouvé ce boulot. Il fait partie de l'équipe de nuit depuis la construction du bâtiment ou presque. Il le connaît mieux que sa propre femme ou ses enfants. »

Les portes s'ouvrirent et ils sortirent. Dans la vitrine obscure de la boutique de souvenirs, ils virent les habituels tee-shirts King Kong, les chopes Big Apple et les drapeaux Yankee.

Ils descendirent quelques marches, franchirent une porte vitrée et furent dehors. Le vent rabattit les cheveux de Rose sur son visage, plaqua sa jupe contre ses cuisses.

Elle se pencha au-dessus de la rambarde en plexiglas aussi loin qu'elle put, le souffle coupé par la vue de Manhattan, étalé en bas comme une immense trame scintillante. Elle n'était venue ici qu'une seule fois, avec sa classe, et jamais de nuit. C'était une vision magique. Envolés la chaleur intenable, les trottoirs sales, la foule pressée qui vous bousculait. Elle avait l'impression qu'on venait de lui offrir un merveilleux collier, une rivière de diamant dans un écrin de velours.

Elle se tourna et rencontra le regard de Max. Ce n'était pas la vue qui l'intéressait mais sa réaction à elle. Un demi-sourire étirait les commissures de ses lèvres. *Quel homme merveilleux*, se dit Rose. *Il savait. Il voulait me faire la surprise.*

« Merci, dit-elle simplement.

— Mon père m'emmenait souvent ici le soir, dit-il, passant un bras autour de ses épaules. Il me prenait dans ses bras et je me sentais aussi grand que King Kong. Il me disait : " Tu vois, Maxie, tu es sur le toit du monde. Et tout ça t'appartient. Tu n'as qu'une chose à faire, c'est de t'y cramponner. "

— En un sens, c'est ce que tu as fait, non? »

Max pencha la tête et se tut, le visage dans l'ombre. Elle eut le sentiment qu'il lui échappait et lui toucha le bras pour le ramener à l'instant présent.

Pensait-il à sa fille? Les papiers du divorce étaient établis et Mandy devait savoir qu'il ne rentrerait plus à la maison. Mais ce devait être dur pour eux deux.

Il leva la tête et lui sourit avec une telle tristesse qu'elle eut envie de le prendre dans ses bras, de le serrer contre elle et de lui dire que tout finirait par s'arranger. Mais comment faire de telles promesses? Elle était bien placée pour savoir que les choses ne s'arrangeaient pas toujours.

« C'est drôle, dit-il. Autrefois, je croyais que Pop avait raison. Que réussir, ça consistait à gagner de l'argent, à avoir du succès. Il le pensait parce qu'il n'avait rien eu de tout cela. Et ce qu'on n'a pas semble toujours beaucoup plus important que ce qu'on a. Mais maintenant, je sais à quoi m'en tenir, là-dessus. Je n'ai pas besoin d'être en haut de l'Empire State pour vivre. Non, la vie, elle est là. A côté de moi. »

Il se tourna vers elle et la regarda droit dans les yeux.

Elle comprit. Et tout devint clair. Cette façon de la couver des yeux, ce qu'il lui disait.

Il est amoureux de moi.

Depuis combien de temps? se demanda-t-elle. Depuis combien de temps m'aime-t-il sans que moi, pauvre crétine aveugle, je m'en sois aperçue?

En voyant l'amour, la tristesse avec laquelle il la regardait, elle comprit avec un exquis coup au cœur que ça ne devait pas dater d'hier.

Elle repensa à toutes ses gentillesses, ses attentions. Il lui avait fait don de son amour sans rien lui demander en échange.

Les larmes lui montèrent aux yeux.

« Je suis désolée », murmura-t-elle, tout en pensant : *Quelle chose idiote à dire.*

« Ne le sois pas. » Il lui effleura la joue d'un doigt léger comme la caresse du vent.

« Je n'ai pas compris...

— Je sais.

— Oh Max... comme je voudrais... » Elle s'interrompit, ne sachant comment poursuivre. C'était sans espoir, mais comment le lui dire sans le faire souffrir?

Il lui caressa les cheveux, comme à un enfant qu'on console.

« Je sais, dit-il doucement. Tu es amoureuse de Brian.

— Oui.

— Et le fait qu'il soit marié ne change rien.

— Non, rien du tout.

— C'est pour ça que tu as accepté de t'occuper de l'affaire de sa femme? A cause de lui?

— En partie, répondit-elle en haussant les épaules. Oui. » Mais il y avait d'autres raisons et elle voulait lui en parler. « Tu sais, ça va peut-être te paraître bizarre mais... je l'aime bien. Elle est droite, franche et incroyablement dévouée.

— Et Brian? Il est encore amoureux de toi?

— Brian? Je ne crois pas que ce soit aussi simple. Je le connais depuis l'enfance. Nous avons des liens profonds, indestructibles, en un sens. Une partie de Brian m'appartenait et continuera de m'appartenir. Mais pour le moment, il est en pleine confusion. Il ne sait plus où il en est. Quand il aura un peu " trié " ses sentiments, j'en saurai davantage sur... notre avenir.

— Et tu es prête à attendre?

— Oui. »

Ça la rendait malade de faire souffrir Max mais elle lui devait la vérité. « Aussi longtemps qu'il le faudra.

— Je vois », dit-il doucement. Ses épaules s'affaissèrent et tout son être sembla se replier sur lui-même.

Elle le serra contre elle. « Max, murmura-t-elle, malheureuse, comme j'aimerais être amoureuse de toi. Le monde est mal fait. »

Elle sentit qu'il avait envie d'elle.

Et le plus curieux, c'était qu'elle aussi avait envie de lui. Elle voulait lui donner ce qu'elle pouvait, même si c'était insuffisant. Et un peu d'amour ne valait-il pas mieux que rien du tout?

Et soudain, leurs lèvres se mêlèrent. Ce fut un échange de baisers passionnés qui n'avait plus rien à voir avec l'amitié amoureuse. Avec un grognement, Max s'agenouilla et pressa son visage contre son sexe. Elle sentait son souffle tiède à travers le mince tissu de sa jupe plaquée par le vent.

Rose s'appuya contre lui, laissant le vent balayer son visage, jouer avec ses cheveux.

Max passait ses mains sous sa jupe, tirait sur sa culotte. Et elle l'aidait!

L'entrelacs de dentelle et de soie gisait sur le sol. Elle le ramassa et le lança en l'air. Le vent lui fit décrire une courbe puis l'envoya au-dessus de la rambarde, oiseau fantastique volant dans la nuit, dérivant lentement vers les avenues scintillantes de Manhattan.

Se tournant vers Max, elle releva sa jupe sur ses cuisses nues et murmura : « Oui, prends-moi. »

31

Sylvie, épuisée, était allongée près de Nikos dans le noir. C'était la première fois qu'ils faisaient l'amour dans son propre lit. Celui qu'elle avait partagé avec Gerald.

Contrairement à ses habitudes, il s'était montré un peu brusque, la caressant peu, la prenant rapidement comme s'il pensait à autre chose.

Lui en voulait-il pour une raison quelconque?

Elle chercha sa main dans le désordre des draps et fut soulagée de sentir ses doigts se refermer sur les siens.

Elle repensa à la soirée qu'ils venaient de passer ensemble. Un merveilleux dîner à la Caravelle avec une excellente bouteille de château-ausone pour fêter la fin des travaux. La maison était enfin terminée. Afin d'être à la hauteur des circonstances, elle s'était habillée avec le plus grand soin – robe de soie verte, assortie à ses yeux et boucles d'oreilles d'émeraude. Cependant Nikos n'avait pas semblé le remarquer. Il semblait distrait. Et à présent ce silence pesant. Qu'est-ce qui le tracassait?

Au fond d'elle-même, Sylvie le savait et redoutait qu'il en parle. Ce mur s'élevait entre eux depuis trois semaines, depuis qu'elle lui avait parlé de Rose. En apparence Nikos était plus calme, plus pensif mais elle le sentait tourmenté.

« Je l'ai vue, dit-il. Rose. »

Sylvie sentit le sang refluer de son visage.

Je n'aurais jamais dû le lui dire, pensa-t-elle. Rien de bon ne pouvait sortir de cette révélation. J'ai été folle.

« Elle est belle. Et intelligente, poursuivit Nikos à voix basse. Si tu savais... si seulement tu pouvais la voir, Sylvie, mon Dieu, notre *fille*. »

Comme une automate, Sylvie rejeta les draps et se leva.

Elle en avait les jambes coupées. Prenant sa robe de chambre, elle l'enfila puis se laissa tomber sur la chaise Récamier.

Les portes-fenêtres étaient ouvertes et une brise tiède soulevait le bord des rideaux de dentelle retenus par des embrasses. Au clair de lune, Sylvie distinguait la forme des roses, mais pas leur couleur, comme si elle contemplait une photo en blanc et noir.

« Pendant trente-deux ans, mon plus cher désir a été de connaître ma fille, dit-elle à voix basse. Nikos, tu ne sais pas... tu ne peux pas savoir. Penser que sa propre fille est quelque part, qu'elle a peut-être des ennuis, qu'elle est malheureuse et qu'on ne peut pas l'aider. J'ai rêvé si souvent de cela... mon Dieu, pouvoir la tenir contre moi... ne serait-ce qu'un instant. Lui demander pardon. Je donnerais n'importe quoi pour ça. » Elle eut un geste englobant la pièce entière. « Tout ce que je possède. »

En proie à une souffrance insupportable, elle se tourna vers la silhouette sombre assise dans le lit. « ... même toi, Nikos chéri. »

Il se leva, traversa le faisceau de lumière argentée et, s'agenouillant près d'elle, prit ses mains froides dans les siennes. « Je suis désolé, ma Sylvie. Pour tout ce que tu as souffert. Je ne te reproche rien. Je ne t'en veux pas une seconde. Je voudrais seulement... » Sa voix se brisa... « J'aurais souhaité savoir tout ça plus tôt. Notre enfant, *mon enfant* élevée par des étrangers... ça me fait mal d'y penser... et si j'avais su, les choses auraient été différentes. Sylvie... Sylvie, pourquoi ne me l'as-tu pas dit avant? »

Il lui en voulait. C'était normal. Comment aurait-il pu en être autrement?

Elle se mit à pleurer. « Ça ne me semblait jamais le bon moment. D'abord il y a eu Gerald. Pour rien au monde je ne l'aurais fait souffrir. Et toi... eh bien, toi tu faisais partie de mon passé. Je ne savais pas où tu étais... ce qui t'était arrivé. Et quand nous nous sommes revus... je ne te l'ai dit que parce que ça me paraissait injuste que tu ne saches pas... même si *c'était* trop tard.

– Trop tard? répéta-t-il, les yeux fixés sur elle. Non, je ne crois pas qu'il soit trop tard. »

Mon Dieu, que voulait-il dire? Qu'envisageait-il de faire?

« Je l'ai observée, dit-il. Suivie comme un espion. Je sais où elle travaille, où elle habite. Je l'ai même abordée un jour au tribunal, je lui ai parlé. Elle te ressemble moralement. Elle est intelligente et fière. Et quel feu en elle! Mais elle sourit rarement. Je me demande si elle est heureuse.

– Tu penses que c'est moi qui suis responsable de son malheur? Nous? Oh Nikos, tu ne comprends pas que ce serait bien pire si elle savait? Elle me haïrait. Je l'ai abandonnée à des étrangers. J'ai pris un autre enfant à sa place.

– Oui, mais tu ne l'as jamais oubliée. Tu t'es toujours assurée qu'on prenait soin d'elle, tu lui as donné de l'argent...

— De l'argent! répéta-t-elle avec mépris. C'était si facile pour moi! Un compte que son père avait soi-disant ouvert pour elle avant sa mort. Comme si l'argent pouvait compenser le manque de tendresse. »

Un nuage passa devant la lune et le jardin fut brusquement plongé dans l'ombre.

Combien de fois un cœur peut-il se briser? se demanda Sylvie.

« Je l'ai vue une fois, lui dit-elle. Quand elle était petite. Je l'ai attendue devant l'école. Je ne voulais... que la voir, m'assurer qu'elle allait bien. En tout cas, c'est ce que je me suis dit. Mais quand je l'ai vue, j'ai compris que j'avais commis une terrible erreur. J'ai été submergée par l'émotion. J'avais besoin de l'approcher... de la toucher. Ma petite fille... que j'avais portée en moi... Oh, ne t'y trompe pas. J'aime Rachel comme ma propre fille. Je l'adore. Et si je n'avais pas eu ce choix terrible à faire, je me dis que je ne l'aurais jamais connue, jamais aimée. »

Nikos la saisit par les épaules. Elle sentait la tiédeur de ses mains à travers la soie de sa robe de chambre.

« Ce n'est pas trop tard, Sylvie. Rose a droit à la vérité. C'est à elle de décider si elle nous pardonne ou non.

— Non! »

Elle le repoussa, lutta pour se relever.

« Je ne peux pas! cria-t-elle. Tu ne comprends pas? Même si j'ai eu tort de faire ce choix, je ne peux pas faire marche arrière. Il faut que je pense à Rachel maintenant et, après toutes ces années, elle est tellement plus ma fille que Rose. Tu t'imagines sa réaction? Apprendre que je l'ai volée à sa propre famille, que j'ai fait semblant d'être sa mère. Oh Nikos, enfin, *réfléchis!* »

Il se leva à son tour et resta immobile près d'elle. Avec un choc, elle réalisa que Rose et lui avaient les mêmes yeux, immenses et sombres avec un regard triste, avide de tendresse. Ce regard qu'elle lui avait jeté dans la cour de l'école lorsqu'elle lui avait donné sa boucle d'oreille.

« J'y ai beaucoup réfléchi, dit-il. Je ne te reproche rien, Sylvie. Je sais que ce choix t'a torturée. C'est à mon tour d'en faire un mais qui, à part Dieu, peut savoir s'il est bon? C'est peut-être égoïste de ma part de vouloir faire de cette adulte, de cette étrangère, la petite fille que je n'ai jamais eue. Mais ce rêve est si fort! Plus fort que moi. Il m'obsède littéralement. Tu penses que tu as fait ce choix. Je n'en suis pas sûr. Parfois, c'est simplement le destin qui le fait pour vous. On marche dans telle direction, on ne sait pas pourquoi. Et un jour, on lève la tête et voilà qu'on y est. » Il demeura silencieux un moment, comme s'il cherchait à maîtriser son émotion, puis un cri jaillit de lui. « J'ai *besoin* d'elle, Sylvie. Toi tu as ta fille. Moi je n'ai rien. Donne-moi Rose. *Rends-moi ma fille.*

— Et si je refuse? » demanda-t-elle d'une voix brisée.

Nikos la regarda fixement, sans un geste, les bras le long du corps. « Alors, je ferai ce que je dois faire », dit-il.

Un grand froid envahit Sylvie, l'engourdit peu à peu.

Dans sa tête, elle vit tout comme dans un miroir. Sa vie, celle de ses filles disloquées, déchirées, en miettes.

Oh mon Dieu, qu'avait-elle fait?

Elle enfouit son visage dans ses mains. Elle avait longtemps pensé que rien ne pouvait être pire que ce mensonge qui l'avait obsédée pendant tant d'années. Mais il y avait quelque chose de pire, de bien pire.

La vérité.

32

Rachel regarda sa mère poser le gâteau au chocolat sur la table.

« Une surprise! s'écria Sylvie, rayonnante. Tu ne pensais tout de même pas que j'avais oublié? »

Rachel la regarda, ahurie, puis elle fut prise de remords. Mon anniversaire de mariage! J'ai oublié. *Nous* avons oublié. C'est pour cela que Mama nous a invités ce soir.

Elle regardait fixement le gâteau, souhaitant désespérément qu'il disparaisse. Elle détesta brusquement sa mère de lui rappeler la façon désastreuse dont son mariage tournait. Comme elle était exaspérante avec sa grâce surannée, son sens des convenances, son amour de « la vie en rose ». Jamais le fossé entre elles deux ne lui avait paru aussi large.

Un souvenir lui traversa l'esprit, ces horribles leçons de piano après la classe. Elle travaillait sans fin « Mary avait un petit agneau » ou « Le Fermier dans le vallon ». Mama ne se fatiguait jamais de l'entendre. Parfois elle l'accompagnait en chantant ou battait la mesure avec son pied. Au début Rachel se disait que c'était par devoir, par amour, mais ensuite elle avait compris que Mama aimait réellement l'entendre jouer ces chansons complètement crétines. Elle voulait une fille aussi parfaite qu'elle. Une fille douce, posée, aimant la musique, la peinture et l'art floral. Cependant, Rachel, en grandissant, s'était rendu compte qu'elle n'avait rien de commun avec sa mère.

« Mama, tu n'aurais pas dû. C'est... » Rachel s'interrompit, vaincue par tant de bonnes intentions. « Tu n'aurais pas dû, c'est tout. »

Sylvie sourit et abaissa le couteau au manche de porcelaine qu'elle tenait à la main. « Je sais, chérie, mais ça me faisait plaisir. » Elle sourit, plus gracieuse et éthérée que jamais avec son teint pâle et ses cheveux formant deux ailes argentées de part et d'autre de sa raie médiane. Elle ajouta avec sa gentillesse habituelle : « Tu as été sous pression avec ce procès et j'imagine que tu n'aurais eu ni le temps ni l'énergie de préparer un dîner d'anniversaire. Mais les mères sont faites pour cela, non? »

Rachel accusa le coup *in petto*. Serait-elle jamais une mère? C'était de moins en moins probable.

Elle regarda Brian, assis à côté d'elle, vêtu d'une vieille chemise délavée et d'un costume de velours côtelé usé, et sa simplicité lui fit l'effet d'une grande bouffée d'air. Ses cheveux étaient un peu plus longs que d'habitude et grisonnaient de plus en plus. Mais cela lui allait très bien.

Il rencontra son regard et détourna vivement le sien. Cela lui fit mal.

Je t'aime, avait-elle envie de lui dire. *Je t'aime tant. Tu ne le vois pas? Nous n'avons pas besoin de fleurs et de gâteaux. Nous n'avons jamais été conventionnels, toi et moi.*

Puis Rachel se sentit soudain déprimée, vaincue.

« Une toute petite part pour moi, dit-elle à Sylvie. J'ai tellement mangé que je n'ai plus faim du tout. »

Sylvie coupa une part généreuse et la tendit à Rachel. « Tu es trop maigre. Il *faut* que tu manges. »

Rachel sourit. « Tu peux parler. Si je suis trop maigre, c'est que je tiens de toi, Mama. »

Sa mère rougit et ses yeux brillèrent. Elle eut un petit rire joyeux. « Peut-être. L'autre jour, j'ai déjeuné avec Evelyn Gold, tu n'imagines pas comme elle a grossi. On dirait un cheval.

— Je croyais que les Gold étaient partis s'installer en Floride, s'étonna Rachel.

— Oui mais ils sont venus passer une semaine à New York pour voir Mason. »

Mason! Seigneur, cela faisait un temps fou qu'elle ne l'avait pas vu. Au moins deux ans. Elle devrait l'appeler. Ça lui ferait du bien de le revoir.

Rompant le bref silence, Sylvie ajouta: « Au fait, ils ont fixé une date?

— Une date? » répéta Rachel déroutée avant de comprendre que Mama faisait allusion au procès. Elle n'avait vraiment pas envie d'en parler ce soir. Mais bien sûr, il était normal que sa mère s'inquiétât. « Pas encore, répondit-elle. Mon avocate dit que ça peut prendre du temps. Elle appelle ça la neige. Les avocats se bombardent de paperasse dans l'espoir que leur adversaire va rester sous l'avalanche.

— Ton avocate? C'est une femme qui te défend? » demanda Nikos en se penchant vers elle. Rachel reporta son attention sur Nikos. Il semblait plus sombre que d'habitude et aussi plus âgé dans son costume à gilet. Et pendant le dîner, il n'avait pas dit grand-chose. Mama et lui auraient-ils des problèmes?

Rachel espérait bien que non. Nikos avait transformé la vie de sa mère. Ces dernières années, elle s'était considérablement épanouie. Son teint avait pris un peu de couleur et elle avait les yeux brillants. Rachel était sûre qu'ils couchaient ensemble. En tout cas, Nikos prenait soin d'elle.

Mais c'était ridicule! Pourquoi penser à sa mère comme à une enfant ayant besoin de protection? N'avait-elle pas prouvé à maintes reprises qu'elle était parfaitement capable de se débrouiller toute seule?

« Oui, c'est une femme », répondit Rachel et elle ajouta en riant : « Nous sommes parfois capables d'être autre chose qu'infirmière ou secrétaire. »

Nikos sourit. « Bien sûr, je ne voulais pas dire ça... c'est juste que ta mère ne m'a pas dit grand-chose de cette histoire de procès.

– C'est ma faute, dit Rachel. J'en ai parlé le moins possible. » Elle se tourna vers sa mère. « Je ne voulais pas t'inquiéter. »

Le visage de Sylvie revêtit une expression irritée et Rachel recula légèrement, un peu interloquée.

« Il n'y a aucune raison de me cacher les choses, dit Sylvie d'un ton sec. Je ne vais pas m'écrouler sur place. J'en ai vu d'autres, crois-moi. »

Rachel fut prise de remords. Bien sûr. Quand papa était mort, Mama avait tenu le coup de façon étonnante. Jamais Rachel ne l'aurais crue capable de tant de force de caractère.

Puis elle sentit la main de Brian étreindre la sienne sous la table et en fut émue aux larmes. Il y avait longtemps qu'il ne l'avait pas touchée de cette façon, spontanément et sans maladresse.

« Je suis désolée, Mama. C'est juste que... en fait je n'avais pas très envie d'en parler.

– Il n'y a d'ailleurs pas grand-chose à en dire pour le moment, renchérit Brian. C'est le train-train habituel avant le procès. Ils communiquent les pièces, comme ils disent. Rose recueille tous les témoignages possibles. Elle...

– Rose? Elle s'appelle Rose? » l'interrompit Sylvie, l'air abasourdi. Elle était littéralement statufiée, le couteau en l'air. La flamme des bougies se reflétait dans la lame.

Brian lui lança un regard surpris. « Rose Santini », dit-il.

Le nom retentit dans le silence à présent anormal qui régnait dans la pièce.

Sylvie était blême, les yeux écarquillés. Comment ce nom peut-il signifier quoi que ce soit pour elle? se demanda Rachel. Pourquoi est-elle soudain toute pâle? Que fixe-t-elle de ce regard aveugle?

Sylvie lâcha le couteau qui, en tombant sur le gâteau, éclaboussa de parcelles de chocolat la nappe blanche damassée. Puis elle se laissa tomber sur sa chaise en vacillant.

Rachel se leva brusquement et se précipita vers elle.

« Mama! Ça ne va pas? »

Sylvie secoua la tête. Elle semblait manquer d'air, avoir du mal à respirer. Ses mains se crispaient sur le bord de la table.

Nikos, qui s'était également levé d'un bond, se tenait près d'elle. Sylvie lui fit signe de s'écarter, sa main voletant dans l'air comme un oiseau blessé. « Ce n'est rien... rien, chuchota-t-elle. C'est un léger malaise. Sans doute quelque chose que j'ai mangé. Je crois que je vais aller m'allonger. Excusez-moi tous, voulez-vous? Non, Nikos, reste... Rachel va m'aider à monter. »

Rachel glissa un bras autour de sa mère, surprise et même choquée par sa maigreur. Était-elle malade? J'ai été tellement préoccupée par mes propres problèmes qu'il est possible que je n'ai rien remarqué, se dit-elle.

La pensée qu'elle pourrait perdre sa mère la cueillit de plein fouet comme un coup de poing à l'estomac. Elle ne pouvait imaginer la vie sans elle, sans sa courtoisie désuète, ni même sans sa vision si peu réaliste du monde, si différente de la sienne.

Une fois là-haut, Rachel l'aida à se coucher, puis elle alla chercher du Valium dans la salle de bain et lui en donna deux comprimés. Quelques minutes plus tard, sa mère s'assoupit.

Si seulement elle n'était pas aussi livide! A la lumière douce de la lampe de chevet, Rachel remarqua les cernes sombres sous ses yeux.

Rachel ne put s'empêcher de penser à Alma Saucedo. Elle s'était assise tant de fois, comme cela, à son chevet! Mais, contrairement à sa mère, la pauvre Alma, perdue, presque méconnaissable à présent, ne se réveillerait jamais.

Mama va *bien*, se dit-elle. Elle est simplement fatiguée. C'est l'installation de la maison de Nikos qui l'a crevée. Elle a couru partout pendant des mois.

Cependant, il ne fallait jamais négliger ce genre de chose et demain matin elle insisterait pour que sa mère se fasse faire un check-up.

Soudain une main se glissa hors des draps et des doigts froids enserrèrent son poignet. Bon Dieu. Mama! Que...

Les yeux de Sylvie étaient fixés sur elle, écarquillés et vitreux comme ceux des somnambules.

Le cœur de Rachel fit un bond.

« Ma fille..., chuchota Sylvie avec cet étrange regard aveugle. Où est ma fille?

— Ici, Mama. » Rachel répondit d'une voix calme, presque gaie pour dissimuler son affolement. Était-elle simplement troublée ou bien s'agissait-il de quelque chose de plus grave?

Puis sa mère sembla retrouver ses esprits. Elle cligna les yeux et la regarda enfin normalement. « Rachel, oui. » Elle eut un sourire si triste que Rachel eut l'impression qu'un voile se déchirait, lui révélant cette âme en peine qu'elle n'avait fait qu'entrevoir pendant des années. « Je veux que tu saches. Je n'ai jamais regretté... » Elle s'interrompit et ferma les yeux.

« Regretté quoi, Mama? »

Il y eut un long silence et Rachel pensa – espéra, plutôt – que sa mère dormait. Elle avait l'étrange pressentiment que, quoi que Mama eût voulu dire, mieux valait pour elle ne pas l'entendre.

Puis sa mère ouvrit grand les yeux.

« Toi, dit-elle à voix basse mais distinctement. Je n'ai jamais regretté de t'avoir eue. »

Un vif soulagement s'empara de Rachel. Mon Dieu, ce n'était que cela?

« Tu penses que je ne le sais pas? Il est difficile d'avoir une mère plus adorable que toi. »

L'ébauche d'un sourire flotta sur les lèvres de Sylvie. « Oh mon bébé... »

Puis Sylvie referma les yeux et parut s'endormir. Rachel attendit encore un moment. La respiration de sa mère était calme et régulière. Elle dormait.

Rachel se pencha pour l'embrasser. Sa peau fraîche et fine sentait la poudre parfumée.

Cependant, comme elle se relevait pour quitter la pièce, elle entendit Sylvie marmonner quelque chose dans son sommeil. Rachel se figea.

Puis elle se dit : je l'ai imaginé. C'est la fatigue qui me joue des tours. Ces menaces de David, l'attitude lointaine de Brian finissent par m'épuiser nerveusement. Ou alors, peut-être rêvait-elle simplement de ses chères fleurs.

Autrement, pourquoi aurait-elle parlé de Rose?

Rachel s'était perdue. Et elle se sentait ridicule. Comment elle, née à New York, pouvait-elle se perdre à Grand Central Station? Elle jeta un coup d'œil à sa montre. Bon Dieu, elle allait être en retard.

Après des tours et des détours, elle tomba enfin sur l'Oyster Bar.

Fouillant des yeux la grande salle à manger bourdonnante de voix, elle repéra un type qui ressemblait vaguement à Mason. Elle se fraya un chemin entre les tables, évitant les serveurs chargés de plateaux de fruits de mer. Dehors, c'était une fournaise mais ici, dans cette grande salle tout en bois et cuivre, il régnait une fraîcheur de cave.

En s'approchant, elle ne put s'empêcher de sourire. Oui, *c'était* bien Mason mais alors, quel changement! Envolés la queue de cheval et les nu-pieds. Ses cheveux bouclés étaient coupés avec netteté, à part les pattes un peu longues. Il portait un costume et une cravate. Était-ce le « look » Legal Aid? ou bien s'était-il lassé du style hippy? Ça faisait si longtemps qu'ils ne s'étaient vus.

Elle croisa son regard et il lui fit signe.

Elle se pencha pour l'embrasser avant de s'asseoir en face de lui. « Mason! Je suis si contente de te revoir! Excuse-moi d'être en retard. Mon taxi a été bloqué je ne sais combien de temps derrière un camion-poubelles et ensuite – tiens-toi bien – je me suis perdue dans la gare. » Ils rirent puis elle s'adossa à sa chaise et étudia son visage aminci. Un fin réseau de rides entourait ses yeux bruns malicieux. « Tu as l'air en grande forme. Mais qu'est-il arrivé à tes cheveux?

– J'ai dû les sacrifier au dieu du capitalisme, soupira Mason. Tu sais, autrefois, il y avait réellement un mur dans Wall Street. Il était destiné à empêcher les Indiens d'approcher. Eh bien, maintenant, je suis à l'intérieur du fort, et je lutte contre les *raiders*.

– Et les opprimés, la justice? »

Il haussa les épaules et dessina le nœud de sa cravate en madras. « Rien de dramatique. J'ai fini par me réveiller. J'ai compris que la plupart de ces types que j'essayais d'aider ne pouvaient pas me saquer et que je ne les aimais pas trop non plus. Un jour un punk de dix-neuf ans, arrêté pour cambriolage, m'a sorti: " Tu fais pas ça pour moi, mec, tu l'fais pour toi. Alors tu peux rentrer chez toi le soir et chier de la glace à la vanille. "

– Je sais, Mason, je connais. » Rachel ne put s'empêcher de rire. « Ça m'arrive aussi ce genre de chose à la clinique.

– Oui mais toi, ça ne te fais pas renoncer. » Mason leva son verre pour saluer son courage. « Tu as toujours été obstinée. Qu'est-ce que tu veux boire?

– Je te rappelle que c'est moi qui invite. » Elle commanda un Campari-soda. Elle se sentait bien, mieux qu'elle ne l'avait été depuis longtemps. « Et ta famille... ta couvée, comment va-t-elle?

– Oh, tu devrais voir Shan... elle est comme un poisson dans l'eau là-bas. Même la fosse septique bouchée ne la décourage pas. Quant aux enfants, eh bien, ils s'amusent comme des fous. Nous avons acheté une piscine gonflable que nous avons installée à l'arrière de la maison, sur la pelouse, et ils sautent là-dedans à longueur de journée. Nous avons même un chien, Drake, un labrador jaune, et lui aussi adore l'eau. Tu vois l'ambiance. »

Rachel sourit, imaginant Mason sortant les poubelles, tondant la pelouse, conduisant ses mômes à l'école. Trois enfants... quelle injustice! Dieu ne pouvait-il lui en donner un? *Juste un?*

Mason plongea son regard dans son verre. « Rachel, j'ai entendu parler de ton procès. C'est un sale coup. »

Sur ces entrefaites son Campari arriva et cette diversion fut la bienvenue. Elle but une gorgée qui avait goût d'eau dentifrice. Rien n'avait bon goût en ce moment, pas même ces saloperies de cigarettes qu'elle s'était remise à fumer. Elle entendait les trains entrer en gare au-dessous et le bruit semblait faire vibrer son estomac.

Elle avait l'impression d'être sur une corde raide, sur le point de tomber à tout moment. La chose la plus simple, ce serait de tout raconter à Mason, de se décharger de son fardeau. Mais non, elle ne le ferait pas. Elle ne tomberait pas dans la facilité.

Rachel haussa les épaules. « C'est fréquent en obstétrique. C'est la spécialité la plus touchée à cet égard.

— Je voudrais bien pouvoir t'aider, Rachel, mais la firme qui m'emploie ne s'occupe que d'affaires et nous ne connaissons rien à ce genre de droit. Cependant, si tu n'es pas contente de ton avocat, je peux t'en recommander un autre. Qui est-ce qui te défend?

— Rose Santini. Stendhal et Cooper.

— Santini... Santini, ah oui, j'ai lu un petit article sur elle dans le *Law Journal*. Tu as entendu parler de l'affaire des Hassidim?

— Non, je ne crois pas.

— Elle défendait un type, un Hassid, accusé de voies de faits sur un marchand de journaux. Tu sais ce qu'elle a fait? Elle a fait venir tout un car de ces types, avec lévites et barbes noires et elle a demandé au plaignant de désigner son agresseur. Naturellement, il s'est planté et Santini a obtenu un non-lieu. »

L'humeur de Rachel s'allégea brusquement. Elle lui sourit. Bien sûr, son affaire n'était pas aussi simple mais elle faisait confiance à Rose pour trouver un tour de passe-passe. Elle était intelligente et ne s'affolait pas à l'idée de prendre un risque.

Cependant Rose pouvait tout aussi bien décider de briser sa vie.

Dans un recoin de sa tête germa cette pensée: *Si elle disait la vérité à Brian au sujet de David, ne se tournerait-il pas tout naturellement vers Rose, sa plus vieille, sa meilleure amie, pour lui demander conseil, pour se faire consoler? Ce serait le comble!*

Malgré tout, elle avait confiance en Rose. En travaillant avec elle, Rachel comprenait peu à peu ce que Brian avait aimé en elle, sa sensibilité, son énergie et sa profonde gentillesse.

« C'est une bonne avocate, dit-elle. Je l'aime bien. » C'était vrai. En dépit de sa jalousie et de sa peur, Rose l'attirait. « Cependant, il y a un problème. C'est l'ex-nana de Brian. Le monde est petit, non? »

Mason siffla doucement et secoua la tête. « En effet, ça ne doit pas t'emballer. Tu crois qu'elle a toujours envie de lui?

– Peut-être. » Elle haussa les épaules, souhaitant qu'ils changent de sujet.

« Eh bien, si la même chose m'arrivait avec un ex de Shan, je peux te dire que je m'arrangerais pour le flanquer à la porte.

– Je croyais que vous n'étiez pas du genre possessif, tous les deux.

– Moi aussi je le croyais... jusqu'au moment où, environ deux mois après notre mariage, Shan et Buzz sont allés se baigner à l'étang, pendant que je faisais des courses en ville. Ils ont nagé à poil. Ils ont eu beau me jurer que c'était en toute innocence, ça m'a foutu en rogne. » Il se mit à rire de lui-même.

« Et maintenant, regarde-moi, M. Maplewood Drive. Je me fais de plus en plus souvent penser au vieux.

– Comment vont tes parents? Il paraît qu'ils sont chez toi en ce moment?

– Oui, pour une quinzaine de jours. Ensuite ils rentreront à Palm Beach. Ils y vivent complètement. Ils ont vendu leur maison de Harrison quand papa a pris sa retraite. Maintenant il fait ses dix-huit trous de golf tous les jours. Quant à maman, elle joue au bridge et organise des déjeuners Hadassah. Et ta mère, comment va-t-elle?

– Ça va bien. Elle a une liaison. »

Mason écarquilla les yeux. « Sans blague? C'est formidable! Tu crois qu'elle va se remarier?

– Je ne sais pas. C'est assez sérieux mais maman n'y a pas fait allusion. Elle a beaucoup changé depuis la mort de papa. Tu ne vas pas le croire mais elle a quasiment pris sa place à la banque. Voilà maman patron maintenant. Il faut que je m'y habitue. Mason, tu crois que ce sont nos parents qui, réellement, ont changé? Ou nous?

– Les deux. Tu te rends compte que nous deux, on a à peu près l'âge qu'ils avaient quand on était gosses et qu'on jouait dans la piscine?

– Quelle horreur! Déjà?

– Ouais. » Il eut un rire bref. « Quand je pense que j'aime bien conduire mon break maintenant! »

Rachel fut soudain prise d'une grande tendresse pour lui et posa sa main sur la sienne. C'était son ami, son plus vieil ami. « Mason, j'ai peur de ce procès. Peur de vieillir. De... oh! d'un tas de choses. »

Mason serra sa main. « Qu'est-ce que tu crois? Moi aussi. Écoute, promets-moi une chose. Le jour où j'arrêterai de plaider au moins quelques affaires *pro bono* et où je m'achèterai un appartement en Floride, tire, d'accord?

– Non. Je t'engagerai dans ma clinique pour te réarmer moralement, dit Rachel en riant. Tu verras, ce sera une bouffée d'oxygène. »

Sur ces entrefaites, le serveur arriva pour prendre la commande. Et

Rachel sentit soudain un appétit vorace lui revenir. Elle avait eu un passage à vide mais, bon Dieu, la vie continuait. Et si l'océan devenait un peu houleux, eh bien, il faudrait nager avec plus de force, voilà tout.

« Des huîtres, dit-elle au serveur. Le plus gros plat que vous ayiez. »

33

Max se glissa dans la salle d'audience par la porte du fond, au moment où l'huissier introduisait les membres du jury.

La salle était bondée. Il y avait même des gens debout, adossés aux murs. Au fond, il en vit quelques-uns jouer des coudes pour essayer de mieux voir la scène. Quels pauvres cons, ces journalistes, pensa Max. Hier, jour de l'ouverture du procès, le *Post*, qui relatait l'affaire en page trois, avait titré, UN MÉDECIN DÉBUTANT ACCUSÉ D'ÊTRE RESPONSABLE DE LA TRAGÉDIE D'UNE MÈRE DE DIX-SEPT ANS. Une photo d'Alma inconsciente, entourée des appareils qui la maintenaient artificiellement en vie, illustrait l'article, ainsi qu'un cliché de son bébé. L'affaire Saucedo-Rosenthal tournait au cirque. Max regarda la foule : des hyènes prêtes à se jeter sur les restes d'une carcasse abandonnée.

Bientôt, Rose allait être sous les feux de la rampe et elle avait intérêt à être bonne sinon les médias n'en feraient qu'une bouchée. Mais pourquoi s'inquiétait-il ainsi? Rose *était* bonne. Mais Sal Di Fazio aussi, malgré son comportement d'histrion. En ce moment, il faisait les cent pas, souriant à la foule comme si elle avait payé très cher pour le voir.

Max repéra Rose à la table de la défense, fouillant dans son attaché-case. Elle portait un tailleur bleu qu'il ne lui connaissait pas et un chemisier très simple dont l'échancrure découvrait son joli cou doré. Elle se baissa un instant pour ramasser un papier qui lui avait échappé et pendant un instant il ne vit plus qu'une masse de boucles brunes et son collier de perles qui pendait dans le vide et brillait à la lumière. Son cœur pivota lentement à quatre-vingt-dix degrés.

Il repensa à l'appel téléphonique qu'il avait reçu de Gary Enfield, hier soir. Gary lui avait raconté que Bruce Oldsen, à la suite d'un triple pontage, avait décidé de prendre une retraite anticipée. Puis il avait lâché sa bombe, demandant à Max de venir le rejoindre pour reprendre le service contentieux.

Max, gambergeant à toute allure, lui avait dit qu'il y réfléchirait. Ce qu'il avait fait.

Il avait énuméré dans sa tête les nombreuses raisons pour lesquelles cela ne pourrait pas marcher et les avait mis en balance avec les pourquoi pas?

Mais là, en regardant Rose, il se disait : *Comment pourrais-je te quitter? Abandonner cette petite part de toi que tu m'as donnée?*

D'abord, ç'avait été la séparation d'avec Mandy qu'il ne pouvait envisager. Mais, ironie du sort, c'était Mandy elle-même qui avait résolu le problème.

« Cool, papa », lui avait-elle dit, en mangeant un *sundae* chez Rumplemeyer. Elle avait retourné sa cuillère pour lécher une goutte de chocolat chaud. « Je pourrais passer mes vacances là-bas. Ouah! La Californie. On aurait une maison près de la plage? »

Et voilà comment l'affaire avait été réglée. Monkey, vêtue d'un jean et d'un sweat-shirt, discutait de la mentalité des garçons en Californie, rappelant à Max qu'elle aurait bientôt dix-huit ans et qu'elle serait alors en âge de vivre où elle voudrait. Peut-être déciderait-elle d'aller à l'université là-bas, en Californie.

Cependant, avec Rose, il n'y aurait pas de vacances d'été, pas de seconde chance. En la regardant, il sentit soudain qu'il ne pourrait s'en passer. Tant qu'il y aurait ne serait-ce que l'ombre d'une possibilité avec elle, il n'y arriverait jamais.

Cela faisait quatre mois qu'il avait emménagé dans l'appartement de Beekman Place. Depuis quatre mois, il rentrait dans un appartement vide et dormait seul. Le matin, en se réveillant, il imaginait qu'il allait trouver les bas de Rose séchant sur la barre chromée de la douche. Et tous les soirs, en ouvrant la porte d'entrée, il rêvait de la voir là, dans son living-room. Elle se blotissait dans ses bras et lui racontait quelque chose de drôle qui lui était arrivé sur le trajet du retour. Max sentit sa gorge se nouer.

D'autres femmes? Il avait essayé quelques semaines auparavant. C'était une jolie petite blonde qui dirigeait Lawyers Association, dans Vesey Street. Un désastre. Il avait été incapable de bander. A la fin, sans doute par pitié, elle l'avait pris dans sa bouche. Ensuite, elle s'était enfermée dans la salle de bain et il l'avait entendue se gargariser longuement à l'eau dentifrice. Il était resté étendu un moment sur le lit de la fille, malade de chagrin, puis s'était mis à pleurer. Il se dégoûtait et Rose lui manquait tellement!

Arrête, bon Dieu, s'admonesta-t-il. Tu es un grand garçon.

Il s'efforça de se concentrer sur le procès et observa la cliente de Rose.

Elle se tenait très droite, les mains croisées sur ses genoux. Ses longs cheveux châtains étaient remontés de chaque côté par un peigne en écaille. Elle portait un tailleur de toile beige, très simple, et une blouse de soie pêche. Pas de maquillage, à part un peu de rose sur les lèvres. Elle était jeune, menue et visiblement effrayée, malgré son menton levé et son air décidé.

Mauvais, se dit Max, soudain inquiet. Le jury n'aura pas d'emblée confiance en elle, comme il aurait eu confiance en quelqu'un de plus âgé et jouissant d'une bonne réputation sur le plan professionnel. Cette gamine semble avoir tout juste terminé ses études de médecine...

A la table de la partie civile était assise une femme qui ne pouvait être que la mère d'Alma Saucedo. La quarantaine, corpulente, vêtue d'une robe à fleurs tendue sur un dos grassouillet et suffisamment transparente pour qu'on voie son soutien-gorge. Elle tripotait nerveusement les brides usées d'un grand sac de simili-cuir posé sur ses genoux.

Mauvais aussi, se dit Max.

L'huissier, de sa voix forte et monocorde, annonça : « Procès Saucedo-Rosenthal. Deuxième audience. » Le jury entra en file indienne dans le box.

« Bonjour, mesdames et messieurs », dit le juge Weintraub, prenant place sur un siège de la cour. Il avait la dent dure mais c'était un homme juste. Cardiaque, il allait bientôt prendre sa retraite. « Maître Di Fazio ? »

Di Fazio, assis à côté de son client, se leva d'un bond – comme un diable de sa boîte, se dit Max.

« Votre Honneur, j'aimerais entendre le témoignage du Dr David Sloane », demanda Di Fazio, avec un accent du Bronx assez perceptible.

Les regards convergèrent vers un grand type assez séduisant, qui se dirigeait vers la barre. Il portait un costume bleu marine bien coupé et une large cravate. Ses favoris, s'évasant vers le bas comme l'exigeait la mode, étaient parfaitement élagués. Il allait faire impression : c'était exactement le genre de médecin qu'on souhaitait voir à ses côtés, quand on venait d'avoir une crise cardiaque, et dont on désirait recueillir la déposition dans un procès, à condition qu'il soit de votre côté, bien sûr.

« Docteur, bonjour, lança Di Fazio avec sa faconde habituelle.

– Bonjour, maître, répondit Sloane, visiblement amusé par cette emphase.

– Docteur, êtes-vous habilité à exercer la médecine à New York ?

– Je le suis.

– Voudriez-vous nous parler des études qui vous ont conduit au poste que vous occupez actuellement ?

– Après des études universitaires à Princeton, j'ai étudié la microbiologie à John Hopkins, puis j'ai fait ma médecine à Columbia, la faculté de médecine et de chirurgie. Ensuite j'ai effectué mon internat, puis mon clinicat à Good Sheperd. »

Di Fazio s'appuyait négligemment à la barre, une main dans sa poche, comme si Sloane et lui étaient deux vieux copains discutant de part et d'autre d'un portail de ferme.

— Êtes-vous membre d'une association quelconque, docteur?

« Oui. De plusieurs. Je suis membre de l'Académie américaine de chirurgie, de l'Académie américaine d'obstétrique et de gynécologie, membre de l'Académie internationale de chirurgie, et de la Société de gynécologie de New York. »

Visiblement content de lui. Suffisant. Bonne chose, ça allait énerver le jury.

« Et à présent, faites-vous partie du personnel hospitalier d'un des établissements de la métropole?

— Oui. Je suis chef du service d'obstétrique et de gynécologie de Saint-Bartholomew.

— Depuis combien de temps occupez-vous ce poste, docteur?

— Depuis six mois. Avant cela, j'exerçais à Presbyterian.

— Vous souvenez-vous d'une patiente qui a été admise à Saint-Bartholemew le 15 juillet de cette année, une certaine Alma Saucedo?

— Je m'en souviens parfaitement. » Il fronça légèrement les sourcils.

— Docteur, nous avons entendu hier le témoignage d'Emma Dupre qui était de garde la nuit où Mlle Saucedo a été admise. »

Di Fazio alla à sa table et prit un document dans son attaché-case ouvert. « A présent, j'aimerais vous montrer le dossier médical d'Alma, établi à l'hôpital par Mme Dupre. L'avez-vous déjà vu, docteur?

— Oui, j'en ai pris connaissance. » Il y jeta un coup d'œil machinal puis le rendit à l'avocat. On avait l'impression qu'il avait répété toutes ses paroles, le moindre de ses gestes. « J'y ai même rajouté mes propres notes en bas de la première page. J'ai examiné personnellement Mlle Saucedo le soir du 16 juillet.

— Pouvez-vous nous dire quelle a été votre conclusion après l'examen? »

David Sloane parut réfléchir, la tête légèrement penchée en avant, les mains jointes devant les cuisses, presque comme s'il priait.

Lorsqu'il releva enfin la tête, un murmure parcourut l'assistance. Les oreilles se tendirent et l'attention les figea. Enfin, après deux jours d'ennuyeuses dépositions, on allait enfin avoir un peu de spectacle.

« Mlle Saucedo, dit-il, en était au huitième mois de sa grossesse. Elle avait de l'hypertension et un œdème sévère, c'est-à-dire une très forte rétention des fluides corporels. En d'autres termes, il s'agissait d'une toxémie grave.

— Donc, selon vous, la patiente était en danger?

– La toxémie est rare chez la femme enceinte, surtout dans les derniers mois. Elle comporte des risques pour la mère et l'enfant quand elle n'est pas traitée parce qu'elle engendre des complications dangereuses.

– Avez-vous prescrit quoi que ce soit à la patiente?

– Non.

– Pouvez-vous nous dire pourquoi, docteur?

– Parce que ce n'était pas ma patiente mais celle du Dr Rosenthal. »

David leva son regard froid sur Rachel.

Bien qu'il fût assez loin d'elle, Max crut la voir pâlir.

Il reporta son regard sur Rose, assise très droite, le menton levé, prête à livrer combat.

Di Fazio sourit et ses lèvres épaisses découvrirent des dents gâtées.

« Mais vous *aviez* un avis sur le traitement que subissait Mlle Saucedo, n'est-ce-pas?

– Oui.

– Et quel était votre opinion à ce moment-là, docteur? Étiez-vous d'accord avec le diagnostic du Dr Rosenthal?

– Non, je ne l'étais pas et je ne le suis pas davantage aujourd'hui. »

Max vit Rachel sursauter imperceptiblement, comme si on l'avait giflée. Elle se tourna vers Rose, secoua la tête et articula non en silence.

« Oh... et vous ne le lui avez pas dit?

– Si. En fait, nous en avons même discuté. Je lui ai recommandé de faire une césarienne sans attendre. La mère courait un trop grand risque. Je me souviens parfaitement d'avoir averti Mme Rosenthal que Mlle Saucedo risquait une embolie... ou pire. »

Max regarda du côté des jurés. Ça, c'était nouveau. Et très emmerdant. Il y eut un long silence ponctué par quelques toux et des grattements de gorge. On entendait siffler les vieux radiateurs.

Rachel vacilla légèrement sur sa chaise, comme si elle était sur le point de s'évanouir. Soudain, un homme placé juste derrière elle se leva brusquement et vint se placer près d'elle. Il portait une veste de tweed renforcée aux coudes. Grand, et dégingandé, il semblait plutôt se déplier que se lever. Il faisait penser à Gary Cooper jeune.

Max le reconnut aussitôt. Il avait vu sa photo dans de nombreux magazines, à la télévision et, plus tard, sur la jaquette de son livre. Et il était l'invité d'honneur de Rupert Everest à Londres. Comment aurait-il pu oublier Brian McClanahan?

L'homme qu'aimait Rose.

Il fut pris d'une soudaine faiblesse, et s'assit précipitamment.

Le fait que Brian aimât ou non Rose ne changeait rien à la chose. Pas d'un iota. Rose aimait cet homme et peu importait qu'elle fût aimée en retour.

Brian aussi semblait affecté. Il avait passé un bras autour des épaules de sa femme, mais c'était Rose qu'il regardait. Cherchait-il de l'aide, ou de la compréhension?

Il est temps que je parte, se dit Max, se sentant vieux et complètement déprimé.

Au moins, en Californie, le soleil brillerait.

Max jeta un coup d'œil à sa montre. Déjà le quart... il fallait qu'il se dépêche. *Bonne chance, Rose. Bonne chance. Bonne chance et au revoir*, lui souhaita-t-il en silence tout en se glissant hors de la salle d'audience. Il avait le sentiment d'arriver au terme d'un long voyage, et il en était à la fois soulagé et accablé.

34

« Il ment », dit Rachel.

Rose la regarda allumer une cigarette et s'enfoncer dans son fauteuil. Elle était grise de fatigue et si tendue qu'un rien aurait pu la faire craquer. Le juge avait demandé une suspension d'audience de quatre-vingt-dix minutes pour le déjeuner et elles s'étaient installées dans le bureau de l'huissier.

Rose, furieuse, faisait les cent pas. Elle se planta devant Rachel. « Qui ment? Lui ou vous? »

Quelle idiote j'ai été, se maudit-elle, de croire qu'elle m'avait tout dit. Elle lui avait délibérément caché cette conversation avec Sloane. Et Dieu sait quoi encore.

Rachel haussa les épaules. « Ça a une importance? »

Rose abattit son poing sur la table, envoyant valdinguer une tasse de café vide et un cendrier en métal. Cendres et mégots s'éparpillèrent sur le bois. Rachel tressaillit imperceptiblement.

« Évidemment, c'est même capital! Imaginez ce que je ressentais, assise là, à écouter Sal Di Fazio me débiter des choses que j'aurais dû apprendre par ma propre cliente! Vous m'avez laissée dans l'ignorance de propos délibéré. »

Rachel, immobile, avait le regard vissé à la photo du président Ford accrochée en face d'elle. Elle était entourée d'un nuage de fumée. Rose se sentait impuissante, frustrée. Si seulement Rachel répondait!

Mais que faire contre cette nouvelle et étrange apathie? Que lui arrivait-il?

Elle repensa à ces derniers mois, aux longues réunions dans son bureau, à leurs innombrables conversations téléphoniques, à ces tasses de café qu'elles ingurgitaient les unes derrière les autres. Et, au milieu de tout cela, Rachel avec son énergie indomptable et ses emportements.

Malgré elle, Rose s'était mise à admirer cette femme qu'elle avait si longtemps considérée comme son ennemie. Au début, elle avait accepté l'affaire pour se rapprocher de Brian mais, à présent, elle voulait aider Rachel.

Plus calme, elle s'assit en face d'elle. Il fallait qu'elle *réussisse* à la faire parler, que Rachel lui raconte ce qu'elle savait au sujet de ce type tordu, qu'elle lui dise ce qu'elle avait dissimulé. Autrement, elle risquait de perdre son procès.

« Bien, dit-elle. Admettons *qu'il mente*. Mais pourquoi? A quoi ça lui sert?

– Je n'en sais rien. » La voix morne de Rachel, aurait pu être celle d'un message enregistré.

Cependant, quelque chose sur son visage, un battement de paupières, une crispation de la mâchoire, trahissait sa nervosité. *Elle ment*, se dit Rose.

Elle se pencha en avant, posa les mains à plat sur la table.

« Bon. Essayons autrement. Pourquoi ne pas me donner votre version? Avez-vous discuté d'Alma Saucedo avec le Dr Sloane?

– Oui.

– A-t-il fait une quelconque recommandation?

– Oui.

– Laquelle?

– Il m'a conseillé d'attendre. Il disait qu'on courait davantage de risques en provoquant prématurément un accouchement. » Elle secoua sa cigarette dans le cendrier. « Il n'y avait pas de raison pour que je vous en parle.

– Vous croyez qu'il essaie de se protéger? demanda Rose. Qu'il ment pour couvrir ses conneries? »

Cependant Rose n'y croyait pas vraiment. Sloane semblait trop calme, trop sûr de lui.

« Peut-être. Comment le saurais-je? Écoutez, à quoi rime tout ceci? Vous savez tout maintenant. Il n'y a rien à ajouter.

– Je pense que si. »

Rachel tourna lentement la tête vers Rose, avec les gestes précautionneux d'un infirme, et lui lança un regard furtif à travers la fumée.

Je comprends pourquoi Brian est tombé amoureux d'elle, se dit Rose. *Elle est aussi têtue que lui. Elle a dû se battre comme un diable pour lui sauver la vie au Vietnam.*

« David Sloane aimerait me voir noyée ou écartelée, répondit-elle. Voilà pourquoi il ment. Parce qu'il me déteste.

– Y a-t-il une raison particulière à cela? »

Rachel gardait le silence.

Soudain, Rose fut prise d'une rage folle, incontrôlable.

« Nom de Dieu! Mais quel jeu jouez-vous? Que va-t-il se passer quand nous allons nous retrouver là-dedans et que je vais me ridiculiser avec le contre-interrogatoire?

– C'est cela qui vous inquiète vraiment, n'est-ce pas? dit Rachel dont le ton montait aussi. Votre réputation, ce qu'on va *penser de vous*. Peu importe ce qui m'arrive à moi. » Ses yeux étincelaient de colère. « Oh, je ne peux pas dire que cela me surprenne. Je savais ce que je faisais en venant ici. C'est peut-être ce qui m'a poussée à vous confier mon affaire. Je suis lasse des secrets, lasse de tourner en rond. J'imagine que vous faites ça pour Brian.

– Sans doute. En partie en tout cas », répondit Rose. Elle se sentait étrangement soulagée. Les choses allaient peut-être enfin s'éclaircir. N'était-ce pas ce qu'elles recherchaient toutes deux depuis le début? « J'ai toujours voulu savoir. Comprendre pourquoi il vous avait épousée plutôt que moi. Et pourquoi il a cessé de m'aimer.

– En êtes-vous si sûre? » Rachel eut un sourire amer.

« En ce qui concerne cette affaire, j'ai fait de mon mieux, dit Rose, je tiens à ce que vous le sachiez. Quels que soient mes sentiments à votre égard, j'ai vraiment fait de mon mieux.

– Je sais. Dites-moi... êtes-vous encore amoureuse de Brian? »

Elle posait enfin la question! Et ces mots dissipaient un peu l'amertume qui avait empoisonné sa vie pendant des années.

« Oui », répondit-elle.

Rachel accusa le coup en silence.

« Je crois que ça aussi, je le savais, dit-elle enfin calmement. Très bien. Vous avez été honnête avec moi. Je vais vous parler de David Sloane. Vous avez le droit de savoir. Il y a là une sorte de justice, je m'en rends compte maintenant, car si je n'avais pas menti à Brian, il aurait peut-être choisi de vous épouser.

– Je ne comprends pas... »

Dieu du ciel, que veut-elle dire?

Les yeux de Rachel brillaient avec une telle intensité qu'on avait du mal à supporter son regard. Rose se sentait vaguement nauséeuse, avec des frissons, comme lorsque la fièvre monte.

« Vous allez comprendre, dit doucement Rachel, quand je vous aurai expliqué quand et comment David Sloane et moi avons tué notre enfant. »

Brian attendait. Rose le repéra sur une banquette, dans le fond, là où on accrochait les manteaux. Le bar était bondé et enfumé.

D'une arrière-salle venait la complainte sourde, feutrée d'un saxophone. Elle lui fit un signe de la main mais il ne la vit pas. Il avait les yeux dans le vague. Un verre de bière à moitié vide était posé devant lui.

Elle passa derrière le groupe bruyant des consommateurs agglutinés au comptoir. Une âcre odeur de bière flottait dans la pièce et les visages se reflétaient, un peu flous, dans la grande glace piquée au-dessus du bar.

Elle se sentait coupable, mal dans sa peau. Et si, finalement, Brian ne voulait plus d'elle? Chaque pas la glaçait de peur et son cœur battait à grands coups sourds.

Elle releva la tête et serra les dents. *Je reprends simplement ce qui m'appartient, ce qui m'a toujours appartenu. Brian est à moi, depuis toujours.*

Si proche maintenant. Après toutes ces années...

C'était l'instant dont elle avait si longtemps rêvé, pour lequel elle avait tant prié.

Nous allons être ensemble, se dit-elle, exactement comme nous l'avions projeté il y a sept ans. Nous achèterons une maison dans un coin tranquille, peut-être à Long Island ou à Westchester. Je sais ce dont il a besoin. Il lui faut une femme qui le fasse passer avant tout, avant quiconque. Puis, dans un an ou deux, nous aurons un enfant. L'enfant de Brian. Ça, c'était une chose qu'elle pouvait lui donner.

Le bar enfumé, l'imperméable qu'elle portait et maintenant le dialogue du piano et du saxo lui rappelaient l'un de ses films préférés, *Casablanca.* Excepté la fin. Elle l'avait toujours détestée, cette fin, le moment où Bogie s'éloigne dans le brouillard en laissant Ingrid seule. Elle l'avait vu à plusieurs reprises et, chaque fois, elle brûlait d'envie de voir Bogie se précipiter vers elle et la prendre dans ses bras.

Maintenant, elle allait remanier cette fin.

Rose enleva son imperméable et s'avança vers Brian. Elle avait la gorge si serrée qu'elle se demanda pendant un instant si elle allait pouvoir parler.

C'est alors qu'il leva la tête.

« J'avais peur que tu ne viennes pas », avoua-t-elle.

Il parut surpris. « Je t'avais dit que j'y serais, répondit-il en souriant. Tu veux boire quelque chose? Une bière? Tu sais, ici, à part la bière... Leurs cocktails sont de véritables tord-boyaux. J'ai choisi ce bar parce que c'est le plus proche.

— C'est sans importance », répondit-elle avec une pointe d'impatience. Pensait-il vraiment qu'elle se préoccupait de l'endroit où ils se trouvaient?

« Je ne veux rien boire. »

Il haussa les épaules et vida sa bière d'un trait. Elle eut brusquement une envie terrible de le toucher, de le serrer dans ses bras, de le couvrir de baisers. Comme il avait l'air triste et même vieilli avec cet éventail de petites rides autour des yeux.

« Brian... » Elle tendit les mains, sentit ses longs doigts autour des siens, tièdes, un peu moites même.

Que diras-tu quand je te raconterai? Quand tu sauras que ta femme t'a menti pendant des années? Qu'elle ne te donnera jamais d'enfant? Me reviendras-tu alors?

« Je suis contente de te voir, dit-elle enfin. Je voulais te parler... de quelque chose. De Rachel. »

Brian se tassa sur sa chaise et prit un air morne.

« Tu es au courant, alors...

— De quoi? »

Il resta silencieux un moment puis dit : « Elle est partie. »

Alors une joie sauvage éclata dans le cœur de Rose. Brian était libre, libre. Comme tout devenait simple!

« Partie? Elle t'a donné une raison?

— Elle n'a pas eu à le faire. Ça couvait depuis longtemps. Nous... » Il s'interrompit et ses yeux se remplirent de larmes. « Écoute, je ne vais pas te raconter mes déboires. Ça n'a rien à voir avec le procès. Il y a déjà un moment... je ne sais ni quand ni comment ça a commencé. Bon Dieu, j'aimerais bien le savoir. »

Le désespoir qu'elle lisait sur son visage mit un terme à l'exaltation de Rose.

Elle avait l'impression de couler à pic. Il est bouleversé par le choc, se rassura-t-elle, mais il s'en remettra. Un jour, il comprendra que ce qu'il prenait pour une catastrophe était en fait une chance inespérée.

Et surtout lorsqu'elle lui aurait dit la vérité sur Rachel.

« Brian, il faut que tu saches quelque chose... » Rose s'interrompit, hésitante.

Elle se rappelait la courageuse confession de Rachel. Si cette dernière avait pleuré, s'était attendrie sur son sort, Rose aurait trouvé plus facile de tout raconter à Brian. Mais Rachel avait seulement demandé qu'on l'écoute et non qu'on la juge. Avec son regard nu, elle cherchait la compréhension, pas le pardon.

Dis-le-lui maintenant. C'est ta chance. De toute façon, leur mariage est fichu. Tu n'as rien à voir avec tout ça. Tu te contentes de reprendre ton bien.

Elle remarqua que Brian ne l'écoutait pas. Il avait de nouveau l'air absent. Elle eut envie de l'attraper par le col de sa chemise et de le secouer. De *l'obliger* à la voir, à être présent.

Elle s'adossa à sa chaise, atterrée. Elle avait rêvé de tambours et de violons, de lampions et de feux d'artifice. Et ils se trouvaient dans un bar minable de la Troisième Avenue, devant une bière, chacun perdu dans ses propres pensées. Brian cherchant le réconfort, elle des promesses d'amour.

Nous sommes comme... oh, mon Dieu, comme cette pensée la faisait souffrir... des étrangers. Comment est-ce possible? Aurions-nous l'un et l'autre changé à ce point?

Soudain, comme la musique reprenait, elle se mit à penser à Max. L'appartement lui avait semblé si vide lorsqu'il avait déménagé! La nuit dernière, elle avait étendu machinalement le bras à travers le lit froid sans le trouver. Comme elle s'était sentie seule! Et comme toutes ces petites choses, son rasoir, sa brosse à dents, ses papiers éparpillés sur la table basse, lui manquaient.

Mon Dieu, mais qu'avait-elle? C'était Brian qu'elle voulait, dont elle avait toujours eu besoin. C'était son avenir qui se jouait en ce moment.

Pourtant, quelque chose l'empêcha de continuer. Peut-être cette solitude qu'elle lisait sur le visage de Brian. Oui, elle aussi ressentait ce vide, comme dans une rue déserte à quatre heures du matin, lorsque le vent vous cingle. *Oui, c'était exactement ce qu'elle avait éprouvé après le départ de Max.*

Puis les mots jaillirent brusquement d'elle, mais ce n'étaient pas ceux qu'elle avait eu l'intention de prononcer.

« Je ne veux pas jouer les psychiatres, dit-elle gentiment, mais son départ n'est pas forcément lié aux difficultés que vous avez pu rencontrer. Une histoire comme celle-ci – un procès – ta vie étalée devant des inconnus, affecte terriblement les gens. Et notamment les couples. N'en tire pas de conclusion hâtive, c'est tout ce que je veux dire. Laisse passer un peu de temps.

— Quand va-t-il se terminer, ce foutu procès?

— Dans un ou deux jours, je pense. J'ai demandé au juge Weintraub de reporter l'audience à lundi. J'ai encore deux ou trois choses à examiner. »

Le Dr Sloane, entre autres. Celui-là, c'est un drôle d'oiseau. Dès le début, j'ai eu l'impression qu'il n'était pas net. Et les propos de Rachel me l'ont confirmé.

Brian baissa la tête. Il avait les yeux rouges, l'air triste.

Rose en eut le cœur serré. Elle se rappelait l'époque où il se faisait du souci pour elle. Un souvenir douloureux lui traversa l'esprit. A quinze ans, elle avait joué le rôle de Marie-Madeleine dans une pièce montée par l'école. Les garçons, odieux comme d'habitude, lui balançaient des boulettes de papier mâché, dures comme de la pierre, dans la poitrine... dans sa grosse poitrine de vache. Oh quelle horrible humiliation! Néanmoins elle avait continué à jouer comme si de rien n'était. Lorsqu'elle avait retrouvé Brian dans les coulisses, elle avait lu sur son visage le supplice qu'elle venait d'endurer. Il l'avait prise dans ses bras, l'avait serrée contre lui et cette étreinte lui avait redonné confiance en elle.

Elle le regarda et comprit qu'il n'avait pas changé, qu'il possédait encore intacte cette faculté de s'émouvoir du sort des autres, cette compassion profonde. Elle fixait ses mains posées sur la table, les longs doigts entourant le verre, la tache d'encre qui bleuissait son pouce, et elle l'imaginait tendant la main vers elle et lui caressant le visage.

« C'est comme le Vietnam, dit Brian avec un sourire triste. Tu sais pourquoi nous avons perdu la guerre? Parce que nous ne savions pas pourquoi nous nous battions. Ni contre qui. L'ennemi n'était pas seulement le Vietcong, ni ces types en pyjama noir qui posaient des mines, c'était surtout *nous*. Ne pas savoir pourquoi nous nous battions, c'était ça qui nous faisait tourner en rond et nous affaiblissait moralement. Et c'est ce qui tue Rachel. De ne pas connaître l'ennemi. Ce n'est ni les Saucedo, ni leur avocat. Je crois que c'est elle... *nous*. Il y a quelque chose qui cloche entre nous deux, quelque chose qui manque. J'ai long-temps cru que c'était cet enfant que nous n'avions pas eu, mais je sais maintenant qu'il y a autre chose. Nous avons tous deux besoin de nous raccrocher à quelque chose. Quelque chose de solide. Mais cette chose n'existe plus. Elle existait. Peut-être est-elle encore là... quelque part... mais nous sommes incapables de la voir. »

Ou peut-être n'as-tu pas choisi la femme qu'il te fallait, se dit Rose avec amertume.

Mais cette amertume s'atténuait à présent. Il s'y mêlait une sorte de douceur apaisante.

Le pardon.

Je t'ai aimé, Brian. J'aurais pu donner ma vie pour toi, mais je n'aurais pas pu te sauver comme l'a fait Rachel. Et maintenant je comprends. Comme les vents sont changeants! Comme les événements nous dépassent! Je ne savais pas qu'on pouvait aimer plusieurs êtres à la fois et que même si un amour est plus fort que les autres, il ne les anéantit pas pour autant.

Elle s'était bercée d'illusions. Une part de Brian l'avait aimée et l'aimerait toujours. Exactement comme un adulte chérit les souvenirs heureux de son enfance.

Un amour d'autant plus poignant qu'il ne reviendrait jamais.

« Je me demande comment les choses auraient tourné entre nous si tu m'avais épousée? » demanda Rose, tout en se disant, comme c'est étrange que je puisse maintenant prononcer ces mots.

Brian lui sourit avec chaleur. « Nous aurions fait une bêtise, comme tout un chacun. Nous nous disputerions pour savoir qui a oublié de reboucher le tube de dentifrice, ou quel film aller voir. Et il serait sans doute arrivé un moment où nous aurions regretté de ne pas avoir épousé quelqu'un d'autre.

— Mais nous aurions été heureux.

— Ouais. Probablement. » Il lui prit les mains et, pendant un instant, leurs regards se croisèrent, clairs et paisibles. « Mais Rose, rien n'est moins sûr. Tu étais très seule et tu t'es raccrochée à moi. Tu étais si *orgueilleuse*. Si seulement tu avais laissé les autres t'aider.

— Je n'avais besoin de personne d'autre.

— C'est dur d'être responsable du bonheur de quelqu'un. De sentir que le bonheur ou le malheur d'un être dépend exclusivement de vous. »

Les yeux de Rose se remplirent de larmes mais elle s'efforça de sourire. « Tu n'avais pas si mal réussi. »

Il secoua la tête, l'air soulagé. « Je ne pensais pas que tu me dirais ça un jour.

— Ça m'aurait été impossible il y a encore peu de temps. Il m'était si douloureux de me rappeler cette époque. Mais j'ai changé. Nous avons changé tous les deux. Et au fond, je crois qu'il vaut mieux se souvenir des bons moments plutôt que de tout rejeter en bloc. » Elle pencha la tête, songeuse. « Tu as toujours cette médaille de saint Christophe que je t'avais donnée?

— Non, mais elle m'a sauvé la vie au Vietnam. » Il lui raconta sa propre version du sauvetage que Rose avait lue dans les journaux.

« Je suis contente que tu m'en aies parlé. » Elle retira sa main pour s'essuyer les yeux. « Pendant tous ces mois, je me suis sentie si frustrée de ne pas pouvoir te joindre. C'est, en quelque sorte, un match nul.

— Qu'entends-tu par là?

— A propos de Rachel et de toi. Pendant des années, j'ai été malade de jalousie à l'idée qu'elle t'avait sauvé la vie. C'est une chose que j'aurais voulu avoir faite... seulement je n'en ai jamais eu la possibilité. »

Mais maintenant, tu l'as, se dit-elle.

« Rose... si ça peut adoucir ton chagrin... » Il hésita. « ... je t'ai aimée. Je... je t'aime encore d'une certaine façon.

— Je sais », répondit-elle.

Ils échangèrent un long et tendre regard. Elle comprenait exactement ce qu'il voulait dire parce qu'elle ressentait la même chose. Ils aimaient ce qu'ils avaient été et ce qu'ils auraient pu être. Mais pas ce qu'ils étaient devenus.

« Tu aimes Rachel? demanda Rose, rompant le silence.

— Oui, mais je ne suis pas sûr d'avoir compris à quel point jusqu'à ces derniers jours. »

Il la regardait droit dans les yeux et elle lut une profonde honnêteté dans son regard. D'ailleurs, Brian n'avait-il pas toujours été quelqu'un d'honnête?

Je pourrais lui dire qu'elle a menti. L'obliger à capituler, mais est-ce cela que je souhaite? Non, plus maintenant.

Rose s'adossa à sa chaise, émerveillée d'éprouver si peu de peine.

Elle en avait terminé avec Brian. Seul persistait un relent aigre-doux de nostalgie.

« Va la trouver, dit-elle soudain d'un ton pressant, si c'est réellement ce que tu penses, va la trouver et dis-lui que tu l'aimes, quoi qu'elle ait fait ou puisse faire.

— Tu crois que c'est aussi simple que cela?

— Non, rien n'est simple. Je ne dis pas ça. » L'image de Max s'imposa à elle, enfin libérée de l'ombre de Brian.

Oh Max, comment ne me suis-je pas rendu compte que je t'aimais?

« Tu dois essayer, dit-elle fermement.

— Rose, il y a autre chose... pendant longtemps je m'en suis vraiment voulu que les choses aient tourné ainsi pour nous.

— Il ne faut pas », dit-elle, et elle le pensait sincèrement. Elle lui prit la main puis la lâcha. « C'est vrai ce que tu disais tout à l'heure. Je n'aurais supporté rien d'autre que la perfection. Comme ce fort sur le toit. Notre petit monde. Mais rien de tout cela n'était réel, n'est-ce-pas? On faisait semblant. Comme dans ces histoires que tu écrivais.

— Rose... ce que j'éprouvais pour toi était réel.

— Je le sais. Maintenant je le sais. » Elle se leva. « Il faut que j'y aille, Bri. J'ai quelque chose d'important à faire. » *J'espère simplement qu'il n'est pas trop tard.*

Il se leva aussi et lui tendit maladroitement la main. « Au revoir, Rose. »

Ignorant sa main, elle l'embrassa sur la joue, le cœur serré. « Au revoir. Et bonne chance. J'espère que tout va bien marcher pour toi. Tu sais, c'est drôle, mais en dépit de tout ce qui s'est passé, je crois encore aux fins heureuses. »

35

Le juge abaissa son marteau. Rachel était si tendue que ce bruit sec, pourtant prévisible, la fit sursauter.

Mon Dieu, faites que ça se termine vite.

Elle avait enduré bien pire au Vietnam, des hommes se vidant de leur sang, des enfants moribonds... mais elle était forte à cette époque, elle savait ce qu'elle avait à faire et elle le faisait. Ici, elle n'était même pas capable de se venir en aide. Son avenir ne dépendait plus d'elle.

« Suite du procès Saucedo contre Rosenthal... » L'huissier parlait fort pour couvrir le bruit de la sténotypiste qui, penchée en avant, tapait frénétiquement sur sa machine.

Les préliminaires étaient terminés, le juge prêt. Et maintenant, que la fête commence, se dit Rachel. Elle regarda autour d'elle : les visages étaient attentifs; le tumule s'apaisait peu à peu. Elle tripota le porte-bonheur accroché à son cou — un petit caducée en or. Kay le lui avait donné juste avant le procès.

« J'ai failli t'acheter une étoile de David, lui avait-elle dit, mais finalement, j'ai choisi ça. Pour que tu n'oublies pas que tu es médecin et même un excellent médecin. »

Elle aurait aimé que Kay soit là, maintenant. Mais Rachel avait insisté, en dépit de ses protestations, pour qu'elle reste à la clinique. Il y avait beaucoup à faire et ils manquaient de personnel.

Dire qu'après le procès, il n'y aurait peut-être plus de clinique, se rappela-t-elle avec amertume.

Bon, il n'y en avait plus pour longtemps. Quelle qu'en soit l'issue, cette lente agonie allait bientôt se terminer. Alors, il faudrait apprendre à vivre sans Brian et trouver un moyen de s'en accommoder. Au moins, il n'y aurait plus de mensonge, plus de secrets.

Une sorte d'étrange soulagement la gagna insensiblement.

Tout est entre les mains de Rose à présent. Elle peut me sauver ou me briser. Tout révéler sur David et moi, me délivrer de lui à jamais... et reprendre Brian par la même occasion.

Elle se tourna vers Rose qui se levait. Elle semblait dominer la cour, grande, invincible, l'image même de la détermination. Elle était vêtue d'un chemisier rouge, d'une jupe de tweed et chaussée de bottes de cuir noir. Au cou, une petite croix et un rang de perles. Et toujours cette unique boucle d'oreille en rubis. Sa chevelure brune formait un halo bouclé autour de son visage.

Elle est différente. Plus forte. Il lui est arrivé quelque chose. Brian? Déjà?

Rachel les imaginait ensemble. Enlacés dans un lit, se caressant, s'embrassant, s'aimant sans contrainte, sans secret. Seigneur, quel cauchemar!

Brian lui manquait plus qu'elle ne l'aurait imaginé. Elle ne l'avait pas vu depuis deux jours, sauf au tribunal. Ils ne s'étaient pas parlé. Pas depuis qu'elle était partie s'installer chez sa mère. Elle lui avait laissé un mot pour lui demander de ne pas chercher à la joindre, tout au moins pendant quelques temps.

Il saurait bien assez tôt pourquoi.

Elle ne voulait pas se retourner, chercher dans la foule ce visage si cher, si familier, mais elle sentait sa présence. Et cela la réconfortait.

Cependant, il saurait bientôt qu'elle lui avait menti pendant des années, et tout serait fini. Pourquoi avoir donné de telles armes à la seule personne qui avait tout intérêt à briser sa vie?

La raison, c'est que je suis fatiguée de mentir, se dit-elle.

Cela finissait par la rendre malade.

Soudain, l'idée que tout le monde allait savoir la vérité – Brian, Mama, ces étrangers – lui fut insupportable. Son secret, la façon dont elle avait forcé David à pratiquer cet avortement, resterait incompréhensible pour eux. Ils ne verraient là qu'une macabre vengeance, un acte pervers. Comment leur expliquer que, au contraire, elle avait essayé de faire les choses décemment de façon à pouvoir continuer à vivre en paix relative avec sa conscience?

Ne dis rien, supplia-t-elle en silence, tandis que Rose s'approchait de la barre où attendait le juge à la perruque blanche incliné vers elle.

« Votre Honneur, je désire interroger le dernier témoin de maître Di Salvo, le Dr Sloane. » La voix de Rose s'élevait, claire et nette.

Le juge Weintraub se racla la gorge, hocha la tête: « Allez-y, maître. »

Rachel avait les yeux fixés sur ses mains jointes, crispées sur ses genoux. Non, elle ne le regarderait pas. Elle ne lui donnerait pas la satisfaction...

Il y eut un frémissement à côté d'elle. Ce ne pouvait être que David. Elle respira une odeur douceâtre, un peu écœurante. Son eau de toilette.

Alors, comme mue par une impulsion incontrôlable, elle leva la tête. Lorsqu'elle croisa son regard, elle tressaillit intérieurement. Ses yeux étaient froids, vides de toute émotion. Des yeux de mannequin dans une vitrine. Il gagna la barre, vêtu d'un costume gris élégant, d'une chemise à boutons de manchette, chaussé de mocassins luisants. Un homme qui faisait impression. Un témoin important.

Un menteur hors pair, oui.

La colère la fit se redresser jusqu'à la pointe du menton. Je ne peux pas me battre contre toi à armes égales, lui dit-elle en silence mais je ne te donnerai pas la satisfaction de penser que tu m'as vaincue.

Elle regarda Rose, détendue, parfaitement à l'aise en face du témoin, une liasse de feuillets à la main.

« Docteur Sloane, commença Rose d'un ton enjoué, je vais vous poser quelques questions et vous demander de vous adresser à voix haute au jury de façon que nous puissions tous entendre vos réponses.

— Volontiers, répondit David en souriant.

— Docteur, vous nous avez dit vendredi que vous aviez accepté le poste de chef du service d'obstétrique de Saint Bartholomew, alors que vous travailliez à... » — elle consulta ses notes — « à l'hôpital Presbyterian. Est-ce exact?

— Oui, c'est exact.

— Et auparavant?

— J'ai fait de la médecine privée pendant un moment.

— Je vois. » Elle consulta à nouveau ses papiers. « Je ne crois pas que vous ayez mentionné ce fait lors de votre interrogatoire par M. Di Salvo. Peut-être cela vous est-il sorti de l'esprit, docteur. Pourriez-vous nous préciser, s'il vous plaît, où et quand vous avez exercé la médecine privée? »

Il eut un imperceptible froncement de sourcils. « Certainement. C'était à Westbury, dans le Connecticut. J'ai fait partie d'un cabinet de groupe avec deux autres médecins. Voyons... ça devait être de l'automne soixante et onze au printemps soixante-treize.

— Une période assez courte, au fond... »

Il haussa les épaules. « La médecine privée ne convient pas à tout le monde. Personnellement, je préfère exercer à l'hôpital.

— Docteur, vous souvenez-vous d'une de vos patientes de l'époque, une certaine Sarah Potts? »

Il hésita un instant puis répondit : « Oui, bien sûr.

— Pouvez-vous nous parler de son cas?

— Elle était enceinte.

— Avez-vous mis son bébé au monde?

– Non.

– Pourriez-vous nous dire... et je vous en prie, docteur, parlez fort, que tous les membres du jury entendent – pourquoi vous ne l'avez pas fait? »

L'exhortation de Rose eut, comme celle-ci devait l'escompter, l'effet inverse. La voix de Sloane baissa et parut même un peu hésitante.

« Elle a fait une fausse couche au cinquième mois de sa grossesse. J'ai naturellement fait tout ce qui était en mon pouvoir mais elle était...

– Vous n'avez pas à donner d'explications, docteur, répondez seulement aux questions. Vous souvenez-vous d'une autre patiente, Edna Robbins, que vous avez examinée le 17 janvier 1971?

– Voyons... » Il hésitait, incertain.

« Pour mémoire, je vais montrer au témoin la feuille de maladie de Mme Robbins. Docteur, reconnaissez-vous votre écriture?

– Mon écriture? » David fronçait les sourcils en examinant la feuille qu'il avait.à la main. « Ah oui, Mme Robbins. Cela me revient, maintenant. Un cas inhabituel.

– Qu'entendez-vous par là? Pouvez-vous décrire au jury le cas de Mme Robbins, ainsi que sa première visite?

– Elle m'avait été adressée par son médecin de famille parce qu'elle était stérile. Elle et son mari avaient essayé en vain d'avoir un enfant...

– Et quel a été le traitement, si vous lui en avez prescrit un?

– Eh bien, j'ai d'abord fait effectuer les analyses habituelles, y compris celle du sperme de son mari qui s'est révélé normal. Puis une radio pour Mme Robbins.

– Faite par un médecin radiologue?

– Naturellement.

– Et quel a été le résultat, docteur?

– J'ai... » David hésitait.

« N'est-il pas vrai, docteur, que Mme Robbins était effectivement enceinte sans le savoir lorsqu'on lui a fait cet examen?

– Je... oui, je m'en souviens maintenant. Quelle malchance...

– Pourquoi?

– Eh bien, voyez-vous, on lui a injecté une solution colorante qui déclenche automatiquement un avortement.

– Mais n'aurait-on pu éviter cette... effroyable bavure?

– Mme Robbins est venue me consulter parce qu'elle et son mari essayaient depuis plus de cinq ans d'avoir un enfant. » David avait l'air irrité et commençait même à s'empourprer.

« Mais n'existe-t-il pas, docteur, un test, une simple analyse d'urine qui détermine si une femme est enceinte ou non?

– Si.

– Et la lui avez-vous fait faire?

– Non, répondit-il sèchement. Ça n'arrive jamais, vous comprenez...
un cas sur un million. »

La question suivante tomba comme un couperet : « Docteur, est-il
exact que vos associés vous aient demandé de quitter le cabinet de
groupe? Ceci en raison de votre alcoolisme qui avait des répercussions
fâcheuses sur votre vie professionnelle? »

L'avocat des Saucedo, M[e] Di Salvo, se leva d'un bond, le visage cramoisi.

« Objection, votre Honneur. Ceci est absolument hors de propos. Le
Dr Sloane n'est pas l'accusé! »

Rose, imperturbable, se tourna vers le juge. « J'essaie simplement de
vérifier la réputation de ce témoin puisque son témoignage est essentiel
pour ma cliente.

– A moins que vous ne vous prépariez à justifier cette accusation,
maître, je vous demanderai de ne pas poursuivre votre interrogatoire
dans ce sens, dit le juge.

– Très bien votre Honneur. Je retire cette question puisque le
Dr Raush n'a pu être présent au tribunal aujourd'hui. »

Rachel avait conscience d'une agitation derrière elle, d'un murmure.
Les jurés, qui auparavant semblaient s'ennuyer, se penchaient en avant,
le regard attentif. Il se passait quelque chose, elle le sentait. Rose était
en train de retourner la situation.

Le juge Weintraub, les sourcils froncés, donna plusieurs coups de
marteau.

Rose hésitait, la tête légèrement penchée, un sourire aux lèvres. Elle
tripotait la petite croix qu'elle avait au cou.

« Continuons, voulez-vous, docteur, enchaîna-t-elle. Reprenons au
moment où vous travailliez à Presbyterian, l'époque qui a suivi votre...
désillusion, dirons-nous, envers le cabinet de groupe du Connecticut.
N'est-il pas vrai qu'on vous ait, en tout cas, *demandé* de quitter Presbyterian?

– Certainement pas, répondit-il trop vivement. J'ai donné ma démission. »

Un petit bout de langue, rose et luisant, sortit et humecta ses lèvres.

« Peut-être pourriez-vous nous éclairer, Docteur, sur les circonstances
qui vous ont amené à... à démissionner?

– Je ne sais pas exactement quelles circonstances vous évoquez. »
David avait l'air soucieux. « On m'a proposé le service d'obstétrique de
Saint-Bartholomew et je l'ai accepté, voilà tout. C'est aussi simple que
cela. » Il s'efforça de sourire mais il semblait plus crispé, moins confiant
qu'auparavant. « Je suis désolé de vous décevoir mais je crains qu'il n'y
ait pas de mystère.

– Mais votre poste actuel est moins bien rémunéré que l'ancien, non?

– Je ne vois pas ce que mon salaire vient faire là-dedans, répondit-il, rouge de colère. J'avais des raisons... de bonnes raisons... Saint-Bartholomew constituait un défi. Le service d'obstétrique avait besoin d'être pris en mains.

– Docteur, est-il exact qu'on vous ait *demandé* de donner votre démission à Presbyterian et que vos confrères vous aient menacé de vous dénoncer au conseil de l'Ordre si vous refusiez d'obtempérer?

– C'est un mensonge », éclata David. Et, pendant un instant, son beau visage, crispé par la rage, se transforma en un masque pitoyable et ignoble. Puis, il se ressaisit, fit un geste élégant de la main, adoucit son expression et retrouva son sang-froid. Baissant le ton, il ajouta de façon spontanée : « Il y avait des gens... des confrères qui étaient jaloux et ne voulaient pas de ma promotion. J'étais le meilleur, voyez-vous...

– Le meilleur en quoi, docteur? Dites-nous dans quel domaine vous étiez le meilleur?

– Objection! rugit Di Salvo. Ma consœur persécute mon client!

– Objection rejetée. »

Rose se retourna vers David. « Docteur, vous rappelez-vous un accouchement que vous avez pratiqué en février 1974 alors que vous étiez encore à Presbyterian? La jeune femme s'appelait Katherine Cantrell, et elle était enceinte de sept mois.

– Katherine Cantrell... ah oui.

– Était-ce un accouchement normal?

– Non... laissez-moi réfléchir... elle a accouché avant terme et il y a eu des complications.

– Vous avez fait une césarienne, n'est-ce pas docteur?

– Oui, c'est exact.

– Et ensuite, dans la foulée, vous avez pratiqué une hystérectomie? Je vous prie de me corriger si je me trompe.

– Oui, oui, dit-il, impatient, sur ses gardes. Mais quel rapport avec...

– Docteur, l'interrompit Rose d'une voix veloutée, chaque mot néanmoins bien distinct et tranchant comme du verre, est-ce que l'enfant de Mme Cantrell est né en bonne santé? »

Il la regardait, dérouté. « C'était un prématuré, dit-il au bout de quelques secondes de silence. Il y a eu des complications. L'enfant n'a pas vécu plus de quelques heures.

– L'enfant? Cela veut dire que vous ne vous souvenez même pas de son sexe?

– Je... non, je ne m'en souviens pas.

– Dans ce cas, laissez-moi vous rafraîchir la mémoire. » Elle ne consulta pas ses notes mais regarda le témoin dans les yeux. « Lynda Ann Cantrell, pesant un kilo cinq cent quarante grammes à l'âge de deux heures quarante-deux minutes, est morte le 19 février, à trois heures trente. »

Le silence s'abattit sur la cour.

Alors Rose enchaîna d'une voix douce : « J'espère que vous ne me prendrez pas pour une simple d'esprit, docteur, mais est-il exact qu'après une hystérectomie une femme ne puisse plus avoir d'enfant?

— C'est exact.

— Et c'était le premier enfant de Mme Cantrell... son *seul* enfant?

— Je... oui, je crois.

— Comment, vous le croyez? Vous voulez dire que vous n'en êtes pas sûr?

— C'est... c'est si vieux.

— Mais le médecin le plus occupé ne peut sans doute pas oublier un tel drame. Cela devrait en tout cas le frapper davantage qu'une banale observation au sujet d'une patiente quelconque lors d'une simple conversation. » Elle marqua un temps. « Docteur Sloane, est-il exact qu'au moment où vous avez fait cette césarienne, puis cette hystérectomie à Mme Cantrell, vous étiez intoxiqué? Et qu'à la suite de cela, le médecin qui vous assistait, le Dr Church, ait fait un rapport à son supérieur? »

Rachel vit Di Salvo se lever, ouvrir la bouche pour faire objection, mais il n'en eut pas le temps. David s'exclamait déjà : « Mensonges! Ce sont des mensonges! Church... ce salaud... il voulait mon poste...

— Votre Honneur, pouvez-vous m'accorder dix minutes de suspension d'audience? » demanda Di Salvo, debout, transpirant abondamment, l'air soudain enjôleur. « Mon témoin est apparemment bouleversé par toutes ces insinuations dénuées de fondement. Mlle Santini semble croire qu'en noyant le poisson, elle va blanchir sa cliente. »

Rachel se souvenait en effet de certains bruits qui couraient sur Sloane. Quelques mois auparavant, elle était tombée sur Janet Needham — Janet s'était spécialisée en néo-natalité et exerçait maintenant à Presbyterian. Celle-ci avait fait allusion à l'alcoolisme de David, mais Rachel ne l'avait pas vraiment prise au sérieux. Elle savait qu'il n'avait jamais oublié l'exemple de son père et qu'il évitait de boire.

Rachel, bizarrement, était tout aussi tendue qu'au début de l'interrogatoire. Pourtant David n'avait rien dit sur *elle*, sur *eux deux*, et Rose avait réussi à semer le doute sur sa réputation.

Mais tout ce qu'elle ressentait en ce moment, c'était de la colère. Comment David pouvait-il se tirer d'affaire ainsi? Il était manifestement coupable, alors, pourquoi ne passait-il pas en jugement?

Elle sentit qu'il se passait quelque chose en elle après la tension de ces dernières heures. C'était comme une bulle qui montait, qui lui obstruait la gorge. Elle la racla énergiquement, produisant un bruit incongru dans la salle silencieuse.

Et soudain, elle fut prise d'un fou rire nerveux. A présent David la regardait, les sourcils froncés, le visage rouge.

Alors un autre souvenir lui revint à l'esprit. Des années auparavant, alors qu'ils se promenaient un dimanche dans Central Park, David avait trébuché sur une fissure de l'asphalte. Il avait fait de grands moulinets, une expression comique sur le visage, avant de retrouver l'équilibre. Tout près d'eux un garçonnet d'une dizaine d'années pouffait de rire, la main sur la bouche. En deux enjambées, David l'avait rejoint et secoué furieusement : « Arrête immédiatement de rire, siffla-t-il. Je ne permets à personne de se moquer de moi. Tu m'entends, petit crétin ? »

Il doit croire que je me moque de lui, se dit-elle. Tout en cherchant frénétiquement à maîtriser son fou rire, elle l'observait : il avait les yeux hors de la tête et sa joue gauche tressaillait, comme agitée par un tic.

Alors, d'autres, gagnés à leur tour par ce rire contagieux se mirent à glousser.

C'en était trop pour David.

Hors de lui, il pointa un doigt furibond vers elle : « Espèce de garce ! Tout est de ta faute. Absolument tout. » Sa voix était devenue rauque et vulgaire. « Tu me paieras ça. Je t'en ferai baver, *sale garce* ! »

Un silence pétrifié s'abattit sur la salle, suivi presque aussitôt d'un bruit d'enfer. Di Salvo se précipita à la barre pour calmer son témoin.

Mme Saucedo, vêtue d'un ensemble pantalon verdâtre, se mit à gesticuler et à jacasser en espagnol avec la personne assise derrière elle, sans doute une parente.

Dans le box des jurés, tout le monde bavardait.

Il faut que je sorte d'ici. Tout de suite.

Rachel se leva, la tête vide. Elle avait l'impression de se mouvoir dans un univers cotonneux, de traverser un tunnel à reculons et très vite. Elle se dit : *Je vais m'évanouir.*

La dernière chose qu'elle perçut fut le bruit fracassant d'un marteau.

Rose vit Rachel se courber en deux puis s'effondrer lentement. Avant qu'elle ait pu la rejoindre, une demi-douzaine de personnes l'entourèrent.

Un homme aux tempes argentées avait glissé un bras autour de ses épaules et la soutenait. En s'approchant, Rose reconnut l'homme qui l'avait félicitée après le procès Krupnik. Curieusement, depuis lors, elle l'avait croisé à plusieurs reprises hors du tribunal.

Il avait un nom grec. Alexandros, non ?

Que faisait-il ici ?

Rose s'immobilisa soudain à la vue d'une femme qui s'avançait d'un air consterné vers Rachel. Une femme mince et gracieuse, vêtue d'un ensemble en cachemire lavande et d'un chemisier de soie. Elle était gantée et un chapeau dissimulait en partie son visage. Une femme plus toute jeune mais encore très belle.

Lorsqu'elle se rapprocha, Rose sentit son cœur galoper. *Je connais ce visage. Où l'ai-je vu ?*

La femme, d'un geste distrait, redressa son chapeau et, ce faisant, découvrit sa figure.

Et Rose, pétrifiée, la reconnut soudain. *C'était elle.*

Inconsciemment, elle toucha le rubis qu'elle portait à l'oreille droite avec l'impression d'assister à quelque pièce absurde où passé, présent et futur se confondent.

Non. Je rêve. C'est impossible.

Mais voilà que la femme s'arrêtait net au milieu de la travée, les yeux fixés sur Rose. Des yeux immenses et brillants de larmes qui avaient la couleur de la mer, dans un visage de figurine de Saxe. Des yeux pleins d'une terrible angoisse muette.

Et ce regard annihilait la réalité, le long et pénible trajet qui avait conduit Rose jusqu'ici. Elle se retrouvait en plein rêve.

Qui êtes-vous? Qu'attendez-vous de moi?

L'instant de flottement était passé. La femme parut brusquement retrouver ses esprits. Elle se dirigea vers le groupe rassemblé autour de Rachel et tendit les mains.

Alors, ahurie, Rose entendit cette dernière crier: « Mama! »

36

En rentrant, Brian aperçut Rachel, recroquevillée dans le fauteuil près de la cheminée. Il s'arrêta, la main sur la poignée, le cœur battant.

« Rachel. »

Elle était rentrée! Était-ce de cela qu'elle voulait lui parler?

Elle leva la tête et lui sourit, mais elle avait l'air si triste avec ses yeux encore brillants de larmes que la joie de Brian s'envola. Il sentit son estomac se nouer. Qu'allait-elle lui annoncer?

Mon Dieu, pourvu qu'elle ne soit pas venue me dire que c'est fini pour de bon. Je ne le supporterai pas. Elle m'a tellement manqué! J'ai tant besoin d'elle.

« Brian. Bonjour. »

Il s'avança lentement vers elle, sans la lâcher du regard. Il avait l'impression d'être un photographe, de s'être battu pendant des heures avec les angles, l'éclairage, la pose, puis soudain, comme par miracle, tout se mettait en place. La lampe sur la table projetait la bonne lumière, une nuance sépia qui entourait la jeune femme d'un cercle d'ombres floues, la nimbait de rose, de doré et de vert doux.

Et il risquait de perdre tout cela!

Il eut la sensation qu'on lui posait un doigt glacé sur le cœur.

Jamais Rachel ne lui avait paru aussi jeune et aussi belle. Elle ressemblait à une adolescente avec ce jean et cette vieille chemise de garçon, les pieds nus repliés sous elle, les genoux serrés contre sa poitrine. Ses cheveux couleur de miel qu'elle venait de laver, tombaient, humides et luisants sur ses épaules.

Il se rendait compte à quel point elle était vulnérable sous son air volontaire. Il avait toujours cru qu'elle était solide, qu'elle venait à bout de tout. Et la sourde colère qu'il ressentait à son égard venait peut-être de là, de l'impression qu'elle donnait de n'avoir jamais besoin de lui. Il avait si souvent désiré prendre dans ses bras la petite fille fragile qu'il soupçonnait parfois en elle – celle qu'il avait à présent sous les yeux – comme il l'avait fait si souvent avec Rose.

Il brûlait d'envie de la serrer contre lui mais quelque chose l'en empêchait, la terreur de la voir se lever, s'écarter de lui, de la voir rentrer dans sa coquille.

Non, il allait la laisser prendre l'initiative. Elle lui dirait ce qu'elle avait à lui dire quand elle le voudrait.

« C'est fini », dit-elle.

Il sentit son sang se figer dans ses veines.

Mais elle souriait en lui disant cela et il comprit. Elle parlait du procès, bien sûr.

Il ne l'avait pas vue depuis la veille, depuis cette incroyable scène au tribunal où tous les gens l'entouraient, l'isolaient de lui. Il n'avait eu qu'une idée, alors : la ramener directement ici pour la mettre à l'abri, pour qu'ensemble ils repartent de zéro. Mais il avait eu peur de ses réactions, peur qu'elle ne lui en veuille. Et, le comble, c'était qu'il avait éprouvé de la colère. *Elle* aurait dû faire le premier pas, avait-il pensé. Elle l'avait blessé. Partir comme ça, en se contentant de lui laisser un mot sur le réfrigérateur!

Maintenant que le procès était terminé, elle avait dû réfléchir, décider que leur mariage était sans issue.

« Les avocats se sont rencontrés ce matin, dit-elle. Les Saucedo ont accepté un arrangement à l'amiable. »

Assis en face d'elle sur le canapé, Brian sentait la même raideur dans ses membres que celle des lames de son vieux couteau de l'armée lorsqu'il essayait de les replier. Et il avait froid. Si froid.

Néanmoins, il s'efforçait de prêter attention à ce qu'elle disait. Il était content que le procès fût terminé. Mais le verdict ne le surprenait pas après ce qui s'était passé la veille. Quel salaud, ce Sloane! Pourquoi Rachel ne lui avait-elle jamais parlé de lui?

« Tu n'as pas l'air emballé », dit-il.

Elle regardait fixement le tableau accroché au-dessus de la cheminée, une aquarelle représentant de grandes tortues de mer nageant sous l'eau avec grâce. Rachel avait déniché ce tableau dans une petite galerie de Grove Street et elle avait voulu aussitôt l'acheter. Ce qui est extraordinaire, lui avait-elle dit, c'est de penser qu'elles sont si maladroites sur terre.

En un sens, Rachel leur ressemblait. Nageant d'une brasse vigoureuse lorsqu'elle était en confiance, là où d'autres se seraient noyés, sauvant des vies, risquant parfois la sienne. Et tremblante, hésitante, dès qu'il s'agissait d'ouvrir son cœur et de faire confiance aux autres, même à lui.

« La compagnie d'assurances, reprit-elle, va leur verser une somme bien plus faible que celle prévue initialement. En un sens, c'était pathétique. Les Saucedo avaient l'air si contents de l'avoir, si reconnaissants d'obtenir un petit quelque chose.

— Tu n'as pas à te culpabiliser, lui dit Brian. Ce n'était pas ta faute. »

Elle haussa les épaules. « Non, je ne pense pas être responsable de ce qui est arrivé à Alma, mais j'ai demandé à ma banque de débloquer une somme d'argent que mon père avait placée pour moi. Je vais la donner à la famille d'Alma. Je n'ai pas l'impression de leur *devoir* quoi que ce soit, mais je *souhaite* les aider. Pour cet enfant. Pour le fils d'Alma. »

Rachel le regardait et il vit dans ses yeux cette flamme qu'il connaissait si bien. Il songea au courage dont elle avait fait preuve pour le sauver, à son énergie indomptable. Pourtant, il n'était qu'un numéro parmi d'autres que la guerre avait broyé mais, Dieu sait pourquoi, elle avait cru en lui et déjoué la mort. Et c'était *cette* passion de sauver, de guérir, qui l'avait subjugué et rendu amoureux.

Mais je la revendiquais pour moi seul, cette passion, cette flamme brûlante. J'étais jaloux. J'ai une grande part de responsabilité dans ce qui nous est arrivé.

« Rachel... » Il voulait dire je t'aime, mais c'était difficile devant ce visage fermé.

« Il faut que nous parlions, Brian. De nous. » Elle déplia ses jambes et se leva. Elle tendit la main pour prendre un paquet de cigarettes posé sur la cheminée puis le repoussa avec agacement et se retourna vers Brian, le menton levé les yeux brillants.

Il était effrayé : il connaissait l'air dur, tendu, qu'elle prenait quand elle devait s'attaquer à quelque chose, quand elle poursuivait un but précis.

Brian se leva précipitamment et tendit les bras devant lui, comme pour se protéger.

« Attends. Écoute, avant de dire quoi que ce soit. Je veux que tu saches... je suis désolé.

— Désolé? » Elle le regardait, surprise. Puis elle cligna les yeux et il vit des larmes accrochées à ses cils. « Ah, je vois... tu veux dire à cause de Rose?

— Rose?

— Tu es encore amoureux d'elle, n'est-ce pas? »

Brian réfréna une soudaine envie de rire. Rose? Elle croyait qu'il avait une liaison avec Rose! Seigneur, où avait-elle été chercher ça?

« Mais qu'est-ce qui..., commença-t-il.

— Ton livre, l'interrompit-elle. J'en ai lu quelques pages. Il n'était question que d'elle. » En disant cela, elle parut se détendre. « Tu n'as pas à te justifier, Brian. En un sens, je comprends. Je... je ne te reproche rien.

— Tu *ne comprends pas*! cria-t-il, irrité de la voir souffrir sans raison. J'ai écrit sur un moment de ma vie. Cette époque est révolue. Ce n'est pas parce que j'essaie de faire revivre mes sentiments d'alors que je les éprouve maintenant.

— Et qu'éprouves-tu maintenant? Non, attends, ne réponds pas. » Elle croisa les bras sur sa poitrine. Elle avait la tête baissée, les yeux rivés au tapis. « J'ai quelque chose à te dire. Quelque chose dont j'aurais dû te parler depuis longtemps... Avant notre mariage. Mais j'ai eu peur. Peur que tu cesses de m'aimer. Et maintenant, j'ai encore plus peur. Parce que... oh mon Dieu, que c'est difficile... » Elle s'interrompit, parut lutter contre elle-même, le visage transparent à force de pâleur. « Parce que je t'ai menti pendant toutes ces années. Je t'ai laissé croire... je t'ai laissé croire qu'il n'y avait aucune raison pour que nous ne puissions pas avoir d'enfant. »

Rachel avait l'impression de glisser sur la pente douce d'une colline dans une sorte d'étourdissement. Le sang affluait de nouveau sous sa peau. C'était une sensation délicieuse, ce sentiment d'abandon. Elle allait enfin être délivrée de ce fardeau qu'elle traînait depuis si longtemps.

Il y eut même un moment exaltant pendant lequel elle plana, complètement libérée. Elle avait fini par le faire. Enfin! Elle ne pouvait plus reculer.

Brian la regardait, atterré, stupéfait.

« Je ne comprends pas », dit-il.

Rachel avait de nouveau peur. Il faut aller jusqu'au bout à présent, se dit-elle avec fermeté. J'ai été trop loin pour ne pas tout lui dire. Tant pis s'il doit me maudire et me haïr. Tout vaut mieux que ce mur entre nous. Cette terrible barrière invisible.

Elle désirait tellement qu'il lui revînt! Il était là, devant elle, si familier, si gentil, la fixant de ce regard intense qu'elle aimait tant. Ce regard dont elle était tombée amoureuse dès la première fois. Elle sentait presque la chaleur de son corps. Elle avait envie de tendre les bras vers lui, de se blottir dans toute cette douceur, de se perdre en lui.

Mais pas au prix d'un mensonge.

Elle releva brusquement la tête et soutint son regard. Du cran, se dit-elle.

« Tu t'es probablement demandé, hier au tribunal, pourquoi David Sloane me détestait à ce point. Pourquoi il cherchait à me blesser de cette manière. Eh bien, lui et moi... nous avons eu une liaison. Il y a longtemps... pendant mon internat. J'ai été enceinte et lui... eh bien, il a voulu que je me fasse avorter. Mais je n'arrivais pas à me décider. Il considérait ça avec un détachement choquant, comme s'il s'était agi d'une extraction de dent, d'une chose sans importance. Alors... je... je l'ai obligé à pratiquer lui-même cet avortement. C'est la raison pour laquelle il me hait. C'est pour ça aussi que j'ai été malade après, tu comprends, si malade... on m'a dit... on m'a dit que je ne pourrais sans doute plus avoir d'enfant... une chance sur mille... > Elle s'interrompit, recula d'un pas et s'adossa au marbre froid de la cheminée. « Voilà... maintenant tu sais tout. Voilà pourquoi tu aurais dû épouser Rose. Pourquoi ça ne sert plus à rien de continuer ainsi. >

Elle refoula ses larmes. Elle n'avait pas le droit de pleurer ni de s'apitoyer sur son sort. Elle *était* responsable. Et là, à cause d'elle, Brian ressemblait au blessé qu'elle avait connu au Vietnam. Il était d'une pâleur mortelle avec des pupilles dilatées.

Oh mon amour, comme j'aimerais revenir en arrière, effacer tout ce qui est arrivé, tout recommencer. Comme nos vies auraient pu être différentes! Mais c'est impossible. Ce qui est fait est fait. Et je l'accepte. Tout ce que je demande, c'est que tu ne me détestes pas trop, que tu essaies de comprendre.

Mais Brian restait muet. Il se contentait de la regarder avec ces yeux qui reflétaient un univers entier.

Elle était perdue, elle flottait, légère. Enfin libérée de ce mensonge... mais si seule.

Va-t-en maintenant. Pars avant de lui demander de te pardonner, de te reprendre.

Elle se détourna et se dirigea vers la porte. Elle avait l'impression de marcher dans l'eau, lentement, comme en apesanteur.

Ne te retourne pas, s'ordonna-t-elle.

« Rachel... attends. >

Elle s'immobilisa, tourna la tête. A travers l'écran de ses larmes, elle vit Brian se précipiter vers elle. Il voulait sans doute lui dire au revoir, lui souhaiter bonne chance. C'était Brian tout craché, toujours courtois, même dans les pires moments. Mon Dieu, pourquoi ne pas la laisser partir tout simplement? Ils n'allaient pas se séparer comme deux joueurs de tennis se serrant la main après le match.

Mais soudain, Brian l'écrasait contre lui, balayant toutes ses craintes.

Le cœur de Rachel se mit à battre à grands coups.

Seigneur, ne rêvait-elle pas? Avait-elle vraiment les bras de Brian autour d'elle?

« Rachel, murmura-t-il, la voix entrecoupée de sanglots, tu es folle. Comment as-tu pu penser que je cesserais un jour de t'aimer? Et pendant ce temps je croyais que c'était *toi* qui ne m'aimais plus. >

Il pleurait, tous deux pleuraient. Elle avait les lèvres salées en l'embrassant.

« Brian? chuchota-t-elle, oh Brian, tu me pardonnes? >

Elle entendait à présent les bruits familiers de la maison qu'elle n'avait pas remarqués quelques minutes auparavant : le tic-tac d'un réveil, Custer ronronnant sur le canapé, le sifflement du radiateur.

« C'est déjà fait », lui répondit Brian.

Rachel le serra contre elle. Elle aurait voulu que continue à jamais cette merveilleuse impression de planer qu'elle éprouvait mais il lui restait encore quelque chose à savoir, une question trop importante pour la remettre à plus tard.

Elle s'écarta de lui afin de voir son visage.

« Est-ce que je te suffis Brian ? Moi seule ? Sans enfant ? »

Il avait le regard clair, les yeux brillants d'amour.

« Tu me suffis », répondit-il.

Rose marchait vite. Elle vit que la porte, au fond du couloir, était ouverte. Le bureau de Max. Il y avait de la lumière.

Elle se mit à courir, le cœur battant.

Oh faites qu'il soit là ! pria-t-elle en silence.

Elle avait cherché à le joindre tout le week-end, l'appelant inlassablement au téléphone et laissant sonner des heures.

Et ce matin, malgré son envie de le voir, elle avait dû assister à cette réunion chez Di Salvo afin de conclure l'affaire Saucedo.

Et maintenant, enfin, *enfin*, elle allait le voir. Il était trop tôt pour le déjeuner. Il devait être à son bureau.

Elle s'arrêta sur le seuil pour reprendre son souffle.

Agenouillé devant son placard à dossiers, Max empilait des classeurs dans un carton. « Max, pour l'amour du ciel, que se passe-t-il ? »

Il leva la tête avec un sourire penaud.

« Eh bien, comme tu vois, je déménage. »

Plaisantait-il ? Rose regarda autour d'elle et constata que le bureau était pratiquement vidé. Les cartons s'entassaient devant les portes vitrées de la bibliothèque.

Non, il ne plaisantait pas.

Rose avait l'impression d'avoir couru pendant des kilomètres, pour franchir trop tard la ligne d'arrivée. Elle avait chaud, mal partout, et son sang galopait dans ses veines. Elle aurait voulu s'étendre dans un endroit sombre et frais afin de calmer sa peine, d'éloigner ce cauchemar, de ne plus voir Max ranger ses affaires dans ces cartons.

Ce n'est pas vrai. Je vais sortir d'ici et quand je reviendrai, tout sera à nouveau en place. Exactement comme avant.

« Qu'est-ce que ça signifie, Max ? Pour l'amour du ciel, *dis-le-moi.*

— J'ai essayé de t'appeler hier soir, dit-il, c'était occupé. Je voulais te prévenir. Je suis désolé que tu l'apprennes par surprise.

– C'est drôle, c'est vraiment drôle parce que moi aussi j'ai essayé de te joindre hier soir. Et pendant tout le week-end. »

Avec qui parlait-elle lorsque Max avait appelé? Ah oui, Clare qui lui téléphonait d'Albany, jacassante, bouleversée au point de ne pouvoir aligner deux mots. Nonnie avait été victime d'une autre attaque mais moins grave que les précédentes. Rose avait dû calmer sa sœur pendant près d'une demi-heure, en ne pensant qu'à libérer la ligne pour le cas où Max l'appellerait.

Et il *l'avait* fait... mais seulement pour lui dire au revoir.

Mon Dieu, l'ironie des choses! Alors qu'elle avait envie de pleurer, elle se mit à rire.

Max releva la tête pour la regarder. Il lui sourit, déconcerté.

« Peut-on savoir la cause de ton hilarité?

– Oh Max, tu es si cocasse, accroupi là, par terre. J'ai l'impression de te surprendre, la main plongée dans un pot de confiture. »

Il se leva alors, l'air sombre, et la considéra avec une telle figure d'enterrement qu'elle s'arrêta aussitôt de rire.

« Je vais reprendre le service litiges à Los Angeles, lui expliqua-t-il. Tout est arrivé assez brusquement et tu étais si occupée avec ce procès... je n'ai pas voulu t'annoncer ça avant...

– C'est ce que tu veux, Max, c'est vraiment ce dont tu as envie? »

Il haussa les épaules avec un sourire forcé. « C'est une occasion à saisir. En outre, Mandy adore cet endroit. Je la récupérerai l'été, pour les vacances scolaires... de temps en temps. Je l'ai emmenée là-bas le week-end dernier. Nous sommes même allés à la piscine. » Il roula l'une de ses manches de chemise pour lui montrer son avant-bras bruni. « Regarde... incroyable, non? A la mi-novembre. Il y a pire que la Californie. »

Mon Dieu, il *partait* vraiment. Et pour de bon.

Rose avait l'impression que le sol se dérobait sous elle. Max, son ami le plus cher, celui sur lequel elle pouvait toujours compter. Elle avait envie de lui crier: *Max, ne pars pas, j'ai besoin de toi. Je te veux.*

Mais les mots se refusaient à franchir ses lèvres. Elle allait tout simplement être ridicule, les plonger dans l'embarras. Max avait déjà pris sa décision. C'était clair. Dans son cœur et dans sa tête, il avait déjà mis cinq mille kilomètres entre eux. Et cette décision datait sans doute du jour où il avait franchi sa porte quatre mois auparavant. Oh! pourquoi ne l'avait-elle pas retenu, alors qu'il ne demandait que cela?

C'est trop tard, se dit-elle, accablée.

« Quand pars-tu?

– Dans quinze jours. J'aurais préféré attendre un peu pour terminer ce que j'avais à faire mais Gary prétend que c'est le bordel là-bas. Voilà pourquoi je suis en train d'essayer de mettre un peu d'ordre dans mes affaires. Ça représente vingt-trois ans de boulot. Je ne pense pas que tu aies envie de me donner un coup de main. »

Rose ravala ses larmes. Elle baissa la tête pour qu'il ne voie pas son chagrin, afficha un sourire brave et dit d'un ton léger :

« J'aimerais pouvoir le faire mais j'ai un rendez-vous. En fait, je suis déjà en retard. Écoute, si tu as le temps, déjeunons ou dînons ensemble avant ton départ, d'accord? Champagne et tout...

— Entendu. » Il était de nouveau à quatre pattes, fouillant dans le dernier tiroir de son placard. En guise d'adieu, il agita distraitement un dossier dans sa direction. « On fixera une date dès que j'aurai trouvé mon agenda dans ce foutoir. »

Rose, immobile, enregistrait la scène, la fixait dans sa mémoire. Elle se rappellerait à jamais la lumière de ce début d'après-midi s'infiltrant à travers les stores vénitiens et Max, penché, la chemise tendue sur son large dos. Un jour qu'ils prenaient leur douche ensemble il lui avait dit qu'il était bâti comme un vieux buffle.

C'était à cela qu'elle songeait en ce moment. Un buffle. Elle avait lu quelque part que lorsque les Indiens étaient surpris par le blizzard dans la prairie, ils tuaient un buffle pour se préserver du gel. Ils l'éventraient et s'y enfonçaient pour attendre la fin de la tempête. N'était-ce pas ce qu'elle avait fait avec Max? Elle s'en était servi pour son propre bien-être sans se soucier de lui.

Que pouvait-elle espérer d'autre? Qu'il reste là à l'attendre éternellement? Non. Elle l'avait blessé. Et il se conduisait comme le ferait n'importe quel être sensé.

Elle s'était imaginé qu'elle passerait la soirée avec lui, devant une bonne bouteille de vin, qu'elle lui raconterait le procès et sa conclusion en détails. Et surtout l'incroyable découverte qu'elle venait de faire, à savoir que son ange gardien n'était autre que la propre *mère de Rachel*!

Si seulement ils pouvaient rentrer maintenant, faire l'amour puis bavarder comme avant. Seulement, en général, c'était *elle* qui parlait, qui demandait des conseils... Max se contentait de l'écouter.

Et maintenant qu'elle n'en avait plus le temps, elle brûlait de savoir un million de choses sur lui. Elle avait laissé passer sa chance. Se sentant proches des larmes, elle se détourna et se glissa hors de la pièce.

37

« Le Seigneur leur ouvrira les portes du paradis et ils retourneront dans leur pays d'où la mort est absente et où seule la joie éternelle... »

Rose écoutait les paroles du jeune prêtre. Les yeux secs, elle le regardait placer une croix de bois sur le cercueil peint en blanc.

Joie éternelle? Eh bien! je l'espère, se dit-elle. *Dieu sait que Nonnie n'a pas eu beaucoup de joie dans sa vie. Puisse-t-elle glaner quelque chose dans la mort.*

Son indifférence la surprenait. *Je n'ai pas de chagrin. Comment en aurais-je? Mais pas de satisfaction non plus.*

De toute façon, n'était-ce pas ce que Nonnie poursuivait avec acharnement? Toutes ces messes des premiers vendredis et des dimanches, ces rosaires et ces confessions interminables afin d'accumuler des indulgences pour entrer au paradis, comme si l'existence n'était guère plus qu'un énorme jeu de bingo?

Heureusement, sa fin avait été rapide. Une série de petites attaques avait suivi le coup de téléphone de Clare, puis elle s'était éteinte au milieu de la nuit. Sa mort avait soulagé tout le monde. Et Nonnie en premier. Quel cauchemar de survivre dans ces conditions : grabataire, gâteuse comme un vieil enfant qu'il aurait fallu nourrir, laver, changer.

Rose jeta un regard de côté à Marie, assise près d'elle sur le banc en bois. Plus maigre que jamais, un peu vieillie, mais très digne. Elle portait un manteau bleu marine minable et un bout de doublure décousue dépassait de l'une de ses manches.

Rose sentait monter en elle l'habituel sentiment de pitié mêlé à l'irritation. Regarde-la, avec son air de sphinx. Marie n'aimait pas bavarder au téléphone et trouvait toujours une bonne raison pour refuser les invitations de Rose à déjeuner, à dîner ou à passer une soirée dehors. Rose était fatiguée d'être la seule à faire des efforts et, de ce fait, ne l'avait pas vue depuis un an. Tristes circonstances pour se retrouver! songea-t-elle.

Elle aussi se trouvait lamentable. Si lasse, si déprimée. *Demain*, se rappela-t-elle, *c'est demain que Max part en Californie.*

Cette idée la rendait malade.

Dieu qu'il lui manquait! Son chagrin, au lieu de s'apaiser, ne faisait qu'augmenter. Comme elle avait été stupide et aveugle! Pourquoi ne voit-on pas ce qui vous crève les yeux?

C'était si différent de ce qu'elle avait éprouvé pour Brian! Dans son cœur, elle n'avait jamais mis Max sur un piédestal. Il représentait seulement quelque chose *d'habitable.* Comme une maison pleine de fissures, avec son fouillis et ses fauteuils défoncés peut être plus merveilleuse à habiter que n'importe quel palace.

Je vais finir par me mettre à pleurer. Ce serait la meilleure. Tout le monde va croire que c'est à cause de Nonnie.

Non, même la pauvre Nonnie ne mérite pas ça. Pleurer quelqu'un d'autre que le mort, quelle tristesse!

Rose fit un effort pour se concentrer sur les paroles du prêtre. Le vieux père Donahue était à la retraite, et le remplaçant avait l'air d'un gamin – à peine plus âgé qu'un enfant de chœur. Étrange, cette église sans le petit père Donahue, tout ratatiné dans sa chasuble verte et blanche. Il avait l'habitude de marmonner et cela faisait un drôle d'effet d'entendre à présent cette voix jeune et bien timbrée qui résonnait dans l'édifice à demi vide.

« Oh Dieu, tu es celui que je cherche. Ma chair languit de toi et mon âme est assoiffée comme la terre est desséchée et sans vie lorsqu'elle manque d'eau. »

Oui, privée de vie. Voilà comment elle était sans Max.

« Tu es mon secours et à l'ombre de tes ailes, j'acclame. Mon âme est attachée à toi... »

Elle entendit un petit bruit inarticulé. *Quelqu'un* pleurait.

Rose regarda Clare assise près de Marie, la tête baissée, le visage en partie dissimulé par les plis légers de son voile gris. Elle faisait penser à un oreiller de plumes, moelleux et informe, qu'on aurait déposé là sur le banc. Si seulement elle pouvait s'arrêter de *pleurer*, pour l'amour du ciel! Comme si, réellement, la mort de Nonnie n'était pas une bénédiction!

« Elle est partie comme ça... » Rose entendait les propos larmoyants de Clare qui parlait à Marie. « ... comme une lumière qui s'éteint. Oh j'en suis malade, je me sens si... tellement responsable.

– Responsable de quoi? souffla Marie, impatientée. Ce n'est pas toi qui l'as tuée, que je sache. »

Clare parut se recroqueviller sous la sécheresse du ton et, pendant un instant, Rose la plaignit presque. Puis elle se souvint que ce n'était pas Clare qui s'était occupée de Nonnie pendant ces dernières années mais des aides-soignantes et des infirmières dans une maison de retraite catholique. Clare ne s'était pas beaucoup plus souciée de Nonnie que par le passé. A part pour prier, bien sûr. Clare était une vraie pro dans ce domaine.

Le service religieux se terminait. Le jeune prêtre fit le signe de la croix sur le cercueil de Nonnie. Mon Dieu, songeait Rose, il ne la *connaissait* même pas. Elle sentit un frisson la parcourir. L'idée soudaine et horrible que Nonnie n'était pas réellement morte mais seulement couchée dans son cercueil, grimaçante et prête à bondir comme un diable de sa boîte, lui traversa l'esprit.

Elle se tourna vers Marie qui s'affairait, cherchant son porte-monnaie dans son manteau.

« Il faut que je rentre, dit-elle. La baby-sitter ne peut rester qu'une heure.

— Tu ne viens pas au cimetière? demanda Clare, dont le visage terreux sembla s'affaisser d'un coup.

— Pour regarder quelqu'un jeter des pelletées de terre sur elle? » Marie haussa les épaules. « Non, merci bien. » Puis, s'adoucissant, elle lui tapota la main d'un air distrait. « Écoute, il faut vraiment que je rentre. Missy est malade et Bobby était un peu pâlot ce matin. » Un coin de sa bouche se retroussa. « Comme on dit, la vie continue », dit-elle d'un ton ironique.

Clare se tourna vers Rose d'un air suppliant. Celle-ci se raidit. *Je ne supporte plus ça*, se dit-elle. Mais au fond, était-il normal de laisser Clare suivre le cortège funèbre avec pour toute compagnie Mme Slatsky et le groupe des vieilles sorcières de la maison de retraite? Autrefois, j'y serais allée, se dit-elle, parce que c'est « la chose à faire ». Mais j'étais un vrai paillasson. J'ai changé.

Et c'était en partie à Max qu'elle le devait.

« Je pars avec Marie, s'entendit-elle répondre. Pourquoi ne vas-tu pas seule au cimetière, Clare? » Gentiment, elle ajouta : « Je crois que c'est ce qu'aurait souhaité Nonnie, non? »

De toute façon, il fallait qu'elle parle à Marie. Celle-ci pourrait peut-être l'aider.

Il se pouvait que Marie sût quelque chose au sujet de Sylvie, la mère de Rachel.

Rose toucha son oreille. *Et si elle sait quelque chose, je vais peut-être comprendre pourquoi Sylvie Rosenthal m'a donné cette boucle d'oreille quand j'étais petite.*

L'appartement de Marie n'avait pas changé. Le salon était toujours aussi triste avec cette tenace odeur de tabac qui imprégnait tout. Il était meublé de la même façon, dans le style des motels, le tout usagé à présent. Le parc des enfants avait disparu. Une crosse de hockey était posée contre la télévision et une poupée Barbie, nue et toute tordue, traînait sur le tapis.

« Pose tout ça par terre et assieds-toi, dit Mary, montrant le panier à linge sur le fauteuil. Ah dis donc, je voulais te dire... Bobby est comme un fou avec ce jeu Atari que tu lui as envoyé pour son anniversaire. On ne peut plus le sortir de là.

— Je sais. Il m'a écrit un gentil petit mot pour me remercier. C'est un enfant adorable, Marie. Ils le sont tous. Tu les élèves très bien. »

On entendait la télévision dans la chambre voisine. Les trois enfants de Marie, rassemblés autour du lit de Missy, regardaient *The Mod Squad*. Rose se promit de passer un petit moment avec chacun d'eux avant de repartir. Peut-être pourrait-elle proposer à Marie de prendre Bobby chez elle de temps en temps. Il était assez grand pour cela maintenant.

« Vraiment Rose, par moment on croirait sœur Clare avec tous tes bons sentiments », railla Marie.

Mais avant que Rose ait eu le temps de s'offusquer, Marie s'était affalée sur le canapé, l'air parfaitement serein. Elle alluma une cigarette et regarda Rose à travers l'écran de fumée.

« Ne fais pas attention à ce que je dis, soupira-t-elle. La vérité, c'est que je deviens folle à m'agiter toute seule ici dès que les enfants sont en classe. A la longue, ça me tape sur le ciboulot.

— Où est Pete? demanda Rose.

— Pete! » Marie prit l'air dégoûté. « Il est parti. Il a déménagé il y a une quinzaine de jours. Je ne te l'avais pas dit? Oh, bon débarras en ce qui me concerne!

— Mais... comment... » Rose se tut. C'était préférable. Elle allait demander : *Comment fais-tu pour vivre alors? Au moins quand Pete était là, tu touchais ses allocations chômage.*

Le regard glacé de Marie n'incitait pas à l'interrogatoire.

« Tu veux boire quelque chose? Un café? proposa Marie.

— Non, ne te dérange pas. Merci. Je ne vais pas rester longtemps de toute façon. » Elle respira à fond. « Marie, je suis venue te demander quelque chose... au sujet de... de ce que Nonnie a dit il y a longtemps. Elle parlait de notre mère... qui avait peut-être... enfin, tu sais... elle insinuait que je n'avais pas le même père que Clare et toi. »

Marie la fixait comme si elle avait perdu la boule. « Tu parles sérieusement? Qu'est-ce que les propos de cette vieille bique peuvent bien te faire? Elle passait son temps à faire des histoires. Elle a beau être morte, c'est la vérité. Elle cherchait toujours a nous faire honte. De toute façon, quelle importance maintenant?

— Je veux savoir, c'est tout. Je pensais que... que tu étais peut-être au courant. Nonnie ne t'en a jamais parlé? >

Marie détourna le regard. « Je ne sais rien, je te l'ai dit. Tu ferais mieux d'oublier tout ça », dit-elle d'un ton où perçait l'irritation.

Mais Rose ne pouvait pas. Cette histoire la minait et elle savait que ce n'était pas le fruit de son imagination. Sylvie Rosenthal... Quand elle l'avait croisée au tribunal, elle avait compris en un éclair que cette femme la reconnaissait. Qu'elle savait quelque chose. Et Rose était certaine que cela avait un rapport avec son vrai père. Pas avec le marin qui souriait dans son cadre d'argent, le fils de Nonnie, le père de Marie et de Clare, mais avec l'homme qui l'avait engendrée et dont elle tenait sûrement ce type physique si différent de celui de ses sœurs.

« Si j'ai eu un autre père, il devait bien avoir une famille, non? insista-t-elle. Une femme, peut-être? Une sœur? L'une ou l'autre a peut-être été au courant... a peut-être voulu me connaître... >

Marie se leva brusquement et serra l'encolure de son chemisier d'un geste nerveux. « Je t'ai déjà dit que j'ignorais tout. Tu rêves, un point c'est tout. > Elle s'affaira autour du panier à linge, arracha un sous-vêtement de la pile et le plia avec des mouvements brusques. « Écoute, j'ai beaucoup à faire, alors si tu dois partir, je ne te retiens pas. >

Rose fut prise de colère. Marie mentait. Rose en était sûre. Elle lui cachait quelque chose.

Se penchant en avant, elle saisit le bord du panier pour obliger sa sœur à la regarder.

« Pour l'amour du ciel, Marie...

— Je t'ai dit, je...

— J'ai entendu... mais je pense que tu *dois* savoir quelque chose. Je t'en prie, Marie, ne me fais pas ce coup-là. J'ai toujours eu l'impression d'être une étrangère dans ma propre famille et ton attitude aujourd'hui renforce cette impression. >

Elle se releva, furieuse contre sa sœur.

« Il faut que je sache... > Rose hésita, cherchant les mots justes... « qui je suis. Tu ne comprends pas ça? Je... je ne te demande rien d'autre. Si mon vrai père a une famille, je n'irai embêter personne. Je ne cherche pas à semer la perturbation. *Je veux simplement savoir.* >

Marie, le visage empourpré, lui jeta un regard furibond puis, à sa stupeur, elle s'effondra sur le canapé et éclata en sanglots.

Rose la regardait, sidérée, clouée sur place. Elle ne se souvenait pas d'avoir jamais vu sa sœur pleurer.

Lorsque Marie releva la tête, elle avait les yeux rouges et bouffis. Elle se leva d'un air las. « Attends, je vais te donner quelque chose. >

Marie sortit de la pièce en traînant les pieds. Le cœur de Rose battait à grands coups.

Une minute plus tard, sa sœur revint avec un livret de caisse d'épargne. Marie le lui fourra dans les mains, comme si elle voulait s'en débarrasser.

Rose l'ouvrit. Le livret était au nom de *Rose Angelina Santini*.

Le dépôt initial se montait à vingt-cinq mille dollars et datait du 15 septembre 1945. Suivaient des pages et des pages de retraits. Année après année, d'abord de cent dollars, puis de cinquante, de soixante-quinze et ainsi de suite. Le solde était de sept cent quarante-deux dollars.

Elle leva les yeux vers sa sœur. Qu'est-ce que ça signifiait?

Marie évitait son regard.

« C'est à toi, avoua Marie d'une voix honteuse. Je l'ai retrouvé dans les affaires de Nonnie avec les lettres de Brian. Elle devait l'avoir depuis un bout de temps à mon avis parce que la lettre...

— Quelle lettre?

— La lettre jointe au livret bancaire... Elle était datée d'environ deux mois après le décès de notre père. Elle provenait d'un cabinet d'avocat et expliquait que quelqu'un avait ouvert un compte à ton nom mais sans préciser de qui il s'agissait, la personne voulant rester anonyme.

— Et Nonnie...

— Je pense qu'elle a dû comprendre qu'il y avait quelque chose de pourri au royaume du Danemark. Elle devait se demander pourquoi un parfait étranger te donnait tout cet argent. Elle avait toujours pensé que papa n'était pas ton père, alors là, elle en a eu la confirmation.

— Mais tu ne m'as rien dit... tu as gardé l'argent?

— Ouais, je l'ai gardé. » Marie croisa enfin son regard, mais furtivement, comme si cela lui était pénible.

« Je me disais chaque jour que c'était momentané, que je le gardais pour toi. Puis quand Pete s'est fait virer de la quincaillerie, on était si fauchés que j'ai décidé de t'en emprunter un peu, juste une centaine de dollars pour nous dépanner. Je pensais te rembourser dès que Pete aurait touché son allocation-chômage. C'était simple. *Trop* simple. Je suis allée à la banque et j'ai dit que j'étais Rose Santini. J'avais ta vieille carte d'abonnement à la bibliothèque, la lettre qui t'était adressée et je connaissais les noms de la famille. » Elle haussa les épaules. « Ensuite, ça a été une chose après l'autre. Bobby a dû se faire opérer des amygdales, Gabe des végétations, et les emplois de Pete allaient et venaient, j'ai continué à " t'emprunter ", en me disant que je te rendrais tout ça un jour ou l'autre, puis tu es devenue une avocate célèbre et tout, alors j'ai changé d'avis. Je me suis persuadée que tu n'avais pas réellement besoin de cet argent, en tout cas moins que moi, et que c'était injuste que tout soit pour toi. Ceci dit, ça me rend malade d'avoir fait ça. Je m'en veux à mort. »

Rose était abasourdie, incapable de penser ou de dire quoi que ce soit. Puis une sourde colère monta en elle. Merde alors! Comment Marie a-t-elle pu me *mentir* comme ça? Pendant tout ce temps! Si elle avait besoin d'argent, elle n'avait qu'à m'en parler, je lui en aurais donné!

Rose vit sa sœur se redresser, relever la tête d'un air de défi. Dans ses yeux encore brillants de larmes, apparut une sorte de dureté, d'insolence.

Sa colère disparut aussi vite qu'elle était venue. Elle comprenait. La seule chose qui restait à Marie, c'était son orgueil. Demander de l'argent à Rose était pire pour elle que mentir, pire que voler, pire que tout.

Submergée par l'émotion, par la pitié, par le soulagement et l'amour, Rose alla embrasser Marie.

« Je me fiche de cet argent, lui dit-elle. Garde tout. Mais tu ne comprends pas ce que ça signifie pour moi? Il se *préoccupait* de moi. Quel que soit mon père. *Quelqu'un* se souciait de moi. »

Oui, quelqu'un, se dit-elle, mais qui? Qui est-ce? Et quel rapport a-t-il avec Sylvie Rosenthal?

38

En soupirant, Sylvie referma le registre de comptes qui avait appartenu autrefois à Gerald. Elle caressa de la paume la couverture de cuir usé d'un marron passé sur laquelle on lisait : COMPTES, en lettres dorées.

Sommes perçues, sommes payées. Tout était en ordre. Toutes ses dettes étaient remboursées.

Toutes sauf une, se dit-elle. Et c'est la plus importante de toutes.

Quelle folie, songeait-elle. Jamais tu n'aurais dû aller au tribunal. Rachel ne t'avait-elle pas demandé de ne pas t'y rendre? Pourquoi ne l'as-tu pas écoutée?

Elle revoyait Rose, sa Rose, plaidant magnifiquement la cause de Rachel. En y repensant, Sylvie sentait renaître ses remords auxquels se mêlait à présent un chagrin plus aigu.

J'ai vu ce que tu as fait de ta vie, ma petite fille, et j'en suis fière. C'est exactement ce que m'avait dit Nikos. Comme j'ai eu tort de t'abandonner, Rachel! Rien, malgré notre amour mutuel, ne pourra compenser cette perte.

Elle avait été si soulagée lorsque, la veille, Nikos lui avait annoncé qu'il ne révélerait pas son secret à Rose! Elle était comme un personnage de la Bible, délivrée d'un fléau mortel par la main de Dieu.

Puis il l'avait ému aux larmes en lui disant qu'il souhaitait plus que jamais l'épouser.

A présent, Sylvie réfléchissait à sa proposition, se demandant si elle allait accepter.

Je l'aime, se dit-elle, mais ai-je vraiment envie de me remarier?

Elle contempla un long moment son portrait accroché au-dessus de la cheminée. Il lui sembla qu'en dépit de la ressemblance physique, elle n'avait plus rien de commun avec cette jeune femme timide qui retrouvait secrètement Nikos au sous-sol. Non, maintenant elle était enfin elle-même, elle faisait ce qu'elle voulait, sans se cacher, sans soucis ni remords.

Seul son cœur restait le même. Ce cœur qui n'avait jamais cessé de s'affliger, de pleurer Rose.

Elle se sentit soudain si lasse qu'elle appuya son front contre le livre. La couverture était lisse, polie comme une peau humaine.

Elle éprouvait un grand plaisir à se laisser aller à sa fatigue, à pouvoir enfin poser sa tête ainsi, au milieu de la journée, sans que quelqu'un s'inquiète et lui pose des questions.

La vie est vraiment étrange, songeait-elle. Quand je pense qu'après la mort de Gerald, je ne pouvais pas supporter une heure de solitude. Mon Dieu, ce couvert du petit déjeuner mis pour moi toute seule... et la perspective de ces longues journées vides... quelle souffrance!

Maintenant, elle avait appris à aimer ces petits déjeuners solitaires qu'elle prenait parfois au lit avec le *Daily News, Good Morning* ou *America*. Ils lui donnaient une impression de luxe, d'extraordinaire détente. Et elle ressentait aussi un grand sentiment de liberté en rédigeant ses chèques. C'était *son* argent et si elle faisait des folies vestimentaires — une paire de chaussures irrésistible ou une robe de grand couturier — il n'y avait personne auprès d'elle pour lever un sourcil.

Cependant, plus que tout, elle appréciait de ne plus dépendre que d'elle-même. C'était ça, le vrai luxe.

Un souvenir lui revint à l'esprit. Moins d'un mois auparavant, alors qu'elle se trouvait seule chez Nikos, un tuyau avait éclaté à l'étage supérieur. L'eau jaillissait comme d'une fontaine et commençait à se répandre dans le salon. D'abord affolée, Sylvie n'avait su que faire puis elle s'était précipitée au sous-sol pour fermer le robinet d'alimentation. Ensuite, elle avait appelé le plombier et avait même réussi à éponger l'eau de sorte qu'il n'y avait eu aucun dégât.

Pourtant, si Nikos avait été là, elle l'aurait laissé s'occuper de tout en trouvant cela parfaitement normal. Au fond, là résidait son problème. Elle était forte et capable mais peut-être pas suffisamment pour s'opposer à ce qu'un homme se charge de tout. Et il ne s'agissait pas que de plomberie, mais de tous les domaines de la vie. Sa passivité ne demandait qu'à reprendre le dessus.

Heureusement, Nikos avait besoin d'elle.

Moi j'ai Rachel, se disait Sylvie mais Nikos, lui, n'a personne. Non, c'est pire que cela. Il a une fille qu'il brûle d'aimer sans que cela lui soit possible.

Quand je pense que pendant toutes ces années, j'ai eu si peur que Gerald ne découvre la vérité! Mais c'est Nikos que j'ai vraiment fait souffrir.

Pourraient-ils jamais lui pardonner, Rachel, Nikos, Rose? Mon Dieu, comme elle aurait aimé en être sûre.

Sylvie releva la tête. Quelque part, dans la grande maison silencieuse, une pendule sonna l'heure. Quel calme! Ah oui, c'était le jour de congé de Bridget. Et Manuel, le jardinier, était dehors, occupé à ratisser les allées.

La météo avait annoncé de la neige. Le ciel était immobile, uniformément gris. Bientôt les rosiers seraient recouverts d'un linceul blanc sous lequel ils disparaîtraient comme dans un rêve. Mais pas pour longtemps car, sous la neige et le sol gelé, une herbe tendre hibernait, prête à ressurgir.

Ainsi va la vie, songeait-elle. Lorsqu'une chose disparaît, elle ne meurt jamais complètement; elle laisse une empreinte dans nos cœurs.

La sonnerie de l'interphone la fit sursauter et, sans aucune raison, son cœur se mit à cogner.

Elle avait peur mais, malgré son hésitation, ses pas la menèrent dans le hall. Ses talons claquaient sur les dalles de marbre. Sans poser de question, elle ouvrit la lourde porte en noyer.

Elle n'avait rien demandé parce que, au fond d'elle-même, elle savait de qui il s'agissait.

Elle reconnut aussitôt la grande fille brune qui se tenait devant elle.

Debout sur le pas de la porte, Sylvie sentit le sang se retirer de son visage.

« Rose », murmura-t-elle.

39

Rose pénétra dans la maison, apportant avec elle une bouffée d'air froid. Sylvie sentit deux grands yeux sombres fixés sur elle. Elle y lut cette curiosité intense qui l'avait tant émue lorsqu'elles s'étaient retrouvées face à face dans la cour de l'école de Brooklyn.

Sylvie lutta contre l'envie de prendre sa fille dans ses bras.

« Comment savez-vous mon nom? » demanda Rose.

Sylvie recula d'un pas, et se mit à tripoter nerveusement le premier bouton de son cardigan rouge.

« Je... », commença-t-elle mais sa voix s'enraya dans sa gorge. Elle avait envie de crier la vérité.

Je suis ta mère. Je t'ai mise au monde puis je t'ai abandonnée. Mais comment, comment avouer une chose pareille?

« Rachel m'a tant parlé de vous, s'entendit-elle répondre. Entrez, je vous en prie. Vous devez être gelée. Il commence à neiger, je crois qu'on prévoit quinze centimètres de neige cette nuit. C'est rare en novembre. Donnez-moi votre imperméable. Nous allons nous installer dans le salon. Vous êtes venue me parler de Rachel, j'imagine? »

Mon Dieu, ce bavardage insipide! Elle ne reconnaissait même pas sa propre voix.

Troublée, Rose laissa Sylvie prendre son imperméable. Elle semblait hésitante, incertaine quant à la conduite à tenir. Elle était vêtue d'une jupe bleu marine et d'un chandail blanc, comme le jour où Sylvie l'avait surprise à la sortie de l'école. Elle ressemblait à cette petite fille grave dont Sylvie avait enfermé l'image dans son cœur vingt ans auparavant. Elle n'allait pas continuer sur ce ton affecté, mondain, non, c'était impossible.

« Du café? Ou bien préférez-vous un thé? » Mais mon Dieu si, elle continuait bel et bien!

« Moi, je préfère le thé ou encore la camomille. Il paraît que c'est excellent pour les nerfs. Montons, lui dit-elle en la précédant dans l'escalier. Je vous en prie, asseyez-vous... » Elle lui désigna un fauteuil moelleux, recouvert d'un chintz ravissant, au coin du feu. « Vous ne m'avez pas répondu. Café ou thé?

— Du thé, s'il vous plaît. Si ça ne vous dérange pas.

— Pas le moins du monde, mais comme c'est le jour de congé de ma domestique, je vais aller le faire moi-même. J'en ai pour une minute. »

Sylvie fut soulagée de cette diversion. Il lui était pénible de soutenir ce regard plein de reproches. Les yeux de Nikos. *Elle ne peut pas savoir qui je suis, mais elle sent les choses. Tout au fond d'elle-même, elle doit se souvenir...*

Dans la cuisine, en attendant que l'eau boue, Sylvie s'appuya sur le rebord du comptoir, les bras et les épaules douloureux. La tête lui tournait et elle était parcourue de frissons.

Lorsque le thé fut prêt, elle redescendit.

« Voilà, dit-elle d'une voix enjouée, en posant le plateau sur la table basse. Lait ou citron?

— Du citron, s'il vous plaît... »

Sylvie lui tendit une tasse de porcelaine fine, décorée à la main. « Voilà. Maintenant, que puis-je faire pour vous? Ou pour Rachel?

— Je... non, en fait... c'est juste... » Rose s'agitait dans son fauteuil, au comble du désarroi. Elle jetait des regards furtifs autour d'elle, semblant se demander pourquoi elle était venue. Puis ses yeux sombres se fixèrent sur Sylvie qui détourna la tête, en proie à une panique complète. Et si Rose savait? Non, c'était impossible, puisque Nikos n'avait rien dit.

« Je ne suis pas venue vous parler de Rachel. Je... eh bien, cela paraît un peu idiot maintenant que je suis là mais voilà... hier, au tribunal, j'ai eu l'impression de vous reconnaître. J'en étais sûre, en fait. » Elle souleva ses cheveux et décrocha une boucle d'oreille.

Sylvie se figea. *Mon Dieu, oh mon Dieu, ma boucle d'oreille. Elle l'a gardée tout ce temps.* Elle regardait le bijou comme si celui-ci contenait un poison mortel.

Rose lui tendit le petit rubis, puis, comme elle ne faisait pas mine de le prendre, le lui mit dans la main. Il brillait comme une goutte de sang dans sa paume ouverte.

« Une dame me l'a donné quand j'étais petite, expliqua Rose. J'avais neuf ans. Une dame qui vous ressemblait. Qui était exactement comme vous, en fait. Naturellement, c'est vieux mais je m'en souviens parfaitement. Vous... cette femme... a retiré cette boucle de sa propre oreille et me l'a tendue sans un mot. Vous ne pouvez pas vous imaginer quel choc ça a été pour moi. C'était comme si... comme si une marraine de conte de fées était apparue soudain et avait agité une baguette magique sous mon nez avant de disparaître. Je pensais que vous pourriez peut-être m'aider... me dire pourquoi... » Elle bafouillait tout en remettant sa boucle d'oreille.

A présent, ce regard sombre prenait possession de Sylvie comme l'avait fait celui de Nikos. Elle sentait sa résolution faiblir, comme une vieille peinture dont les couches successives s'en vont par plaques. *Elle sait. Elle se souvient de moi. Mon Dieu, si je pouvais cesser de mentir, lui dire la vérité.*

Mais elle ne le pouvait pas. La vérité était comme un gros bloc de pierre qui l'écraserait si elle essayait de le pousser.

Et soudain, une certitude lui vint à l'esprit : *J'ai gardé ce secret si longtemps qu'il fait partie de moi, de ma propre chair. En y renonçant, je tuerais quelque chose en moi.*

« J'aimerais pouvoir vous aider, ma chère petite, répondit-elle d'un ton léger, tout en se méprisant de mentir ainsi, mais j'ai bien peur de ne pas connaître cette dame. Vous dites que je vous la rappelle? Cela m'est arrivé, à moi aussi. Un jour j'ai rencontré une femme dont le visage m'était si familier qu'il m'a hanté pendant longtemps. Impossible de savoir de qui il s'agissait. Cela m'a rendue à moitié folle. Oh, votre thé doit être froid... laissez-moi vous en donner une autre tasse. »

Rose reposa sa tasse. « Non merci. » Elle paraissait très agitée. « Il faut que je parte. Excusez-moi de vous avoir dérangée, mais, vous comprenez, j'étais tellement sûre... je croyais...

— Ne vous excusez pas, je vous en prie. Je suis ravie que vous soyez venue. Je voulais vous remercier, de toute façon, d'avoir aidé Rachel. Vous avez été formidable. »

Elle raccompagna Rose à la porte, priant pour que celle-ci ne remarquât pas le tremblement de ses mains.

Sur le palier, Sylvie croisa le regard de Rose. *Vous mentez*, disait-il, *je ne sais pas pourquoi, mais vous mentez, j'en suis sûre.*

Sylvie pensait à l'autre boucle d'oreille. Des années auparavant, elle avait sorti une pierre descellée du mur du jardin et avait caché le bijou dans le trou. *Comme une graine*, songeait-elle maintenant, *une graine qu'on ne met pas en terre, une graine qui ne pourra jamais pousser.*

Et à ce moment-là, elle avait désiré se coucher sur le sol et mourir.

40

En regardant Sylvie ouvrir le vestiaire pour lui rendre son imperméable, Rose eut soudain une irrépréssible envie de l'attraper et de la secouer. Sa chance de découvrir la vérité, son unique chance, peut-être, était en train de lui filer entre les doigts. Dans un instant, elle aurait disparu.

Elle sait quelque chose mais elle ne veut rien dire. Elle semble avoir peur. Mais de quoi? De qui?

Jetant un coup d'œil autour d'elle pendant qu'elle attendait son trench-coat, Rose aperçut, par une porte entrouverte, une pièce – un bureau d'homme, lui sembla-t-il – avec des fauteuils de cuir usé, une mappemonde ancienne et, sur les murs, d'immenses affiches d'opéra des années vingt. Au-dessus de la cheminée était accroché le portrait d'une jeune femme en robe bleue, les mains sur les genoux. Malgré sa pâleur, elle était rayonnante de chaleur et de vie.

Intriguée, Rose franchit le seuil et s'approcha de la svelte jeune femme aux yeux verts. Elle remarqua soudain un petit point rouge qui brillait à son oreille, un rubis serti dans de l'or en forme de goutte.

Rose fut prise d'un étourdissement. Son cœur se mit à battre à petits coups précipités comme un caillou qui ricoche sur l'eau. *C'est elle... mon ange gardien.*

« C'était le bureau de mon mari, dit la voix nerveuse de Sylvie derrière elle. Ce sont ses livres, sa collection de disques... il avait une passion pour l'opéra. »

Rose fit un effort pour se retourner. Sylvie se tenait près de la porte son imperméable dans les bras. Étrange cette façon qu'elle a de le serrer contre elle comme un enfant, se dit Rose.

« C'était vous », souffla Rose, les jambes coupées par sa découverte.

Elle s'en doutait bien sûr, mais elle n'en avait pas la preuve. Cependant tomber là-dessus... sur cette boucle d'oreille. Seigneur, qu'est-ce que ça signifiait?

Elle vit Sylvie reculer d'un pas et vaciller. Elle agrippa le rebord de la table et le manteau de Rose glissa sur le tapis d'Orient.

Puis, lentement, comme si elle était très âgée ou malade, elle se redressa. Parfaitement immobile, toute droite, elle ressemblait à une statue de marbre faiblement éclairée par la lumière voilée filtrant entre les lourds rideaux.

Rose fit un pas en arrière. Elle était glacée et une veine de son cou palpitait furieusement.

Sans avoir conscience de ce qu'elle faisait, elle porta instinctivement sa main à sa boucle d'oreille.

Sylvie tressaillit comme si on l'avait frappée.

« Qui êtes-vous? » murmura Rose.

Sylvie la dévisagea un long moment. Elle était là, clouée sur place, le regard fixe comme un animal sauvage pris dans le faisceau lumineux des phares d'une voiture.

Puis, enfin, elle se décida. « Je suis ta mère », dit-elle d'une voix bizarrement caverneuse, comme si elle avait parlé dans un tunnel.

Que voulait-elle dire? Rose n'y comprenait plus rien. Elle se sentait stupide. Sylvie lui disait quelque chose d'important, mais c'était comme du chinois pour elle. Sa mère? Comment aurait-elle pu être sa mère? Non, c'était impossible. Elle avait dû mal entendre.

« Je ne comprends pas..., balbutia-t-elle. Je ne... ma mère est morte.

– Oui, Angie est morte. Mais pas ta vraie mère. Moi, je t'ai portée, dit-elle, posant une main blanche sur son ventre. Je t'ai mise au monde. Toi, si brune... tes cheveux, tes yeux semblables à du jais... mais je te voulais, oh oui, je te voulais. Seulement Gerald aurait deviné que j'aimais un autre homme. Je savais qu'il me prendrait en horreur, qu'il voudrait divorcer. » Sylvie tremblait de tous ses membres. Ses lèvres laissaient échapper des paroles extravagantes, sans suite. « Puis le feu... il y a eu un incendie cette nuit-là... et, que Dieu me pardonne, j'ai pris le bébé d'Angie à la place du mien. » Elle cacha son visage dans ses mains et ses épaules parurent s'affaisser sous son cardigan rouge.

« Rachel », souffla Rose, pétrifiée.

Et, en un éclair, tout lui revint. L'impression agaçante qu'elle l'avait déjà vue, et aussi que Rachel ressemblait à quelqu'un qu'elle connaissait. Seigneur... *c'était devant mon nez, ça crevait les yeux mais je n'y ai pas pensé.*

Marie. Évidemment.

Rachel avec ses cheveux blond foncé, ses yeux d'un bleu vif, ressemblait à Marie comme deux gouttes d'eau. Et elles avaient exactement la même taille. Une Marie plus jeune et plus jolie.

Alors, une étrange légèreté s'empara de Rose, un sentiment d'irréalité totale. Ce n'est pas vrai... des choses comme ça ne se produisent que dans les rêves.

Cette femme, Sylvie Rosenthal, ma vraie mère? Non, c'est impossible.

Et pourtant... elle le croyait. Oui, au fond d'elle-même, elle devait l'avoir su de tout temps. Un peu comme les songes vous dévoilent des choses qu'on n'aurait pas le moyen de découvrir autrement.

Puis tout éclata en elle, comme un kaleidoscope dont les fragments de verre coloré tourbillonnent en se dispersant. Pourtant elle gardait la tête froide. Puis, soudain, la cruelle vérité s'imposa à elle.

Ma mère n'est pas morte dans cet incendie... elle est simplement partie... elle m'a abandonnée... c'est inimaginable!

« J'en ai été malade », dit Sylvie, laissant retomber ses mains. Son visage était blême, hagard. « Je ne l'ai pas plutôt fait que j'ai voulu revenir, leur dire qu'il s'agissait d'une erreur. Mais je n'en ai pas été capable. Je ne voyais aucun autre moyen de me tirer d'affaire.

— Et mon père? Qui est mon père?

— Nikos Alexandros. Il était mon amant... je ne lui avais rien dit. Maintenant, il est au courant. J'étais si troublée, tu comprends, j'avais si peur! J'ai eu tort. Je le sais maintenant. Il ne s'est pas écoulé un seul jour sans que j'y pense, sans que je me torture...

— Mais vous auriez pu revenir plus tard... quand j'avais un an, ou cinq... sept ans. » Un grand froid lui étreignait le cœur, la glaçait jusqu'au bout des doigts. Dehors, la neige tourbillonnait, s'écrasant mollement contre les vitres. « Et le jour où vous êtes venue à l'école? Pourquoi? pourquoi ne m'avez-vous rien dit alors?

— Je voulais simplement te voir. Juste une fois... pour savoir comment tu étais. » Sylvie porta la main à son oreille, puis dit d'une voix altérée par l'émotion : « Je n'ai pas voulu te laisser partir sans... sans te donner un souvenir de moi.

— Mais et moi? cria Rose faisant un pas en avant, les jambes flageolantes. Vous aviez Rachel, alors vous n'aviez pas besoin de *moi!*

— Non... non, tu ne comprends pas... je te *voulais.* Mais c'était trop tard. Bien trop tard. Comment t'expliquer ça? Tu te serais sauvée... tu ne m'aurais pas crue. Tu n'aurais pas voulu de moi.

— Vous vous trompez. Vous me manquiez. *J'avais besoin* que vous... ou quelqu'un... peu importe qui, m'aime. » Sylvie était de plus en plus pâle, aussi pâle que dans la cour de l'école... Oh non, elle n'avait rien oublié. « Et si vous m'aviez revendiquée à ce moment-là? C'est à cause de Rachel que vous ne l'avez pas fait? Vous aviez peur qu'on vous l'enlève? »

Sylvie se redressa, le visage crispé, les yeux secs.

« Je ne vais pas te mentir. J'ai assez menti comme ça. J'aime Rachel comme ma propre fille. Je n'aurais jamais pu l'abandonner, pas plus que... » Comme mue par un ressort, Rose bondit vers elle et la prit par les épaules. Son parfum, une douce odeur de fleurs, l'emplissait de rage et de désespoir.

« Pas plus que quoi? Que si elle avait été votre fille? C'est ce que vous alliez dire, non? »

Sylvie n'essaya pas de se dégager. Elle restait là, immobile, les bras ballants, ses immenses yeux verts hypnotisés par ce regard brûlant.

Elle secoua lentement la tête et ce geste délogea une larme qui roula sur sa joue et tomba sur le poignet de Rose.

Puis elle lui prit la tête entre les mains. Ses doigts étaient si froids que Rose en frissonna.

Pendant un long moment, elles restèrent ainsi, immobiles, en silence.

« Toutes ces années, dit enfin Sylvie d'une voix tremblante. Te toucher... oh juste te toucher... comme ça... mon enfant... ma fille... »

Rose se dégagea brutalement. Une vague de colère la submergeait, chassant toute émotion.

« Non! cria-t-elle, c'est trop facile! Je ne vous manquais pas alors... je ne vous ai jamais manqué. Vous m'avez abandonnée comme on abandonne un chaton. J'ai toujours senti que je n'avais rien à voir avec ma famille. Avec aucun de ses membres. Ma propre grand-mère me détestait. Elle se rendait compte à quel point j'étais différente... elle croyait que c'était à cause de ma mère qui couchait avec n'importe qui. Elle me rendait responsable de la mort de son fils. Et vous pensiez qu'ouvrir un compte en banque à mon nom arrangerait tout, n'est-ce-pas? Eh oui... ça aussi je le sais. Ce ne pouvait être que vous. Mais là non plus, vous n'avez pas eu le cran de signer.

– Je ne pouvais pas. Je voulais simplement que tu aies quelque chose...

– Vous ne m'avez rien donné. Absolument rien. Le jour où vous êtes venue à mon école, vous m'êtes apparue comme un rêve. Vous m'avez donné un faux espoir. C'était inutile. Comme cette boucle d'oreille. Avez-vous jamais songé à quel point une unique boucle d'oreille est inutile? Pis que cela... elle vous rappelle constamment ce qui vous manque. »

Sylvie porta la main à sa poitrine comme pour contenir sa douleur. Son visage était sillonné de larmes. « Je regrette... je suis désolée..., balbutia-t-elle. Je ne pensais pas que... que tu pourrais en souffrir...

– Comment auriez-vous pu me faire souffrir puisque je ne vous connaissais pas? » Rose avait un nœud dans la gorge. Elle ne voulait pas pleurer.

Elle se baissa pour ramasser son imperméable et se dirigea vers la porte.

« Au revoir... *Mère.*

– Attends! Ne pars pas. Non, pas tout de suite... attends, je t'en prie! »

Cette voix lui restitua brusquement la scène de la cour de l'école. C'était comme l'écho de ce jour d'hiver où Sylvie lui était apparue pour la première fois. Elle se retourna, irrémédiablement prise au piège du souvenir.

Idiote. Sors d'ici! Mais au lieu de lui obéir, ses membres s'appesantirent et elle fut incapable de bouger. Comme elle était faible! Elle se sentit furieuse contre elle. Elle brûlait encore de connaître ce sentiment qu'elle n'avait jamais connu : l'amour d'une mère. Mais c'était trop tard. Si seulement Sylvie lui avait dit tout ça plus tôt! Si seulement elle l'avait préférée à Rachel!

« Attends, insista Sylvie. J'ai quelque chose pour toi. »

Rose avait envie de fuir mais la vue de Sylvie, sa détresse l'en empêchèrent.

Maintenant c'était au tour de Sylvie de courir. Elle se précipita vers la porte-fenêtre et l'ouvrit grand, laissant une bouffée d'air froid pénétrer à l'intérieur. Quelques flocons de neige, rabattus par le vent, mouillèrent les tentures de velours.

Frissonnant, Rose plongea son regard dans toute cette blancheur tourbillonnante et vit un jardin, avec des buissons qui ressemblaient à des squelettes. Les branches des arbres étaient couvertes de neige et le tronc vigoureux d'une vigne vierge grimpait sur le mur de brique du fond.

Sans se préoccuper du froid Sylvie s'engouffra dans cet univers cotonneux. Elle glissa sur les marches du perron et faillit tomber. Ses chaussures à talons s'enfonçaient dans la neige qui, à présent, recouvrait tout le patio.

Pour l'amour du ciel... qu'est-ce qu'elle fait?

« Sylvie! » appela-t-elle.

Jetant son trench-coat sur ses épaules, elle courut la rejoindre. La neige l'aveuglait, le froid lui brûlait les joues.

« Sylvie! » cria-t-elle de nouveau. Elle la regarda toucher le mur à tâtons. Ses mains, bleuies par le froid, étaient pleines de neige et de ciment effrité. Elle se mit soudain à tirer frénétiquement sur une brique.

Rose serra son manteau autour d'elle. Mais que fait-elle? Que cherche-t-elle?

Soudain, la brique sur laquelle Sylvie tirait avec l'énergie du désespoir céda dans un jaillissement de débris rouges et de boue. Alors elle enfonça sa main dans le trou et en sortit un petit paquet enveloppé dans du plastique. « Tu vois! Je l'ai », cria-t-elle avec une expression triomphante.

Elle déchira l'enveloppe de plastique et en sortit la boucle de rubis, entourée d'un morceau de velours. Elle était scintillante, intacte, comme si Sylvie venait juste de la détacher de son oreille.

« Tiens. » Sylvie la lui tendait, exactement comme la première fois. Rose se demanda si cette scène était bien réelle, si elle ne rêvait pas. *Mère...*

Elle se voyait tendre la main... pour prendre la boucle d'oreille.

Il n'était plus question d'ange gardien maintenant. Cette femme agenouillée sur le sol était de chair et d'os et elle aussi lui demandait quelque chose.

Mais qu'avait-elle à lui offrir? Et pourrait-elle jamais lui pardonner?

Pourtant, mue par une soudaine impulsion, Rose s'empara de la main de Sylvie. Elle sentit des doigts gourds entourer les siens, la boucle d'oreille s'enfoncer dans sa paume.

Je ne te connais pas, pensait Rose, mais j'ai envie de te connaître. Je veux essayer.

« Rentrons », dit-elle doucement.

41

Assise à la fenêtre, Rose regardait dehors, les yeux dans le vague. Elle devait être là depuis un moment car la nuit tombait. Il neigeait toujours. La neige fraîche dissimulait la saleté des rues, posait sur la ville une toile vierge, immaculée. *Et moi? Quelle forme va prendre ma vie? Sera-t-elle différente, à présent?* Plus heureuse?

Elle se sentait tout engourdie. Combien de temps était-elle restée assise ainsi? Des heures, peut-être. Depuis qu'elle avait quitté Sylvie, elle avait perdu la notion du temps.

Elle songeait à ce long après-midi qu'elle venait de passer dans la grande maison de Riverside Drive, blottie sous la couverture de mohair, devant un bon feu, à boire du porto tout en parlant, tout en livrant pêle-mêle à Sylvie les détails de son existence. Lui racontant la façon dont Nonnie, année après année, l'avait accablée de sarcasmes et humiliée, et ces bouffées de colère qu'elle-même éprouvait et dont la violence l'étonnait. Elle avait longuement évoqué Brian, cet amour mêlé de haine qui l'avait tant fait souffrir, ses sentiments ambigus à l'égard de Rachel.

Sylvie était insatiable. Elle la bombardait de questions et Rose, abandonnant tout ressentiment, s'était mise à lui répondre. Elle se sentait de plus en plus légère, de plus en plus libre. Au bout d'un moment, elle avait cédé à la fatigue et appuyé sa tête contre les coussins du canapé en fermant les yeux.

Elles avaient gardé le silence un long moment. Rose écoutait le feu craquer et songeait qu'il aurait été merveilleux de grandir dans cette maison. Elle s'imaginait petite, assez jeune pour grimper sur les genoux de Sylvie, pour se blottir contre elle.

A un moment, Sylvie s'était penchée vers elle et lui avait pris la main. « Il faut que je te dise quelque chose, ma chérie. » Son ton solennel avait fait peur à Rose. Quoi qu'elle eût à lui dire, elle n'avait pas envie de l'entendre. « Je ne suis pas sûre que tu comprennes, mais je voudrais au moins que tu essaies. » *Qu'y a-t-il encore? Que veux-tu de moi?*

« C'est au sujet de Rachel. » Sylvie détourna son regard et contempla le feu.

Rose sentit sa rancœur flamber à nouveau. C'était *son* jour. Rachel avait profité de sa mère toute sa vie. Pourquoi fallait-il que Sylvie gâche ce moment?

« Qu'y a-t-il à propos de Rachel? demanda-t-elle sèchement.

— Eh bien, voilà... Rachel souffrirait beaucoup si elle savait que je ne suis pas sa vraie mère. » Sylvie soupira et ferma les yeux. « Je sais que je ne peux pas te demander de mentir pour moi. Je n'en ai pas le droit. Je t'ai déjà imposé de tels sacrifices... mais je t'en supplie, avant de dire ou de faire quoi que ce soit, réfléchis bien, pèse les conséquences, afin de... de ne pas punir Rachel de mes propres fautes.

— Alors nous ne dirons jamais rien à Rachel? Elle continuera à vivre dans l'ignorance, bien confortablement? »

Sylvie pressa sa main. « Rose... personne au monde, pas même Dieu, ne peut te rendre ce dont je t'ai privé. Et sûrement pas Rachel. Donc, toi et moi... nous devons apprendre à nous connaître, à partir de cette minute, de ce jour. Comme des amies. Et ce que nous ressentons ne sera pas différent parce que nous nous abstiendrons de le clamer. »

Des mensonges, encore des mensonges, avait-elle envie de lui dire sèchement. Mais quelque chose — elle ne savait quoi au juste — l'en empêcha.

Elle n'avait dit ni oui ni non, seulement qu'elle allait y réfléchir. Épuisée, elle avait embrassé Sylvie, puis était partie en se demandant si elle la reverrait un jour, et si toute cette scène avait réellement eu lieu.

Mais maintenant, en y réfléchissant, Rose comprenait le raisonnement de Sylvie. Quelle faute Rachel avait-elle commise? Et n'avait-elle pas assez souffert avec ce procès? Pourquoi lui infliger ce nouveau chagrin?

Cependant, quelque chose en elle — l'enfant blessée tapi dans son cœur — avait envie de blesser Rachel, de la punir, en quelque sorte, pour avoir profité de toutes ces choses et, notamment, de cet amour qui lui revenait de droit. Quelle que fût sa décision, Rose savait qu'elle en voudrait à Rachel jusqu'à son dernier souffle.

D'un autre côté, elle avait besoin de Sylvie, de ce que celle-ci lui offrait — son amitié, et un jour peut-être une réelle intimité, qui sait, l'amour même. Et ce n'était pas en étalant tout au grand jour et en blessant mortellement Rachel qu'elle se ferait aimer de Sylvie. Leur relation ne pouvait commencer de cette façon.

Une bourrasque secoua la fenêtre. Rose regarda en bas et vit une silhouette voûtée, solitaire, qui se hâtait sur le trottoir enneigé. L'homme était l'image même de la solitude et soudain elle songea à elle-même si seule ici, et brûla d'envie d'être avec Max, dans ses bras, nichée contre sa poitrine. Son cœur se serra. Ce soir, il partait pour Los Angeles. Il était probablement déjà parti.

Idiote, ricanait une voix en elle. *Max ne te quitte pas. C'est toi qui es responsable de son départ, qui lui a donné son congé.*

Le jour où je l'ai surpris en train de vider son bureau, pourquoi ne lui ai-je pas dit que je l'aimais? J'aurais pu. Est-ce l'orgueil qui m'en a empêchée? Ou y avait-il une autre raison? Avait-elle peur de s'attacher à Max? Que lui arriverait-il s'il la faisait souffrir comme l'avait fait Brian? *Mais je ne veux plus être seule.* Cette pensée s'imposa à elle, claire, lumineuse comme une évidence.

Elle avait été si longtemps solitaire! Elle ne pouvait plus le supporter. Elle avait besoin de Max, bien plus que de Sylvie ou de n'importe qui d'autre.

Peut-être... peut-être pouvait-elle encore le joindre.

Elle sentit son cœur faire un bond. Elle se leva et entra dans la cuisine. Huit heures... il n'allait pas tarder à partir pour l'aéroport.

Elle composa son numéro, laissa sonner pendant de longues minutes, puis raccrocha, les yeux pleins de larmes. C'était trop bête! A une demi-heure près!

Elle réfléchissait. Son avion ne devait pas décoller avant dix heures. Il avait envoyé une note au bureau avec son itinéraire complet au cas où on aurait besoin de le joindre. United, JFK, vingt-deux heures. Chaque mot était gravé dans sa mémoire. Avec ce temps, son vol serait probablement retardé. Si elle se dépêchait, elle arriverait peut-être à temps.

Elle se précipita dans le vestiaire, enfila un gros manteau et des bottes. *Seigneur, dans quel état je me mets! Je tremble alors que je n'ai même pas franchi la porte!*

Elle eut la chance de trouver un taxi presque aussitôt mais la circulation était très ralentie sur Long Island Expressway. Elle maudit la neige, le culot des chauffeurs de poids lourds qui forçaient quasiment le passage et les banlieusards, encombrant la route et qui auraient mieux fait de ne pas sortir par un temps pareil. Bon Dieu, à cette allure, elle n'y arriverait *jamais*. Elle regarda sa montre. Neuf heures. Il allait bientôt embarquer. Pourtant il fallait qu'elle lui dise... elle ne pouvait pas le laisser partir sans... *Max, je t'en supplie, sois là.*

Après avoir roulé un long moment pare-chocs contre pare-chocs, ils atteignirent enfin l'aérogare. Les voitures étaient rangées en double et en triple file le long de la rampe d'accès. A l'intérieur, une foule nombreuse se pressait autour des comptoirs des compagnies d'aviation. Tous les sièges étaient occupés et les gens s'installaient pour la nuit à même le sol. Des douzaines de vols avaient été annulés.

Pourvu que celui de Max le soit, se dit-elle.

Elle examina le tableau d'affichage : Vol 351, Los Angeles, 22 h 05. Porte 12. D'après sa montre, cela lui laissait encore six minutes.

Rose, le cœur battant, le visage en feu, se mit à courir, se frayant un chemin à travers la foule. Elle manqua se jeter contre un immense Noir, faillit renverser un enfant. Les numéros des portes s'élevaient petit à petit, quatre, maintenant six, sept, neuf...

Douze. Porte douze. Hors d'haleine, elle passa devant le comptoir et se retrouva dans la salle d'attente. La porte qui menait à l'avion était fermée. Mais peut-être pouvait-elle encore passer... il fallait demander...

Alors, à travers les grandes vitres, Rose vit la grande carcasse d'acier s'éloigner lentement, ses lumières rouges clignotant dans la nuit.

L'avion de Max gagnait la piste d'envol.

Tout son corps s'alourdit comme sous l'effet de la pesanteur et elle eut la sensation que ses jambes fléchissaient sous elle.

Max... oh Max...

42

De sa main gantée, Max appuya de nouveau sur le bouton de l'interphone. Mais qu'espérait-il? Elle devait dormir à poings fermés. Il faisait à peine jour. Il n'était même pas six heures.

Il fallait qu'il s'en aille. C'était stupide de venir ici. Il n'y avait aucune raison. Il avait un avion à prendre. Il sentait le froid de la croûte de neige à travers les semelles de ses chaussures. Il avait les doigts gourds. La neige avait cessé de tomber pendant la nuit et, à présent, il faisait très froid, probablement bien au-dessous de zéro. Son haleine formait de petits nuages blancs dans la lumière grise de l'aube.

Après avoir appuyé sur le bouton une troisième fois, il comprit que Rose n'allait pas répondre. Peut-être n'était-elle même pas là. Le cœur serré, il reprit sa valise.

En descendant avec précaution les marches glissantes, il se rappela qu'il avait gardé les clés de l'appartement. Il avait voulu les lui rendre à plusieurs reprises mais, allez savoir pourquoi, il avait toujours oublié.

Il enfonça sa main dans sa poche et en sortit le trousseau. Oui, elles étaient là. Les clés de Rose. Une joie absurde l'inonda.

Une minute plus tard, il était en haut et ouvrait la porte sans faire de bruit. Il poussa la valise à l'intérieur.

Il resta un instant immobile, le cœur battant. *Crétin, qui crois-tu tromper? Tu n'es pas venu ici pour lui dire au revoir. Tu espères toujours, n'est-ce pas?*

Vraiment, rien ne lui servait de leçon!

Non, tout cela était ridicule.

Pourtant, comment partir sans lui dire au moins au revoir...

Le temps était si affreux que Monkey avait insisté pour qu'il retarde son départ. Normalement il aurait déjà dû être à Beverly Hills à cette heure-ci.

Mais il avait encore deux heures à tuer avant ce vol, alors il s'était dit, *pourquoi pas?*

Il traversa le salon sur la pointe des pieds. La lumière de l'aube, se reflétant sur la neige accumulée sur les appuis de fenêtre, éclairait la pièce d'une clarté blanchâtre. Il aperçut un amas de vêtements sur un fauteuil, une paire de bottes jetées au hasard. Elle avait dû rentrer tard, trop tard, en tout cas, pour se soucier de ranger. Peut-être avait-elle un rendez-vous? Avec un type... Et soudain, l'idée qu'elle n'était peut-être pas seule dans sa chambre le frappa en plein cœur. Il hésita un instant puis se glissa dans sa chambre. Un peu de lumière filtrait à travers les stores vénitiens et faisait luire les boules de cuivre du lit. Il baissa les yeux sur la silhouette enfouie sous la couette chiffonnée. *Seule! Dieu merci, elle était seule!* Il respira profondément.

Il la contemplait, endormie, son souffle régulier soulevant à peine l'édredon. Une moitié de son visage était dans l'ombre et ses cheveux formaient une auréole noire contre l'oreiller blanc. Dieu qu'elle était belle! Ses yeux se remplirent de larmes.

« Rose! » Il lui toucha la main. « Rose, réveille-toi. »

Laisse-moi te dire adieu et je te promets que je sortirai de ta vie.

Demain, à cette heure-ci, il roulerait sur la route de Santa Monica. Dix-sept degrés, lui avait dit Gary la veille au soir au téléphone. En plein mois de novembre. « Dix-sept degrés, mon vieux! Je t'emmènerai à Venice, tu n'en croiras pas tes yeux. Les filles font du patin à roulettes en bikini sur les trottoirs. Max, c'est la bonne vie, ici. »

Ouais, la bonne vie, au milieu de tous ces types pathétiques à la chemise ouverte jusqu'au nombril, avec leur chaîne d'or au cou, qui draguent des nanas parfois plus jeunes que leurs propres enfants.

Voilà... Rose et moi échangerons des cartes de vœux une fois par an... peut-être passerai-je lui dire bonjour quand je serai à New York et un jour ou l'autre, elle se mariera.

« Rose », murmura-t-il, regardant fixement son visage, essayant de le graver dans sa mémoire. Elle dormait si profondément qu'il n'avait pas le cœur de la réveiller. Pauvre chérie, elle devait être épuisée.

C'était peut-être mieux ainsi. Elle ne saurait pas qu'il était venu.

Il ressentait la même impuissance qu'autrefois quand il se penchait pour regarder Monkey endormie. Elle était si adorable qu'il aurait pu rester ainsi, au bord de son lit, pendant des heures, mais il savait que, quoi qu'il fît pour la protéger, autant qu'il l'aimât, viendrait un jour où elle volerait de ses propres ailes, où elle l'abandonnerait sur la rive.

Le cœur lui manqua et ses yeux s'emplirent de larmes. Il déposa un baiser sur ses lèvres entrouvertes. « A un de ces jours, mon tout petit », murmura-t-il.

Il atteignait la porte lorsqu'il entendit Rose grogner. « Max? C'est toi? »

Il se retourna, le cœur battant. « C'est moi. Je suis désolé de t'avoir fait peur. »

Assise dans son lit, elle le regardait avec stupéfaction. « Mais... que fais-tu ici? Je te croyais à Los Angeles!

— Mandy était inquiète de me voir voler avec un temps pareil et je lui ai dis que j'attendrais que ça s'arrange un peu. Je pars pour l'aéroport. Je voulais simplement te dire au revoir... et te laisser ça. » Il sortit les clés de l'anneau et les posa sur sa coiffeuse. « Ne te lève pas. Je file. » Il s'efforça de sourire. « Californie, me voici, comme dit la chanson. Hé, qu'est-ce que tu as? Mais ce sont les grandes eaux, ma parole! »

Rose, les cheveux ébouriffés, le visage sillonnés de larmes, avait bondi hors du lit et bloquait la porte.

« Tu ne pars pas. Je ne te laisserai pas partir. »

Max la regardait, ébahi.

« Rose, de quoi parles-tu?

— Tu m'as très bien entendue! Tu ne vas nulle part, en tout cas, pas sans moi », ajouta-t-elle, les yeux brillants, les joues rouges.

L'espoir renaissait follement en lui. Il la rejoignit et la saisit par les épaules.

« Rose? Tu es devenue folle?

— Tu as très bien compris. Je pars avec toi.

— Qu'est-ce que c'est que cette histoire? Pourquoi diable veux-tu aller en Californie?

— A cause des pamplemousses.

— Rose... ne fais pas...

— A cause du brouillard. Des bains chauds. Des autoroutes. De Ronald Reagan.

— Tu es devenue...

— ... aime.

— Qu'est-ce que tu dis?

— Je t'aime. » Elle souriait. « Je t'aime, Max. Je ne peux plus vivre ici sans toi. »

Max la regardait bouche bée, incrédule, fou de bonheur.

« Je crois que je t'ai aimé tout de suite mais je ne le savais pas. Eh puis, quand tu m'as dit que tu partais pour Los Angeles, j'ai pensé que c'était trop tard. Oh Max, dis-moi qu'il n'est pas trop tard.

— C'est vraiment ce que tu veux, partir avec moi? »

Elle eut un sourire tremblant. « Il paraît qu'il n'y a rien de meilleur pour l'érotisme que les bains chauds. Et c'est vrai que j'adore les pamplemousses. »

Max la regardait fixement, avec l'impression que le sol se dérobait sous lui, qu'il flottait dans l'air. Oh bon Dieu, ça faisait vingt ans qu'il était sur la mauvaise route et voilà qu'elle lui apparaissait comme un mirage, une oasis dans le désert, une promesse de fraîcheur, d'eau, de vie. Une fin à sa terrible solitude.

Pouvait-il y croire? Pouvait-il vraiment y croire?

Un souvenir remonta des profondeurs de son inconscient. Il avait seize ans et tellement envie d'avoir une voiture qu'il avait passé tout un été à travailler à la chaîne d'empaquetage d'une cimenterie du New Jersey. Chaque jour, il rentrait, couvert de poussière, les yeux en feu, avec dans la bouche un goût de ciment qu'aucun dentifrice ne parvenait à effacer. Et puis, enfin, en septembre, il avait économisé assez pour acheter la voiture : une Oldsmobile 1941 mangée par la rouille et qui tenait avec des ficelles. Mais comme il avait aimé cette guimbarde! Plus que la Thunderbird flambant neuve qu'il s'était offerte en sortant de la fac de droit, et plus que toutes les voitures qu'il avait eues depuis. Et aujourd'hui il comprenait pourquoi.

Parce qu'il ne l'avait pas seulement achetée, il l'avait *rêvée*. Il l'avait fait, comme un jeune magicien, jaillir de la poussière de ciment et de ses vœux. Et, quand il s'était assis derrière le volant plastique craquelé par les années, il avait su à jamais que si on voulait quelque chose assez fort, si on en rêvait avec assez d'intensité, tout était possible.

Il tendit une main vers son visage mais sans la toucher. Rose s'appuya contre sa paume et ferma les yeux. C'est une voyageuse fatiguée qui veut rentrer chez elle, se dit-il. Comme moi.

« A une condition, dit-il, la voix enrouée par l'émotion.

— Vas-y, murmura-t-elle.

— Épouse-moi. »

Elle écarquilla les yeux, et lui sourit tendrement. « Oui, je veux bien. »

Elle se mit à rire et renversa la tête en arrière en s'étirant.

Alors, il remarqua ses boucles d'oreilles. Les deux *mêmes*, identiques. Deux gouttes de rubis.

Épilogue

Sylvie se laissa tomber avec un soupir d'aise dans le confortable fauteuil au coin de la cheminée. Elle enleva ses escarpins et appuya sa tête contre le dossier rembourré. A travers les carreaux gravés des portes du salon, elle distinguait des silhouettes – le personnel du traiteur qui ôtait les verres vides, les cendriers et les assiettes.

Elle sentait à peine sa fatigue tant elle était contente.

Ils l'adoraient. Tout le monde adorait ce que Nikos avait fait de cette vieille baraque en ruines. Ce que j'ai fait. Ça tient du miracle, disaient-ils.

Du rez-de-chaussée montaient des bruits divers – voix assourdies, rires légers. Nikos raccompagnait ses derniers invités. De la cuisine, située juste au-dessous, provenaient d'autres bruits – l'eau des robinets, le tintement de la vaisselle, l'accent chantant du patois jamaïcain.

Sylvie posa ses pieds sur le tabouret en tapisserie, éprouvant une vague honte à l'idée qu'elle s'était laissé griser toute la soirée par ce concert de louanges.

Mais après tout, pourquoi pas? Elle le méritait.

Son regard erra dans la pièce douillette. Les dernières braises projetaient une lueur douce et seyante sur les objets. Oui, le salon était réussi. Aussi élégant qu'intime. Une combinaison difficile. Comme elle avait eu raison de choisir ce ton clair qui mettait en valeur les boiseries en acajou. On aurait dit un dessin de William Morris dans des tons d'argent pâle. Et pour remplacer les lourdes tentures de velours qui avaient un côté funéraire, elle avait acheté des rideaux jaune citron qui ensoleillaient toute la pièce. Et, ici et là, des tâches de couleur vive. Une armoire chinoise laquée rouge et un extraordinaire miroir Louis XV entre les deux fenêtres.

C'est moi qui ai fait tout cela, se dit-elle avec fierté. Oh Mama, comme j'aimerais que tu puisses le voir...

Dans la glace, Sylvie aperçut le reflet chatoyant et ambré d'une femme mince, vêtue d'une robe de la couleur des roses Nil bleu, les cheveux argentés retenus par deux peignes anciens en argent.

Elle contemplait sa propre image avec calme et même un certain recul, comme on étudie un portrait de soi. Et cet air de dignité, l'impression qu'elle donnait d'être parfaitement maîtresse d'elle-même, la frappa.

« Tu as pris ta décision, n'est-ce-pas? » murmura-t-elle en respirant l'odeur de tabac qui flottait encore.

Oui. Enfin. Elle savait maintenant de quelle manière elle désirait passer le reste de sa vie. Nikos s'impatientait. Il y avait trop longtemps qu'elle le faisait attendre. A présent, il fallait lui donner une réponse, même si cela impliquait des sacrifices.

Mais tout choix implique des sacrifices. Qui sait cela mieux que moi?

Elle repensa à cette nuit lointaine, à la fumée suffocante, à sa terreur, à ce choix terrible, si douloureux. Mais, heureusement, tout cela était enfin dépassé. Elle avait retrouvé son enfant, sa Rose. Elle avait tenu sa vraie fille dans ses bras. Et jamais plus elle ne serait séparée d'elle, enfin, pas complètement, même si celle-ci vivait à présent en Californie. Elle irait lui rendre visite, elle l'avait déjà fait une fois. Et le mariage aurait lieu cet été.

Nikos était rentré de Californie quinze jours auparavant. Il avait vu Rose. Il avait pris une quantité de photos et lui avait raconté leurs retrouvailles en détails. Tout ce qu'ils s'étaient dit, tout ce qu'ils avaient fait ensemble.

Libérée de son passé, Sylvie pouvait enfin regarder vers l'avenir et consacrer plus d'énergie à son travail.

Elle venait d'acheter une maison à Murray Hill, une vraie ruine, bien pire que celle-ci.

En ce moment, elle passait ses journées à arpenter des pièces jonchées de gravats, à superviser les livraisons de tuiles et de bardeaux, à marchander avec les entrepreneurs. Dès que le gros œuvre serait terminé, elle s'attaquerait à la partie qu'elle aimait vraiment – les touches finales, les détails qui changent tout. Chaque pièce, comme une toile vierge, attendait son coup de pinceau.

Comme c'était excitant! Elle commençait sa journée par une bonne tasse de café puis elle filait à D & D chercher des échantillons de papiers peints et de tissus. Ensuite, elle allait dans le Bowery pour les accessoires électriques ou se rendait dans l'immense entrepôt de Red Hook – une vraie mine d'or pour les décorateurs. On trouvait de tout là-dedans – des cheminées, des carreaux teintés, des portes anciennes à décaper...

Et, à la fin de la journée, l'attendait sa récompense : un bon bain chaud, un verre de sherry, un dîner tranquille. Et le meilleur de tout,

Nikos. Son ami, son amant, son associé. Il ferait un merveilleux mari mais...

Sylvie tressaillit en entendant la lourde porte coulisser sur son rail. « J'ai cru que tu dormais », lui dit Nikos de sa voix grave un peu rauque. Il l'embrassa sur la nuque. « Ma chérie... tu étais la plus belle, ce soir. »

Il s'assit en face d'elle. Il est beau dans ce smoking, se dit Sylvie, mais ça lui donne quelque chose de distant. On dirait un sénateur présidant le banquet d'une nouvelle fondation.

Nikos s'adossa à son fauteuil et se passa la main dans les cheveux. Puis il ouvrit sa veste, défit son nœud papillon et déboutonna sa chemise. Elle regardait son cou large et brun dans l'échancrure du col. Ah voilà, elle l'aimait mieux ainsi. C'était un terrien, un être de feu.

« Je crois que j'ai bu trop de champagne, dit-elle en riant.

— Eh bien, dans ce cas, il va falloir que je te mette au lit », répondit-il en souriant.

Sylvie sentit son cœur se serrer. « Non... pas ce soir, chéri... je dois rentrer. Demain matin, je me lève aux aurores. J'ai rendez-vous avec l'architecte à huit heures et demie puis je cours chez Philipp. J'ai repéré un linteau...

— Sylvie », l'interrompit Nikos. Il se pencha en avant, les coudes sur les genoux, le menton dans les mains. Il avait l'air soucieux. « Je ne suis peut-être pas l'homme le plus psychologue du monde mais je sais reconnaître un prétexte quand j'en entends un. Et tu m'as évité toute la semaine. Que se passe-t-il ? »

Sylvie regardait le feu et sentait la tristesse monter en elle. Mais sa décision était prise. Elle ne voulait plus dépendre de personne.

« Je ne veux pas t'épouser, Nikos, dit-elle doucement. Je ne vais pas continuer à te faire espérer. Ce ne serait pas bien. »

Nikos la regardait, pétrifié.

« Et l'ironie de tout ça, continua-t-elle, les yeux pleins de larmes, c'est que c'est toi qui m'a montré que je pouvais me débrouiller seule. Autrement, je ne l'aurais jamais imaginé. Mais maintenant... j'aime qu'on me demande mon avis. A la banque, par exemple... j'aime l'idée que si le toit menace de s'effondrer, je ne vais pas m'affoler mais prendre les choses en mains. En d'autres termes, j'aime me sentir responsable.

— Mais je ne te demande pas de soumission, répondit Nikos, les mains ouvertes en un geste de supplication. Seulement ton amour.

— Ça tu l'as, mon chéri et tu l'auras toujours.

— Alors, *pourquoi ?*

— Parce que... » Elle réfléchissait, cherchant les mots exacts. « ... Je me connais, si je t'épousais, je serais chaque jour un peu plus dépendante de toi, j'aurais de plus en plus de mal à prendre des décisions toute seule. Tu n'y peux rien, Nikos. C'est dans ma nature. Ma seule force est peut-être d'avoir conscience de ma faiblesse.

– Sylvie... » Lui aussi avait les yeux pleins de larmes. « C'est moi qui suis faible. Je ne peux pas vivre sans toi.

– Mais tu n'as pas à le faire. Je ne veux pas me marier, mais ça n'implique pas que nous devions cesser de nous voir.

– Peut-être pas... » Il soupira et se cala de nouveau dans son fauteuil. « Mais j'en aurai toujours envie. J'ai besoin d'une femme, Sylvie. La vie conjugale me manque. Je vieillis... Je suis trop vieux pour courir les filles, pour ne pas savoir dans quel lit je vais me réveiller le matin – le tien ou le mien. J'ai besoin de *toi*. Complètement. Pas à mi-temps.

– Nikos... mon chéri... Je comprends, mais je ne peux pas te donner ça. Tu as le plus important – mon cœur, mon amour. Mais le reste... c'est impossible. »

Elle se sentait étrangement calme parce qu'elle avait mûri sa décision. Après avoir attendu vainement que Nikos ajoute quelque chose, elle tendit une main vers lui.

Pendant un moment, un terrible moment, sa main resta ainsi, froide et lourde entre eux deux.

Allait-il la rejeter? Lui en vouloir? *Oh mon Dieu, faites qu'il ne m'en veuille pas! Je l'aime, j'ai tant besoin de lui...*

Enfin, les doigts tièdes et fermes de Nikos s'emparèrent des siens. Puis il se leva.

« Tu crois que tu as gagné, hein, petite obstinée? » Mais sous ses sourcils froncés, son regard était tendre.

« Gagné? Oh Nikos, je ne vois pas ça de cette façon. Ce que je veux dire, c'est que si je t'épousais, je ne serais plus la femme que tu aimes en ce moment.

– Bien sûr que si, je t'aimerai toujours. Et je ne renonce pas facilement, tu le sais. Pas quand je suis vraiment résolu.

– Mais Nikos... » Sylvie souriait. « Tu m'as déjà.

– Pour toujours?

– Pour ce soir, demain, après-demain et...

– Je vois. Dans ce cas, commençons tout de suite. Par cette nuit. Tu restes avec moi? »

Elle ne put s'empêcher de rire. Oh bon, elle pouvait jeter un *peu* de lest, non?

Alors il la prit dans ses bras et l'étreignit. Il la réchauffait et les pointes de son col dur lui chatouillaient le cou. Sylvie sourit intérieurement. Son cœur battait beaucoup trop vite. Oh oui, elle comprenait maintenant. Tous ces lendemains, Nikos les mettrait bout à bout et ainsi de suite jusqu'à la fin de leur vie.

« Bon... je pourrais peut-être décommander ce rendez-vous avec l'architecte demain matin », dit-elle. Elle voulait lui laisser croire qu'il l'avait influencée alors qu'elle l'avait déjà décidé.

« Et demain matin, tu prendras ton petit déjeuner avec moi, n'est-ce pas? J'ai besoin de ton avis, murmura-t-il. Tu sais ce petit coin de terre, derrière la maison, je me demandais si on ne pourrait pas y planter des rosiers. »

Remerciements

Écrire un roman, c'est vivre d'autres vies. C'est aussi pour cela que l'on écrit. Je tiens donc à remercier celles et ceux qui m'ont aidée à les vivre.

Fred Queller, avocat à la cour, pour m'avoir consacré un temps précieux, et communiqué les minutes de certains procès.

John Freedman, pour avoir relu minutieusement mon livre afin d'éviter toute erreur de droit.

Le Dr Paul Wilson, pour son aide déterminante concernant les passages médicaux du texte.

John Robinson, qui m'a fait bénéficier de son expérience au Vietnam où il fut, vingt ans plus tôt, lieutenant au 1er bataillon du 3e régiment de marines.

Ma chère amie Brenda Preston, dont la passion pour les roses me procure tant de plaisir depuis des années.

Susan Ginsburg, pour m'avoir constamment soutenue et guidée dans cette entreprise.

Pamela Dorman, mon éditeur chez Viking, pour m'avoir aidée à mettre la dernière touche à mon texte.

Et enfin, mon héros personnel, mon mari et agent littéraire Al Zuckerman. Sans lui, ce livre n'aurait pas trouvé sa consistance et n'aurait sans doute jamais été écrit.

IMPRIMÉ AUX ÉTATS-UNIS, 1990

ISBN 2-89149-427-X
ISBN : 2-234-021782